S0-BYA-122

PARADOSIS

Beiträge zur Geschichte der altchristlichen Literatur und Theologie

XXXII

BEGRÜNDET VON

OTHMAR PERLER

HERAUSGEGEBEN VON

DIRK VON DAMME – CHRISTOPH VON SCHÖNBORN –

OTTO WERMELINGER

1991

UNIVERSITÄTSVERLAG FREIBURG SCHWEIZ

KLAUS KOSCHORKE

SPUREN DER ALTEN LIEBE

Studien zum Kirchenbegriff des Basilius von Caesarea

1991
UNIVERSITÄTSVERLAG FREIBURG SCHWEIZ

Die Deutsche Bibliothek – CIP-Einheitsaufnahme

Koschorke, Klaus:
Spuren der alten Liebe: Studien zum Kirchenbegriff des Basilius von Caesarea / Klaus Koschorke. – Freiburg, Schweiz:
Univ.-Verl., 1991
(Paradosis; 32)
ISBN 3-7278-0771-7
NE: GT

Veröffentlicht mit der Unterstützung des Hochschulrates
der Universität Freiburg Schweiz

Paulusdruckerei Freiburg Schweiz

ISBN 3-7278-0771-7

INHALT

VORWORT

Zu den profiliertesten kirchlichen Persönlichkeiten des 4. Jh.s zählt zweifellos Basilius von Caesarea. Der Versuch, an seinem Beispiel der Frage nachzugehen, wie sich die Kirche des 4. Jh.s in ihrem Handeln und ekklesiologischer Theoriebildung den Herausforderungen einer gänzlich veränderten Situation gestellt hat, dürfte – so hoffe ich – nicht nur von historischem Interesse sein. Die vorliegenden Studien sind 1990 von der Evang.-theologischen Fakultät der Universität Bern als Habilitationsschrift angenommen worden. Für den Druck wurden sie geringfügig überarbeitet.

Zu danken habe ich den Gesprächspartnern, die das Entstehen dieser Arbeit mit kritischem Interesse begleitet haben, insbesondere meinem Freund und Lehrer Prof. A. Schindler (jetzt Zürich) sowie Prof. A.-M. Ritter (Heidelberg). Gutachten erstellten die Proff. A. Schindler, L. Vischer (Bern) sowie B. Studer (Rom); ihnen gilt mein Dank. Gerne habe ich die Einladung durch Prof. O. Wermelinger (Fribourg) angenommen, die vorliegende Untersuchung in der Reihe Paradosis zu veröffentlichen. Ein solcher Schritt sollte nicht nur als Ausdruck der erfreulicherweise wachsenden Selbstverständlichkeit eines ökumenischen Zugangs zur Alten Kirche verstanden werden, sondern auch als Zeichen der Verbundenheit gegenüber der Theologischen Fakultät der Universität Fribourg, die mich im Wintersemester 1987/88 als Gastprofessor berief. Frau stud.phil. Silvia Wurst hat die Druckvorlage und Teile des Registers erstellt; auch ihr gilt mein herzlicher Dank.

Gewidmet sei das Buch meiner Frau.

Bern, im August 1991

Klaus Koschorke

I. EINLEITUNG

1. Noch immer, so stellt A. M. RITTER in seinen Studien zum Charismaverständnis des Johannes Chrysostomus fest, handelt es sich bei der Ekklesiologie der griechischen Reichskirche des 4. Jahrhunderts um ein »merkwürdig wenig erforschte(s)« Gebiet patristischer Arbeit[1]; und man darf dies fehlende Interesse sicherlich in Zusammenhang bringen mit dem Umstand, dass man zumindest in der patristischen Forschung protestantischer Prägung entscheidende Fragen vorschnell für gelöst gehalten hat. A. v. HARNACK kann hier als Sprecher eines sei es von ihm begründeten, sei es erst durch ihn formulierten Konsensus gelten. In seiner Dogmengeschichte behandelt er das Kirchenverständnis der griechischen Reichskirche relativ kurz: er setzt ein mit einer Paraphrase der 18. Katechese des Kyrill von Jerusalem (gest. 386), stellt fest, dass hier die Gleichsetzung von empirischer und geistiger Gemeinschaft vollzogen sei, und verallgemeinert dann diesen Befund: »Diese Aussagen Cyrill's über die Kirche enthalten die Quintessenz dessen, was die Griechen allezeit[2] von der Kirche ausgesagt haben. Sie haben sie mit allen denkbaren Prädicaten, unter Anwendung der alttestamentlichen Aussagen über das Volk Israel geschmückt. Sie haben sie als die Gemeinschaft des Glaubens und der Tugend verherrlicht und sind in der katechetischen und homiletischen Unterweisung in der Regel bei dieser Bezeichnung stehen geblieben«[3]. – Nicht wesentlich anders sieht das Bild aus, das etwa P.-Th. CAMELOT in seinem Beitrag zum »Handbuch der Dogmengeschichte« – einer für den katholischen Raum repräsentativen Darstellung also – zeichnet. Auch er begnügt sich bei der Darstellung der »griechischen(n) Ekklesiologie im 4. und 5. Jahrhundert« mit wenigen Seiten; auch er setzt ein mit einer ausführlicheren Wiedergabe der 18. Katechese des Kyrill von Jerusalem (sowie einer Katechese des Theodor von Mopsuestia); auch er hält dies Beispiel für im wesentlichen erschöpfend: »Man würde nicht viel mehr finden, wenn man die Werke der Schriftsteller des 4. und 5. Jahrhunderts durchginge ... (D)iese flüchtigen, wenn auch noch so reichhaltigen Anspielungen an das Mysterium der Kirche geben eine theologische Reflexion wieder, die kaum weiter vorangetrieben ist als bei Origenes; es handelt sich um eine symbolische ... Theologie, die wenig über die

[1] RITTER Charisma 17
[2] Hervorhebung vom Vf.
[3] HARNACK DG II,111.

Strukturen der Kirche nachdenkt«[4]. – Wenig Überraschendes findet sich auch bei J. N. D. KELLY (um eine Stimme aus dem anglikanischen Bereich heranzuziehen). Auch er leitet in seinem Standardwerk »Early Christian Doctrines« die Darstellung der Ekklesiologie des Ostens ein mit einer Paraphrase der 18. Katechese des Kyrill; auch er interpretiert in folgender Weise: »These are time-honoured commonplaces; it is plain that Cyril had scarcely pondered the problems involved in the Church's existence. We note in particular the absence of any discussion either of its hierarchical structure, so prominent in Cyprian a full century before, or of the relation between the outward, empirical society and the invisible community of the elect – a theme which was later to absorb Augustine. Meagre and superficial though it was, however, it is Cyril's theology, with minor embellishments, which the other Greek fathers reproduce«[5]. – Auch die jüngste Übersicht über die »Ekklesiologie im vierten Jahrhundert« – der im übrigen sehr differenzierte und kenntnisreiche TRE-Artikel von G. MAY – beschreitet mittlerweile bekannte Wege. Auch MAY verzichtet nicht auf die im Anschluss an HARNACK anscheinend obligatorisch gewordene Paraphrase der 18. Katechese des Kyrill von Jerusalem, auch sein Urteil lautet: »Im Osten wird die Ekklesiologie über den im 3. Jahrhundert erreichten Stand hinaus kaum systematisch weiterentwickelt.«[6]

2. Problematik und die weitreichenden Implikationen eines solchen Urteils sind unmittelbar einsichtig, wenn man es in Beziehung setzt zur veränderten Situation der Kirche im 4. Jahrhundert. Das vierte Jahrhundert war ja die Zeit eines tiefgreifenden Umbruchs: es erlebte nicht nur die radikale Kehrtwende der kaiserlichen Religionspolitik und die staatliche Förderung und Privilegierung der zuvor verfolgten Kirche, sondern sah auch – teils bedingt, teils aber auch ganz unabhängig von der durch Konstantin eingeleiteten Wende – den Übergang der Kirche von einer Minderheit zur Mehrheitsreligion im römischen Reich. Und dieser Umbruch betraf nicht nur die veränderte Stellung der Kirche in den gesellschaftlichen und politischen Strukturen des Reiches, sondern hatte zugleich unmittelbare Auswirkungen auf vielfältige Bereiche des

[4] CAMELOT Kirche 32.34.
[5] KELLY Doctrines 401f.
[6] MAY TRE XVIII,223f. – Bei MAY Hinweise auf wichtige neuere Arbeiten zur östlichen Ekklesiologie im 4. und 5. Jh.

innergemeindlichen Lebens. Demgegenüber läuft nun das Votum HARNACKs (und der ihm folgenden Stimmen) auf die Feststellung hinaus, dass die Ekklesiologie der östlichen Kirchen von diesem fundamentalen Umbruch mehr oder minder unberührt geblieben sei. Statt dessen habe sie sich – so die im einzelnen vielfach variierte Annahme – im wesentlichen begnügt mit der Reproduktion eines Kirchenbildes, das unter anderen Bedingungen formuliert worden war und sich in erster Linie auf die Wiedergabe der Symbole der biblischen Überlieferung beschränkte. Zugleich habe sie es – anders als die Ekklesiologie der Westkirche (und insbesondere eines Augustin) – nicht verstanden, den veränderten Realitäten der Kirche im christlich gewordenen Imperium Rechnung zu tragen.

Nun ist es sicherlich zutreffend, dass der Vorgang ekklesiologischer Theoriebildung in den Kirchen beider Reichshälften unterschiedlich verlief. Dies schon darum, da es im Osten eben nicht, anders als im Westen, Auseinandersetzungen nach Art der donatistischen Kontroverse gab, die unmittelbar den Begriff der Kirche zum Gegenstand hatte und die Kontrahenten zur Formulierung und ausführlichen Begründung ihrer Prämissen nötigte (und damit wie v.a. im Fall des augustinischen Entwurfs die künftige Diskussion nachhaltig bestimmen sollte). Insofern fehlte im Orient in der Tat – wie von G. MAY hervorgehoben – »die äußere Nötigung, eine umfassende Lehre von der Kirche zu schaffen«[7]. Aber die Kirchen des Ostens waren doch mit den gleichen Entwicklungen und Problemen konfrontiert wie die des Westens, die Frage, was Christsein in der gegenwärtigen Situation bedeutete – nun, da die Mauern gefallen waren, die einst Kirche und Welt getrennt hatten – , stellte sich hier wie dort mit gleicher Dringlichkeit. Und wenn auch die Fragen im Einzelfall sehr unterschiedlich artikuliert und die Antworten konträr (oder eben auch gar nicht) gegeben worden sein mögen, so leitet sich daraus nichts anderes ab als die Notwendigkeit, diesen vielfältigen Stimmen Gehör zu erschaffen und nach den unterschiedlichen Artikulationen dieses veränderten kirchlichen Bewusstseins zu fragen.

3. Zu den Männern, die sehr sensibel auf die neue Situation der Kirche reagiert und sich der Frage nach den Konturen des Christlichen in einem

[7] MAY TRE XVIII,223.

zunehmend volkskirchlich strukturierten Umfeld bewusst gestellt haben, gehört zweifellos Basilius von Caesarea (329/30 – 379). Nun zählt Basilius ohnehin zu den herausragenden Persönlichkeiten der Kirche des 4. Jahrhunderts, profiliert nicht nur als Theologe und führender Kopf der nizänischen Kräfte des Orients, sondern ausgewiesen auch als Kirchenpolitiker sowie (im Unterschied etwa zu seinem Bruder Gregor von Nyssa) »erfahren in den kirchenpolitischen Dingen«[8]. Jedenfalls hat er auf vielfältigen Feldern des kirchlichen Lebens wichtige Impulse gegeben. Seine anhaltende Bedeutung bis in die Gegenwart und für das aktuelle ökumenische Gespräch ist schon rein äusserlich an den zahlreichen Veranstaltungen des Jahres 1979 und 1981 (1600. Wiederkehr seines Todesjahres sowie des Konzils zu Konstantinopel) ablesbar[9]. Nun zählt es zu den Eigentümlichkeiten seines Lebens, dass er z.T. sehr weitreichende Wirkungen auch dort ausgelöst hat, wo dies gar nicht seiner eigenen Programmatik entsprach. Umgekehrt hätte er manchen Ehrentitel, den die spätere Tradition für ihn bereithielt, für sich selbst kaum so gelten lassen – den des »Vaters des griechischen Mönchtums« beispielsweise. Denn so wichtige Impulse für die spätere Entwicklung des Mönchtums erst in Kleinasien und dann im gesamten Orient von seinem Wirken auch ausgegangen sind – ihm selbst ging es vor allem andern um eine am Evangelium orientierte Reform der Kirche. In der langen Reihe derer, die einer als ungenügend empfundenen Gegenwart das Bild der Urgemeinde entgegengehalten haben, kommt ihm ein prominenter Platz zu (so wie sich umgekehrt sein Kirchenverständnis wie das

[8] Eben dies spricht Basilius seinem Bruder ab: ep. 215:16f; cf. DANIÉLOU VigChr 19 (1965) 32ff; BALAS TRE XIV,174. Im unterschiedlichen Bezug zur kirchlichen Praxis (und dem korrespondierenden Kirchenbegriff) dürfte wohl einer der markantesten Unterschiede zwischen den gemeinhin als Einheit zusammengefassten »grossen Kappadoziern« liegen.

[9] Überblick über Gedenkveranstaltungen zum 1600. Todesjahr des Basilius bei FEDWICK (Hg.), Symposium I, XLIV. Publiziert liegen vor die Beiträge zu den Symposien v.a. von Toronto (hg. von J. P. FEDWICK), Messina (Basilio di Cesarea: la sua età, la sua opera e il Basilianesimo in Sicilia. Vol. I/II, Messina 1983) und Regensburg (hg. von A. RAUCH/P. IMHOF); die Zeitschriften Kleronomia 13 (1981); Nicolaus 8 (1980); Word and Spirit 1 (1979); Theologia 50 (1979); Ortodoxia 31 (1979); Irénikon 53 (1980) enthalten Beiträge weiterer Veranstaltungen. – Mit den Gedenkfeiern 1981 und der Besinnung auf »Die ökumenische Bedeutung des ersten Konzils von Konstantinopel (381)« (so der Titel der gemeinsamen Erklärung des Arbeitskreises evangelischer und katholischer Theologen, in: LEHMANN/PANNENBERG Glaubensbekenntnis 120ff) stand zugleich der Beitrag des Basilius zur Formulierung des trinitarischen Dogmas zur Diskussion; s. aaO den Beitrag von HAUSCHILD Konsensusbildung. Zu beachten auch: L. CIGNELLI, Studi basiliani sul rapporto »Padre – Figlio«, Jerusalem 1982.

anderer Reformer an diesem für urgemeindlich gehaltenen Bild ablesen lässt). Sein Rekurs auf das urgemeindliche Ideal unter den Bedingungen der Reichskirche konfrontiert uns mit einem Experiment, wie es in dieser Form im Bereich der alten Kirche ohne Analogie ist.

4. Die vorliegende Studie beabsichtigt nicht eine erschöpfende Darstellung der vielfältigen Aspekte des Kirchenbegriffs des Basilius[10]. Vielmehr sucht sie kirchliches Handeln und Selbstverständnis des kappadozischen Bischofs zu beschreiben und innerhalb zweier sich überlagernder Spannungsfelder zu analysieren. Einmal der Spannung von institutionellem Aspekt und pneumatischer Dimension seines Kirchenverständnisses – sofern er einerseits die vorfindliche Kirche stets am Kriterium ihrer Entsprechung zum Bild des Leibes Christi misst (mit dem Ergebnis einer einzigartigen

[10] Zum Kirchenbegriff des Basilius liegen zahlreiche verstreute Beiträge vor, die zumeist bestimmte Einzelaspekte (wie etwa das Verhältnis zu Rom) zum Gegenstand haben (und in dieser Studie an entsprechender Stelle verhandelt werden). – Unter den monographischen Abhandlungen gibt eigentlich nur FEDWICKs Studie (»The Church and the Charisma of Leadership in Basil of Caesarea«, 1979) weiterführende Impulse. P. SCAZZOSOs posthum veröffentlichte »Introduzione alla ecclesiologia di san Basilio« (1975) ist an den pneumatologischen und eucharistischen Aspekten seines Kirchenverständnisses interessiert; in einer Rezension hebt GRIBOMONT (RHE 72, 1977, 529) den unkritischen Umgang mit nicht authentischen Texten des Basilius sowie die unterschiedslose Einbeziehung der beiden Gregore hervor. I. KARMIRIS, Ἡ ἐκκλησιολογία τοῦ Μεγάλου Βασιλείου (Athen 1958) ist nicht historisch orientiert und zeigt die Problematik einer vorgegebenen Systematik; L. MELLIS »Die ekklesiologischen Vorstellungen des hl. Basilius des Grossen« (1973) beschränkt sich in polemisch verkürzender Weise auf das Thema Basilius und römischer Primat. – Die wichtigsten Hinweise zum Kirchenverständnis des Basilius finden sich in Untersuchungen, die jeweils ein bestimmtes Feld seines Wirkens thematisieren. H. Frh. v. CAMPENHAUSEN (GKV) und L. VISCHER (Basilius) betonen die monastische Grundkomponente bei dem Kappadozier; im Anschluss an die Arbeiten von J. GRIBOMONT lässt sich dieser Ansatz noch sehr viel weiter verfolgen. H. DÖRRIES behandelt in seiner klassischen Studie über De Spiritu Sancto nicht nur das Werden der basilianischen Lehre vom Hl. Geist, sondern zugleich auch die Spiritualität der Kirche in der Sicht des Basilius; nach den ekklesiologischen Implikationen des Vorgangs theologischer Lehrbildung im Blick auf Basilius und sein Umfeld fragt W.-D. HAUSCHILD in verschiedenen Einzelbeiträgen. Den sozialen Erfahrungen von »Gemeinschaft« bei Basilius gilt das Interesse der (zu Unrecht) wenig beachteten Dissertation von T. R. O'CONNOR; einen Zugang vom Charismenverständnis des Kappadoziers her gewinnen J. P. FEDWICK (Church) und A. M. RITTER (Basileios). Auch wo sie Basilius nicht direkt berühren, geben die zahlreichen Arbeiten von G. KRETSCHMAR, die jeweils die Veränderungen im Leben der Gemeinden und v.a. den Umbruch der kirchlichen Strukturen im 4. Jh. auf die zugrundeliegenden ekklesiologischen Prämissen befragen, wichtige Anstösse.

Kirchenkritik) und andererseits die Kirche als pneumatischer Organismus für Basilius stets nach Versichtbarung in sozialen Stukturen verlangt (dazu vor allem cap. II und X.2.3). Das andere ist die für Basilius so charakteristische Gegenläufigkeit von kirchlichem Öffentlichkeitsanspruch (welcher der Universalität des Heilswillens Gottes entspricht) und dem (allein an der ungeteilten Gehorsamsforderung des Evangeliums ausgerichteten) Ringen um christliche Identität. Diese Spannung tritt institutionell im Gegenüber von Kirche und Mönchtum in Erscheinung, deren Einheit Basilius behauptet (cap. III), deren faktisches Auseinandertreten er aber zu konstatieren hat (cap. X.1); sie ist zugleich für die Diskussion der verschiedenen Felder kirchlichen Handelns und Lebens (cap. IV – IX) von grundlegender Bedeutung.

II. ZUGÄNGE

A. KIRCHENKRITIK

1. Neben Athanasius von Alexandrien ist Basilius von Caesarea die einzige führende kirchliche Persönlichkeit, der schon das 4. Jahrhundert den Beinamen »der Grosse« verliehen hat[1]. Schon zu Lebzeiten den Zeitgenossen als Vorbild der Vollkommenheit hingestellt[2], nach seinem Tod als Lehrer der Christenheit und Erleuchter der Ökumene gefeiert[3], hat ihm die Kirche als

[1] So schon zu Lebzeiten: so durch Greg.Naz.ep. 25,2 (GCS 53,24) i.J. 370/373 (τὸν μέγαν Βασίλειον) oder den in Greg.Naz.ep. 58,7 (GCS 53,53,4f) zitierten Mönch, der die Geistlehre des »grossen Basilius« kritisiert (cf. DÖRRIES DSS 23f). KUSTAS kommentiert: »Except for a few instances of self-evaluation as in the case of Pompey and the Emperor Caracalla, antiquity had not assigned the epithet to any living person« (Rhetorical Tradition 222; cf. SPRANGER Saec. 9, 1958, 22–58; doch s. etwa Greg.Naz.ep. 70). – Eine moderne kritische *Biographie* zu Basilius fehlt. Verwiesen sei vorläufig auf den knappen Abriss bei HAUSCHILD TRE V,301–313 (1980). Schon wegen ihrer Materialfülle in vielem immer noch unentbehrlich die klassischen Untersuchungen von L. S. Lenain de TILLEMONT (Mémoires Bd IX) von 1703 und P. MARAN (Vita S. Basilii Magni) von 1730 (abgedruckt in PG 29,V–CLXXVII). Die aktuelle Diskussion zur Chronologie ist bestimmt u.a. durch die Voten von J. GRIBOMONT (In tomos 29–32; Notes biographiques; etc.), J. BERNARDI (Prédication; zu den Homilien), W.-D. HAUSCHILD (Briefe II,9ff; I,1ff; TRE V,301ff) und P.-J. FEDWICK (Church 133ff; Chronology 3ff). Zu einem wichtigen biographischen Detail (Todesdatum) s. jüngst P. MARAVAL (REAug 34, 1988, 39–46; cf. BOOTH Phoenix 35, 1981, 252ff), der anstelle der traditionellen Datierung (1.1.379) für September 377 plädiert; kritisch dazu: HAUSCHILD Briefe I,22,50. – Eine ausführliche *Bibliographie* ist jeweils zu finden bei: FEDWICK Church 174–202 (1979); ders. Symposium II,627–699 (1981); ders. Bibliography 3–19 (1983); FELLECHNER Askese II, 224–273 (1979); HAUSCHILD TRE V,312f (1980); PATRUCCO Lettere I,9–17 (1983); GAIN Correspondance XV–XXIX (1985); Bibliographie von J. GRIBOMONT (in: Mémorial Gribomont 11–56 [1988]); sowie in der laufenden Bibliographierung in der RHE; cf. etwa auch die entsprechenden Hinweise in der Bibliographie zu Gregor von Nyssa von ALTENBURGER/MANN (1988). Zur Erschliessung der griechischsprachigen Literatur zu Basilius hilfreich: BONIS Basileios 172–181 (1975).

[2] Greg.Nyss.virg.praef. (GNO VIII/1,248,24ff); cf. STAATS VigChr 39 (1985) 228ff.

[3] Greg.Nyss.laud.Bas. 12 (STEIN 26,4ff); Greg.Naz.orat. 43,70,4; 66,4ff (BOULENGER 210.198ff); Theodor.h.e. IV,19,1 (GCS 44,243,1): ὁ τῆς οἰκουμένης φωστήρ; IV,19,12 (aaO 245,7): ὁ διδάσκαλος τῆς οἰκουμένης. – Zum *Basilius-Bild* der Folgezeit cf. DAVIDS Hagiografie (Trauerreden der beiden Gregore); BARRINGER Theol. (A) 51 (1980) 49–61; ZETTERSTÉEN OrChr 30 (1933) 67ff (zur ps.-amphilochianischen Basilius-Vita); DE JERPHANION Byz. 6 (1931), 535–558 (»Peintures cappadociennes«); FITZGERALD Iconography 533ff (offizielle und populäre B.-Darstellungen bis ins 20. Jh); HECKEL Kl. 13 (1981) 63ff (»Hagiographie der evangelischen Kirche«). – Zur Überlieferung (und Rezeption) seiner Werke s.

Verfechter des nizänischen Glaubens, Vorstreiter der kirchlichen Einheit, Vater des griechischen Mönchtums und Prediger, Theologen und Kirchenpolitiker von hohen Gnaden enthusiastische Verehrung gezollt. Seine Zeit galt späteren Generationen als eine goldene Ära, auf die sie nostalgisch zurückblicken.

In eigentümlichem Kontrast zu den verklärenden Rückblicken späterer Zeiten steht das Bild, das Basilius selbst von der Kirche seiner Zeit zeichnet. Es ist mit dunklen Farben gemalt; die kirchenkritischen Äusserungen des Basilius zählen zu den schärfsten, die uns aus dem Bereich der alten Kirche erhalten sind. Basilius hat sein Urteil bereits in einer der frühesten Schriften, die wir von ihm besitzen, ausgesprochen, noch vor Beginn seiner kirchenamtlichen Tätigkeit[4]. Bereits der Titel dieser 360 oder 361 verfassten Schrift ist signifikant: *De Iudicio Dei* – Vom Gericht Gottes[5]. Gemeint ist das Gericht, das Gott über die Christenheit seiner Zeit verhängt hat und das in dem völlig zerrütteten Zustand der Kirche für jedermann offen zutage tritt. Denn – so gibt Basilius seine Eindrücke aus ausgehnten Reisen wieder, die ihn von Griechenland bis nach Ägypten geführt und das kirchliche Parteienwesen gegen Ende der Konstantiuszeit hatten kennenlernen lassen – überall sonst habe er wohlgeordnete Verhältnisse angetroffen; »allein aber in der Kirche Gottes, für die Christus gestorben ist und über die er den Hl. Geist reichlich ausgegossen hat«, habe er unvergleichliche Zerstrittenheit, »Anarchie« und Kampf aller gegen alle ausgemacht. Er habe dann – so fährt Basilius fort – nach der »Ursache« dieses Übels geforscht und als Grund den allgemeinen Abfall vom Willen Gottes erkannt; denn überall trete in der Kirche menschliche Eigenmächtigkeit an die Stelle des Gehorsams gegenüber den Geboten Christi. Dies Urteil gilt zunächst im Blick auf die »Vielen«, die Masse des Kirchenvolkes also, das untereinander zerstritten sei und aufsässig gegenüber den Geboten Gottes. Schlimmer noch: es trifft zu insbesondere für die Vorsteher der Kirche,

vorläufig die Hinweise bei HAUSCHILD TRE V,311ff (zur Wirkungsgeschichte); GAIN Correspondance XI,11 (Lit.); FEDWICK Translations 439–512 (»The Translations of the Works of Basil Before 1400«); Vol. II der Akten des Symposiums zu Toronto (»The Tradition«) und Messina (»Il basilianesimo in Sicilia«); WRIGHT Reformers 1149ff (»Basil the Great in Protestant Reformers«); BACKUS Observations 85ff (»versions latines 'protestantes' [1540] des 'Ascétiques' de s. Basile«). – P. J. FEDWICK hat angekündigt: »Basil of Caesarea. A Critical Survey of the Direct and Indirect Tradition of His Works. Manuscripts, Translations, Early References, Editions and Studies« (6 Bde).– Cf. unten, p. 71,60.

[4] 360/361 hatte Basilius kaum mehr als den Rang eines Lektors, als den ihn Dianius geweiht hatte (DSS XXIX,71:31ff). Cf. TILLEMONT Mémoires IX,67; KOPECEK Neo-Arianism II,300,1; FEDWICK Chronology 7.

[5] 31,653a–676c.

»die einander in Urteil und Meinung derart widersprechen, sich dermassen in Gegensatz zu den Geboten unseres Herrn Jesus Christus stellen, erbarmungslos die Kirche Gottes zerreissen und ohne Scheu seine Herde verwirren«, dass das Umsichgreifen der Häresie nicht verwundert und in ihnen sichtlich das Pauluswort in Erfüllung gegangen ist: »Aus eurer Mitte werden Männer aufstehen, die Verkehrtes reden, um die Jünger hinter sich herzuziehen« (Act 20,30). Endlich schliesst dies Verdikt die menschlichen Satzungen ein, jene »langdauernde Gewohnheit der Menschen«, die in der Kirche an die Stelle des Wortes Gottes getreten sei und – wie etwa das kirchliche Bussinstitut, das mit seiner Unterscheidung leichter und schwerer Sünden in Widerspruch zur ungeteilten Gehorsamsforderung des Evangeliums stehe – auf das Leben der Gläubigen einen verheerenden Einfluss ausübe. Jedenfalls ist das von Basilius gezogene Resümee deprimierend: »ein jeder« in der Kirche ist von der Lehre Jesu Christi abgefallen; praktischer Atheismus hat sich breitgemacht[6], der Geist ist geschwunden; Gott hat die Kirche – »da wir uns der Hilfe des Herrn unwürdig gemacht haben« – verlassen; von dem, was die Kirche als Leib Christi auszeichnet, ist in der Gegenwart kaum mehr etwas anzutreffen. Darum wäre es – so sagt Basilius – »wo weder Eintracht besteht noch das Band des Friedens bewahrt wird noch die Demut im Geiste beachtet wird ..., Zeichen grosser Vermessenheit, solche Leute Glieder Christi zu nennen«. Das also ist – in seiner ersten öffentlichen Äusserung – das Urteil des Basilius über die Kirche seiner Zeit: sie ist nicht mehr Leib Christi.

Dies Urteil ist keine einmalige Feststellung geblieben[7], Basilius hat sich in diesem Sinn immer wieder ausgesprochen, auch später, als er Bischof von Caesarea und damit Metropolit der Provinz Kappadozien und zugleich führender Repräsentant der Nizäner Kleinasiens geworden war. Das Urteil seiner späteren Äusserungen lautet ganz ähnlich, ob er nun auf den trostlosen sittlichen Zustand des Christenvolkes schaut, die Korrumpierung des Klerus anprangert, den Zerfall der kanonischen Ordnung beklagt oder das kirchliche Parteienwesen, den beständigen Terrainverlust an die homöisch-arianische Häresie und die innere Zerrissenheit des »gesunden« Christenteils ins Auge fasst. Gleichsam als cantus firmus begleitet die Klage über den desolaten Zustand des Christenvolkes und die καταστροφὴ τῶν Ἐκκλησιῶν Reden und Handeln des Basilius. Dabei ist es weniger die einzelne Äusserung als vielmehr die

[6] Iudic. 2 (31,656c).

[7] Das zeigt sich schon daran, dass Basilius später De Iudicio Dei unverändert seiner Sammlung asketischer Schriften (der Hypotyposis ascetica) als Vorwort vorangestellt hat (s. prol. VI ap. GRIBOMONT Histoire 280,20ff).

Konstanz dieses Motivs in unterschiedlichen Zeugnisgruppen, verschiedenartigen Sachzusammenhängen und gegenüber vielfältigen Adressaten, welche die Tragweite dieser Kritik und ihre Bedeutung für das Kirchenverständnis des Basilius erkennen lassen. Dies sei an weiteren Beispielen illustriert.

2. De Iudicio Dei (und die sich anschliessenden Moralia) wenden sich an die »ganze« Christenheit, die sie zu ungeteiltem Gehorsam gegenüber den Geboten des Herrn auffordern. Die gleiche Forderung richten die Bestimmungen des *Asceticon* (die sog. Mönchsregeln) an die asketischen Bruderschaften des Basilius, hier wie dort fällt auf das Christentum der Menge ein ungünstiges Licht. Dass die landläufige Moral der »Masse der Christen«, die sich mit der Befolgung einiger weniger Gebote meinen begnügen zu können, gänzlich »ohne Nutzen« sei, stellt Basilius in dem einleitenden Prolog IV fest[8]; und ein Leben ausserhalb der monastischen Kommunität kann ihm darum als ein Leben inmitten derer gelten, »die ohne Furcht und voller Verachtung der genauen Beachtung der Gebote gegenüberstehen«[9]. Damit wird zwar keineswegs das Leben der Mönche zum alleinigen oder auch nur zum höherrangigen Heilsweg erkärt, da sich für Basilius der eine erlösende und fordernde Wille Gottes an alle Menschen richtet. Aber de facto ist es – angesichts eines inzwischen weitgehend volkskirchlich geprägten Umfeldes[10] – doch »nicht die Menge, die gerettet wird, sondern die Erwählten Gottes«, weshalb Basilius das Beispiel des einen Lot inmitten der Sodomiten heranzieht, um den Stand derer zu beleuchten, die inmitten der Masse nur nomineller Christen die vita christiana verwirklichen[11]. Gerade beiläufige Bemerkungen zeigen die Schärfe seines Urteils. So wenn Basilius in RB 31 (AscP) das Verbot des »Lachens« nicht etwa – wie in der späteren monastischen Literatur[12] – vom Ideal der ἀπάθεια her zu begründen sucht, sondern vom aktuellen Zustand der Christenheit her für geboten hält. Denn »inmitten einer so grossen Anzahl von Menschen, die Gott durch die Übertretung des Gesetzes entehren und in ihrer Sünde dem Tod verfallen«, sei nicht Lachen, sondern Wehklagen das Gebot der Stunde.

3. Im Asceticon wird das Urteil über die verkommene Christenheit aus dem Blickwinkel der mönchischen Kommunität ausgesprochen. In can. 84

[8] prol. IV,3 (31,893cd).
[9] RF 6,1 (AscP/31,925a).
[10] S. unten pp. 97ff.
[11] So der an Mönche gerichtete Brief 257(,2:14ff).
[12] Zum »Lachen im alten Mönchtum« cf. STEIDLE BenM 20 (1938) 271–280; ADKIN Orpheus 6 (1985) 149–152; RESNIK RBen 97 (1987) 90–100.

geschieht dies im Kontext der *kirchlichen Bussdisziplin*. Can. 84 schliesst den 3. (später sogenannten) kanonischen Brief des Basilius an Amphilochius von Ikonium (ep. 217) aus dem Jahr 375 ab und stellt zugleich so etwas wie das Schlusswort des Basilius[13] zu den vorangegangenen kanonischen Einzelbestimmungen dar. Zugleich begründet can. 84, warum Basilius auch unter den veränderten Bedingungen des Massenchristentums im 4. Jahrhundert an der traditionellen kirchlichen Bussordnung – mit ihren rigorosen Strafbestimmungen – festhält. Denn wer sich – so die in can. 84 gegebene Begründung – beharrlich der Aufforderung zur Busse verschliesst, wer »lieber den Lüsten des Fleisches als dem Herrn dienen will« und von seinen alten Gewohnheiten nicht abzulassen bereit ist, mit dem gibt es keine Gemeinsamkeit mehr: οὐδεὶς ἡμῖν πρὸς αὐτοὺς κοινὸς λόγος. Dabei denkt Basilius nicht nur an den einzelnen bussunwilligen Delinquenten, sondern hat – wie der allgemeine Verweis auf »jene, die den Namen Christi tragen« erkennen lässt - das Christenvolk in seiner überwiegenden Mehrheit im Auge. Es wird in Aufnahme der Sodomstypologie mit dem λαὸς ἀπειθὴς καὶ ἀντιλέγων identifiziert, über dem sichtbar das Gericht Gottes stehe, wie etwa die jüngsten Barbareneinfälle[14] zeigen. »Denn wenn uns noch nicht einmal die furchtbaren Strafen Gottes belehrt und selbst solche Schläge uns nicht zum Bewusstsein gebracht haben, dass uns der Herr wegen der Gesetzlosigkeit verlassen und den Händen der Barbaren ausgeliefert hat ... weil die, die den Namen Christi tragen, derartige Dinge zu tun wagten; wenn sie nicht erkannt und begriffen haben, dass deshalb über uns der Zorn Gottes gekommen ist: was haben wir dann noch mit ihnen gemein (τίς ἡμῖν κοινὸς πρὸς τούτους λόγος)?« Inmitten dieses Sodomsvolkes blosser Namenschristen gilt darum für den, der nach der Norm des »Evangeliums« zu leben gewillt ist, die Weisung Gen 19,17: »Rette deine eigene Seele!« Da weitere Gemeinschaft mit jenen nur den gemeinsamen Untergang (συναπόλλυσθαι) bedeuten würde, ist ihnen gegenüber eine klare Grenze zu ziehen. Wohl muss man ihnen »nachts und tags, öffentlich wie privatim« den Willen Gottes ausrichten. Doch geht es nicht an, »zusammen mit ihrer Schlechtigkeit ins Verderben gerissen zu werden«.

4. Das wichtigste dogmatische Werk des Basilius und zugleich sein theologisches Vermächtnis[15] ist die Schrift *De Spiritu Sancto*, drei Jahre nach dem Bruch mit Eustathius verfasst (375). Den kirchlichen Hintergrund, auf dem sie zu verstehen ist, schildert das Schlusskapitel *(cap. XXX)*; mit Recht hat

[13] Zu can. 84 cf. unten pp. 178ff (.166ff).
[14] Zur Identifizierung dieser Barbaren cf. p. 105,49.
[15] Cf. DSS XXX,79:25ff.

DÖRRIES den Einstiegspunkt seiner klassischen Interpretation dieses Werkes bei dieser Lageschilderung gewählt[16]. Der »gegenwärtige Zustand der Kirchen«, so Basilius, gleicht einem Nachtgefecht auf hoher See, wo der Sturm die Schiffe durcheinanderwirbelt, dichte Finsternis jegliche Orientierung verunmöglicht und »keine Unterscheidung von Freund und Feind mehr möglich ist«. Zudem Chaos und Verwirrung auf den einzelnen Schiffen: die Stimme des Steuermanns ist im Kampfeslärm und Meeresbrausen nicht zu hören; dazu Aufruhr in der Mannschaft selber; während das Schiff bereits sinkt, ist der Streit um den Vorrang noch im vollen Gang. Genauso, fährt Basilius fort, steht es mit der Kirche. Die klare Front, wie sie einst im Streit mit den Arianern zu bestehen schien, hat sich aufgelöst; jetzt wird an vielen Stellen gekämpft. Ist ein Feind erledigt, so fallen die bisherigen Kampfesgenossen übereinander her. Die Konturen der Kirche sind gänzlich verwischt; »nur soweit haben wir untereinander Gemeinschaft, als wir gemeinsam die Gegner hassen; sind aber die Feinde verschwunden, betrachten wir einander als Feinde«. »Dies Wanken der Kirchen, ist es nicht heftiger als alle Meereswogen? Jede von den Vätern gesetzte Grenze ist darin verrückt, jedes Fundament, jede Stütze der Lehren ist erschüttert. Alles löst sich auf und schwankt, da auf morschem Boden errichtet«. Finstere Nacht liegt über der Kirche, die Leuchten der Kirche sind verbannt; und wo sich die Stimme der Wahrheit erhebt, findet sie kein Gehör. Denn jeder will Theologe sein, keiner sich belehren lassen; Unwürdige reissen den kirchlichen Vorsitz an sich; nur wer den Menschen nach Gefallen redet, wird vernommen. Angesichts dieser Lage der Kirche, in der das Wort der Wahrheit nicht mehr auf Gehör rechnen kann, gibt es eigentlich nur eine Konsequenz, die des S c h w e i g e n s. »Deshalb hielt ich das Schweigen für angebrachter als das Reden, da keines Menschen Stimme durch solchen Lärm durchzudringen vermag. ... Mich bindet auch jenes Prophetenwort: 'In jener Zeit wird der Verständige schweigen, denn es ist eine böse Zeit'«. Solches Schweigen, wie Basilius es drei Jahre lang gegen Eustathius bewahrt hat[17], ist im Sinn des Basilius keine Frage des taktischen Verhaltens, sondern eine eminent ekklesiologische Kategorie; denn wenn in der Kirche Erbauung durch das belehrende und heilende Wort geschieht, so signalisiert das Ausbleiben dieses Wortes einen Mangel an Kirche[18]. Doch verbietet es andererseits das Liebesgebot, die Wahrheit unbezeugt zu lassen, auch wenn diese nicht auf Gehör rechnen kann, auch wenn – wie in der gegenwärtigen Situation – die Voraussetzungen für ein solches nutzbringendes und heilsames Hören nicht

[16] DÖRRIES DSS 45f.80; ders. Basilius 126; cf. CHADWICK ZKG 69 (1958) 336.
[17] ep. 223,1:10; 226,1:29.
[18] Cf. unten pp. 16ff.

gegeben sind. So greift Basilius zum Beispiel der drei Jünglinge im Feuerofen, um die Erfordernisse der Zeit darzutun: denn auch diese »priesen mitten aus dem Feuer Gott, da sie nicht auf die Menge der Widersacher der Wahrheit achteten, sondern sich selbst genügten, obwohl es nur drei waren«. Nach ihrem Vorbild verfährt darum auch Basilius, der die Zeit des Schweigens durchbricht und (mit seiner Schrift über den Hl. Geist) die Wahrheit bezeugt, freilich nicht vor dem Forum der »Menge«, die nur in versucherischer Absicht Fragen stellt, sondern für den kleinen Kreis derer, die die Wahrheit aufzunehmen imstande sind[19].

5. Düster ist auch das Bild, das Basilius in den Briefen an die *Bischöfe des Abendlandes*[20] zeichnet. Nicht nur eine Kirche ist gefährdet, so schreibt er[21] in ep. 92 aus dem Jahr 372, nicht nur zwei oder drei sind vom Unwetter betroffen, vielmehr hat die von Arius ausgestreute Häresie fast im ganzen Osten Wurzeln geschlagen. Umgestürzt sind die Lehren des wahren Glaubens, verwirrt die Satzungen der Kirche. Der Ehrgeiz von Menschen, die den Herrn nicht fürchten, besetzt die kirchlichen Ämter, wer am schlimmsten lästert, ist für das Bischofsamt am besten geeignet. Hin ist die Heiligkeit des Priestertums, korrupt die, die die Stellung des Vorstehers einnehmen; das Gut der Armen wirtschaften sie in die eigene Tasche, gegenüber denen, die ihnen zu ihrer Stellung verholfen haben, zeigen sie sich hörig. Verdunkelt ist darum die genaue Beachtung der Kanones, und reichlich Gelegenheit zum Sündigen gegeben. Denn die Vorsteher wagen kein offenes Wort mehr zu reden, das Volk bleibt ohne Zurechtweisung. Persönliche Feindschaften werden unter dem Deckmantel des Eifers für den Glauben ausgetragen. Unversöhnlich ist darum der gegenwärtige Krieg; denn den Frieden scheut, wer Schlimmes zu verbergen hat. Darüber lachen die Ungläubigen, wanken die Kleingläubigen. Unwissenheit wird über die Seelen ausgegossen, der Mund der Frommen verstummt. Das Heilige ist entweiht; die in die Hände homöischer Bischöfe geratenen Gebetshäuser werden von den Anhängern des gesunden Glaubens gemieden; in der Einöde erheben sie unter Seufzen und Tränen ihre Hände zum Himmel. Vor den Mauern der Stadt versammelt sich das Volk, mit Frauen und Kindern und Alten, zum Gebet, »um die Hilfe des Herrn zu erwarten«[22]. Zum offenen Krieg der Häretiker gesellt sich – wie in dem von Vespasian belagerten Jerusalem –

[19] DSS XXX,79:17ff; I,1:1ff.10ff.
[20] epp. 70.90–92.242f.263; cf. unten pp. 270ff.
[21] Basilius als Autor: GRIBOMONT In tomum 32,9.
[22] ep. 92,2.

der Streit unter den scheinbar Gleichgläubigen, der die Kirche in einen Zustand äusserster Schwäche versetzt hat[23].

6. Spätestens an dieser Stelle stellt sich nun die Frage nach den *realen Gegebenheiten*, die solcher Kritik zugrundeliegen. Man hat das scharfe Urteil des Basilius auf vielfache Weise zu relativieren gesucht, durch Hinweis auf gesundheitliche Faktoren[24], durch Unechterklärung einzelner Texte[25], durch Verweis auf die »schöpferische Rolle« rhetorischer Muster[26]; SCHÄFER hat in seiner Analyse der Korrespondenz des Basilius mit den okzidentalischen Bischöfen das Postulat aufgestellt, nur jene Schilderungen für verbürgt anzusehen, die sich durch konkrete Einzelnachrichten verifizieren lassen[27]. Dies Postulat besteht – gerade im Blick auf die Westbriefe, die durch möglichst plastische Schilderung der Notlage der östlichen Kirchen die Abendländer zur Hilfestellung bewegen wollen – zweifellos zurecht. Gleichwohl kann bereits vor detaillierter Einzelprüfung festgestellt werden, dass sich das von Basilius gezeichnete Bild der kirchlichen Lage auch bei konsequenter Anwendung dieses Kriteriums nicht wesentlich ändern würde. Denn gerade solche Beispiele, wo wir die dem Basilius vorliegende Nachricht mit seiner Wiedergabe derselben vergleichen können, führen vor Augen, dass bei Basilius nicht die Verallgemeinerung einzelner Informationen, sondern die andersgearteten *Kategorien seiner Lagebeurteilung* die Schärfe der Kritik bedingen[28]. Desweiteren ist zu beachten, dass Basilius die gleiche Einschätzung der kirchlichen Lage auch gegenüber solchen Adressaten vertritt, gegenüber denen er sich frei von taktischer Rücksichtnahme fühlt. So etwa Amphilochius von Ikonium[29] oder Euseb von Samosata, der väterliche Freund und vertraute Berater, mit dem er sich über viele Jahre hinweg über die laufenden kirchenpolitischen Ereignisse be-

[23] ep. 92,3:23-32.

[24] Z.B. JOHNSTON (DSS 155,78) (zu DSS XXX,78): »much of his general depression, and the dismal tone of some of his letters, must be put down to his deseased liver«.

[25] Z.B. SCHÄFER Beziehungen 7f (zu DSS XXX).

[26] Cf. RITTER Basileios 424; zur rhetorischen Tradition bei Basilius s. KUSTAS Rhetorical Tradition 221ff; WAY Language (zu den Briefen); CAMPBELL Second Sophistic (zu den Homilien).

[27] SCHÄFER Beziehungen 170 (zu epp. 242f): »Diese Schilderung hat nur soviel Bedeutung, als Tatsachen sich dafür anführen lassen«; ähnlich 120f (zu ep. 90); 74.

[28] Z.B. ep. 139/Theodor.h.e. IV,22 (Rundschreiben des Petrus von Alexandrien); s. unten pp. 294ff.

[29] Cf. zB ep. 190 und dazu HOLL Amphilochius 18: »Endlich einmal ein Bild der tatsächlichen Zustände in den abgelegeneren Distrikten! Man sieht eine fast verfallene Kirche vor sich ...«.

spricht[30], in dieser Korrespondenz differenzierte Lagebeurteilungen vorlegt[31] und doch im ganzen die Lage der Kirche genauso wie in den Westbriefen einschätzt. Auch hier sieht er die Kirche »beständig auf dem Weg zum Schlechteren«[32], vom Herrn verlassen[33] und dem Zorn Gottes verfallen[34]; beschreibt er ihre Lage im Bild der »jüdischen Gefangenschaft«[35], beklagt das Verschwinden der »Liebe«[36]; stellt er fest, dass weniger die äusseren Angriffe der Häretiker als vielmehr die innere Halt- und Zusammenhaltlosigkeit der Kirche für ihre Schwäche verantwortlich ist[37], und beurteilt den Zustand der kappadozischen Kirche dahingehend, dass diese »nahezu ein Leichnam ist«[38]. Dabei ist diese Korrespondenz auch darum so aufschlussreich, weil sie zeigt, dass seine Position in Kappadozien in der Tat sehr viel schwieriger und seine Stellung weniger gefestigt war, als es sonstige zeitgenössische (und spätere) Quellen erscheinen lassen[39]. Darüber hinaus liefert sie zahlreiches Anschauungsmaterial für den in ep. 242 ausgesprochenen Satz, dass die gegenwärtige Bedrängung der Kirche die schlimmste sei, »seitdem das Evangelium Christi verkündigt wird«. Aber gleichwohl ist mit diesen Bemerkungen der entscheidende Punkt noch nicht benannt. Denn auch andere Kirchenleute dieser Zeit waren mit derselben Situation konfrontiert wie er und haben dennoch nicht so geurteilt, wie Basilius es tat. Nicht nur die erfahrene Wirklichkeit bestimmte sein Urteil, sondern ebenso sehr auch die Brille, durch die er diese Wirklichkeit sah; und diese seine Brille unterscheidet sich nun in der Tat von der vieler seiner Weggefährten und Zeitgenossen. Denn »dem äusseren Anschein nach« (σχήματι), so konzediert er etwa in ep. 141 dem Euseb, stehe er zwar in Gemeinschaft (κοινωνικοί) mit der Mehrheit seiner Amtskollegen (in und um Kappadozien), nicht aber »in Wahrheit« (ἀληθείᾳ), wie deren Verdächtigungen

[30] Die Briefe an Euseb: epp. 27.30.34.48.95.98.100.127f.136.138.141.145. 162.237.239.241.268. Zu Euseb zuletzt: POUCHET BLE 85 (1984) 179ff.

[31] Z.B. ep. 48:9ff.14ff.21ff.

[32] ep. 30:15-18; 239,1:11f.

[33] ep. 141,2:23f.

[34] ep. 239,2:14.

[35] ep. 239,1:10; cf. ep. 92,3:25-27. Andere Bilder: Babylonische Gefangenschaft: ep. 264:13ff; cf. ep. 265:8ff; Fehlgeburt: hom.ps. 33,8 (29,369b); Knochengerüst ohne Fleisch und Nerven: ep. 66,2:17ff; brüchiger Mantel: ep. 113:15ff; rissiger Bau: hom.ps. 61,3 (29,473c); mondfinstere Nacht: ep. 154:16ff; Hl. Rest: ep. 156,3.12f. Andere Motive – wie das Bild vom Nachtgefecht, Schiffbruch, Vergleich mit den Jünglingen im Feuerofen, Aufnahme der Sodoms-Typologie – wurden bereits genannt.

[36] ep. 138,2:3f; 141,2:24f.

[37] ep. 136,2:1-5.

[38] ep. 98,2:28f.

[39] Man beachte nur den in ep. 141(,2:17ff) geschilderten Vorfall.

und verweigerte Hilfeleistung im Kampf gegen die Häretiker beweisen, welchen darum wichtige Posten in die Hände fallen[40]. Aber Basilius geht es eben nicht um einen »Frieden«, der nur »dem Namen nach« besteht und sich auf blosse Aufrechterhaltung äusserer kirchlicher Gemeinschaft beschränkt. Vielmehr will er den »wahren Frieden«, wie ihn der Herr hinterlassen hat und wie er sich in Eintracht des Glaubens und ungeheuchelter Liebe bekundet[41]. Diesen »wahren Frieden« jedoch vermag er in der erfahrbaren Wirklichkeit kaum auszumachen.

B. NOTAE ECCLESIAE

1. Damit sind wir auf die Frage nach den Massstäben der Kritik des Basilius geführt, nach dem normativen Bild von Kirche, das seiner Klage über ihren Niedergang zugrundeliegt. Dies positive Bild beschreibt er vorzugsweise gerade im Kontext seiner Kirchenkritik. Damit stossen wir auf ein weiteres charakteristisches Moment seines Kirchenverständnisses: der Einsatzpunkt seines Redens von der Kirche liegt nicht – wie bei anderen altkirchlichen Autoren – in einer allegorisierenden Schriftexegese oder einer Symbolauslegung, die die Kirche v. a. im Licht der biblischen Verheissungen beschreibt; er vertritt so auch nicht jenen Typus einer symbolistischen Ekklesiologie, wo die Kirche »mit allen denkbaren Prädicaten, unter Anwendung der alttestamentlichen Aussagen über das Volk Israel geschmückt« und »als die Gemeinschaft des Glaubens und der Tugend verherrlicht« wird und den HARNACK, CAMELOT, KELLY und andere als für das Kirchenverständnis der reichskirchlichen Theologen des Ostens insgesamt kennzeichnend haben herausstellen zu können gemeint[1]. Vielmehr bringt Basilius gerade im Kontext der Kirchenkritik zur Sprache, was für ihn Kirche ausmacht und die Gemeinde als den Leib Christi qualifiziert. *Die Merkmale der Kirche kommen also v.a. im Modus des Defizits zur Sprache*. Dies soll im Folgenden näher erörtert werden. Natürlich findet sich auch bei Basilius die affirmative Redeweise, auch er kann die biblischen Symbole auf die Versammlung der Gläubigen übertragen und die Kirche beispielsweise als jenen »heiligen Vorhof« von Ps LXX 28,2 feiern, in dem allein sich die geistige Gottesverehrung vollziehe und ausserhalb dessen es keine Gottesanbetung gebe. Aber er tut dies doch nicht, ohne zugleich zu fra-

[40] ep. 141,2:3ff.
[41] Z.B. ep. 250:9ff; 128,1:8ff; 128,2:26f.
[1] S. die in pp. 1f aufgeführten Voten.

gen, wer denn nun wirklich und nicht nur »dem Anschein nach« seinen Platz in diesem heiligen Vorhof hat, und dann festzustellen, dass »die meisten« in Wahrheit weder den Herrn anbeten noch sich in diesem Vorhof befinden, »auch wenn« sie »der sichtbaren Kirchenversammlung würdig zu sein scheinen«[2]. Auch Basilius kann – in Auslegung von Gen 1,10 – die »Schönheit« der zum Gebet versammelten Gemeinde rühmen und von ihr sagen, dass sie »in tiefer Ruhe« dasteht, »unerschüttert« und »unverwirrt« von den Geistern der Bosheit – freilich nicht ohne damit die Aufforderung zu verbinden, diese »schöne Ordnung« nun auch zu bewahren und sich solchen Beifalls des Herrn tatsächlich als würdig zu erweisen[3].

2. *Liebe und Frieden*, so Basilius, sind das himmlische Erbe, das der Herr seiner Kirche hinterlassen hat (Joh 13,35; 14,27)[4]. Damit stellen sie zugleich die beiden Grundbestimmungen der Kirche dar und sind die Merkmale, an denen der Leib Christi erkannt weren kann. Denn »nichts ist für den Christen dermassen eigentümlich (ἴδιον) wie das Friedenstiften«[5]; und die untereinander geübte Liebe ist das »Erkennungszeichen« (γνώρισμα) der Christen, der »Beweis« (ἀπόδειξις) der Jüngerschaft[6] und das unterscheidende »Merkmal« (χαρακτήρ) des Christseins. Darum ist die Liebe, »die den Christen kennzeichnet«[7] und »von der der Herr sagte, dass durch sie allein seine Jünger gekennzeichnet werden«[8], das untrügliche Erkennungszeichen, um weltweit die Jünger Christi auszumachen[9] und die wahren Christen von Heuchlern und Irrlehrern unterscheiden zu können[10]; sie ist gleichsam die Suchlaterne beim Aufspüren der

[2] hom.ps. 28,3 (29,288a–c).

[3] hexaem. 4,7 (pp. 274/276); cf. hom.ps. 45,2 (29,417b). Diese kritische Funktion der biblischen Bilder wird in der Darstellung der basilianischen Ekklesiologie durch KRIVOCHÉINE (Ecclésiologie 77ff) oder SPIDLIK (Chiesa 155ff) kaum wahrgenommen.

[4] Z.B. ep. 203,1:10ff; 204,1:9ff; 210,6:32–34; hom. 29,1 (31,1488cd); hom.ps. 33,13 (29,384c). ep. 70:1ff: Ἀρχαίας ἀγάπης θεσμοὺς ἀνανεοῦσθαι καὶ πατέρων εἰρήνην τὸ οὐράνιον δῶρον Χριστοῦ καὶ σωτήριον ἀπομαρανθὲν τῷ χρόνῳ.

[5] ep. 114:11f.

[6] RM 5,2; RF 3,1 (AscP).

[7] fid. 5 (31,688c): ἀγάπην τὴν χαρακτηρίζουσαν τὸν χριστιανόν.

[8] ep. 191:30ff: ἀφ' ἧς μόνης τοὺς ἑαυτοῦ μαθητὰς ὁ Κύριος ἡμῶν εἶπε χαρακτηρίζεσθαι.

[9] ep. 154:10–12: ... ὅτι οὐκ ἐν πᾶσι κατέψυκται ἡ ἀγάπη, ἀλλ' εἰσι που τῆς οἰκουμένης οἱ τῆς Χριστοῦ μαθητείας τὸν χαρακτῆρα δεικνύντες.

[10] RM 28: Ὅτι οὐ δεῖ ἁπλῶς οὐδὲ ἀνεξετάστως ὑπὸ τῶν ὑποκρινομένων τὴν ἀλήθειαν συναρπάζεσθαι· ἀπὸ δὲ τοῦ δεδομένου ἡμῖν παρὰ τῆς Γραφῆς χαρακτῆρος γνωρίζειν ἕκαστον: Mt 7,15f; Joh 13,35; 1Kor 12,3.

wahren Kirche. Wo diese Kennzeichen gegeben sind, stellen sich die Gläubigen dar als »ein Leib und ein Geist«[11]; wo sie nicht angetroffen werden, da kann keiner ein »Knecht Jesu Christi« genannt werden«[12]. So stellt, in Verbindung mit Joh 14,27, Joh 13, 35 (»Daran werden alle erkennen, dass ihr meine Jünger seid, dass ihr untereinander Liebe zeigt«) eines der wichtigsten Leitworte für das Kirchenverständnis des Basilius dar. Aber noch häufiger zitiert Basilius Mt 24,12, das Wort vom Erkalten der Liebe, um die gegenwärtige Situation zu charakterisieren. Denn: eben jene Liebe, an der »allein« die Jünger Christi zu erkennen sind, »haben wir erkalten lassen«[13]; und von »jenem Frieden, den uns der Herr hinterlassen hat«, ist »uns heute nicht einmal mehr eine Spur übriggeblieben[14]«. »Liebe und Frieden sind uns vom Herrn hinterlassen, doch wir suchen nicht, was uns hinterlassen wurde. Verschwunden ist die Gabe, bei niemandem mehr ist sie zu finden. Liebe wurde hinterlassen, doch Streit herrscht vor. Einheit wurde gegeben, doch Hass ist angefacht«[15]. Unter dieser Liebe, deren »Erkalten« Basilius beklagt, ist zunächst einmal in einem formalen Sinn das Aufrechterhalten kirchlicher Gemeinschaft verstanden. Dieser Sprachgebrauch ist im Westen spätestens seit Cyprian heimisch geworden[16]; er findet sich auch bei Basilius. So in ep. 28,3, wo Basilius den Neocaesarensern je nach Ausgang der Bischofswahl in Aussicht stellt, mit ihnen entweder »weiter durch das Band der Liebe geeint« oder durch »völligen Bruch« (παντελὴς διάστασις) getrennt zu sein; oder in den wiederholten Bitten des Basilius, nicht der eustathianischen Propaganda gegen ihn Gehör zu schenken, sondern ihm die »Liebe zu bewahren«[17]. Bereits in diesem äusseren Sinn als Bestand kirchlicher Gemeinschaft ist das Erkennungszeichen der »Liebe« in der Gegenwart nur sehr beschränkt anzutreffen, wie die wiederholte Klage des Basilius über die innere Zerrissenheit des »gesunden« Christenteils zeigt (und wofür das vielfältig gespaltene Antiochien nur das

[11] ep. 191:14.
[12] ep. 203,1:20ff.
[13] ep. 191:30–32. Man beachte die aktivische Umformung (ἐψύξαμεν) des Schriftwortes. Ebenso in ep. 141,1:24ff.
[14] ep. 164,1:21–23.
[15] hom. 29,1 (31,1488cd).
[16] Z.B. Cypr.unit. 14 (CSEL 3/1,222,8f.12f): qui in ecclesia non est = qui fraternam non tenuit caritatem. Dies Festhalten der »Liebe«, ohne die jedes Werk unnütz ist, als Bewahren der kirchlichen Gemeinschaft, wird später eines der zentralen antidonatistischen Argumente Augustins sein.
[17] Z.B. ep. 224,3:23. Cf. ep. 95:12: Besuch der von Theodot einberufenen Synode mit dem Ziel, ἀγάπης τε ἐπίδειγμα τὴν συντυχίαν zu machen.

bekannteste, aber keineswegs das einzige Beispiel liefert). Dass auch andere diesen Eindruck teilten, beweisen die erheblichen Orientierungsschwierigkeiten externer Besucher wie etwa des Hieronymus aus Rom oder jener exilierten ägyptischen Bischöfe, die – aus den überschaubaren Verhältnissen ihrer Heimat in die Wirren des Orients versetzt – grösste Unsicherheit bei der Frage empfanden, mit welcher Partei sie dort denn nun kirchliche Gemeinschaft halten könnten[18].

Nun bezeichnet aber das blosse Gegebensein kirchlicher Gemeinschaft erst die – als solche allerdings schlechthin unumgängliche – Voraussetzung für jenen Prozess der Erbauung und Vervollkommnung, den der Begriff »Liebe« als die Grundbestimmung der Kirche eigentlich meint, nämlich die innere Verbundenheit und Eintracht sowie die wechselseitige Teilhabe und -gabe der Glieder des Leibes Christi. Diese so verstandene »Liebe« sieht Basilius nicht erst dann geschwunden, wenn auch äusserlich der Bruch vollzogen worden ist, sondern bereits dann, wenn die der Liebe eigenen Bekundungen ausbleiben. Das ist der Fall, wenn kein Austausch der Charismen stattfindet, Bezeugungen brüderlicher Anteilnahme unterbleiben oder – wie in den Rahmenkapiteln von De Spiritu Sancto festgestellt werden muss – in der Gegenwart die Voraussetzungen für das belehrende und heilende Wort (und damit für die »Erbauung« des Leibes Christi) nicht mehr gegeben sind. So wird eben auch in ep. 141 das »Erkalten der Liebe« konstatiert, obwohl äusserlich (σχήματι) die Gemeinschaft fortbesteht. Doch nötigen die ausgesprochenen Verdächtigungen, die fehlende Hilfeleistung, die geschwundene Eintracht im Kampf gegen die Häresie den Basilius zu diesem Urteil. Für Basilius stellt der Leib Christi gleichsam ein System kommunizierender Röhren dar, wo es nicht ausreicht, sich innerhalb (und nicht ausserhalb) des Systemverbundes zu befinden, sondern es darf – soll ein Austausch stattfinden – eben auch keine Störungen im System geben. Doch derartige Störungen musste Basilius in vielen Bereichen des kirchlichen Lebens orten. Anders ausgedrückt: gerade weil der Begriff der Liebe als ekklesiologische Kategorie inhaltlich gefüllt ist und nicht nur das äusserlich intakte Gefäss, sondern auch dessen Inhalt bezeichnet, nicht nur die formalen Bedingungen kirchlicher Einheit beschreibt, sondern zugleich und in erster Linie auch die Funktionsfähigkeit des Leibes Christi, fällt sein Urteil so de-

[18] Hieron.epp. 15f (CSEL 54,62ff); Bas.ep. 265.

primierend aus. Er begnügt sich bei seiner Analyse kirchlicher Zustände nicht mit dem äusseren Augenschein, sondern bedient sich gleichsam des diagnostischen Instrumentariums des Psychoanalytikers; und dieses Instrumentarium hat er sich – um das Bild noch auszuführen – im Kloster erworben, dessen verschärfte Buss- und sich entwickelnde Beichtpraxis ja darauf hin angelegt ist, auch die verborgenen Gebrechen der Seele zu erkennen, aufzudecken und so der Heilung zugänglich zu machen. Da aber eine solche Diagnose bei den äusserlich erkennbaren Symptomen einsetzt[19], nimmt Basilius für sein *vernichtendes Urteil* über den Zustand der Kirche die *Evidenz der Empirie* in Anspruch. »Unsere Zeit«, so sagt er in den noch ausführlich zu erörternden Tarsusbriefen (epp. 113f) – »hat eine starke Neigung zum Untergang der Kirchen (καταστροφὴ τῶν ἐκκλησίων), und dies nun schon lange Zeit, seitdem wir dies beobachten (ἐξ οὗ καταμανθάνομεν)«, woraufhin eine Aufzählung der Kriterien dieses Urteils folgt. Und ep. 258 an Epiphanius beginnt mit den Worten: »Was aufgrund der Vorhersage des Herrn seit langem zu erwarten war, wird nun auch durch die Erfahrung der Tatsachen bestätigt (τῇ πείρᾳ τῶν πραγμάτων βεβαιούμενον), nämlich: 'Weil die Gesetzeslosigkeit überhand nimmt, wird die Liebe der Vielen erkalten' (Mt 24,12)«[20].

3. Soweit die allgemeine Diagnose des Basilius, die sich an dem Fehlen der »Liebe« als dem Erkennungszeichen von Jüngerschaft und Leib Christi orientiert. Nun wird aber dies eine γνώρισμα der Liebe zumeist aufgegliedert in einzelne Merkmale, die für die Kirche konstitutiv, in der Gegenwart aber gleichwohl kaum anzutreffen sind, und in diesem Zusammenhang entwickelt Basilius nun so etwas wie eine Theorie der *notae ecclesiae*. Dieser Terminus entstammt natürlich der reformatorischen Ekklesiologie, mit den ihr eigenen Voraussetzungen und Anwendungsbereich, scheint mir aber dennoch auch im Blick auf Basilius nicht unsachgemäss zu sein. Denn hier wie dort, bei den Re-

[19] RM 17,1. – Mt 10,26 als Leitzitat der klösterlichen Busspraxis etwa in RB 300.

[20] Desweiteren: De Iudicio Dei, wo Basilius sein Verdikt gerade mit den Erfahrungen begründet, die er auf seinen ausgedehnten Reisen gewonnen hat (Iudic. 1; 3: τὴν ἐπιφαινομένην κακίαν); ep. 141,2:23: Gott hat »offenkundig« (προδήλως) seine Kirche verlassen ; ep. 164,2:4f: ἐλυπήσας δὲ τῷ ἐλέγχῳ τῶν ὁρωμένων; hom. 29,2 (31,1489c): Ἡμεῖς δὲ παραλαβόντες εἰς τί κατελήξαμεν δείξει τὰ ὁρώμενα. Grundsätzlich RM 17,1: Ὅτι δεῖ τὸν ἐνεστῶτα καιρὸν ἀπὸ τῶν δεδηλωμένων ἡμῖν παρὰ τῆς Γραφῆς ἰδιωμάτων γνωρίζοντας ὁποῖός ἐστιν, ἐστοχασμένως τούτου καθ' ἑαυτοὺς διατιθέναι.

formatoren wie bei Basilius, geht es ja darum, dass die Kirche nicht als blosse »civitas Platonica«[21] zu einer unfassbaren Grösse werde, sondern dass »Zeichen« angegeben werden, »da bey man euszerlich mercken kan, wo die selb kirch in der welt ist«[22] und an denen inmitten aller Verfälschung (bzw. Zerstörung) ihr Vorhandensein festgestellt werden kann.

Bei Basilius finden sich nun zwei Formen der Reihenbildung mit derartigen Merkmalen. Er kann, um die Verwüstung der Kirche in den Wirren der Valenszeit darzutun, einfach jene Stücke aufzählen, die das Leben der Gemeinde ausmachen, aber in der gegenwärtigen Situation – Verbannung des Klerus, Verwaisung der Gemeinden, Machtübernahme durch die homöischen Arianer – nicht mehr gegeben sind. Dabei fällt dann auf, wie sehr er die Kirche konkret von der Gemeinschaft der Christen her versteht, den »Austausch der geistlichen Charismen« nicht einfach von spiritueller Verbundenheit gottgestimmter Seelen, sondern vom gemeindlichen Zusammenleben der Christen her erwartet und in der Verquickung spiritueller und institutioneller Aspekte zeigt, wie sehr sich für ihn in der einzelnen Gemeinde der Leib Christi darstellt und mit der Zerschlagung der Gemeinden darum auch das geistliche Leben des Christenvolkes Grenzen und Ende findet *(ep. 243,2)*[23]:

> Ἐξῆρται χαρὰ καὶ εὐφροσύνη πνευματική.
> Εἰς πένθος ἐστράφησαν ἡμῶν αἱ ἑορταί,
> οἶκοι προσευχῶν ἀπεκλείσθησαν,
> ἀργὰ τὰ θυσιαστήρια τῆς πνευματικῆς λατρείας.
> Οὐκέτι σύλλογοι χριστιανῶν,
> οὐκέτι διδασκάλων προεδρίαι,
> οὐ διδάγματα σωτήρια,
> οὐ πανηγύρεις,
> οὐχ ὑμνῳδίαι νυκτεριναί,
> οὐ τὸ μακάριον ἐκεῖνο τῶν ψυχῶν ἀγαλλίαμα
> ὃ ἐπὶ ταῖς συνάξεσι καὶ τῇ κοινονίᾳ τῶν πνευματικῶν χαρισμάτων ταῖς ψυχαῖς ἐγγίνεται τῶν πιστευόντων εἰς Κύριον.

[21] Melanchth.apol.CA VII,20 (BSLK 238,18f); WA 7,683,8.

[22] WA 6,301. – Zu den notae ecclesiae im reformatorischen Kirchenbegriff s. STEINACKER Kennzeichen passim; HUBER Öffentlichkeit 51ff; KÜHN Kirche 24ff. 47ff. 61ff; zur Verwendung des Begriffs in der katholischen Ekklesiologie cf. DÖRING Ekklesiologie 167ff.

[23] ep. 243,2:29ff.

Der gleiche Sachverhalt kann auch im Zerrspiegel der häretisch okkupierten Gemeinden der Valenszeit zur Sprache gebracht werden, so dass all das, was ein lebendiges Gemeindeleben an guten Früchten hervorzubringen vermag – wie Ausbildung und Einübung evangeliumsgemässer »Gewohnheit«, Festigung und Förderung der »Eintracht« zwischen Kirchenvolk und Vorstehern etc. – nun nicht mehr der Sache der »Wahrheit«, sondern des häretischen Betrugs zugute kommt. Und von solcher Zielsetzung her versteht sich dann auch die eigenartige Gleichstellung und Zuordnung kultischer und sozialer Gemeindefunktionen, die offensichtlich unter dem Gesichtspunkt ihres erzieherischen Wertes und Beitrages zur Ausbildung rechter »Gewohnheit« zusammengefasst werden *(ep. 243,4)*[24]:

Παρασύρονται τῶν ἀκεραιοτέρων αἱ ἀκοαί·
εἰς συνήθειαν λοιπὸν ἦλθον τῆς αἱρετικῆς δυσσεβείας ...
    Τί γὰρ καὶ ποιήσωσι;
Βαπτίσματα παρ᾽ ἐκείνων,
προπομπαὶ τῶν ἐξοδευόντων,
ἐπισκέψεις τῶν ἀσθενούντων,
παράκλησις τῶν λυπουμένων,
βοήθεια τῶν καταπονουμένων,
ἀντιλήψεις παντοδαπαί,
μυστηρίων κοινωνίαι·
    ἃ πάντα δι᾽ ἐκείνων ἐπιτελούμενα σύνδεσμος γίνεται τοῖς λαοῖς τῆς πρὸς αὐτοὺς ὁμονοίας· ὥστε μικροῦ χρόνου προελθόντος, μηδ᾽ εἰ γένοιτό τις ἄδεια, ἐλπίδα λοιπὸν εἶναι τοὺς ὑπὸ τῆς χρονίας ἀπάτης κατασχεθέντας πάλιν πρὸς τὴν ἐπίγνωσιν τῆς ἀληθείας ἀνακληθῆναι.

Bedeutsamer für unsere Fragestellung aber ist die andere Auflistung von Merkmalen, die direkt aus dem einen γνώρισμα der Liebe abgeleitet werden, wobei die so gewonnenen Reihen bei aller Variabilität eine gewisse Konstanz aufwiesen. So in *ep. 258,1*, wo Basilius – nachdem er zuvor das »Erkalten der Liebe« konstatiert hatte – in folgender Weise präzisiert:

Οὐδαμοῦ γὰρ *εὐσπλαγχνία,*
οὐδαμοῦ *συμπάθεια,*
οὐδαμοῦ *δάκρυον ἀδελφικὸν* ἐπ᾽ ἀδελφῷ κάμνοντι.
    Οὐ διωγμοὶ ὑπὲρ τῆς ἀληθείας,
    οὐκ ᾽Εκκλησίαι στενάζουσαι πανδημεί,

[24] 243,4:28–39. Sprachlich analoge Beispiele aus dem politischen Bereich in ep. 76:14ff; 74,3:1ff.

οὐχ ὁ πολὺς οὗτος τῶν περιεχόντων ἡμᾶς δυσχερῶν κατάλογος κινεῖν δύναται ἡμᾶς
πρὸς τὴν *ὑπὲρ ἀλλήλων μέριμναν*.

Den Zustand der Kirche, den De Spiritu Sancto in den Rahmenkapiteln voraussetzt und der ihn zum »Schweigen« genötigt hatte, haben wir uns bereits vergegenwärtigt. In *DSS XXX,78* fasst Basilius die Lage unter dem Stichwort des »Erkaltens der Liebe« zusammen und führt dann im einzelnen aus: »Deshalb hielt ich das Schweigen für nützlicher als das Reden ... Warum?«

ὅπου γε διὰ πάντων τῆς *ἀγάπης* ψυγείσης,
ἀνῄρηται μὲν ἀδελφῶν *σύμπνοια*·
ὁμονοίας δὲ ἀγνοεῖται καὶ τοὔνομα·
ἀνῄρηνται δὲ *ἀγαπητικαὶ νουθεσίαι*·
οὐδαμοῦ *σπλάγχνον χριστιανόν*,
οὐδαμοῦ *δάκρυον συμπαθές*.
Οὐκ ἔστιν ὁ τὸν ἀσθενοῦντα τῇ πίστει προσλαμβανόμενος,
ἀλλὰ τοσοῦτον μῖσος τοῖς ὁμοφύλοις πρὸς ἀλλήλοις ἐκκέκαυται, ὥστε μᾶλλον τοῖς πλησίον πτώμασιν, ἢ τοῖς οἰκείοις ἕκαστος κατορθώμασιν ἐπαγάλλονται.

In *Iudic. 3* hält Basilius der zerrissenen Kirche die Worte 1Kor 12,26.25 vor und stellt fest, dies sei gesagt, »damit solche Ordnung und Disziplin umso mehr von der Kirche Gottes bewahrt werde, zu der gesagt ist: 'Ihr seid der Leib Christi und, als Teile betrachtet, Glieder', indem das eine und wahrhaft alleinige Haupt, welches Christus ist, offenkundig einen jeden hält und mit dem andern verbindet, so dass Eintracht (ὁμόνοια) entsteht«.

Παρ' οἷς δὲ οὐχ *ὁμόνοια* κατορθοῦται,
οὐχ ὁ σύνδεσμος τῆς *εἰρήνης* τηρεῖται,
οὐχ ἡ ἐν πνεύματι *πραότης* φυλάσσεται,
ἀλλὰ διχοστασία καὶ ἔρις καὶ ζῆλος εὑρίσκεται,
πολλῆς μὲν τόλμης ἂν εἴη μέλη Χριστοῦ τοὺς τοιούτους ὀνομάζειν ἢ ὑπ' αὐτοῦ ἄρχεσθαι λέγειν[25].

Diese Stelle ist besonders prägnant. Christus[26], der die Glieder zur Einheit zusammenbindet, hat der Kirche den Namen »Leib Christi« verliehen. Dieser Bestimmung wird sie gerecht, an dieser guten Ordnung hält sie fest,

[25] Iudic. 3 (31,660a).
[26] Logisches Subjekt des εἴρηται ist Christus, wie die Fortsetzung zeigt. Ähnlich ep. 243,1:4ff.

sofern sie »Eintracht«, das »Band des Friedens« sowie »Sanftmut im Geist« bewahrt. Die aber sind (wie Basilius zuvor ausgeführt hat) in der Kirche der Gegenwart nirgends anzutreffen. Deshalb kann man solche Leute nicht »Glieder Christi« und die Kirche, zu der 1Kor 12,27 gesagt war, nicht mehr »Leib Christi« nennen.

Eine Bündelung vielfältiger Motive findet sich in den Tarsusbriefen (epp. 113f). Diese beiden wichtigen Dokumente seien ausführlicher erörtert.

4. *Ep. 113* beginnt mit einer Schilderung des gegenwärtigen Zustandes der Kirchen:

> Ὁ καιρὸς πολλὴν ἔχει ῥοπὴν πρὸς καταστροφὴν τῶν Ἐκκλησιῶν...
> *Οἰκοδομὴ* δὲ Ἐκκλησίας καὶ
> σφαλμάτων *διόρθωσις* καὶ
> *συμπάθεια* μὲν πρὸς τοὺς ἀσθενοῦντας,
> *ὑπερασπισμὸς* δὲ πρὸς τοὺς ὑγιαίνοντας
> τῶν ἀδελφῶν οὐδὲ εἷς. Ἀλλ'
> οὔτε βοήθημα ἢ *θεραπευτικὸν*
> τῆς προκατασχούσης νόσου
> ἢ *προφυλακτικὸν*
> τῆς προσδοκωμένης οὐδέν.

Die »Katastrophe« der Kirche, so Basilius, und der sich abzeichnende vollständige Niedergang ist daran ablesbar, dass die wesentlichen Funktionen von Kirche nicht mehr realisiert werden. Als diese Funktionen benennt er: »Heilung der Schäden«, »Mitleid mit den Kranken« sowie »Schutz für die Gesunden unter den Brüdern«; desweiteren: »Therapie der akuten Krankheit« und Prophylaxe gegen künftige Erkrankung. Folgt man dieser Gruppierung, so fällt eine zusammenfassende Bestimmung nicht schwer. Die wesentliche Funktion der Kirche ist: sie

– heilt den Kranken
– schützt den Gesunden
– erbaut und vervollkommnet den Starken,

kurz: Kirche ist *Ort der Heilung und Vervollkommnung*. »Hilfe für die Schwachen, Vollendung der Fortgeschrittenen«: so beschreibt Basilius in De Spriritu

Sancto (IX,23) das Wirken des Geistes[27]. Das Gleiche wird hier ausgesagt von der Kirche, sofern sie dem Wirken des Geistes Raum lässt. Wo solche Heilung und Vervollkommnung erfahren wird, erweist sie sich als Kirche des Geistes.

Mit dieser Bestimmung ist nun eine für Basilius allgemeingültige Beschreibung von Kirche gewonnen. Es lässt sich zeigen – und wird im weiteren Verlauf der Untersuchung an einzelnen Beispielen diskutiert werden –, dass Basilius all die verschiedenen Betätigungen und Lebensäusserungen der Kirche – wie die öffentliche Verkündigung, das an den einzelnen gerichtete Wort, die Busspraxis in Kloster und Gemeinde, Synoden, Märtyrerfeste und andere Formen des Zusammenkommens, Feste und die Ordnung des Kirchenjahres etc. – jeweils unter diesem doppelten Aspekt des Heilens und Vervollkommnens sieht (und zugleich diesem Kriterium als Erkennungszeichen authentischen Christentums unterstellt). Dadurch gewinnt sein Kirchenbegriff eine enorme *innere Geschlossenheit*. Denn dieselben Merkmale des Leibes Christi werden an sehr unterschiedlichen Manifestationen der Kirche festgemacht, so wie umgekehrt für Basilius etwa zwischen Gesamtkirche und Einzelgemeinde, zwischen regionaler Bischofsversammlung und reichsweiter Synode kein qualitativer Unterschied besteht, sofern diese verschiedenen Erscheinungsformen von Kirche jeweils den Strukturmerkmalen des Leibes Christi entsprechen; im Teil das Ganze darstellend, wird eine jede begriffen als φανέρωσις τοῦ Πνεύματος[28]. Davon aber kann – so ep. 113 – in der Gegenwart keine Rede sein: denn die Liebe ist erkaltet (ep. 114:5f), die Kirche gespalten, von ihrer heilenden Potenz und stärkenden Kraft nichts zu spüren. – Wir greifen nun eines dieser in ep. 113f genannten konstitutiven Merkmale – die συμπάθεια (πρὸς τοὺς ἀσθενοῦντας) – heraus und diskutieren sie im Blick auf die unterschiedlichen Bereiche (resp. Gestalten) der Kirche.

a. Das konkrete Problem der *Tarsusbriefe* (epp. 113f) besteht in der Spaltung der rechtgläubigen Kräfte der Stadt in zwei Gemeinden. Auf die historischen Voraussetzugen dieses Konfliktes ist an dieser Stelle nicht

[27] DSS IX,23:13 χειραγωγία τῶν ἀσθενούντων, τῶν προκοπτόντων τελείωσις.

[28] Ἤδη δὲ καὶ ὡς ὅλον ἐν μέρεσιν νοεῖται τὸ Πνεῦμα κατὰ τὴν τῶν χαρισμάτων διανομήν, heisst es DSS XXVI,61:38f über die Charismen, mit denen Gott die Kirche »geschmückt« hat (XVI,39:26ff) und die durch gemeinschaftliche Teilhabe dem einzelnen Christen zugewendet werden (XXVI,61:45ff).

einzugehen[29]; was hier interessiert, sind die von Basilius zu ihrer Überwindung geltend gemachten Gesichtspunkte. Ep. 113 ist dabei an jene nizänische Minderheit gerichtet, die nicht bereit ist, sich mit den »Schwachen« – d.h. der homöusianischen Mehrheitsfraktion unter dem Bischof Kyriakos – zusammenzutun. Dies Verhalten missbilligt Basilius, denn genau das heisst für ihn, »keine συμπάθεια gegenüber den Schwachen« zu zeigen. Statt dessen ruft er zur Einheit auf, wobei – ganz im Sinn der Regelung des Tomus ad Antiochenos – von der Gegenseite nur verlangt werden soll, dass sie das nizänische Bekenntnis (mit antipneumatomachischem Zusatz) anerkennen soll. Mehr zu verlangen lehnt Basilius ab, da mit der Anerkennung des Nicaenums ja die Gefahr häretischer Ansteckung gebannt sei und »wir uns in den Dingen, in denen wir den Seelen nicht schaden, den Schwachen anzupassen haben«; und nur bei erfolgtem Zusammenschluss der bislang getrennten Gemeinden können die Schwachen gestärkt und zu vollkommenerer Einsicht geführt werden. »Denn ich bin überzeugt« – so schliesst der Brief – »dass bei längerem gemeinschaftlichem Zusammenleben (τῇ χρονιωτέρᾳ συνδιαγωγῇ) und gemeinsamer Übung frei von Rivalität (τῇ ἀφιλονείκῳ συγγυμνασίᾳ) ... der Herr ... denen alles zum Guten wenden wird, die ihn lieben«. Die Stärkung der Schwachen hat also das Zusammenleben in einer Gemeinde zur Voraussetzung. Ihnen diese Stärkung durch eigensinniges Abseitsstehen vorzuenthalten, heisst eben, »kein Mitleiden mit den Schwachen« an den Tag zu legen, bedeutet, die geforderte συμπάθεια zu verweigern. – So müssen zur »Erbauung der Kirche« zwei Bedingungen erfüllt sein. Einmal der Zusammenschluss der bislang getrennten Gemeinden hinter der schützenden Mauer des nizänischen Bekenntnisses, »damit die Kirche Gottes rein sei und frei von beigemengten Unkraut« (ep. 114:35f). Ist dies geschehen, dann – so die feste Überzeugung des Basilius – können sich die heilsamen Kräfte des Zusammenlebens auswirken, die die schwächeren Glieder heilen und die Starken zur Vollendung führen.

b. Die Gesichtspunkte, die Basilius im epp. 113f im Blick auf die getrennten Gemeinden in einer Stadt geltend macht, bestimmen für ihn auch das *Verhältnis der Kirchen unterschiedlicher Regionen* und Provinzen zueinander. Auch hier gilt, dass von Leib Christi nur dann die Rede sein kann, wenn sich die verschiedenen Kirchen als Glieder dieses einen Leibes zueinander verhalten

[29] S. unten pp. 252ff.

und sich mit den prosperierenden Kirchen mitfreuen, mit den kranken mitleiden, dem darniederliegenden Glied Hilfe erweisen und so das Gesetz der christlichen Liebe erfüllen. Aber auch hier stellt Basilius fest, dass davon in der Gegenwart nur sehr eingeschränkt die Rede sein kann. So in der Korrespondenz mit der Kirche Neocaesareas, mit der seit dem Tod des Musonius der Kontakt abgebrochen ist und der er vorwirft, zu meinen, sich abseits halten zu können[30]; so in dem Schreiben an die Bischöfe der pontischen Diözese, denen er ihre Teilnahmslosigkeit am Geschick der anderen Kirchen Kleinasiens (und dem von Basilius in Gang gesetzten Einigungswerk) vorhält: »Denn diese Erwägung dürft Ihr doch nicht anstellen: 'Wir Bewohner der Küstengebiete stehen ausserhalb des Leidens der Vielen und brauchen auch keine Hilfe von anderen. Welchen Nutzen sollten wir daher von der Gemeinschaft mit anderen haben?'«[31]. So v.a. in den Verhandlungen mit den Kirchen des Westens und vorab Roms, die es nach dem Urteil des Basilius an der rechten Hilfe und Anteilnahme (ἀντίληψις und συμπάθεια) gegenüber den schwer geprüften Kirchen des Ostens haben fehlen lassen und die Basilius etwa in ep. 243 auffordert: »Betrachtet nun, als echte Jünger des Herrn, unsere Leiden als die euren ... Zeigt soviel Mitleiden mit den Heimsuchungen, die uns ... getroffen haben, wie auch wir uns mit euch über den Frieden freuen, den euch der Herr gewährt hat«. Dabei weist diese dringliche Anmahnung einer sich in konkreter Unterstützung äussernden συμπάθεια direkt auf den Eingangssatz des Schreibens zurück, das Basilius mit den Worten eröffnet: »Unser Herr Jesus Christus hat es für gut befunden, die g a n z e Kirche Gottes seinen Leib zu nennen ...«[32], und die Glieder seines Leibes damit ins Verhältnis der συμπάθεια gesetzt. Aus dieser Bestimmung leitet sich – da die Unterstützung der westlichen Kirchen ausbleibt – zugleich das pessimistische Urteil des Basilius über den Zustand der weltweiten Kirche ab.

c. Ein weiterer Grundtext zum Verständnis des Leibes Christi, diesmal in der Sozialgestalt der *monastischen Kommunität*, ist RF 7. Bekanntlich geht es hier um die Begründung des koinobitischen Ideals gegenüber dem anachoretischen; die Kategorien, die Basilius dabei zur Geltung bringt, entsprechen weit-

[30] epp. 204.207.210.

[31] ep. 203,3:1ff.

[32] ep. 243,1:4ff.17ff. 3:26ff. 4:1ff. – Zu συμπάθεια als ekklesiologische Kategorie cf. auch unten pp. 262ff; als Motiv seiner Trostschreiben s. etwa bei MAIR Trostbriefe 28ff und passim.

gehend denen von ep. 113. Als zentrales Argument gegen die μόνωσις, die eremitische Vereinzelung, führt Basilius an, dass diese der Bestimmung der Christen widerspreche, in Christus »ein Leib« zu sein, wobei dies Leib-Sein als »Bewahrung« der συμπάθεια und wechselseitigen Zusammenhalts definiert wird: »wie können wir, wenn wir voneinander geschieden und getrennt leben, untereinander den Zusammenhalt und wechselseitigen Dienst der Glieder bewahren und unserem Haupt, das Christus ist, unterworfen bleiben? Denn wer abgesondert lebt, kann sich weder mit dem geehrten Glied freuen noch mit dem leidenden mitleiden (συμπάσχειν)«[33]. Zugleich wird ausgeführt, worin nun die heilende und vervollkommnende Kraft des Zusammenlebens besteht: darin, dass das kranke Glied durch liebevollen Tadel auf seine Gebrechen aufmerksam gemacht und so geheilt wird; darin, dass keiner für sich allein, sondern nur alle zusammen die Gebote erfüllen und die Fülle der Charismen geniessen und so zur Vollkommenheit gelangen können etc. Und was es mit der »liebevollen Zurechtweisung« auf sich hat, die DSS XXX,78 und viele andere Texte unter den notae ecclesiae aufzählen, machen ja gerade die zahlreichen Einzelerörterungen der Mönchsregeln deutlich, die einerseits die Pflicht der Brüder zu wechselseitiger Vermahnung einschärfen, zugleich aber immer wieder die Frage stellen, wie die Gesinnung des Rügenden beschaffen und ein solcher Tadel geartet sein muss, damit er wirklich als Hilfe erfahren werden und als Heilmittel wirken kann[34]. Denn die unter den Mönchen geübte wechselseitige Zurechtweisung ist ja Ausdruck der Liebe, sie ist verstanden als wahre Medizin zum Leben und darum heilsnotwendig; und sie ist zugleich ein wesentlicher Grund dafür, dass für Basilius nur *innerhalb* des Leibes Christi (wie er in der monastischen Gemeinschaft in Erscheinung tritt) Heilung und Vervollkommnung möglich ist und darum jegliche Form eremitischer Vereinzelung den Selbstausschluss vom medizinischen Versorgungssystem und Güteraustausch des Leibes Christi besagt.

5. So beschreiben die notae ecclesiae, was für Basilius die Kirche ausmacht und in ihr den Leib Christi erkennen lässt; und sie bilden damit zugleich die Kriterien, die sein Urteil über den Zustand der Kirche bestimmen. Diese Art und Weise des Redens und Denkens von der Kirche ist darum *singulär*, weil

[33] RF 7,2 (AscP/31,929cd).
[34] Z.B. RB 182 AscP: Ἐκ ποιῶν καρπῶν δοκιμάζεσθαι ὀφείλει ὁ συμπαθῶς ἐλέγχων τὸν ἀδελφὸν ἁμαρτάνοντα.

ihm jenes – sei es institutionell, sei es sakramental, sei es liturgisch bestimmte – Eigengewicht der Kirche fremd ist, das sich bei anderen reichskirchlichen Theologen findet und bei ihnen dazu führt, dass sie – bei vielleicht gleich kritischer Sicht der gegebenen kirchlichen Lage – nicht die Konsequenzen ziehen, die Basilius geboten erscheinen. Lukas VISCHER hat in einem instruktiven Vergleich des Kirchenverständnisses von Basilius und Optatus von Mileve darauf verwiesen, dass bei Basilius der »institutionelle Charakter der Kirche ... im Vergleich zu Optatus verhältnismässig wenig entwickelt und betont« ist und dass er, anders als Optatus, »das Wort Friede nicht inhaltlich ungefüllt lassen und von daher die Spaltung verurteilen« kann[35]. Und wie ihm so die Stützmauer eines institutionell gefassten Kirchenbegriffs weitgehend fehlt, so geht ihm auch der Gedanke einer aus dem Gottesdienstvollzug selbst sich ergebenden liturgischen Heiligkeit abhanden, wie ihn etwa Chrysostomus aus der Teilhabe des irdischen am himmlischen Gottesdienstes begründen kann[36]. Er ist Basilius schon darum fremd, da er in gewohnt kritizistischer Manier diesen Gleichklang zwischen himmlischem und irdischem Lobpreis hinterfragt und darum zu dem Ergebnis kommt, dass das in der Kirche schwatzende und mit weltlichen Gedanken erfüllte Volk sich selbst vom Gottesdienst der Engelsmächte ausschliesst und, anstatt den Lohn der Doxologie zu empfangen, zusammen mit den Lästerern des Namens Gottes verurteilt ist[37]. Analoges gilt im Blick auf die Eucharistie, deren Bedeutung – wie später zu erörtern ist – bei Basilius stark zurücktritt. Das wirkt sich insofern auch direkt auf den Kirchenbegriff aus, als Basilius Leib Christi nicht vom Gedanken der eucharistischen Einheit zwischen Christus und Christen her definiert, sondern durch jene Merkmale kennzeichnet, die er etwa in Iudic. 3 nennt: Eintracht, Friede, Demut im Geist sowie die (sich in vollständigem Gehorsam gegenüber seinen Geboten bekundende) Herrschaft Christi[38]. Aber eben diese Merkmale, so Basilius, sind nur selten anzutreffen.

[35] VISCHER Basilius 82.

[36] Z.B. Chrys.hom.Hebr. 14,2 (PG 63,111f): Ἀλλὰ τί; οἱ ὕμνοι οὐκ ἐπουράνιοι; οὐχ ἅπερ ἄνω ᾄδουσιν οἱ θεῖοι χοροὶ τῶν ἀσωμάτων δυνάμεων, ταῦτα καὶ ἡμεῖς οἱ κάτω συνῳδὰ ἐκείνοις φθεγγόμεθα; οὐχὶ καὶ τὸ θυσιαστήριον ἐπουράνιον; ... Πῶς δὲ οὐκ οὐράνια τὰ τελούμενα; ... Οὐράνια γάρ ἐστιν ἡ Ἐκκλησία, καὶ οὐδέν ἐστιν ἄλλο ἢ οὐρανός. Cf. RANCILLAC Église 82ff.

[37] hom.ps. 28,7 (29,301c–306a).

[38] Die hier in Form eines Vergleichs vorgetragene Unterscheidung findet sich als polemische Antithese bei Hieronymus, der gegenüber dem von einem moralischen Heiligskeitsideal bestimmten Leib-Christi-Verständnis des Jovinian einwendet:

C. SPUREN DER ALTEN LIEBE

1. Nun bleibt Basilius aber nicht bei solcher Kritik stehen. Und die Klage über den Verfall der Kirche führt auch nicht zum Rückzug aus der Kirche, etwa auf dem Weg mönchischer Separation; diese Konsequenz, zu der sich viele Kritiker der zum Tummelplatz herrschsüchtiger Kleriker gewordenen Reichskirche genötigt sahen, hat Basilius n i c h t gezogen. Seine Kritik zielt vielmehr stets auf die *Reform der Kirche*. Das schroffe Verdikt, das Basilius in De Iudicio Dei über die eigenmächtige und darum gottverlassene Kirche seiner Zeit ausgesprochen hat, mündet ein in die Moralia als Bussaufruf an die vollkommene Christenheit und Appell zur Erneuerung durch strikte Befolgung des in der Schrift kodifizierten Gotteswillens. Der »vollständige« Verfall der kanonischen Ordnung, den Basilius in ep. 54 konstatiert, beweist ihm die Notwendigkeit, »die Kanones der Väter zu erneuern«: massenweise dispensiert er darum – gleich zu Beginn seines Episkopats – irregulär geweihte Landkleriker vom Dienst. Die Klage über den »katastrophalen« Niedergang der Kirche in den Tarsusbriefen zielt darauf ab, zumindest in Tarsus selbst eine derartige Katastrophe abzuwenden und den entstandenen Schaden durch Zusammenführung der rivalisierenden Gemeinden zu heilen; und die bewegte Schilderung vom traurigen Zustand der östlichen Kirchen in den Westbriefen will ja nicht nur die okzidentalen Bischöfe zum Eingreifen nötigen und so in allerletzter Minute, »bevor die Kirchen vollständig Schiffbruch erleiden«[1], dem Zerfall der östlichen Kirchen entgegenwirken, sondern zugleich auch die Westkirchen aus ihrem »mitleidslosen« und schuldhaften Beiseitestehen aufrütteln und so die in früheren Zeiten festgeknüpften »Banden der alten Liebe erneuern und den Frieden der Väter, das himmlische und heilsame Geschenk Christi, das mit der Zeit verwelkt ist, wieder zur Blüte bringen«[2]. Der Beispiele sind viele. Stets wird der Kirche im Spiegel idealer Vergangenheit ihr Soll–Zustand vor Augen gehalten, um ihr zu zeigen, was ihr fehlt, und das Ziel anzugeben, das sie (wieder) zu erreichen hat.

»Vis scire quomodo cum Christo unum corpus efficiamur? Doceat te ipse, qui condidit: Joh 6,57f« (cIovin. II,29 PL 23,341a).

[1] ep. 92,3:4f.

[2] ep. 70:1ff.

2. In diesem Zusammenhang verweist Basilius betont auf das verpflichtende Vorbild der *Urgemeinde*. Damit wird das Bild des Leibes Christi als das für Basilius zentrale ekklesiologische Symbol in einer ganz bestimmten Hinsicht ergänzt und interpretiert. Der betonte Hinweis auf die Urgemeinde ist keineswegs selbstverständlich, bei den beiden Gregoren beispielsweise fehlt er fast vollständig. Angesichts ihres stark auf den einzelnen abgestellten Vollkommenheitsideals dürfte dies kaum als Zufall zu betrachten sein[3]. Die Verschränkung von Leib Christi und Urgemeinde bei Basilius zeigt, dass er Leib Christi stets *konkret von der Gemeinschaft der Christen her* begreift (und nicht allgemein als moralischen Gleichklang der Gläubigen oder blosse spirituelle Verbundenheit im rechten Bekenntnis versteht)[4]; sie demonstriert zugleich, dass für Basilius die Kirche so, wie Gott sie gewollt hat, in der Geschichte Wirklichkeit gewesen ist und darum zugleich auch wieder Wirklichkeit werden kann. Wie in der Urgemeinde die Kirche all die Merkmale des Leibes Christi trug, so soll und kann es auch in der Gegenwart sein; wobei sich dies Postulat nicht auf den Bereich des Mönchtums beschränkt[5] – das ja in besonderer Weise die Geisteskräfte der ersten Christenheit in sich lebendig spürte und den Zeitgenossen als Wiederverkörperung einer längst geschwundenen Vergangen-

[3] BORI Chiesa primitiva 249f verzeichnet in seiner Zusammenstellung des einschlägigen Materials für Gregor von Nyssa »una possibile allusione« in vit.Mos.2 (GNO VII/1,96) sowie – von ps.Macar.ep.magn. abhängig – in instit.chr. (GNO VIII/1,41) und für Gregor von Nazianz zwei vage Anspielungen, für Basilius (ibid. 242ff) hingegen 22 Stellen, die sich vermehren lassen und die vor allem an thematisch exponierter Stelle plaziert sind. Zurecht FELLECHNER Askese I,70: »Dagegen spielt ... bei Gregor (von Nazianz) die für Basilius so wichtige Stelle Apg. 2 und 4 keine Rolle«. Gleiches gilt für Gregor von Nyssa, zu dessen Verständnis von Leib Christi HÜBNER Einheit 198 bemerkt: »Man wird nüchtern zur Kenntnis nehmen müssen, dass der so betonte 'soziale Charakter' des Leibes der Kirche (scil. bei Gregor von Nyssa) nicht sehr ausgeprägt ist«. Im Unterschied zu Basilius, der die Gemeinschaft der Christen untereinander und ihren gegenseitigen Dienst betont, sieht Gregor von Nyssa »die Einheit des Leibes Christi einseitig in der gemeinsamen Ausrichtung aller Glieder auf Gott« (so treffend MAY TRE XVIII,223f, unter Verweis auf In illud: Quando sibi subiecerit omnia: PG 44,1317a–1320c; perf. 197,19–200,3; in cant. XIIIf). – Ganz generell lässt sich die Feststellung treffen, dass die Unterschiede zwischen den »drei Kappadoziern« nirgends so gross sind wie im Kirchenbegriff.

[4] So etwa Didym.Alex.comm.ps. 33,13 (GRÖNEWALD III,172).

[5] So etwa in RF 7,4 (31,933c), gleichsam dem Grundtext des basilianischen Mönchtums, oder RB 183. Cf. AMAND DE MENDIETA Ascèse 128-144 (»Nostalgie de l'Église naissante«).

heit galt[6] – , sondern der »g a n z e n Kirche« aufgetragen ist, wie gerade De Iudicio Dei unmissverständlich klarmacht: »wie ist es da nicht umso notwendiger, dass die ganze Kirche Gottes (πᾶσαν τὴν Ἐκκλησίαν τοῦ θεοῦ) danach strebt, 'die Einheit des Geistes durch das Band des Friedens zu bewahren' und zu erfüllen, wie es in den Acta heisst: 'Die Menge der Gläubigen war ein Herz und eine Seele'? Das bedeutet, dass keiner an seinem eigenen Willen festhielt, sondern dass alle gemeinsam ... den Willen des einen Herrn Jesus Christus (zu erfüllen) suchten ...«[7]. Und dass mit der Urgemeinde – so wie Basilius sie verstand – nicht ein in unerreichbare Ferne gerückter Idealzustand, sondern eine erfahrbare Wirklichkeit (und damit zugleich ein positiv anzustrebendes Ziel) bezeichnet ist, ergibt sich auch daraus, dass Basilius auch auf andere Daten der Kirchengeschichte verweisen kann, in der die Kirche so war, wie sie sein soll, und die »die alte Gestalt der Kirche« erkennen lassen: die Zeit »vor 200 Jahren«[8] etwa, also »die grosse Zeit kleinasiatischer Märtyrer und Bischöfe«[9]; die Zeit der vorkonstantinischen Märtyrer[10]; die Zeit der 318 Väter von Nicaea, wie Athanasius – an den sich Basilius hier wendet – bezeugen kann, da dieser ja selbst noch »die alte Festigkeit und Eintracht der Kirchen Gottes im Glauben erfahren« hat[11]; ja auch die selbsterlebte jüngste Vergangenheit (καὶ ἐπὶ τῆς ἡμετέρας μνήμης)[12]. Und auch wenn hier sicherlich ebenso wie im Blick auf die Urgemeinde der Einwand berechtigt ist, dass »die 'guten alten Zeiten' ... nie existiert« haben[13], so bezeichnen sie doch den Massstab, an dem Basilius die Gegenwart misst, und sind in der Art und Weise, wie Basilius

[6] Man braucht nur vor die Stadt zu gehen, um in den Mönchszellen das Leben der ersten Christen wiederzufinden, ruft Chrysostomus aus (oppugn.vit.mon. 3,11 PG 47,366); und Augustin beschreibt seine Empfindungen, als er zum erstenmal von Antonius hörte, folgendermassen: »Stupebamus autem audientes tam recenti memoria et prope nostris temporibus testatissima 'mirabilia tua' ... omnes mirabamur ... quia tam magna erant« (conf. VIII,6,14). Cf. Cassian.coll. 18,5 (CSEL 13,509f) sowie FRANK Vita apostolica 27ff.

[7] Iudic. 4 (31,660c). Sonstige Anwendung auf die grosse Gemeinde: hom. 8,8 (31,325ab): πρῶτον τῶν Χριστιανῶν ζηλώσωμεν σύνταγμα· ὅπως ἦν αὐτοῖς ἅπαντα κοινά ...; ep. 128,3:8ff: der Massstab des Lebens »derer am Anfang« und insbesondere Act 4,32 gebieten die Trennung von Eustathius; die Moralia als Programmschrift solche bzw. das Postulat der εὐαγγελικὴ πολιτεία.

[8] ep. 28:22ff.

[9] ABRAMOWSKI ZKG 87 (1976) 151,18.

[10] ep. 164,1:13ff; 139,1:9–11; 257,1:12ff.

[11] ep. 66,1:10ff.

[12] RF 40 (AscM/31,1020c); ep. 90,2:10–12; 257,1:12ff.

[13] SCHÄFER Beziehungen 121. Zum Geschichtsbild des Basilius s.u. pp. 296-298.

diese guten alten Zeiten beschreibt, in höchstem Mass signifikant für sein Kirchenverständnis und – sofern sie die Orientierungspunkte seines kirchlichen Handelns abgeben – zugleich in die Zukunft weisend.

3. So charakterisiert sich das Reformprogramm des Basilius durch die Zielsetzung, die Kirche wieder zu ihrer »alten Gestalt«[14] zurückzuführen, ihr »ihre alte Stärke wiederzugeben«[15], sie wieder »in der alten Form der Liebe zu regieren«[16] und ihr »den alten Ruhm der Rechtgläubigkeit zurückzugeben«[17]. Dies Ziel für erreicht (oder andernorts realisiert) zu halten, verbot ihm sein kritischer Sinn; und dafür bot die Wirklichkeit angesichts der anspruchsvollen Beschreibung, die er dieser normativen Vergangenheit gegeben hat, auch zu wenig Anhaltspunkte. Gleichwohl gibt es Lichtblicke, die die gegenwärtige »mondfinstere« Nacht der Kirche[18] erhellen. Denn zumindest in einzelnen *»Überresten«* (λείψανον) hat sich die alte Gestalt der Kirche in die Gegenwart hinüberretten können, wenigstens in *»Spuren«* (ἴχνος) ist auch in der Jetztzeit das Erbe der Väter noch anzutreffen. Mit diesen Begriffen stossen wir auf eine für Basilius charakteristische Ausdrucks- und Denkweise, die – selbst wenn in konventionellen Höflichkeitsbekundungen verwendet – die Perspektive seines Redens von Kirche zu erhellen imstande ist: wenigstens in einzelnen Erfahrungen der für Kirche und Christsein charakteristischen »Liebe«[19], zumindest in vereinzelten Bekundungen kirchlicher Gemeinschaft[20], Unanfälligkeit gegenüber den die Kirche zersetzenden Verleumdungen[21], rechten Glaubens[22], Martyriumsbereitschaft für den Glauben[23], Einheit unter den Christen ist auch in der gegenwärtigen geistentleerten und gottverlassenen Kirche noch etwas von deren »alter Gestalt« und »alter Stärke« zu spüren. Solche Verbindung zu

[14] ep. 28,1:22f: τὸ παλαιὸν τῆς Ἐκκλησίας σχῆμα.
[15] ep. 66,2:25f: τὴν ἀρχαίαν ἰσχὺν ἀποδοῦναι τῇ Ἐκκλησίᾳ.
[16] ep. 191,1:19f: τῷ ἀρχαίῳ εἴδει τῆς ἀγάπης τὰς Ἐκκλησίας οἰκονομήσωμεν.
[17] ep. 92,3:39f.
[18] ep. 154:17f.
[19] ep. 154:10-12.
[20] ep. 258,1:4ff.
[21] ep. 25,1:18ff. Auch der Adressat (Athanasius von Ankyra), stellt Basilius hier fest, zählt nicht mehr wie früher zu den »wenigen«, die dagegen gefeit sind, Verleumdungen Gehör zu schenken. »Aber das schreibe ich der gegenwärtigen Zeit zu«.
[22] ep. 197,1:32: ἀνανέωσαι τὰ ἀρχαῖα τῶν Πατέρων ἴχνη; 263,4:19-21: ὀλίγοι ... τὸν ἀρχαῖον τῆς εὐσεβείας διασῴζουσιν χαρακτῆρα.
[23] ep. 165:20ff.

den Quellen der Vergangenheit kann eine äusserst gefährdete sein: »Bis jetzt scheinen einige noch zu stehen, bis jetzt wird noch eine Spur des alten Zustandes bewahrt«[24]; sie kann fast vollständig aus dem Gesichtskreis der einstmals blühenden kappadozischen Kirche geschwunden und nur noch jenseits der Grenzen des Reiches bei den (christlichen) Barbaren anzutreffen sein[25]; sie kann in einzelnen Leuchten der Kirche, Bischöfen der Gegenwart, Christen dieser Zeit wahrzunehmen sein, die – wie der kürzlich verstorbene Bischof von Neocaesarea, Musonius – »in sich selbst die alte Gestalt der Kirche zeigen« und die ihnen unterstellte Kirche nach dem Bild jenes »ursprünglichen Zustands« formen[26]. Sie kann schliesslich in der brieflichen Bekundung kirchlicher Gemeinschaft zwischen räumlich getrennten Gemeinden erfahren werden[27] oder in den mönchischen Kommunitäten begegnen, die trotz häretischer Bedrückung und grassierenden Abfalls um sie herum τὸ λείψανον τῆς εὐσεβείας bewahren[28]. Jedenfalls begründen solche Erfahrungen die Hoffnung, dass »sich Gott mit seinen Kirchen versöhnen und sie wieder zum alten Frieden zurückführen möge«[29]. Dadurch, dass Basilius die ursprüngliche Gestalt der Kirche als wiederzuerlangendes Ziel proklamiert, eignet seinem Kirchenbegriff eine innere Dynamik. Es ist dabei jenes stets erneute Gestaltwerden der Kirche gemeint, das Basilius im Auge hat, wenn er von der »Erbauung« der Kirche spricht; und mit den »Spuren« sind jene Erfahrungen benannt und jene Stellen bezeichnet, wo die Wiederaufrichtung des eingestürzten Kirchenbaus zu greifen ist, seine erneute Gestaltwerdung erfahrbar wird und der Leib Christi wieder konkret begegnet.

Ein besonders instruktives Beispiel solcher »Erbauung« der Kirche stellt *ep. 191* dar; es ist lohnend, sich an diesem Beispiel die Denkweise des Basilius zu vergegenwärtigen. Der Brief ist an einen unbekannten Bischof – wahrscheinlich Sympius im isaurischen Seleukia[30] – gerichtet und steht im Zusammen-

[24] ep. 92,3:2-4: Ἕως οὖν ἔτι δοκοῦσιν ἑστάναι τινές, ἕως ἔτι ἴχνος τῆς παλαιᾶς καταστάσεως διασώζεται.
[25] ep. 164,1(:24ff).2(:13ff.18ff).
[26] ep. 28,3:22ff.
[27] ep. 91:1: ἀρχαίας ἀγάπης καρπόν; 191:2: ἀρχαίας ἀγάπης ἴχνη; 164,1:24ff: τὴν παλαιὰν ἐκείνην μακαριότητα; 258:9f: σπανιώτερον θέαμα; 154:1ff.10ff.
[28] ep. 257,2:3f.
[29] ep. 164,2:30f.
[30] HAUSCHILD Briefe II,176,249; MARAN Vita 31,4 (29,CXXVf); DEFERRARI Letters III,78,1.

hang der Sammlungsbewegung der kleinasiatischen Nizäner durch und um Basilius. Der Empfänger hat von sich aus den Kontakt mit Basilius eröffnet und ihm eine ἐπιστολὴ κοινωνική[31] gesandt, worin Basilius die »Spuren der alten Liebe« (ἀρχαίας ἀγάπης ἴχνη) findet, die heute so rar geworden sind. Denn (und nun argumentiert Basilius in einem bezeichnenden Dreierschritt): (a) Früher herrschte weltweite brüderliche Gemeinschaft unter den Christen: »Denn dies war einst der Ruhm der Kirche, dass von einem Ende der Erde bis zum andern die Brüder aus jeder Gemeinde, mit kurzen Erkennungsschreiben (συμβόλαια) ausgerüstet, überall Väter und Brüder fanden«. (b) Das ist jetzt nicht mehr der Fall, von einer weltweiten Gemeinschaft der Christen kann keine Rede mehr sein: »Das hat uns nun zusammen mit den übrigen Dingen der Feind der Kirchen Christi geraubt, so dass wir uns in den Städten einschliessen und ein jeder von uns den Nächsten argwöhnisch betrachtet«. Weltweite kirchliche Gemeinschaft – das wichtigste antidonatistische Argument der afrikanischen Katholiken – ist für Basilius keine erfahrbare Grösse der Gegenwart. Und es ist nicht die Bedrückung durch Staat oder Häretiker, sondern der fehlende innere Zusammenhalt bzw. die wechselseitige Abschottung und Selbstisolierung voneinander, die die Zerrüttung der Kirche erkennen lässt und das »Erkalten der Liebe« ausmacht. (c) Doch diese Regel hat der Briefempfänger durchbrochen, er hat von sich aus den Verkehr eröffnet und so »Spuren der alten Liebe« erkennen lassen. Auf diesem Weg gilt es nun weiterzuschreiten, die Gleichgesinnten zusammenzuführen, Ort und Zeit eines Treffens zu vereinbaren und so, »indem wir uns kraft der Gnade Gottes gegenseitig anerkennen, die Kirchen wieder in der alten Form der Liebe zu regieren«. In dem sich hier abzeichnenden Zusammenschluss der nizänischen Kräfte, den Basilius betrieben hat und der schliesslich – nach seinem Tod – zum Sieg der nizänischen Orthodoxie führen sollte, leuchtet die »alte Form der Liebe« wieder auf. Doch bleibt dem einigenden Wirken des Basilius andernorts solcher Erfolg verwehrt, wie der ähnlich argumentierende[32], doch ergebnislos gebliebene Brief 203 an die Bischöfe der pontischen Küste zeigt.

Ein anderes instruktives Beispiel stellt *hom. 29* Adversus eos qui per calumniam dicunt dici a nobis deos tres dar[33]; es führt vor Augen, wie Basilius

[31] ep. 190,3:14f.
[32] ep. 203,3:26ff.
[33] hom. 29,1f (31,1488c–1489c).

Fortschritte beim Wiederaufbau der Kirche konstatiert und zugleich doch wieder in Frage stellen kann. Auch hier setzt Basilius ein (a) mit der Klage, dass in der Gegenwart »Liebe und Frieden«, die der Herr seiner Kirche hinterlassen hat, geschwunden sind; »verschwunden ist die Gabe, bei niemand wird sie mehr gefunden«. Und dies nicht infolge häretischer Bedrängung als vielmehr aufgrund des inneren Zerfalls der kirchlichen Einheit: »ein jeder von uns beklagt für sich allein sein Geschick, doch kommen wir nicht zusammen«. Darum »sind wir Sand geworden: wir hängen nicht zusammen, sondern jeder ist für sich gesondert«. Eben darum wird (b) der einfache Tatbestand, dass sich hier bei einem Märtyrerfest Christen von fern und nah zusammengefunden haben, als ein ganz aussergewöhnliches Ereignis bezeichnet, ein »fremdes Schauspiel« (θέαμα ξένον), das die Festgemeinde der Welt dadurch bietet, dass sie »sich an einem Platz versammelt« hat. Und da die Väter die Märtyrerfeste eben zu diesem Zweck eingerichtet haben, um der mit der Zeit durch die räumliche Trennung entstehenden »Entfremdung« entgegenzuwirken[34] und den zerstreut lebenden Christen Gelegenheit zum Austausch von Liebe und wechselseitigem Trost und zur Erneuerung ihrer Zuneigung zu geben, ist der blosse Umstand, dass sich diese Festgemeinde »an einem Platz« hat versammeln können, ein »Überbleibsel der alten Liebe der Väter«[35]. »Dies geistige Fest erneuert das alte und ist der Beginn für die Zukunft«. (c) Gleichwohl aber – und das ist nun der dritte Schritt – realisiert sich der Leib Christi nicht in dieser Festgemeinde. Denn die »meisten der Anwesenden« sind nicht zum »Austausch von Liebe«, sondern als »Spione« gekommen; sie wollen das Wort der Predigt nicht zur »Erbauung« hören, sondern suchen eine Handhabe zur »Schmährede« gegen den Prediger, um ihn des Tritheismus verdächtigen zu können. Wer aber nicht »Erbauung« und »Ausstausch von Liebe« sucht, schliesst sich selbst von dem Kommunikationssystem des Leibes Christi aus. Das alles sagt Basilius, um der Gemeinde doch noch die Augen zu öffnen und so eine Wende herbeizuführen; denn er hat es ja unternommen, »die alte Gabe zu erneuern«. – Wir stossen hier wieder auf jenes für Basilius so bezeichnende *Doppelkriterium* äusserer und innerer Einheit, das Basilius ja etwa auch in den Tarsusbriefen zur Anwendung gebracht hatte: äussere kirchliche Einheit, das Zusammentreffen

[34] hom. 29,2 (31,1489b): ἵνα τὴν ἐκ τῶν χρόνων ἐγγινομένην ἀλλοτρίωσιν διὰ τῆς τῶν καιρῶν ἐπιμιξίας ἀνανεοῦσθαι.

[35] hom. 29,2 (31,1489b): Αὐτὸ τὸ ὁρώμενον τῆς παλαιᾶς ἀγάπης τῶν πατέρων ἐστὶ λείψανον.

und Zusammenleben der Christen, ist unabdingbare Voraussetzung für jenes innere Zusammenwachsen der Glieder des Leibes Christi, jenen Prozess der »Erbauung«, des »Austausches« und Ausgleichs, des heilenden Emporziehens der Schwachen durch die Starken, wie er für den Leib Christi charakteristisch ist und in der alten Zeit der Kirche verwirklicht war. Nur wenn die äussere Einheit gegeben *und* so die innere ermöglicht und im Wachstum begriffen ist, ist der alte Zustand der Kirche auch in der Gegenwart Wirklichkeit. Wenn eines von beiden fehlt, nicht.

4. So bewegt sich Reden und Handeln des Basilius in der *Spannung* zwischen normativer kirchlicher Vergangenheit und der an diesem Massstab gemessenen und für schlecht befundenen Gegenwart. Die Stärke und die Besonderheit des Basilius liegt darin, dass er diese Spannung ausgehalten hat, dass er – anders als sonstige Kritiker mit mönchischem Hintergrund, anders etwa auch als sein Freund und Weggefährte Gregor von Nazianz, der immer wieder von der Versuchung zur »Flucht« aus dem kirchlichen Getriebe erfasst wurde und dieser Versuchung zumeist auch erlag[36] – sich ihr nicht durch Rückzug in monastische Abgeschiedenheit oder schismatische Abspaltung entzogen hat. Differenzerfahrung von Soll und Sein (wie es sich im Bild der Urgemeinde ausdrückt) begleitet die Kirche von Anfang an. Sie ist aber selten so scharf empfunden und zum Ausdruck gebracht worden wie bei Basilius, der das Ideal der Urgemeinde von dem Kriterium äusserer u n d innerer Einheit her beschreibt und die aktuelle kirchliche Lage mit jenem geübten Blick diagnostiziert, den die geschärfte Sündenerkenntnis und Beichtpraxis des Klosters mit sich brachte. Und er verzichtet auch auf die Möglichkeit, die historische Differenzerfahrung durch Unterscheidung verschiedener Zeiten der Kirche zu überspielen, die Charismen als privilegia ecclesiae primitivae zu verstehen[37],

[36] Man vergegenwärtige sich nur seine Apologia pro fuga sua (orat. 2), die nur in einem kurzen Schlussteil (n. 102–117) Gründe für seine Rückkehr anzugeben vermag, sehr ausführlich hingegen (n. 7–101) seine »Flucht« vor dem Priesteramt gerade aus dem Verfall von Priesterstand und kirchlicher Ordnung plausibel zu machen weiss.

[37] Z.B. Const.Ap. VIII,1,2 (FUNK I,461): zeitlich begrenzte Notwendigkeit der Charismen zur Unterstützung der apostolischen Missionspredigt, εἰς τὴν τῶν ἀπίστων συγκατάθεσιν, ἵνα οὓς οὐκ ἔπεισεν ὁ λόγος, τούτους ἡ τῶν σημείων δυσωπήσῃ δύναμις. Cf. LAUTERBURG Charisma 47ff; RITTER Charisma 23–34.127–130.149ff.197ff. Die von Basilius für erforderlich und erfahrbar gehaltene Kontinuität zur Urgemeinde setzt ein Charismenverständnis voraus, welches das Mirakulöse ausscheidet bzw. an den Rand rückt, Charismen statt dessen als die Fülle

die Verbindung mit der apostolischen Urzeit durch eine formalisierte Sukzessions- und Traditionstheorie herzustellen oder das Auflodern urchristlichen Feuers nur für den beschränkten Bezirk des Mönchtums gelten zu lassen. Nein: die Urgemeinde ist – in der Einheit der Gläubigen, dem gemeinschaftlichen Besitz aller materiellen wie geistigen Güter, dem Gehorsam gegenüber den Geboten Christi sowie der reichlichen Ausstattung mit Charismen – die Kirche, wie Gott sie gewollt hat[38] und sie in der Zeit der Apostel (und auch später noch) für jedermann erfahrbar war; und diesem Bild die gegenwärtige Gestalt der Kirche anzugleichen, ist Ziel des Basilius, nein mehr noch: es ist die Pflicht, zu der er sich um des drohenden Verlustes seines Seelenheils willen gezwungen weiss. Darum sucht er die Kirche beständig wachzurütteln, darum sein unermüdlicher, durch schwere Krankheit, widrige Umstände und beständige Rückschläge nicht gebrochener Kampf um die Erneuerung und den Wiederaufbau der Kirche. Dabei macht er sich über die konkreten Erfolgsaussichten dieser Anstrengungen und die Bedeutung seines eigenen Beitrags wenig oder gar (im Vergleich zum abweichenden Urteil der Zeitgenossen) zu wenig Illusionen, ist er Realist genug, um zu sehen, dass die gegenwärtige Kirche diesem angestrebten Ziel nicht entspricht: darum seine beharrlichen Klagen über den Zustand der Kirche, darum seine ätzende Kirchenkritik. Doch vereinzelt gibt es immer wieder Erfahrungen, die an die vergangenen Zeiten der Kirche erinnern, einzelne Stellen, an denen die »alte Gestalt der Kirche« durch den Schutt des gegenwärtigen Trümmerfeldes hindurch aufblitzt – »Überbleibsel« der Urgemeinde in geistesarmer Zeit sind das und »Spuren der alten Liebe«.

der geistgewirkten Lebensäusserungen der Kirche versteht und sich letztlich Origenes verdankt, der zwar darüber klagt, dass »die meisten der hervorragenden Charismen abhanden gekommen sind« (fr. in prov. 1,6 PG 13,25a), andererseits aber wenigstens in *»Spuren und Überresten«* (ἴχνη καὶ λείμματα) die apostolischen Bekundungen des »Geistes und der Kraft« in der Gegenwart verspürt (comm.Jo. XX,35 GCS 10,374; cCels I,2 GCS 2,57). Damit vertritt er – bezogen auf den einzelnen Geistträger – jene Anschauung, die für des Basilius Verständnis der christlichen Gemeinschaft als ganzer bzw. der Kirche als Ort des Geistes charakteristisch ist.

[38] Darum dient der Verweis auf die Urgemeinde als Handlungsnorm, zB ep. 128,3; RB 85; ep. 150,3:20ff.

III. DER EINE WEG

A. SITUATIONSANALYSE VON DE IUDICIO DEI UND REFORMPROGRAMM DER MORALIA

1. Das Reformprogramm des Basilius zur Wiederaufrichtung der verwüsteten Kirche liegt vor in den *Moralia* (bzw. den Regulae Morales)[1]. Es besteht im Aufruf zur Umkehr, zur entschlossenen Abkehr von menschlicher Eigenmächtigkeit und jenen »menschlichen Überlieferungen«, die nach dem Urteil des Basilius bislang in der Kirche in Geltung stehen, hin zu einem dem »Evangelium« entsprechenden Leben[2]. Zugleich erklärt es den Willen Gottes, wie er in der Schrift fixiert und in den Moralia in 80 ὅροι zusammengestellt ist, zum alleinigen Massstab des »Christ«-Seins und zur ausschliesslichen Richtschnur kirchlichen Handelns. »A l l e i n« nach dem Vorbild und Gebot

[1] T e x t : Zitiert wird nach PG 31,700b–869c; die verbesserte (aber schwer zugängliche) Ausgabe in BEP 53,37–131 wird dabei berücksichtigt. – Die Moralia stellen die eigentlichen »Regeln« (ὅροι) des Basilius dar (s. GRIBOMONT Histoire 323.257f.287.293); die später missverständlicherweise sog. Mönchsregeln – das Asceticon Parvum bzw. Asceticon Magnum also (s. unten p. 71,60) – hat er selbst als »Fragen und Antworten« bezeichnet (prol. VI ap. GRIBOMONT Histoire 282,41ff: ὅσα πρὸς τὴν συνάσκησιν τῆς κατὰ θεὸν ζωῆς ἀπὸ τῶν ἀδελφῶν ἐπερωτηθεὶς ἀπεκρινάμην). Die Moralia sind in zwei Ausgaben erschienen (GRIBOMONT Histoire 323.287ff; ders. SE 22, 1974/75, 32,33): zunächst mit De Iudicio Dei (31,653a–676c) und dem (jetzigen) § 6 von De fide (31,692a–c, ab: Ὅσα τοίνυν εὑρίσκομεν...), und zwar ohne die Bibelzitate (deren Kenntnis Basilius bei seinen Lesern voraussetzt: 31,692a); diese erste Ausgabe enthält also nur die Kapitelüberschriften sowie das »Portrait des Christen« am Ende (80,22 31,868c–869c). Die zweite Ausgabe hat De Iudicio Dei (s.o.) sowie De fide (31,676c–692c) als Vorwort und enthält die Bibelzitate. – Für die Rezeptionsgeschichte des Basilius ist es charakteristisch, dass die sog. Mönchsregeln vielfach etwa ins Deutsche übersetzt worden sind (zuletzt 1981 bei FRANK Mönchsregeln), die Moralia hingegen – ausgenommen die Übersetzung in »Sämmtliche Werke der Kirchen-Väter« Bd. 21, Kempten 1839 (!) – nicht. – L i t e r a t u r : Grundlegend GRIBOMONT Histoire (s.o.); ders. SE 22 (1974/75) 31ff; ders. Règles Morales 416ff. Zum Bibeltext der Moralia s. OLIVER Moralia passim; DUPLACY Regulae Morales 69ff; cf. TIECK Bible. Die bei DUPLACY (p. 70,8) genannte Arbeit von B. VEISSE (Les Règles Morales de s. Basile de Césarée, Lyon 1971) war nicht zugänglich. Weitere Literatur im folgenden.

[2] Iudic. 8 (31,676ab): ἀποπηδήσαντες μὲν τῆς τε τῶν ἰδίων θελήματων συνηθείας καὶ τῆς τῶν ἀνθρωπίνων παραδόσεων παρατηρήσεως, στοιχήσαντες δὲ τῷ εὐαγγελίῳ; 2 (31,653c): πολυχρόνιον τῶν ἀνθρώπων συνήθειαν; 2 (31,656a): ἑκάστου ... λογισμοὺς δέ τινας καὶ ὅρους ἰδίους ἐκδικοῦντος ἐξ αὐθεντίας; RM 12,2.4.

Christi hat der »Christ« gestaltet zu sein (80,1), »allein« auf seine Stimme zu hören (80,2) und »allein« seinem Willen gemäss zu leben (80,4); und »allein« das vom Herrn Gebotene hat darum auch Gegenstand der kirchlichen Verkündigung zu sein (80,11). Das aber ist dann auch »v o l l s t ä n d i g«, ohne irgendwelche Abstriche zu befolgen. Denn »alles ohne Ausnahme (πάντα ἀπαραλείπτως) ist zu erfüllen, was der Herr durch das Evangelium und die Apostel überliefert hat« (12,3); und Ungehorsam gegenüber auch nur einem einzigen Gebot zieht den Verlust des ewigen Heils nach sich, wofür sich Basilius hier wie auch sonst auf das Beispiel des Petrus beruft, den der Herr mit Ehren überhäuft hat und zu dem er dennoch – nicht, weil dieser irgendein Verbot übertreten hätte, nicht, weil er irgendein Gebot unvollständig erfüllte, sondern nur weil er sich nicht den Dienst des Herrn hatte gefallen lassen wollen – die Worte sprach: »Wenn ich dich nicht wasche, so hast du keinen Teil an mir«[3]. Nichts steht ausserhalb der Gehorsamsforderung Christi[4], jede Bekundung des Ungehorsams ist von derselben Strafe bedroht[5], keine Aufweichung der Gehorsamsforderung durch Unterscheidung der Gebote zulässig[6]. Darum ist dem Prediger aufgetragen, »alles, was der Herr im Evangelium und durch Apostel anordnet, die Gläubigen zu lehren, und was diesem entspricht« (70,5), und nichts davon zu verschweigen; das Blut derer, die infolge seiner Nachlässigkeit zu Fall kommen, wird sonst am Tag des Gerichtes von ihm gefordert (70,7). Dabei wird der Wille des Herrn als jene bessere Gerechtigkeit des Evangeliums verstanden, die nicht die böse Tat, sondern bereits die sündige Regung des Herzens verbietet (43,1). Niemand ist von dieser Forderung ausgenommen, »a l l e« hat der Prediger »zum Gehorsam gegen das Evangelium aufzurufen ... und die Wahrheit zu bezeugen, auch wenn manche das zu hindern suchen und ihn auf vielfältige Art und Weise verfolgen bis hin zum Tod« (70,12). Eine Aufspaltung in eine höhere Sittlichkeit, die Sache weniger wäre, und eine niedere, die für alle verbindlich ist, kennt

[3] Joh 13,8 (bei Basilius nicht sakramental gedeutet, sondern locus classicus der Notwendigkeit vollständiger Gebotserfüllung): Iudic. 8.7 (31,673ab.672a); RM 12,1; prol. IV,3 (31,893cd); RB 83.233.301; RF 31 (alle AscM); RB 60 (AscP).

[4] Iudic. 7 (31,669b): οὐδὲν τῆς τοῦ Χριστοῦ ὑπακοῆς ἐκτὸς ἀπολείπεται.

[5] Iudic. 4 (31,661b): ἐν μόνῃ δὲ τῇ παραβάσει οὑτινοσοῦν προστάγματος, σαφῶς κρινομένην τὴν πρὸς Θεὸν ἀπείθειαν, καὶ κοινὸν κατὰ πάσης παρακοῆς τοῦ θεοῦ τὸ κρῖμα.

[6] Iudic. 8 (31,673a/BEP 53,22,6ff): οὐκ ἔστιν ἐνταῦθα διαφορά, οὐκ ἔστι διαίρεσις, οὐδὲν οὐδαμοῦ ὅλως ὑπολείπεται. Οὐκ εἶπεν· Οὗτοι καὶ ἐκεῖνοι, αλλ' »Οἱ λόγοι μου«, πάντες ὁμοῦ δηλονότι, οὐ μὴ παρέλθωσι.

Basilius nicht. Zwar soll der kirchliche Lehrer »alle« zur Vollkommenheit führen, wenngleich ἕκαστον ἐν τῷ ἰδίῳ τάγματι (70,31); aber mit diesen τάγματα sind nicht, wie etwa HUMBERTCLAUDE meinte, verschiedene Vollkommenheitsgrade (»degrés dans la perfection«) bezeichnet[7] bzw. die Unterscheidung von asketischen Elite- und kirchlichen Normalchristen ins Auge gefasst, sondern es sind jene Stände und Gruppen gemeint, wie sie der Ständespiegel am Ende der Moralia (RM 70-79) aufzählt, um τὰ ἑκάστου δὲ βαθμοῦ ἢ τὰγματος ἐξαίρετα κατ ἰδίαν zu beschreiben[8]. Dieser *Ständespiegel*, der die Forderungen des Evangeliums auf die unterschiedlichen Gruppen des Christenvolkes – Klerus und Laien, Männer und Frauen, Herren und Sklaven, Eltern und Kinder, Bürger und Herrschende und insbesondere auch den Stand der Soldaten – hin zu spezifizieren sucht, ist zum Verständnis der Moralia von ausschlaggebender Bedeutung. Denn erstens stellt er gegenüber allen immer wieder aufflackernden Zweifeln sicher, dass sich die Moralia mit ihrer kompromisslosen Betonung des Evangeliums als alleiniger Norm des Christseins an *alle Christen* (und nicht nur an den Stand der Asketen) wenden. Zweitens betonen sie damit zugleich, dass ein so verstandenes Christentum möglich und notwendig ist auch i n n e r h a l b der gegebenen sozialen Ordnung – angesichts eines starken eustathianischen Milieus mit ausgeprägten rigoristischen Neigungen zweifellos eine aktuelle Feststellung; womit die Moralia zugleich aber auch – drittens – feststellen, dass sich kein Stand und kein Bereich der (nominell inzwischen bereits weitgehend christlichen) Gesellschaft dem Geltungsanspruch des Evangeliums entziehen kann, weshalb der Ständekatalog folglich auch den Gehorsam – den Kinder ihren Eltern, Sklaven ihren Herren und die Untertanen der Obrigkeit schulden – begründet und zugleich eingrenzt auf jene Fälle, »in denen das Gebot Gottes nicht behindert wird« (75,1; 76,1, 79,2).

[7] HUMBERTCLAUDE Doctrine 96.

[8] So die zusammenfassende Beschreibung der Moralia in dem (der Hypotyposis vorangestellten) prol. VI (ap. GRIBOMONT Histoire 281,33f). τάγμα zur Bezeichnung der Gruppen des Ständespiegels: s. etwa τάγμα τῶν ὄντως χηρῶν (RM 74,2); τάγμα τῶν παρθένων (can. 7:7/RM 77); τὸ στρατιωτικὸν τάγμα (hom. 18,7 31,504b/RM 78); λαικὸν τάγμα (can. 3:8/RM 72) etc.; es bezeichnet einen jeden Platz, ἐν ᾧ ἐτάχθη (sc. ὁ χριστιανός) (ep. 22,2:35) bzw. in dem er »berufen« wurde (1Kor 7,24), um den Willen Gottes zu erfüllen.

2. Bei aller biblizistischer Prägung versteht sich der Regelkatalog der Moralia nicht als zeitlos gültiges Programm, sondern als Ruf in eine ganz bestimmte Stunde der Kirche. Diese *Situation der Kirche* beschreibt die den Moralia als Prolog vorangestellte Schrift *De Iudicio Dei*[9]. Sie schildert, wie wir bereits gesehen haben, den völligen Zerfall der Kirche, und es ist ganz offenkundig, wie sich die Situationsanalyse von De Iudicio Dei und das Reformprogramm der Moralia bis in Einzelheiten hinein entsprechen. Den menschlichen Satzungen, die laut Iudic. 2 »seit langer Zeit« in der Kirche herrschen, stellen die Moralia den Willen Gottes entgegen, wie er in der Schrift kodifiziert ist. Erklärt sich für De Iudicio Dei die Zerrissenheit der Kirche daraus, dass sich die verantwortlichen Führer der Kirche statt am Gebot Christi an ihren je eigenen λογισμοὺς δέ τινας καὶ ὅρους ἰδίους ausrichten, so beschreiben die der Schrift entnommenen ὅροι der Moralia die e i n e und einigende und aller kirchlichen ἀναρχία ein Ende setzenden Herrschaft Christi; und gegenüber jener von De Iudicio Dei scharf getadelten κακίστη συνήθεια, die sich mit der Befolgung einiger weniger Gebote meint begnügen zu können, begründen die Moralia die Forderung nach vollständiger Erfüllung des Gotteswillens. Beklagt De Iudicio Dei den schlechten Zustand sowohl der »Masse« des Kirchenvolkes wie – schlimmer noch – der Führer der Kirche, so entspricht dem die Zweiteilung in den biblischen Regeln der Moralia (RM 70f. 72ff; 80,1-11.12-21) für die kirchlichen Stände (Klerus/Laien) und insbesondere das auffällige Gewicht, das dabei auf die notwendige Reform des Klerus gelegt wird. Die in De Iudicio Dei beschriebene Lage, gekennzeichnet durch das Auftreten der Anhomöer[10], allgemeinen »Abfall« von der »Lehre unseres Herrn Jesus Christus«[11] sowie die völlige Zerstrittenheit der kirchlichen Führer in Dingen der Lehre machen es dringlich, dass sich die Laien – wie es die Moralia fordern – auf ihre Pflicht zur διάκρισις besinnen und sich von falschen Predigern fernhalten; RM 72,1f; 70,37; 40,1 nennen die Kriterien dafür. Auch die vom Prediger (70,13) und einem jeden Christen (6,1) geforderte παρρησία sowie die Einschärfung der Pflicht, um des christlichen Zeugnisses willen Anfeindung und Verfolgung bis hin zum Tod auf sich zu nehmen[12], verweisen auf die in De Iudicio Dei geschilderte Situation.

[9] 31,653a–676c; BEP 53,13–23.
[10] Iudic. 1 (31,653b).
[11] Iudic. 2 (31,656a).
[12] RM 3,2; 6,1; 33,5; 55,1; 62,1; 63f; 66,1f; 70,13.19.

3. Gemeinhin, von MARAN bis hin zu GRIBOMONT oder RITTER, werden die Moralia samt De Iudicio Dei etwa in die Jahre zwischen 359 und 361 datiert[13], also ins Ende der Konstantiuszeit und seiner antinizänischen Religionspolitik; auf diesen Zeitpunkt weisen sowohl die Angaben von De Iudicio Dei (Reisen des Basilius, Aufkommen der Anhomöer) wie das externe Zeugnis des Gregor von Nazianz[14]. Doch ist diese Datierung immer wieder und so auch nach LÈBE erneut von FEDWICK (und indirekt auch von DUPLACY[15]) in Frage gestellt worden; und da diese *Datierung* nicht nur zum Verständnis der Moralia, sondern des Corpus Asceticum des Basilius insgesamt und v.a. des historischen Ortes seines Reformprogramms von grosser Bedeutung ist, so sei diese Frage hier kurz aufgegriffen. LÈBE, der die Moralia als »testament spirituel« des Basilius aus seinen letzten Lebensjahren (»au cours des années 376, 377 ou 378«) hatte verstanden wissen wollen, wendet gegen die traditionelle Frühdatierung insbesondere ein, dass sich der junge Basilius eine derartige Sprache nicht hätte erlauben können: »Quelle autorité morale ou spirituelle avait-il, alors qu'il n'était pas encore prêtre, pour adresser ce traité non seulement aux fidèles, mais surtout aux prédicateurs de la foi et aux Chefs des Églises, comme il le fait particulièrement dans la règle 70e, la plus longue, qui comprend 37 chapitres et constitue à peu près la 5e partie de l'œuvre tout entière?«[16]. Dieser Einwand geht an der Situationsschilderung in De Iudicio Dei gänzlich vorbei, die ja gerade das völlige Versagen der kirchlichen Führer konstatiert, weshalb Basilius sich genötigt sieht, den Gemeinden mit der Schrift (und für die nicht schriftverständigen Predigthörer mit dem Kriterium der Lebensführung des Predigers) den Massstab zur Unterscheidung wahrer und falscher Verkündigung in die Hand zu geben[17]; und es ist eben diese Autorität

[13] MARAN Vita 7,3 (29,XXVIII): »Anno 361 videtur Basilius Moralia scripsisse«; CLARKE Works 16: 362–365; GIET Basile 19: Pontusaufenthalt, Anfang Priesterzeit; AMAND DE MENDIETA Ascèse 152: »entre 360 et 365«; GRIBOMONT Histoire 323: »vers 359–361«; HAUSCHILD TRE V,203: »ca. 359/360«; RITTER Basileios 420: »zwischen 357 und 361 oder kurz danach«.

[14] Greg.Naz.ep. 6 (GCS 53,7): ὅροι γραπτοὶ καὶ κάνονες während des gemeinsamen Pontusaufenthaltes. Diese sind mit den Moralia zu identifizieren: GRIBOMONT Histoire 256ff.

[15] LÈBE RBen 75 (1965) 193–200; ders. in der Einleitung seiner Übersetzung (pp. 10ff); FEDWICK Church 149–152; cf. DUPLACY Regulae Morales 81f.

[16] LÈBE (Introduction) p. 10. Sein anderes Hauptargument (RBen 75, 1965, 193ff), De Fide als der zweite Prolog der Moralia entstamme der Bischofszeit des Basilius, missachtet die beiden Editionen der Moralia (s.o. p. 39,1).

[17] RM 72.

der Schrift (und nicht eigene Meinung oder »menschliche Überlieferung«), die Basilius in den Moralia seinen Forderungen an den Klerus zugrundelegt. Dass freilich viele Bischöfe seiner Zeit dies Verhalten des Basilius für ähnlich ungebührlich hielten, wie dies (für den Fall der Frühdatierung) LÈBE erscheint, sollte sich im weiteren Verlauf der Entwicklung bald zeigen. - Für FEDWICK stellen sich die Moralia aufgrund verschiedener interner Indizien in der vorliegenden Gestalt, die er auf das Jahr 376 datiert, als das Ergebnis eines langdauernden Wachstumsprozesses dar, wobei er den Prolog De Iudicio Dei »to a community of ascetics somewhat baffled by his falling out with Eustathius of Sebaste« gerichtet sein lässt[18]. Die Zeitangabe in Iudic. 1 (νῦν ... τῶν 'Ανομοίων ἐπιφυέντων), eines der Hauptargumente für die Frühdatierung, versucht er so zu entschärfen, dass er das νῦν unter Verweis auf das imperfektische ἐθεώρουν des Hauptsatzes als »damals« (»then«) wiedergibt. Das aber ist sprachlich nicht möglich und führt im übrigen zu der problematischen Konstruktion, dass Basilius – um die bislang unerhörte Zerrissenheit der Kirche zur Zeit der pneumatomachischen Kämpfe darzutun[19] – auf die Eindrücke verweist, die sich ihm bereits sehr viel früher angesichts der Anhomöer aufgedrängt hatten. Vielmehr schildert Basilius in De Iudicio Dei, wie ihm, der zuvor in der wohlbehüteten Atmosphäre eines christlichen Elternhauses grossgeworden sei, bei seinen Reisen die Augen über den katastrophalen und durch das gegenwärtige (νῦν) Aufblühen der anhomöischen Häresie charakteristisch beleuchteten Zustand der Kirche aufgingen. Deshalb lernte er, die Gegenwart (τὰ παρόντα) im Lichte des Schriftwortes Jud 21,24 (»In jenen Tagen gab es keinen König in Israel«) zu sehen, das – »was zu

[18] FEDWICK Church 149–152; ders. Chronology 14,81; 17; cf. ders. Prefaces 223ff. Kritik bei: RITTER Basileios 417ff; HAUSCHILD Briefe I,9,20. – DUPLACY problematisiert in seiner verdienstvollen Studie die von GRIBOMONT vertretene Sicht, da §6 von De Fide »n'a pas été rédigé pour présenter les Regulae telles que nous les connaissons« (Regulae Morales 76). Das hatte aber bereits GRIBOMONT in seiner (bei DUPLACY nicht genannten) Studie (SE 22, 1974/75, 32,33) festgestellt.

[19] Das, so FEDWICK, sei die Meinung des Basilius, denn: »In none of his extant writings that can be placed before 370 does Basil speak so openly of the evils of the Church ... as he does in De Iudicio« (Church 151). Doch vgl. nur ep. 25,1(:18ff).2(:1f). – Im übrigen: Hätte Basilius den Grundsatz RM 72,2 (Orthodoxie der Predigt an Lebensführung des Predigers erkennbar) nach ep. 223,3:5ff so formulieren können? – Zu Iudic. 1 (νῦν ... τῶν 'Ανομοίων ἐπιφυέντων) cf. ep. 9,2:5f (τῆς νῦν περιθρυλουμένης ἀσεβείας, τῆς κατὰ τὸ 'Ανόμοιον) sowie die Denkschrift der homöusianischen Führer von 359 gegen τὴν νῦν ἐπιφυομένην αἵρεσιν der Anhomöer (ap.Epiph.pan. 73,12–23. 13,1; GCS 37,285,30).

sagen vielleicht furchtbar und befremdlich ist« - »auch jetzt« (καὶ νῦν) den aktuellen Zustand der Christenheit kennzeichnet[20], weshalb der Bussaufruf der Moralia einen Rettungsversuch in letzter Stunde (ὀψὲ τοῦ καιροῦ)[21] darstellt.

4. So dürften sich die Einwände gegen die Frühdatierung der Moralia auf die Schlussphase der Konstantiusherrschaft als nicht tragfähig erweisen, womit nun nicht nur die von De Iudicio Dei ins Auge gefasste kirchliche Lage bestimmt ist, sondern zugleich auch der *Zusammenhang des Reformprogramms der Moralia mit dem sonstigen kirchlichen Wirken des Basilius* präzisiert werden kann. Bei den zahlreichen *Reisen*[22], die ihm laut Iudic. 1 einen Eindruck von den Machtkämpfen und Spaltungen innerhalb der Kirche vermittelten, dürfte zunächst an jene Reise zu denken sein, die ihn – nachdem er 355 vom Studium in Athen zurückgekehrt und wohl 356 von Dianius in Caesarea getauft und zum Lektor geweiht worden war[23] – 356/57 zu den Asketen Mesopotamiens, Syriens, Palästinas und Ägyptens führte[24]. Denn mit Antiochien, wo Basilius wahrscheinlich, und Alexandrien, wo er sich sicher, und zwar wohl einige Zeit, aufgehalten hat[25], lernte er zwei Zentren der damaligen kirchenpolitischen Auseinandersetzungen kennen, wobei er in Alexandrien die kritische Zeit nach der gewaltsamen Verdrängung des Athanasius[26] bzw. die blutige Bedrückung seiner Anhänger durch den am 24.2.357 mit staatlicher Gewalt installierten Gegenbischof Georgius[27] miterlebt haben dürfte. Weitere Reisen, die ihm einen sehr unmittelbaren Einblick in den Zustand der Kirche vermittelten, waren mit dem Besuch der Reichssynode (wohl bereits September/Oktober 359 in Seleukia und sicher) Dezember 359 in Konstantinopel gegeben, ohne offizielle Funktion zwar, dennoch aber äusserst engagiert, wie seine Korrespondenz mit Apollinaris von

[20] Iudic. 2 (31,656a).
[21] Iudic. 8 (31,676a).
[22] Iudic. 1 (31,653a): ἀποδημίαις πολλάκις χρώμενος; cf. Greg.Naz.orat. 43,25,2: ἔπειτα ἐκδημίαι τινές.
[23] Taufe und Weihe als Lektor durch Dianius: DSS XXIX,71:31f; Greg.Naz.orat. 43,27,1 (BOULENGER 118).
[24] ep. 1; 223,2f; cf. ep. 207,2:14ff. Dazu GRIBOMONT RHE 54 (1959) 115–224; FEDWICK Church 135–137; PATRUCCO RSLR 15 (1979) 54ff.
[25] ep. 1:28ff.; 223,2:20ff; RB 254 (AscM); cf. ep. 93:17ff; 207,2:14ff.
[26] Dem Athanasius, der am 8.2.356 geflohen war, ist Basilius persönlich nie begegnet: ep. 80:12ff.
[27] Cf. Athan.hist.Arian. 53ff (OPITZ II,213ff).

Laodicea (epp. 361f) wohl von Seleukia aus[28] sowie seine Teilnahme an den Diskussionen in Konstantinopel zeigen. Das Leben in mönchischer Abgeschiedenheit im pontischen Annisi und gesamtkirchliches Engagement standen für ihn offensichtlich nicht im Widerspruch zueinander. In *Seleukia* lernte er die um Akakius gescharten Befürworter der homöischen Formel kennen, Leute also, die »alles verwirren und die Welt mit ihren Reden und Streitfragen erfüllen«[29]; und *Konstantinopel* dürfte gleich in mehrfacher Hinsicht für ihn zu einer Art Schlüsselerlebnis geworden sein. Denn einmal traf er dort direkt auf Eunomius[30], neben Aetius der prominenteste Vertreter jener »Anhomöer«, deren Auftreten Basilius in Iudic. 1 zu den erschreckenden Kennzeichen der Zeit zählt und deren wachsender kirchlicher Einfluss (v.a. in Antiochien unter Eudoxius) zu den auslösenden Momenten für den Zusammenschluss der Homöusianer 358 in Ankyra zählte[31], deren führenden Repräsentanten Basilius von Ankyra, Eustathius von Sebaste und Silvanus von Tarsus sich wiederum Basilius eng angeschlossen hatte. Und auch wenn mit Konstantinopel der kirchenpolitische Höhepunkt der Anhomöer bereits überschritten war – Aetius wurde abgesetzt, Eunomius allerdings zum Bischof ernannt, der Aetius-Förderer Eudoxius gar zum Bischof von Konstantinopel befördert –, so benennen sie doch die Gefahr, der Basilius auch weiterhin seine volle Aufmerksamkeit zuwendet. Das zeigen seine Bemerkungen in dem auf Konstantinopel zurückblickenden Brief 9, die 364 verfassten Bücher gegen Eunomius, spätere Homilien (wie hom. 24) sowie der Umstand, dass der aus

[28] Nach einer früheren Vermutung bei SCHÄFER (Beziehungen 42) hat PRESTIGE (Basil 6ff) die Teilnahme des Basilius in Seleukia als wahrscheinlich, zumindest als möglich erwiesen. Die Beurteilung dieser Frage ist unmittelbar verknüpft mit der Beurteilung der Authentizität des Briefwechsels Basilius – Apollinaris (epp. 361–364; wichtig dabei insbesondere ep. 361), die in der Forschung mir zunehmender Entschiedenheit bejaht wird (so zuletzt: HÜBNER Apolinarius 198,8; HAUSCHILD Briefe I,13,25), freilich jeweils verbunden mit unterschiedlichen Datierungsvorschlägen (cf. die unten p. 242,13 angeführten Voten). Für ep. 361 stehen dabei vor allem zwei Daten zur Diskussion: 359 (so PRESTIGE) und 360/361 (MÜHLENBERG). Wenngleich letzteres Datum häufiger genannt wird, scheint mir die Frage der zeitlichen Fixierung (und damit der Teilnahme in Seleukia) zumindest offen zu sein.

[29] ep. 361:8–10.

[30] Philost.h.e. IV,12 (GCS p. 64,5ff); Greg.Nyss.cEunom. I, 78f (GNO I,49); cf. GIET JThS 6 (1955) 94–99; KOPECEK Neo–Arianim I, 361ff; BRENNECKE Homöer 40ff; RITTER TRE X,525ff; ANASTOS Basil 67ff. Zu Unrecht bestreitet BRENNECKE (Homöer 51) die Teilnahme Basilius' an den Diskussionen in Konstantinopel. Cf. unten p. 239,3.

[31] Sozom.h.e. IV,13f (GCS 50,155ff); GUMMERUS Homöusianische Partei 65ff.

Kappadozien stammende Eunomius dort auch einen Anhang besass[32]. Zum andern wurden in Konstantinopel die führenden Vertreter der homöusianischen Partei von den Akakianern unter tatkräftiger Beteiligung des Hofes[33] reihenweise abgesetzt und damit jener »häretische Krieg« eröffnet, den Basilius 13 Jahre später im Jahre 372 als den schlimmsten seit Beginn der Verkündigung des Evangeliums bezeichnet[34]. Es ist ganz offenkundig, wie sehr diese Vorgänge – und nicht erst der unter Julian erfolgte offene Angriff auf das Christentum, der bei Basilius ganz anders als bei Gregor von Nazianz so gut wie keinen Widerhall findet[35] – für Basilius die Krise der Kirche beleuchten. Denn es kommt noch ein weiteres Moment hinzu: Basilius musste erleben, wie gerade die führenden Köpfe der Homöusianer, mit denen er bisher zusammen seine ersten Schritte in den Glaubenskämpfen der Zeit getan hatte, in Konstantinopel dem kaiserlichen Druck schmählich nachgaben und das homöische Bekenntnis von Rimini-Nike unterschrieben. Wie sehr ihn das traf, können wir in einem konkreten Fall nachprüfen: Dianius von Caesarea, zu dem er von früher Jugend an aufgeschaut und der ihn getauft und zum Lektor geweiht hatte, unterschieb ebenfalls die in Konstantinopel sanktionierte Formel, was Basilius mit »unerträglicher Trauer« erfüllte und zum Rückzug in den Pontus nötigte. Damit ging er zwar nicht so weit wie die Mönche von Nazianz, die es gegenüber Gregor von Nazianz dem Älteren, der ebenfalls unterzeichnet hatte, zum förmlichen Schisma kommen liessen[36]. Aber immerhin führte dieser Vorgang doch zur »Trennung der Herzen«; und hartnäckig hielt sich in Kappadozien das Gerücht, Basilius habe Dianius aus diesem Grund »anathematisiert«[37].

[32] Philost.h.e. tit.; III,20; VI,3; VIII,11; X,6 (GCS 1,1ff; 48,19f; 71; 111f; 127f). Cf. auch ALBERTZ ThStKr 82 (1909) 259.269ff; sowie unten p. 240,4.

[33] cEunom. I,2 (p. 154,62ff/PG 29,505ab); Socr.h.e. II,41ff (HUSSEY I,358ff); Sozom.h.e. IV,24f (GCS 50,178ff).

[34] ep. 242,2:3ff. Zum Datum: SCHWARTZ GS III,41; LIETZMANN Apollinaris 52; HAUSCHILD Briefe II,10; FEDWICK Church 144.

[35] S. unten pp. 287ff.

[36] Greg.Naz.orat. 6; 18,18; 4,10 – Neuerdings möchte BERNARDI (SC 309,25ff; cf. auch KURMANN Kommentar 6ff) die Unterschrift Gregors auf die antiochenische Synode von 363 bezogen wissen. Demgegenüber ist am traditionellen Ansatz – gleiche Aktion wie die von Bas.ep. 51,2 erwähnte – festzuhalten. Cf. auch WITTIG (BGrL 13,17ff); BRENNECKE Homöer 59f.

[37] ep. 51,2. Zum Konflikt mit Dianius cf. unten pp. 258-260.

5. So fügen sich die Angaben von De Iudicio Dei genau zu der Schilderung der kirchlichen Lage in den Jahren 357-361, wie wir sie seinen sonstigen Äusserunge aus (und über) diese(r) Zeit entnehmen können, und es ist nun noch einmal zu fragen, wie sich *Situationsanalyse in De Iudicio Dei* und Reformprogramm der Moralia zueinander verhalten. Die Lagebeurteilung, die Basilius in De Iudicio Dei vorlegt, vollzieht sich in drei Schritten: 1. Als offenkundiges Faktum wird die Zerrissenheit der Kirche konstatiert, für deren innere Schwäche auch das gegenwärtige Aufblühen der Anhomöer symptomatisch ist. 2. Die Frage nach der »Ursache (αἰτία) dieses so grossen Übels«[38] führt auf den im Christenvolk grassierenden Ungehorsam gegenüber dem Willen seines Herrn, der »uns des Beistandes des Herrn unwürdig gemacht«[39] und sichtlich das Gericht Gottes über diese seine Kirche zur Folge hat, weshalb es 3. nur einen Weg gibt, um »dem Zorn zu entfliehen, der über die Kinder des Ungehorsams kommt«, nämlich den Weg ungeteilten Gehorsams und ausschliesslicher Orientierung an den Weisungen der Schrift, wie ihn die Moralia propagieren und auf die einzelnen Bereiche des kirchlichen Lebens hinauslegen. Nicht der Bedrängung durch die arianisch-homöischen Häretiker, nicht den Repressalien des kaiserlichen Kirchenregiments gilt bei Basilius – in charakteristischem Unterschied zu sonstigen Klagen rechtgläubiger Kreise in der ausgehenden Konstantiuszeit[40] – in erster Linie das Augenmerk. Vielmehr ist sein Blick vor allem andern gerichtet auf jene innere Schwäche und Ursprungsferne der Kirche, wie sie für den Vf. von De Iudico Dei in der Zerstrittenheit des Christenvolkes zutage tritt, für ihn ursächlich ist für alle Folgeschäden und gegen die es nur ein einziges Heilmittel gibt: die Erneuerung der Kirche aus dem Geist des Evangeliums, wie sie die Moralia beschreiben und der sich alle sonstigen Massnahmen gegen die Schäden der Kirche zu- und unterzuordnen haben. Nur wenn der morsche Bau der Kirche von innen gefestigt wird, kann er auch den äusseren Anfeindungen standhalten. – Es ist wichtig, sich diese – vom *Gerichtsgedanken* bestimmte – Sichtweise zu vergegenwärtigen, da sie Denken und Handeln auch des künftigen Kirchenpolitikers und verantwortlichen Leiters der kappadozischen Kirche bestimmt. Dies ist schon rein äusserlich daran ablesbar, dass Basilius gegen

[38] Iudic. 2 (31,653c).
[39] Iudic. 3 (31,657b).
[40] Man denke etwa an die Polemik des Athanasiuskreises gegen Konstantius als den persecutor fallens und praecursor Antichristi. Cf. unten pp. 284ff.

Ende seines Episkopats den Traktat De Iudicio Dei seiner Sammlung asketischer Schriften (der Hypotyposis ascetica) voranstellt, um »die Ursache und die Gefahr der so weitreichenden Zwietracht und Zerstrittenheit der Kirchen Gottes und eines jeden gegen den andern« zu bestimmen[41]: an der Gültigkeit der Situationsanalyse in De Iudicio Dei hat sich also nichts geändert. Die Bedrängung rechtgläubiger Gemeinden durch die Staatsgewalt, die Wirren der östlichen Kirchen[42] und das Ausbleiben der Hilfe aus dem Westen[43] sind für ihn ebenso Zeichen des Gerichtes Gottes über seine Kirche, die sich seiner »Hilfe als unwürdig erwiesen« hat[44], wie das weltweite Umsichgreifen der arianischen Häresie: »denn *uns selbst* und unseren Sünden schreiben wir die Schuld (αἰτία) dafür zu, dass sich die Herrschaft der Häretiker so weit verbreitet hat; fast kein Teil der Erde ist vom Brand der Häresie verschont«[45]. Und wenn Basilius auch alles daran gesetzt hat, diesen Gegner zurückzudrängen, die Kirche zu einigen und den bedrängten Gemeinden Hilfe zukommen zu lassen, so stehen solche Aktivitäten in seiner Selbsteinschätzung doch stets unter dem Vorbehalt des bereits gegenwärtig erfahrenen Gerichtes Gottes, bedeuten sie nicht mehr als Herumkurieren an Symptomen, die so lange nicht wirklich zum Ziel führen können, als der grundlegende Schaden nicht geheilt ist und die Kirche nicht zum ungeteilten Gehorsam gegenüber dem Willen ihres Herrn zurückgefunden hat. »Denn wenn« – so bemerkt er etwa in einem Bericht über die gescheiterten Verhandlungen mit dem Westen – »der Zorn Gottes weiter bestehen bleibt, welche Hilfe ist dann für uns aus dem Hochmut der Westler zu erwarten?«[46].

[41] prol. VI (ap. Gribomont Histoire 280,20–22).
[42] ep. 139,1:22–24: Συνεισῆλθε δὲ τούτοις τοῖς διαλογισμοῖς κἀκείνη ἡ ἔννοια· ἆρα μὴ ἐγκατέλειπεν ἑαυτοῦ τὰς Ἐκκλησίας παντελῶς ὁ Κύριος; ep. 243,1:13f: ταῖς θλίψεσιν αἷς παρεδόθημεν διὰ τὰς ἁμαρτίας ἡμῶν.
[43] ep. 92,1:17–22.
[44] Iudic. 3 (31,657b).
[45] ep. 164,2:10–13.
[46] ep. 239,2:14f. Cf. unten pp. 341ff.

B. KIRCHLICHE GEMEINDE UND MONASTISCHE KOMMUNITÄT

So begegnen wir also in Basilius dem Vertreter eines streng »evangelisch« gefassten Reformideals, das er für die »ganze« Kirche verbindlich zu machen sucht. Denn allein von einer Umkehr des gesamten Christenvolkes in all seinen Ständen unter den ungeteilten Gotteswillen erwartet er eine Beseitigung der grundlegenden Schäden der Kirche. – Nun aber haben die Moralia, die eben diesen Aufruf zur Umkehr an das ganze Christenvolk ausrichten, zugleich einen *sehr spezifischen Adressaten*. Konkret richten sie sich nämlich (nach Ausweis von Iudic. 7) an die »Kämpfer der Frömmigkeit«, die ἀγωνιζόμενοι τὸν ἀγῶνα τῆς θεοσεβείας[1], d.h. an die asketischen Gesinnungsgenossen und Weggefährten des Basilius. Dies also ist der Kreis, wo sich Basilius mit seinen Reformvorstellungen für die ganze Christenheit unmittelbar verstanden wusste, wo die Grundsätze eines evangeliumsgemässen Lebens gemeinschaftlich erprobt, intensiv besprochen und weiterentwickelt worden sind. Was später in die Geschichte als basilianisches Mönchtum eingehen wird, stellt somit im Ansatz nichts anderes dar als die modellhafte Verwirklichung einer a l l e n Christen aufgetragenen Lebensform.

Für die Geschichte des basilianischen Reformprogramms ist dies ein Vorgang von ausschlaggebender Bedeutung. Denn einerseits bedeutet diese monastische Option ja keineswegs Desinteresse an einer evangelischen Neuordnung des Lebens des gemeindlichen Christentums. Vielmehr hat Basilius - erst als Presbyter und dann als Bischof – dort beharrlich den Grundsätzen der Moralia Geltung zu verschaffen gesucht. Dass (mit der einen Ausnahme der Ehe) für die »Christen« in Kloster und grosser Gemeinde dieselben Massstäbe gelten und beide einundderselben Norm eines »evangeliumsgemässen Wandels« (ἡ κατὰ τὸ Εὐαγγέλιον πολιτεία) unterstellt sind, bildet den Eckpfeiler auch seiner kirchenleitenden Tätigkeit (und hat zugleich den Ausgangspunkt einer jeden Basiliusinterpretation darzustellen). Eine der leitenden Fragestellungen bei der Analyse seines kirchlichen Handelns hat darum die zu sein, wieweit er diesen Grundsatz im Gemeindealltag hat durchhalten können. *Umgekehrt* aber lässt sich ebenso wenig übersehen, dass Rahmenbedingungen und Voraussetzungen zur Realisierung seines Reformprogramms im relativ traditionsfreien

[1] Iudic. 7 (31,676a).

Raum des Mönchtums ungleich günstiger waren als im Bereich des Gemeindechristentums mit seinen historisch gewachsenen Strukturen, wo Basilius an vielen Stellen »Überlieferungen der Menschen« und »menschliche Gewohnheiten« an die Stelle der vom Herrn verfügten Ordnung getreten sah[2]; nicht umsonst sollte dem basilianischen Programm einer Erneuerung der Kirche aus dem Geist des Evangeliums gerade von seiten konservativ-kirchlicher Kreise massiver Widerstand entgegenschlagen[3]. De facto fällt jedenfalls die Geschichte des Reformprogramms der Moralia weitgehend zusammen mit der Entwicklung des basilianischen Mönchtums.

Auf der literarischen Ebene lässt sich dieser Sachverhalt unmittelbar ablesen an den Bestimmungen des *Asceticon*, also jener – aus den Konferenzen des Basilius mit seinen Asketen hervorgegangenen[4] – Sammlung von Fragen und Antworten, die uns in den gedruckten Ausgaben als regulae fusius tractatae und regulae brevius tractatae vorliegen und die in der Tradition als die Mönchsregeln des Basilius gelten[5]. Denn diese stellen im wesentlichen nichts anderes dar als den Versuch, die von den Moralia proklamierte Norm des Evangeliums auf die konkreten Lebensbedingungen der mönchischen Kommunität hin auszulegen, die vielfältigen Fragen des Zusammenlebens von dort her zu beantworten und ihre Befolgung »bis ins allerkleinste«[6] hinein sicherzustellen. Dies in detaillierter Einzelanalyse nachzuweisen, erübrigt sich an dieser Stelle, da man sich den zur Diskussion stehenden Sachverhalt paradigmatisch an zwei Dokumenten vergegenwärtigen kann. Das eine Beispiel ist der – jetzt den regulae fusius tractatae vorangestellte – *Prolog IV*[7], der zeigt, wie die Bestimmungen des Asceticon für das Zusammenleben der Asketen verstanden sein wollen: als Aufruf zur Busse, zur Abkehr von menschlicher Gewohnheit und zur Hinwendung zum Evangelium als alleiniger Norm des Christseins, wodurch bereits die mit den Moralia identische Zielsetzung deutlich hervortritt.

[2] Iudic. 2 (31,653c); ep. 223,3:8f; can. 9; cf. oben p. 39,2.
[3] S. unten pp. 68ff.
[4] Das geht hervor aus: prol. III (31,1080ab); prol. VI (ap. GRIBOMONT Histoire 282; s.o. p. 39,1); Scholion 2 (ap. GRIBOMONT Histoire 152: ἐπερωθεὶς ὑπὸ τῶν περὶ αὐτὸν ἀσκητῶν, ἐγγραφῶς τὰς ἀποκρίσεις ἐποιήσατο); sowie der etwa in RB 127f (AscP); 308 (AscM) offenkundigen Gesprächssituation. S. GRIBOMONT Histoire 225f.323.
[5] S. unten pp. 70ff (insbesondere 71,60).
[6] ep. 173:13ff.
[7] 31,889a-902a.

Eröffnen die Moralia mit den Worten, dass diese Zeit die Zeit der μετάνοια und der künftige Äon die Zeit des gerechten Vergeltungsgerichtes sei, so heisst es gleichlautend in prol. IV,2: Οὗτος ὁ αἰὼν τῆς μετανοίας, ἐκεῖνος τῆς ἀνταποδόσεως. Verstehen sich die Moralia als Aufruf zur Umkehr in letzter Stunde (ὀψὲ τοῦ καιροῦ), so mahnt prol. IV,2, sofort mit der Umkehr ἀπὸ τοῦ κατὰ συνήθειαν βίου πρὸς τὴν ἀκρίβειαν τοῦ Εὐαγγελίου zu beginnen und dies nicht unbestimmt »auf morgen zu verschieben«. Wie die Moralia so will auch Prolog IV (samt den so eingeleiteten Fragen und Antworten des Asceticon) die Dringlichkeit der Forderung einschärfen, den »ganzen« Gotteswillen ohne Ausnahme zu befolgen, da Ungehorsam auch nur gegenüber »einem einzigen« Gebot den Verlust des Heils nach sich zieht, wofür hier wie dort der Petrus der Fusswaschungsszene (Joh 13,8) als Kronzeuge aufgeboten wird; und wie wenig Basilius bei alledem die Mönche als einen gesonderten Stand ins Auge fasst, zeigt seine Berufung auf den Taufbefehl. Denn »so sagt der Herr: 'Geht hin und macht zu Jüngern alle Völker und lehret sie' – nicht: das eine zu halten und das andere zu vernachlässigen, sondern: – 'zu halten alles, was ich euch befohlen habe'«. Und wenn Basilius in prol. IV,3 in Aufnahme der biblisch-origenistischen Tradition die drei Vollkommenheitsstände der »Knechte«, »Tagelöhner« und »Söhne« unterscheidet, so will er damit nicht eine Stufenleiter der Vervollkommnung beschreiben, die über die Forderung der Gebotserfüllung als blosses Anfangsstadium hinauszuführen geeignet ist. Vielmehr will er zeigen, dass keine dieser drei διαθέσεις von der ungeschmälerten Erfüllung der Gebote dispensiert und dass darum gerade auch der Stand der »Söhne« in der ungeteilten Befolgung des e i n e n und für alle verbindlichen Willens des himmlischen »Vaters« Ziel und Erfüllung findet.

Das andere Beispiel, vielleicht fast noch instruktiver, ist das wohl zu Beginn seines Episkopats verfasste Schreiben *ep. 22*, das sich in Form wie Inhalt wie eine Zusammenfassung der Moralia liest, in Wirklichkeit aber eine auf Anfrage hin verfasste Zusammenfassung der wichtigsten Regeln monastischen Lebens für eine Mönchsgemeinde darstellt[8]. Den Adressaten ist offenkundig das

[8] Gegenüber früheren Interpretationen (zB AMAND DE MENDIETA Ascèse 95; ANDRESEN Kirchen 437; COURTONNE Témoin 429ff) grundlegend zum Verständnis von ep. 22: GRIBOMONT Ant. 54 (1979) 255–287. Gegen HAUSCHILD (Briefe I,11; 174 [f]. 127–129), der erneut für eine Frühdatierung plädiert (»wohl eher 359 als später«), ist mit GRIBOMONT (p. 285) »à une datation relativement tardive« (= Episkopat) zu denken.

basilianische Asceticon nicht zur Hand, weshalb Basilius sich veranlasst sieht, ihnen »in aller Kürze« eine Zusammenfassung – nun nicht seines eigenen monastischen Regelwerkes, sondern – der biblischen Weisungen zur Lebenführung eines »Christen« zukommen zu lassen, wobei er (wie auch ursprünglich in den Moralia) die biblischen Einzelbelege selbst gar nicht angibt, sondern auf die eigenen Schriftkenntnisse der Adressaten vertraut. Verbindliche Grundlage der monastischen Organisation bleiben also in jedem Fall – und erst recht dort, wo das Asceticon des Basilius nicht greifbar ist – die »Regeln« der Schrift (bzw. deren Zusammenfassung in den Moralia), aus denen alle in der Mönchsgemeinde strittigen Einzelfragen zu beantworten sind.

Und wenn in einem Text wie ep. 22 – entsprechend dem Adressaten dieses Schreibens – ein Pendant zum Ständekatalog der Moralia (RM 70-79) fehlt, so heisst das keineswegs, dass die spezifizierenden Weisungen der Moralia für die verschiedenen Stände des Christenvolkes nun vergessen bzw. für die Organisation der monastischen Kommunitäten bedeutungslos geworden seien. Vielmehr setzen sie sich um in die Bestimmungen des Asceticon über den Umgang mit Männern und Frauen, Eltern und Kindern, Sklaven und hochgestellten Persönlichkeiten, denen allen – sofern dabei der Wille Gottes gewahrt wird – das Kloster Aufnahme zu gewähren habe (auch wenn das zu Konflikten mit der Umwelt führt)[9]. Wenn beispielsweise in den basilianischen Kommunitäten von Anfang an die Einrichtung von Doppelklöstern die Regel war, so ist das weniger bedingt durch pachomianische Vorbilder (HILPISCH) oder die in vielen Einzelpunkten sicherlich stimulierende Rolle des weiblichen

[9] RM 73 (Männer – Frauen): s. RF 12 (cf. RB 108–111.153.281). – RM 76 (Eltern – Kinder): s. RF 12.15 (cf. RF 53; RB 292). – RM 75 (Sklaven): s. RF 11. – RM 79 (ἄρχοντες resp. hochgestellte Beamte): cf. RF 10,2; RB 50; ep. 116(f). – RM 70,12 (»alle«): s. RF 10. – Zur »soziale(n) Herkunft der Mönche der basilianischen Klöster« s. FELLECHNER Askese 1,11ff. – Überhaupt ist mit der Frage nach dem sozialen Hintergund des basilianischen Mönchtums ein bislang sträflich vernachlässigtes Thema bezeichnet. Wir wissen beispielsweise gerade von Basilius, dass Kappadozisch zu seiner Zeit noch eine lebendige Sprache war (DSS XXIX,74:50f; VII,16:26). Wie schlägt sich dieser (ja auch soziologisch höchst relevante) Befund in den »Fragen und Antworten« des (griechisch verfassten und überlieferten) Asceticon nieder? Dieser Frage, die sich von der Analogie des koptischen Mönchtums geradezu aufdrängt, ist m. W. noch nie nachgegangen worden. – Besonders brisant zweifellos die Bestimmungen für den Fall religiös motivierter Sklavenflucht (RF 11). S. dazu unten pp. 317f.

Mönchtums Kleinasiens (ALBRECHT)[10]. Vielmehr ist dies für Basilius zunächst nichts weiter als die unmittelbare Konsequenz aus der Weisung des Evangeliums (bzw. der Moralia), »a l l e« Hinzutretenden aufzunehmen und darum Männern u n d Frauen ein dem Evangelium entsprechendes Leben zu ermöglichen (und folglich auch in der Organisation der asketischen Kommunitäten die entsprechenden Voraussetzungen zu schaffen).

In einem Diktum, das vielfach mit Zustimmung zitiert worden ist, hat Lukas VISCHER in seiner Basler Dissertation die Feststellung getroffen, dass Basilius nicht das Kloster nach dem Vorbild der Kirche, sondern umgekehrt »die Kirche nach dem Bild des Klosters« gestaltet habe[11]. In der Sache zweifellos zutreffend (sofern sein Reformideal offenkundig von seinen monastischen Erfahrungen wesentlich mitbestimmt ist), ist dies Diktum zumindest in der Formulierung ungenau – ungenau schon darum, da Basilius kirchliche Gemeinde und monastische Kommunität, Mönche und sonstige Christen schon terminologisch gar nicht unterscheidet (und also auch gar nicht in dieser Weise gegenüberstellen kann). Ungenau ist es aber auch darum, da sich Basilius ja weder am real existierenden Kloster und schon gar nicht an der real existierenden Kirche, sondern allein am Bild der Urgemeinde als verbindlichem Modell christlicher Gemeinschaft orientiert. V.a. aber ist es problematisch, Kirche und Kloster als fest umrissene und abgrenzbare Grössen in einen derartigen Vergleich einzubringen. Denn die monastischen Kommunitäten des Basilius haben eine *Entwicklung* erfahren, sie haben sich entwickelt aus Vorgaben der Moralia bzw. sich formiert in Entsprechung zu jenem normativen Bild von Urgemeinde, wie es Basilius der Kirche seiner Zeit vor Augen hält. Und da wir durch die Forschungen von Jean GRIBOMONT zur Textgeschichte der Ascetica[12] in die Lage versetzt sind, die einzelnen Redaktionsstufen der basilianischen Mönchsregeln zu unterscheiden, verfügen wir zugleich über ein (nach wie vor freilich viel zu wenig genutztes) Instrumentarium, die Entwicklung der basilianischen Kommunitäten von den Vorgaben der Moralia – die sich an *alle* Christen richten – in ihren einzelnen Etappen bis hin zur Ausbildung spezifisch monastischer Institutionen zu verfolgen. Das ist umso faszinierender, da Basilius ja

[10] HILPISCH Doppelklöster 5ff.10ff; ALBRECHT Makrina 119ff.130ff; cf. p. 326,2.

[11] VISCHER Basilius 49.

[12] S. unten p. 71,60; 39,1.

gleichzeitg (und parallel dazu) als verantwortlicher kirchlicher Leiter das Leben der ihm anvertrauten Gemeinden nach den in den Moralia fixierten Grundsätzen zu gestalten gesucht hat. Es verhält sich also eher so, dass Basilius das (in sich ja durchaus heterogene) asketische Milieu Kleinasiens in gleicher Weise wie die traditionellen kirchlichen Gemeinden mit dem verpflichtenden Modell der Urgemeinde konfrontiert bzw. dass er das Reformprogramm der Moralia *parallel zueinander* in zwei unterschiedlichen Bereichen – eben dem monastischen wie dem gemeindlichen Christentum – zu realisieren sucht, mit dem Ergebnis einer sehr viel direkteren Umsetzung der Reformimpulse der Moralia in die sozialen Strukturen und Lebensformen des basilianischen Mönchtums, welches er aber dennoch – und das ist charakteristisch für ihn – weder konzeptionell noch terminologisch von der grossen Gemeinde zu unterscheiden bereit ist.

Es ist ja in der Tat signifikant, dass sich bei Basilius *keine monastische Sonderterminologie* findet. Den Begriff »Mönch« oder verwandte technische Termini hat er allem Anschein nach bewusst vermieden, nur ganz vereinzelt finden sie sich bei ihm[13]. Überhaupt vermeidet er es, die Koinobiten als gesonderte Gruppe anzusprechen. Will er sie kennzeichnen, so verwendet er lieber umschreibende, nicht-exklusive Begriffe wie etwa: »Streiter der Frömmigkeit«[14]; »die den Herrn lieben«[15]; »die Gott wahrhaftig folgen wollen«[16]; »die den Eifer des Gehorsams beweisen«[17]; »die zu Brüdern des Herrn berufen sind«[18] usw. V.a. aber spricht er sie betont als »*Christen*« an, und zwar ohne

[13] Nicht belegt in echten Basiliusschriften sind die Termini μοναχός (ep. 22 tit. sekundär; serm.asc. [31,648–652] sicher unecht [cf. GRIBOMONT Histoire 312f]; ep. 44 [tit.] unecht), μοναστήριον (ep. 55 unecht: s. SCHÄFER Beziehungen 5–7) und μονασταί (ep. 170 von Gregor von Nazianz verfasst). Wo Basilius den Terminus μονάζοντες verwendet, geschieht dies in Aufnahme vorgegebenen Sprachgebrauchs: ep. 93:15 (ägyptische Mönche); can. 19:2 60:4; ep. 284:2 (an den Censitor); ep. 218:20; die Titel epp. 23. (21.44f) 123.154.256f.259.262.284.293.295 mehrheitlich sicher sekundär, an keiner Stelle als ursprünglich gesichert. Entscheidend aber: im Asceticon kommt dieser Terminus an keiner einzigen Stelle vor (cf. GRIBOMONT OrChrP 21, 1955, 384; RF 7 tit. ist sekundär: PG 31, 905,43; GRIBOMONT Histoire 243). In pejorativer Bedeutung, als Gegenbegriff zu κοινωνικός, findet sich μοναστικός (μονήρης ζωή, μοναστικὴ ζωή) in RF 3,1 (7,1.3; 31,917a; 928d; 932c; alle AscP). »Cette emploi pejoratif de μοναστικός au sens de μονιός semble propre à Basile« (GRIBOMONT OrChrP 21, 1955, 385,1).

[14] ep. 207,2:5–7.

[15] RB 114 (AscP/31,1160cd).

[16] RF 5,2 (AscM/31,921a).

[17] ep. 22,3:32.

[18] RF 34,3.

jeglichen spezifizierenden und damit unterscheidenden Zusatz[19]. Damit bezeichnet er die Mönche mit demselben Titel, den die Moralia programmatisch in den Vordergrund stellen[20]. V.a. aber werden die Mönche durch diese Bezeichnung mit den Christen in der Gemeinde zusammengestellt und auf denselben Ursprung ihres Christseins (die Taufe) und dieselben Normen des Christenlebens hin angesprochen, die er – unbeschadet der Unterscheidung verschiedener τάγματα – für a l l e »Christen« verbindlich weiss. Denn μονότροπός ἐστιν ὁ τοῦ χριστιανοῦ βίος, ἕνα σκοπὸν ἔχων, τὴν δόξαν τοῦ θεοῦ[21]; und »nur e i n e n Weg gibt es« – eben ein Leben in Entsprechung zum Evangelium –, »der zum Herrn führt«[22]. Und wie so die Bestimmungen des Asceticon unter Hintanstellung jeglicher monastischer Sonderterminologie »den Christen« ins Auge fassen – was ihm erlaubt ist, was untersagt, wie er sich in den vielfältigen praktischen Fragen etwa der Kleidung, bei Krankheit, bei Besuch eines Märtyrerfestes etc. zu verhalten hat[23] –, so versteht sich auch die Mönchsgemeinde, die durch das gemeinsame Ziel eines gottwohlgefälligen Lebens zusammengeführt ist und sich auf das Vorbild der Urgemeinde ausrichtet, nicht als Sondergemeinschaft, sondern als »Leib Christi« und »*Kirche Gottes*« – nicht exklusiv, doch vollgültig, das Ganze im Teil zur Darstellung bringend. So beantwortet Basilius beispielsweise die Frage, ob innerhalb der »Bruderschaft« – dem Koinobion also – eigener Besitz erlaubt sei, abschlägig, unter Verweis auf das Beispiel der ersten Christen, die alles gemeinsam hatten. Aus diesem Grund hat sich für Basilius »der, der etwas sein eigen nennt, selbst ausserhalb der Kirche Gottes gestellt«[24]. Damit ist zugleich

[19] Das unterscheidet Basilius vom Sprachgebrauch etwa der (Makarius/)Symeon-Schriften (cf. DÖRRIES PTS 4,45,2).

[20] Besonders komprimiert: der »Christen«–Spiegel RM 80,22.

[21] RF 20,2 (AscM).

[22] ep. 150,2:5.

[23] AscP: RF 5,3; 22,1.2.3 (31,924a; 973a; 980b.c.d); AscM: RF 17,2; 20,1.2; 22,1; 34,1; 40; 43,1; 55,2 (31,964c; 969c; 973a; 1000c; 1020b; 1028b; 1045b); RB 314 (BEP 53,364); ep. 2 passim; 150,4:9; 70,1:11.

[24] RB 85 (AscP): ἑαυτὸν ἀλλότριον τῆς τοῦ θεοῦ Ἐκκλησίας κατέστησε; RB 149 (AscP): der parteiische Verwalter muss aus der klösterlichen Gemeinschaft ausgeschlossen werden: ἀλλότριος τῆς Ἐκκλησίας τοῦ θεοῦ ὁ τοιοῦτος γνωριζέσθω, ἕως ἂν διορθωθῇ; RB 3.9.41.47.232.261.293: die monastische Kommunität handelt als die Ἐκκλησία von Mt 18,15–17. Weiter: RB 18 (AscM); RF 33,1 (AscM/31,997b); RF 45,1 (AscM). – In prol. III (31,1080a) schliesst Basilius Mönchs- und grosse Gemeinde unter dem Stichwort der »ganzen Kirche« zusammen: die mit der Wortverkündigung Beauftragten haben sowohl ἐν κοινῷ τῇ Ἐκκλησίᾳ πάσῃ διαμαρτύρασθαι wie ἰδίᾳ einem »jeden« Hinzutretenden Gelegenheit zum

entschieden, dass in der ἐκκλησία τοῦ θεοῦ – wie sie in der Mönchsgemeinschaft in Erscheinung tritt – Privateigentum keinen Platz hat[25]. Und umgekehrt wird die Bezeichnung »*Bruderschaft*« (ἀδελφότης) nicht nur der Mönchsgemeinde vorbehalten, sondern auch auf die grosse Christenversammlung angewandt[26], wobei sich mit diesem Begriff der ἀδελφότης, der sonst bevorzugt zur Bezeichnung der klösterlichen Kommunitäten dient und der nun archaisierend[27] auch auf die kirchliche Gemeinde Anwendung findet, stets die Erinnerung (und der Anspruch) an jene ἀδιαίρετος ἀδελφότης verbindet, welche »der ersten Versammlung der Christen« zueigen war[28] und die sich im gemeinsamen Besitz der geistigen wie materiellen Güter kundtat.

Wie Basilius so terminologisch nicht die mönchische von der grossen Gemeinde unterschieden hat, so hat er sie auch sonst nicht kontrastierend voneinander abgesetzt. Auch Chrysostomus etwa hält seiner antiochenischen Gemeinde das Bild der Urgemeinde vor Augen, auch für ihn ist dies Bild im Mönchtum verwirklicht, weshalb er seinen Hörern rät, vor die Stadt zu den Asketen auf die Berge zu gehen und an ihnen zu erkennen, wie die Urgemeinde war und die gegenwärtige Kirche sein soll[29] – ein derartiger Verweis auf das Mönchtum als eine distinkte (und zugleich vorbildliche) Grösse fehlt bei

Fragen zu geben, was in der nächtlichen Mönchsversammlung geschieht. Doch wird damit nicht esoterisch ein Innen- und Aussenbereich unterschieden, der mit dem Gegenüber von Mönchs- und grosser Gemeinde zusammenfiele. Denn die Pflicht, den einen Gotteswillen ἐν τε τῷ κοινῷ wie κατ' ἰδίαν zu bezeugen, gilt für alle Bereiche, wie neben RM 70,19 besonders eindringlich ep. 217,84:22f (der Abschluss der Kanones) vor Augen stellt. Aufschlussreich ist die Akzentverschiebung in der Rufinschen Übersetzung der angeführten Stelle aus Prol. III, die bei ihm so lautet: »et quaedam quidem in communi ecclesiae auditorio simul omnibus de praeceptis domini contestari, quaedam vero secretius perfectioribus quibusque disserere« (prol. I,4 [ap.Ruf.]: CSEL 86,5 / PL 103,487a). Die Wortfolge »secretius perfectioribus« ist interpretierender Einschub des Rufin, das ἑκάστῳ des griechischen Textes – Auskunftspflicht gegenüber »jedem Hinzutretenden« – bleibt unübersetzt. Diese Zuordnung von Kloster und kirchlicher Gemeinde im Sinn zweier Vollkommenheitsstufen ist Rufin, nicht Basilius.

[25] Zur Handhabung dieses Grundsatzes in der nicht–monastischen Gemeinde s. unten pp. 77ff.80ff.

[26] ep. 29:17; 70:43; 184:13; 255:16; 133:18; 135,2:3; 243,5:15; (285,2:5); 261,1:8; 263,4:19; 265,1(:17f).3(:7f).

[27] Cf. etwa den Kontext von ep. 70:43 oder den Sprachgebrauch im Brief des Firmilian (dessen Kenntnis bei Basilius vorauszusetzen ist): Cypr.ep. 75,10.25 (CSEL 3/2,817,7; 826,9f; 827,9f).

[28] hom. 8,8 (31,325b).

[29] Chrys.oppugn.vit.mon. 3,11 (PG 47,366).

Basilius vollständig. Und wenn Athanasius bei seiner Schilderung der Verfolgung durch die »Arianer«, wenn Gregor von Nazianz in seinem Schreiben an die Kirche von Caesarea unter den verschiedenen kirchlichen Ständen den der Mönche jeweils gesondert hervorhebt, so ist das in dieser Form bei Basilius ebenfalls ohne Entsprechung[30]. – Im Einzelfall mögen derartige Beobachtungen zufallsbedingt sein. Doch ordnen sie sich ein in die für Basilius charakteristische Sichtweise, der *zwischen Christsein in Kloster und grosser Gemeinde* – sofern es sich wirklich um »Christ«-Sein handelt – *nicht* zu *unterscheiden* gewillt ist, nur die eine Norm des Evangeliums anerkennt und dabei wohl (entsprechend RM 70,31) den unterschiedlichen Erfordernissen der verschiedenen τάγματα Rechnung zu tragen bereit ist (und darum, anders als sonstige Propagatoren des mönchischen Ideals, die Ehe nicht herabsetzt oder nur als Notlösung gelten lässt, sondern als positive christliche Möglichkeit anerkennt), ohne aber in den sonstigen Stücken der christlichen Vollkommenheit irgendwelche Abstriche zu akzeptieren. So hält er etwa dem besorgten Familienvater, der unter Verweis auf die zahlreichen hungrigen Mäuler zuhause die Durchführbarkeit des Mt 19,21 geforderten Besitzverzichtes bezweifelt, entgegen: »Gelten etwa für die Verheirateten nicht die Evangelien: 'Wenn du vollkommen sein willst, so verkaufe deinen Besitz und gib ihn den Armen?' Als du vom Herrn Kindersegen erbatest, als du gewürdigt wurdest, Vater von Kindern zu werden, hast du da etwa noch folgenden Zusatz gemacht: 'Gib' mir Kinder, damit ich deine Gebote missachte'? 'Gib' mir Kinder, damit ich nicht ins Himmelreich gelange'?«[31] Jedenfalls ist es für Basilius dieses eine Kriterium des evangeliumsgemässen Wandels, nichts sonst, was den »Christen« (sei es im Kloster, sei es in der grossen Gemeinde) vom Weltmenschen unterscheidet. Und das Leben im Kloster und in der Gemeinde werden auch nicht durch Unterscheidung einer höheren und niederen Sittlichkeit einander zugeordnet; diesen Ausweg einer Zwei-Stufen-Ethik, den andere Mönchstheologen wie etwa Hieronymus eingeschlagen haben, hat Basilius nicht nur nicht akzeptiert, sondern dagegen ausdrücklich polemisiert. Es ist auch nicht so, dass dem Koinobiten ein anderer oder höherer Lohn im Eschaton in Aussicht gestellt wäre. Denn das Ziel eines »engelgleichen Lebens« ist beiden, dem Christen im Koinobion und in der Gemeinde, in gleicher Weise aufgegeben, da bereits durch die Taufe

[30] Athan.hist.Arian. 12,3; 14,1f; 38,1f (OPITZ II/1,189,14ff; 189,33ff; 204,14ff); Greg.Naz.ep. 41 (GCS 53,37,14f).
[31] hom. 7,7 (31,297c–300a).

verbürgt. HEISING hat darauf aufmerksam gemacht, dass sich dies Thema sowohl in den an Mönche gerichteten Schreiben wie in den für alle Gläubigen bestimmten Homilien findet[32]. – Zwar finden sich bei Basilius erstmals jene Elemente, die später zu der (in der Geschichte des Mönchtums so folgenreichen) Einrichtung lebenslang bindender Gelübde führen wird[33]. Bei Basilius selbst freilich ist es nicht das Gelübde, sondern das »Halten der Gebote Gottes«, das die Grenze zwischen Christen und blossen Namenschristen markiert, zwischen denen, die im Kloster (als Gestalt des Leibes Christi), und denen, die »draussen« leben. Dies demonstriert ein Text wie *RF 32* (AscM) mit wünschenswerter Deutlichkeit. Hier geht es um das Verhältnis des Koinobiten zu Verwandten und Angehörigen – eine Frage, die bereits die Moralia wiederholt beschäftigt und zu der Auskunft geführt hatte, dass der Gehorsam gegenüber Gottes Gebot höher zu stellen sei als alle verwandtschaftlichen Bande. Deshalb ermahnen die Moralia den Neugetauften, »sich sofort (nach der Taufe) auf die Anfechtungen einzustellen, auch seitens der eigenen Angehörigen, bis hin zum Tod« (RM 62,1). RF 32 nun stellt folgendes Kriterium für den Umgang mit der Verwandtschaft auf. »Wenn nun die leiblichen Eltern oder Brüder eines (Mönchs) gemäss dem Willen Gottes leben, sollen sie von allen in der Bruderschaft als gemeinsame Väter oder Angehörige geehrt werden. 'Denn wer auch immer', sagt der Herr, 'den Willen meines Vaters im Himmel tut, 'der ist mir Bruder und Schwester und Mutter' ... Wenn sie aber dem gemeinen Leben (κοινὸς βίος) verhaftet sind, so haben wir, die wir uns bemühen, dem Herrn wohlgefällig ... zu leben, mit ihnen nichts zu tun. ... Selbst die, die zum Besuch der einstigen Angehörigen gehen, welche die Gebote Gottes verachten ..., darf man nicht aufnehmen ... Denn was hat der Gläubige mit dem Ungläubigen zu tun?«[34]. Nicht das Gelübde bildet die Scheidemauer zwischen Kloster und Welt. Sondern es ist das »Halten der Gebote Gottes«, welches darüber entscheidet, ob einer zur »Bruderschaft« derer, die »Gott wohlgefällig leben«, dazugehört oder nicht – sei es im Bereich des Koinobion, sei es im bürgerlichen Leben.

[32] HEISING ZKTh 87 (1965) 281ff.
[33] Nähere Diskussion unten pp. 120ff.
[34] RF 32,1 (AscM/31,996ab).

C. SPANNUNGEN

So fallen bei Basilius Christ-Sein in der grossen und in der Mönchsgemeinde in eins, da beide dem einen Willen Gottes unterstellt sind; und es ist weniger dieser allgemeine Grundsatz als vielmehr seine konsequente Anwendung in den verschiedenen Feldern kirchlichen Handelns, die das Wirken des Basilius charakterisiert. Aber diese Einheit von Kirche und Möchtum ist eine instabile Einheit, eine *Einheit voller Spannungen*. Das ist sie von ihren Voraussetzungen her – der kirchlichen Einbindung und Indienstnahme der monastischen Bewegung, die sich solcher Begrenzung immer wieder zu entziehen sucht; das ist sie angesichts der Widerstände, die ein solcher Versuch einer »mönchischen« Reform der Kirchen zwangsläufig auslösen musste. Das wird schliesslich auch an der Eigendynamik des basilianischen Mönchtums sichtbar, das sich mit wachsender Verbreitung und zunehmendem institutionellen Ausbau zunehmend in Richtung einer »société particulière«[1] entwickelt. Trotz aller zentrifugalen Kräfte hat Basilius von Anfang bis Ende seines Wirkens an dieser Einheit festgehalten und – auch angesichts deutlich wahrnehmbarer (und wahrgenommener) Spannungen – den einmal geknüpften Knoten nicht wieder aufgehen lassen. Es ist dieser *Widerstreit von behaupteter Einheit und faktischem Auseinandertreten der einzelnen Elemente*, der den historischen Ort und singulären Charakter seines Reformprogramms markiert.

1. Die *asketische Bildungsreise*, die Basilius 356/7 zu den Mönchen Mesopotamiens, Syriens, Palästinas und Ägyptens führte[2], hat seinen Eifer für das asketische Leben beflügelt, ohne dass aber konkrete Einwirkungen auf die Ausgestaltung des basilianischen Mönchtums namhaft gemacht werden könnten. Insbesondere der früher für massgeblich gehaltene Einfluss des pachomianischen Modells wird zunehmend in Frage gestellt[3]. Denn persönliche Kennt-

[1] GRIBOMONT Iren. 31 (1958) 298ff.

[2] ep. 1; 223,2f; RB 254; cf. ep. 207,2:14ff. Cf. oben p. 45.

[3] Etwa LILIENFELD ZDMG Suppl. I/2 (1969) 427,26: »Seine Konzeption des koinobitischen Lebens ist sicher keine direkte Reaktion auf das Werk des Pachomius«; ähnlich: RITTER Basileios 433,109; FEDWICK Church 156ff; AMAND DE MENDIETA RHR 152 (1957) 31ff; GRIBOMONT Obéissance 192f; HAUSCHILD Briefe I,6f. – Es ist ja fraglich, ob er überhaupt Kenntnis des pachomianischen Modells hatte. In Oberägypten war er sicher nicht (GRIBOMONT RHE 54, 1959, 122), und von pachomianischen Klöstern im Umkreis Alexandriens wissen wir erst seit 384 (SCHIWIETZ AKathR 81, 1901, 223f). »Il y a bien peu de chances qu'il ait

nis des pachomianischen Mönchtums lässt sich bei ihm nicht nachweisen; und darüber hinaus sind – bei aller gemeinsamen Betonung des »koinobitischen« Ordnungsmodelles – die pachomianischen Grossklöster gegenüber den überschaubaren, seelsorgerlich ausgerichteten basilianischen »Bruderschaften« zu unterschiedlich strukturiert, um für deren Ausgestaltung mehr als allenfalls ganz vereinzelte Impulse vermittelt zu haben[4]. Es ist vielmehr der Kontext des i.w. *autochthonen Asketentums Kleinasiens,* welcher – im Zusammenspiel mit der nie aus dem Auge zu verlierenden kirchenreformerischen Absicht – die Ausprägung des basilianischen Mönchtums bestimmt. Es ist nicht einfach, ein genaues Bild des asketischen Milieus in Kappadozien und im Pontus um das Jahr 360 zu zeichnen, was sowohl der lückenhaften Quellenlage wie dem diffusen Erscheinungsbild des kleinasiatischen Asketentums selbst zuzuschreiben ist. Neben jenen auch kirchenpolitisch sehr engagierten Kreisen, denen sich Basilius von Anfang an verbunden weiss – die im Streit um die Bischofswahl des Euseb und später des Basilius in Erscheinung treten, die an den Auseinandersetzungen um die erzwungene Formel von Rimini-Konstantinopel beteiligt sind, später im Streit um die Gottheit des Geistes unterschiedliche Positionen beziehen werden[5], denen der Kirchenhistoriker Sozomenus das Hauptverdienst dafür zuschreibt, dass sich der radikale Arianismus eines Eunomius in Kappa-

jamais connu en Basse-Egypt un monastère pachômien« (AMAND DE MENDIETA RHR 152, 1957, 33). Auch eine Stelle wie ep. 93(:15ff) spricht dafür, dass er das ägyptische Mönchtum in seiner eremitischen Variante kennengelernt hat. Unter Verweis auf ep. 223,2 bemerkt FELLECHNER Askese I,62f: »Mir scheint, daß Basilius' 'Bekehrung' eher auf seine intensive Bibellektüre ... zurückzuführen ist«. In jedem Fall war es die Verwirklichung eines »evangeliumsgemässen Lebens«, die Basilius an den Asketen Ägyptens, Palästinas und Mesopotamiens faszinierte (ep. 207,2:5ff.14ff). Bonhoeffer plante aus ähnlichen Motiven eine Reise nach Indien (cf. BETHGE Bonhoeffer 138.468ff; sowie v.a. RÜEGGER Theol.Beitr. 13, 1982, 101ff.109).

[4] Pachomianische Klöster hatten hunderte, vereinzelt über tausend Insassen (Ammon ep. 2, in: HALKIN S. Pachomii Vitae graecae 98; Pallad.hist.laus. 32 BUTLER 94; cf. BACHT Rolle 292ff; ders. Mönchtum und Kirche 132; JONES Empire II,903f). Für die basilianischen Bruderschaften hingegen genügte »ein Leuchter und ein Herd« (RF 35,2). CLARKE Basil 117 schätzt sie auf »perhaps 30 to 40 members«. Ausserdem: »the Pachomian monasteries were cenobitic only in outward appearance; their inner essence was individualistic« (aaO 120; cf. BACHT Pachomius 192f; ROUSSEAU Pachomius 87ff).

[5] Greg.Naz.orat. 43,28f (Bischofswahl des Euseb); ders. orat. 18,18 6,1ff 4,10 (Schisma unter Greg.Naz. d.Ä.); ders. ep. 71 (mönchische Kritiker des Basilius am Eupsychiusfest); etc.

dozien nicht hat festsetzen können[6], und die wohl einen relativ hohen Verbindungsgrad erreicht hatten -, gab es neben der traditionellen gemeindlichen[7] sowie Ansätzen zur Familienaskese[8] auch vielfältige Varianten eines eher anarchischen Asketentums. So jenes tertium Sarabaitarum genus, das Johannes Cassian 375 im Pontus und römischen Armenien antrifft[9]; schwärmerische Erscheinungen wie der mit enthusiastischen Jungfrauen durchs Land ziehende Diakon Glykerius[10]; oder jene arbeitsscheuen »Träumer«, die Gregor von Nyssa 371/78 schildert[11] und in denen man die deutlichste Stütze der in letzter Zeit zunehmend diskutierten Hypothese eines prämessalianischen Asketentums in Kappadozien[12] gesehen hat. Die Situation stellt sich also so dar, dass ein erhebliches – und im Wachstum begriffenes[13] – asketisches Potential vorhanden ist, dem Basilius den Prägestempel seines könobitischen Modells aufzudrücken bemüht ist, mit grossem Erfolg wohl[14], aber nie ohne Konkurrenz.

2. Die ersten Schritte seiner asketischen »Karriere« tat Basilius unter der Leitung des *Eustathius*[15]. Bis zum Bruch im Jahre 373, also mindestens 16 Jahre[16], dauert die Zeit der Freundschaft und Zusammenarbeit, Mönche des

[6] Sozom.h.e. VI,27,8 (GCS 50,276).

[7] Cf. can. 18.

[8] Cf. MARAVAL (SC 178,53f); ALBRECHT Makrina 87ff.

[9] Cass.coll. 18,7,8 (CSEL 13,516,5–14). – Nach BIDEZ (Julian 40) hat Julian die Apotaktiten in Kappadozien (während seiner Zeit in Makellum) kennengelernt.

[10] ps.Bas. (= Greg.Naz.) epp. 169–171; cf. CAVALLIN Studien 81–92.

[11] Greg.Nyss.virg. 23 (GNO VIII/1,336–338); cf. STAATS VigChr 39 (1985) 228ff.

[12] GRIBOMONT Monachisme 414ff; STAATS JÖB 32 (1982) 235ff; ders. KuD 25 (1979) 240f; DESPREZ Relation 208fff; MEYENDORFF Messalianism 585ff; DONOVAN Sanctified 1073ff.

[13] Das Aufblühen des »Standes der Jungfrauen« zählt Basilius zu den positiven Kennzeichen der Zeit: can. 18.

[14] »Ita brevi permutata est totius provinciae facies«, resümiert Rufin (h.e. XI,9 GCS 9/2,1015,12f) den Bericht über das Wirken des Basilius im Pontus; und – zuverlässiger – Sozomenus bezeugt die alleinige Herrschaft der könobitischen Lebensweise im kappadozischen Mönchtum seiner Zeit (h.e. VI,34,7–9 GCS 50,291).

[15] ep. 223,3; ep. 1 (gerichtet an Eustathius von Sebaste, so GRIBOMONT RHE 54, 1959, 115–124).

[16] Gregor von Nyssa stellt einseitig den Einfluss der Makrina auf die asketische Entwicklung des Basilius heraus, sicherlich durch apologetische Motive mitbedingt (cf. MARAVAL SC 158,52f). – Zu Eustathius cf.: GRIBOMONT DSp IV,1708ff; ders.

Eustathius finden sich beständig in der Nähe des Basilius[17], nach einer bei Sozomenus erhaltenen Notiz hielten manche das »Asketische Buch« des Basilius für ein Werk eben des Eustathius[18]. Eustathius wird von Sozomenus als Begründer der »mönchischen Philosophie« in Armenien, Paphlagonien und dem Pontus genannt[19]. Als Asket genoss er auch bei Gegnern grosses Ansehen; »sein Leben und seinen Wandel bewundern nicht wenige«, stellt selbst Epiphanius von Salamis fest[20]. Aber mehr noch als Ehre wurden ihm Feinde zuteil. Auf mehreren Synoden wurde er wegen übertriebener asketischer Neigungen abgesetzt[21] (gleichwohl um 356 zum Bischof von Sebaste in Armenien erhoben); und die Feindschaft gegen Eustathius traf auch Basilius, der seinen Weg teilte. »Viele« hätten versucht, ihn von der Gemeinschaft mit Eustathius abzubringen, bemerkt er ep. 223,3. Laut ep. 244,1 war Basilius bekannt dafür, dass er um der Freundschaft zu Eustathius willen τὸν πρὸς μυρίους πόλεμον auf sich genommen habe.

Über das Mönchtum des Eustathius haben wir nur verhältnismässig wenig gesicherte Nachrichten; neben vereinzelten Notizen der Kirchenhistoriker und den aus dem Werk des Basilius direkt oder indirekt zu entnehmenden Angaben sind wir v.a. auf Synodalbrief und Kanones der Synode zu *Gangra* (ca. 340)[22] angewiesen. Die aber liegt zeitlich weit zurück – Basilius selbst erwähnt sie nie –; und darüber hinaus war schon in der Antike[23] ebenso wie in der Moderne[24] strittig, wieweit die dort ausgesprochene Verurteilung asketi-

DHGE 16,26ff; HAUSCHILD TRE X,547ff; MONGELLI Nicolaus 3 (1975) 455ff; FRAZEE CHR 66 (1980) 16–33; HÜBNER EuA 55 (1979) 327ff.

[17] ep. 223,3:9f.

[18] Sozom.h.e. III,14,31 (GCS 50,123).

[19] Sozom.h.e. III,14,31 (GCS 50,123).

[20] Epiph.pan. 75,2,5 (GCS 37,334). Ebenso Sozom.h.e. III,14,36 (GCS 50,124): τὸ δὲ ἦθος θαυμάσιος καὶ πείθειν ἱκανώτατος; desgleichen Philostorgius (h.e. VIII,17), der ihn ansonsten wegen seiner Stellung zu Eunomius hart attackiert: γηραιὸς ἀνὴρ καὶ τῷ πλήθει αἰδοῖός τε καὶ πιθανός.

[21] Sozom.h.e. IV,24,9 (GCS 50,180).

[22] Synodalbrief und Kanones bei: MANSI II,1095–1105; JOANNOU I/2,85–99; LAUCHERT 79–83. – Gangra wird herkömmlicherweise auf 340 (oder 341) datiert (LOOFS Eustathius 79ff; TURNER EOMIA II/2,146; GRIBOMONT Mélanges I,27; HAUSCHILD TRE X,547). Gegenüber den abweichenden Voten bei FEDWICK (Chronology 4,14: »360s or even perhaps 370s«) und jüngst bei BARNES (JThS.NS 40, 1989, 124: »close to the year 355«) ist an diesem Ansatz festzuhalten.

[23] Sozom.h.e. III,14,33 (GCS 50,123).

[24] LOOFS Eustathius 89; HOLL ThR 3 (1900) 313; DÖRRIES DSS 39,2; GRIBOMONT Iren. 53 (1980) 126.

scher Praktiken den Eustathius selbst einschloss oder nur »die um Eustathius« traf, was sprachlich zwar im Sinn der ersten Version zu entscheiden ist, womit der Sache nach aber wenig gewonnen ist. Denn bereits der Synodalbrief von Gangra stellt fest, dass die Eustathiusanhänger »keine gemeinsame Meinung« hätten, sondern »ein jeder« von ihnen seine eigene Meinung »als Gesetz« befolge[25], Eustathius also weniger als Haupt eines geschlossenen Schülerkreises als vielmehr als Kristallisationspunkt radikalasketisch-enthusiastischer Kräfte erscheint. Dass weniger Eustathius selbst als vielmehr seine Umgebung den Gang der Dinge bestimmen konnte, sollte später ja auch in ganz anderer Hinsicht die Geschichte seines Bruchs mit Basilius zeigen[26].

Wie dem auch immer sei: Basilius selber hatte zum eustathianischen Milieu, dessen asketische Einseitigkeiten und bizarre Extravaganzen er ebenso bewusst mied wie er den Meister selbst als Vorbild »übermenschlicher« Lebensführung[27] verehrte, offensichtlich von Anfang an ein *gespaltenes Verhältnis*. Dies Milieu bezeichnet zugleich, worauf verschiedentlich aufmerksam gemacht worden ist[28], den Hintergrund, auf dem die Bestimmungen der Regulae Morales als Appell an die g a n z e Christenheit das ihnen eigene Profil gewinnen. Das wird insbesondere am Ständespiegel (RM 70-79) deutlich, der die Pflichten von Klerus und Laien, Eheleuten, Witwen und Jungfrauen, Sklaven und Herren, Kindern und Eltern, Soldaten, Regierenden und Regierten aufzählt. Wie sehr hier jeweils mit den Pflichten zugleich auch das christliche Recht eines jeden dieser Stände gesichert wird, macht allein schon das Beispiel der Soldaten deutlich, welche Basilius mehrfach gegen die Meinung in Schutz nimmt, dass »der Stand der Soldaten vom Heil ausgeschlossen« sei – weshalb er sie betont zum »Christen«-Volk zählen[29] (und zugleich einer speziell im Fall der Soldaten verschärften kirchlichen Bussdisziplin unterwerfen[30]) kann. Vergleicht man nun diesen Ständespiegel mit dem in Gangra beanstandeten Treiben der Eustathianer, so ist die antithetische Entsprechung offenkundig.

[25] ep.synod.Gangr. (JOANNOU I/2,88,14ff/LAUCHERT 80,19ff).
[26] ep. 244,3:32ff; cf. ep. 119.
[27] ep. 212,2:11f; 223,3.
[28] So v.a. GRIBOMONT Histoire 323; ders. Règles Morales 418f; ders. Iren. 58 (1980) 129–136 (»Gangres et Basile«).
[29] hom. 18,7 (31,504bc); ep. 106. Zu Basilius' Stellung zum Soldatenstand s. unten pp. 320f.323f.
[30] can. 13.

Denn ihr radikaler Enthusiasmus führt dazu, dass Sklaven den Herren, Frauen den Männern, Kinder den Eltern, Eltern den Kindern und die Gläubigen der Kirche wegliefen, kurz: die kirchliche und soziale Ordnung in Frage stellten. Demgegenüber schärfen die Moralia die Pflichten der Sklaven gegen ihre Herren, der Frauen gegen ihre Männer (und umgekehrt), der Kinder gegen die Eltern, der Eltern gegen die Kinder ein und sichern insbesondere gegenüber jeglicher »Verachtung« der Ehe (wie in Gangra) das volle Recht derselben. Und wenn die in Gangra verurteilten Asketen die Gottesdienste verheirateter Priester, da unrein, meiden, so verdient die Beobachtung Erwähnung, dass Basilius in den Regeln für Kleriker wohl die Besitzlosigkeit, nicht aber den Zölibat verbindlich zu machen sucht. So soll gegenüber aller latenten Neigung zur Flucht in eine Sonderwelt ein Riegel vorgeschoben werden, wird das »Christ«-Sein in der gegebenen kirchlichen und sozialen Ordnung für möglich und notwendig erklärt. Aber dies eben stets unter dem ausdrücklichen Vorbehalt, dass »das Gebot Gottes nicht behindert wird«. Deswegen schärft beispielsweise RM 75 den von der Schrift geforderten Gehorsam von Sklaven gegen ihre Herren ein (wogegen die in Gangra erwähnten flüchtigen Sklaven nach Meinung des Basilius sicherlich verstossen haben). Zugleich aber wird dieser Gehorsam begrenzt auf die Dinge, »in denen das Gebot Gottes nicht aufgelöst wird«. Gleichsam als Ausführungsbestimmung dazu findet sich in den Mönchsregeln die Weisung, flüchtigen Sklaven – »wenn ihr Herr schlecht ist« – Schutz und Aufnahme zu bieten[31]. CLARKE bemerkt dazu: »If this advice was followed it must have caused great friction«[32].

Ein anderes Beispiel aus dem eustathianischen Bereich, das die schwierige Gratwanderung des Basilius zwischen strikt asketischem Ideal und gesamtkirchlicher Orientierung beleuchtet, liefert der Eustathiusschüler *Aerius*[33]. Er verdeutlicht nicht nur an einem weiteren Beispiel, wie der Enthusiamus eustathianischer Kreise zum Sprengsatz der gegebenen kirchlichen Ordnung werden konnte. Aerius bestritt nämlich nicht nur – unter weitläufigem Beifall – u.a. die hierarchischen Vorrechte der Bischöfe gegenüber Priestern, sondern legte auch die Leitung der ihm von Eustathius anvertrauten Fremden- und Armenhospizes mit der Begründung nieder, dass Askese und Finanzgebaren miteinan-

[31] RF 11 (AscM/31,948bc). Cf. unten pp. 317f.
[32] CLARKE Basil 85,11; ders. Works 173,3.
[33] Epiph.pan. 75 (GCS 37,333–340).

der unvereinbar seien, dabei warf er Eustathius vor, in dieser Frage seinem alten Standpunkt untreu geworden zu sein[34]. Nun zählt der Ausbau eines Netzes derartiger Hospize zu den charakteristischen Merkmalen der klösterlichen Organisation wie der kirchlichen Sozialarbeit des Basilius, wobei er durch Vorbild des Eustathius mit angeregt worden sein mag, in jedem Fall aber dabei von eustathianischen Mönchen unterstützt worden ist[35]. Aerius personalisiert also einen Konflikt innerhalb des eustathianischen Lagers, in dem die Fronten so liegen, dass die Position, die Eustathius einnimmt (Vereinbarkeit von Askese, Bischofsamt und Finanzverwaltung zwecks Unterhalt karitativer Einrichtungen), auch die des Basilius ist. Demgegenüber vertritt Aerius nicht nur Anschauungen, die eine Gefahr für ein geordnetes Kirchenwesen und -verwaltung darstellen (einer der Hauptgründe, warum man seit Gangra dem Eustathiuskreis mit so grossem Misstrauen begegnete), und stiess mit dieser Meinung im asketischen Milieu auch auf breite Resonanz: καὶ ἦν πιθανὰ τὰ ὑπὸ τοῦ 'Αερίου λεγόμενα[36]. Gerade in einem so sensiblen Bereich wie der (latenten) Gefährdung der kirchlichen Ordnung durch asketischen Rigorismus kommen also Eustathius und Basilius auf die eine und Eiferer wie Aerius auf die andere Seite zu stehen.

Nun ist das Beispiel des Aerius noch unter einem anderen grundsätzlichen Aspekt von Bedeutung. Aerius beschuldigt ja den Eustathius, gerade mit dem Betrieb eines derartigen Hospizes seiner ursprünglichen Position untreu geworden zu sein, was wir nicht nachprüfen können. Aerius selbst jedoch scheint in Übereinstimmung mit Anschauungen zu handeln, die in Gangra verurteilt worden waren. So etwa die Behauptung, dass Reichtum eo ipso – unabhängig von der Frage seines Gebrauches – verwerflich sei und deshalb »Reiche, die sich nicht von allem Besitz zurückziehen, keine Hoffnung bei Gott haben«, weshalb auch die Einladung reicher Mitchristen zur Agapefeier verachtet und ausgeschlagen wird[37]. Dem setzt der Synodalbrief den Grundsatz entgegen, dass Reichtum, wenn zu wohltätigen Zwecken verwandt, unbedenklich sei: »wir preisen die übergrossen Wohltaten der Brüder, die gemäss der überlieferten

[34] Epiph.pan. 75,1,7 – 2,4 (GCS 37,333f).

[35] ep. 223,3:18ff; 119:12ff; cf. LOOFS Eustathius 22f; GRIBOMONT DSp IV,1709; HÜBNER EuA 55 (1979) 331ff. 334,33.

[36] Epiph.pan. 75,1,4 (GCS 37,334).

[37] ep.synod.Gangr. (JOANNOU I/2,88,10-13; LAUCHERT 80,16–18); can. 11; cf. can. 7f; epil.

Ordnung durch die Kirche an den Armen geschieht«[38]. Das aber ist auch die Meinung des Basilius, der zwar einerseits die Anschauung vertritt, dass Privateigentum Diebstahl sei, dies aber nur auf ungerecht »verwalteten« – also nicht mit den Armen geteilten – Reichtum bezogen und die Verteilung dieses Reichtums an die Bedürftigen am liebsten der Kirche vorbehalten wissen möchte und aus den so gewonnen Mitteln ein Sozialwerk aufbaut, das ohne die Organisation des Mönchtums nicht zu realisieren gewesen wäre.

3. Das spezifische Profil des basilianischen Modells und zugleich die Grenzen seiner Rezeption werden nicht nur im Vergleich mit denen deutlich, von denen er sich abgrenzt, sondern auch mit jenen, die sich mit ihm verbunden wissen. Zu diesen zählt *Gregor von Nazianz*, der bewundernd und werbend zu seinem jüngeren Freund aufschaut und dennoch gerade in seinem asketischen Ideal ein ganz anderes Konzept vertritt als Basilius. Die Moralia sind während des pontischen Aufenthaltes des Gregor von Nazianz entstanden[39], dessen Anteil an diesem Werk gleichwohl sehr gering zu veranschlagen ist. Man vergleiche nur die Weisung RM 70,4 (»Wer zur Verkündigung des Evangeliums berufen ist, hat sofort zu gehorchen und darf dies nicht hinausschieben«) mit der nur wenig später (362) gehaltenen oratio II des Gregor von Nazianz, die weit mehr Gründe für seine »Flucht« vor dem Priesteramt als für seine schliessliche (und immer wieder in Frage gestellte) Rückkehr anzugeben vermag, um zu sehen, dass sich Gregor von Nazianz »in den herben Ernst des Freundes ... nie ganz zu finden vermocht« hat[40]. Eine analoge Differenz der Einstellung betrifft die Sicht des Mönchtums; an die Stelle der exklusiven Geltung des könobitischen Modells (als Repräsentanz des Leibes Christi), wie bei Basilius, tritt bei Gregor von Nazianz das Leitmotiv des philosophisch-idyllischen Rückzugs vom Getriebe der Welt[41]. Wir brauchen uns hier nun nicht auf eine Analyse seiner Schriften einzulassen, sondern können uns mit einem

[38] epil.Gangr. (JOANNOU I/2,98,18–20; 99,12ff; LAUCHERT 83,17f.27ff).
[39] Greg.Naz.ep. 6.
[40] HOLL Enthusiasmus 169,2.
[41] S. FELLECHNER Askese 43ff. – Aus diesem Grund ist die verschwommen-harmonisierende Darstellung Gregors, nach der Basilius eine Synthese τοῦ ... ἐρημικοῦ βίου καὶ τοῦ μιγάδος vollzogen habe (orat. 43,62,3 BOULENGER 186/188) – was auch immer damit gemeint sein mag (cf. CLARKE Basil 111–113; HOLL Enthusiasmus 169; GIET Ascèse 185–187; FLEURY Grégoire 106; FEDWICK Church 163) –, allein nach Massgabe der in RF 7.36 bezeugten ausschliesslichen Geltung des könobitischen Modells zu beurteilen.

Hinweis darauf begnügen, wie sein asketisches Programm im Vergleich zu dem des Basilius gesehen und beurteilt worden ist. Ein derartiger Vergleich findet sich bei Rufin (h.e. XI,9), der der Verbreitung des könobitischen Mönchtums durch Basilius die kontemplative Lebensführung des Gregor von Nazianz gegenüberstellt und folgendermassen resümiert: »et multo amplius hic (= Gregor von Nazianz) in semetipso quam ille (= Basilius) in ceteris proficiebat«[42]. Und da Rufin hier die Anschauungen des Euagrius Pontikus wiedergibt[43], welcher Basilius verlassen und sich Gregor von Nazianz als Lehrer anvertraut hatte, dürfte dies Urteil für die von ihm vertretenen Kreise als repräsentativ gelten.

4. Dass ein derart vom asketischen Ideal bestimmtes Erneuerungsprogramm wie das des Basilius *Widerstände* auslösen würde, war von vornherein zu erwarten; angesichts seiner engen Verbindungen zu Eustathius, um dessentwillen er den »Krieg gegen Tausende« auf sich genommen hatte[44], waren sie unausweichlich. Wenn die Bestimmungen des Asceticon erkennen lassen, wie sehr das Klosterleben den Blicken einer kritischen Öffentlichkeit ausgesetzt war, und darum – um möglichen Verleumdern »keinen Anlass zu bieten« – besondere Vorsichtsmassregeln bei der Aufnahme von Kindern[45], Verheirateten[46] sowie wankelmütigen Kandidaten[47], beim Verkehr mit Asketinnen[48] oder bei der Entgegennahme von Spenden seitens der Angehörigen der Koinobiten[49] treffen und mit dem Unverständnis externer Besucher rechnen[50], so muss das noch nicht viel besagen, da die Ausbreitung des Mönchtums generell von kritischen Stimmen nicht nur aus heidnischen, sondern ebensosehr aus konservativ-kirchlichen Kreisen begleitet wurde. Der unrühmliche Abgang des Hieronymus in Rom etwa illustriert das zur Genüge. Spezifischer wird die Situation der basilianischen Bruderschaften beleuchtet durch Erörterungen wie die von RB 64 (AscM), wo unterschieden wird zwischen dem σκάνδαλον, das zu vermeiden sei – etwa bei Belastung des schwachen Gewissens des Bruders –,

[42] Ruf.h.e. XI,9 (GCS 9/2,1015,16f).
[43] GRIBOMONT Histoire 260f.
[44] ep. 244,1:9f.
[45] RF 15,1.4 (31,952b.956bc).
[46] RF 12 (AscM).
[47] RF 10,2 (AscM/31,945a).
[48] RF 33,1.2 (AscM/v.a. 31,997b); RB 220 (AscP/31,1228c); cf. ep. 207,2:25.
[49] RB 304 (AscM).
[50] RB 97 (AscP); RF 20,2 (AscM).

und jenem σκάνδαλον, das sich aus dem Befolgen der Gebote Gottes selbst ergibt und darum unvermeidbar ist. Deshalb müssen die mönchischen Christen allezeit bereit sein, die »Gefahren um des Gebotes des Herrn willen« auf sich zu nehmen, bis hin zum Tod (RB 199). In dem wohl 372 verfassten Brief 119, der in die Zeit des beginnenden Zwistes mit Eustathius und seinen Mönchen fällt, bemerkt Basilius, dass dieser Streit den Verächtern der asketischen Lebensweise nur weiteren Vorwand für Spott und Schadensfreude biete: »ihnen, die seit jeher das fromme Leben in dieser elenden Stadt (= Caesarea) verabscheuen und behaupten, die demütige Haltung werde nur als Mittel, um Glauben zu finden, und als Verstellung zum Zweck des Betruges vorgespiegelt«; denn »keine Lebensweise wird von den Leuten hier derart übel verdächtigt wie die Verpflichtung zum asketischen Leben«. Diese Mitteilung verdient nicht nur im Blick auf den Inhalt, sondern auch die Zeit und die näheren Umstände besondere Beachtung. Denn die Wahl des Basilius zum Bischof (Ende 370) liegt noch nicht lange zurück, welche nur gegen ganz massive Widerstände hatte durchgesetzt werden können[51], gerade auch aus den Reihen der Notablen und Kleriker der Stadt[52]. Diese Widerstände – sie weiteten sich zeitweilig geradewegs zu einem »Schisma«[53] der dem Basilius die Gefolgschaft verweigernden kappadozischen Bischöfe aus – waren weniger in dogmatischen Differenzen als vielmehr zu einem erheblichen Teil in Vorbehalten gegen die Möncherei des Basilius begründet. Gerade bei den wohlhabenden Bürgern der Stadt wird er sich mit seinen Predigten gegen den Reichtum nicht nur Freunde erworben haben. Es ist jedenfalls weniger der Asketenstand als solcher als vielmehr die *Neugestaltung des kirchlichen Lebens nach den Grundsätzen »evangeliumsgemässer Lebensführung«*, die die *Kritik* auf sich zieht. Dieser Sachverhalt ist ganz evident etwa auch in ep. 207, wo sich Basilius gegen verschiedene Vorwürfe aus Neocaesarea zu wehren hat, darunter den, dass »wir Menschen haben, Streiter der Frömmigkeit, die der Welt und allen irdischen Sorgen entsagt haben«[54]. Vorher aber (und gerade in dieser Koppelung so bemerkenswert) wird ein anderer Anklagepunkt genannt: »Psalmen und die Art des Gesanges« sei von Basilius gegenüber der in Neocaesarea herrschenden Sitte »geändert« worden, womit – wie im folgenden dann ausgeführt wird – die

[51] Greg.Naz.orat. 43,37.39f.58,2 (BOULENGER 136ff.176); orat. 18,35f (35,1072f); epp. 40–45. Cf. Bas.ep. 48:21ff; 51,1:1ff; 57:7ff.
[52] Greg.Naz.orat. 43,37,2; 43,34,1; ep. 41.
[53] ep. 48:24.
[54] ep. 207,2:5ff.

Einführung des nächtlichen Psalmengesangs und der Antiphon gemeint ist[55]. In orat. 43,34,2 beschreibt Gregor von Nazianz das kirchliche Wirken des Basilius als Presbyter in folgender Weise: προστασίαι τῶν δεομένων ..., πτωχοτροφίαι, ξενοδοχίαι, παρθενοκομίαι· νομοθεσίαι μοναστῶν ... εὐχῶν διατάξεις, εὐσκοσμίαι τοῦ βήματος; mönchische Reform und Neuordnung des liturgischen Lebens werden also auch hier in ähnlicher Weise zusammengestellt, wie dies in der in ep. 207 zur Sprache gebrachten Kritik vorausgesetzt ist. Das ist sachlich begründet, da aus einem einheitlichen Gestaltungswillen heraus zu begreifen: auch die grosse Gemeinde soll in jenes ununterbrochene Gotteslob einstimmen, das die Schrift gebietet und in der Mönchsgemeinde vorbildlich verwirklicht ist[56]. Und wie hier die Einführung der Vigilien, so ist es andernorts die Einschärfung der vorösterlichen Fastenpraxis, die seinen Hörern als »Neuerung« erscheint[57], wie Basilius überhaupt seiner Gemeinde jeweils mönchisch gefärbte Christen-Spiegel vor Augen hält[58]. Der Ernst des Neuerungswillens bei Basilius ist ablesbar an den Widerständen, die er ausgelöst hat.

5. Wie beim Übergang von den Moralia zum Asceticon, so lässt sich auch innerhalb der *verschiedenen Redaktionen des Asceticon* entsprechend den veränderten äusseren Bedingungen eine Verschiebung von Perspektive und Sichtweise konstatieren; und die sich darin abzeichnenden Entwicklungslinien lassen sich in die deuterobasilianische Literatur – Schriften wie De baptismo also, die nicht von Basilius selbst stammen, aber doch in Kreisen seiner Schüler entstanden sind – sowie die spätere Entwicklung der von ihm gegründeten Kommunitäten weiter ausziehen. Bereits 1925 hatte LAUN aufgrund interner Kriterien gezeigt, dass die Rufinsche Übersetzung der Mönchsregeln des Basilius nicht durch Kürzung der griechischen Vorlage zustandegekommen sei, sondern eine (im Griechischen nicht mehr erhaltene) frühere Ausgabe dieser

[55] ep. 207,2(:1–4).3(:1.4ff); cf. hom.ps. 114,1 (31,481). Ausführliche Analyse bei: KNORR Basilius I,123ff; MATEOS OrChr 47 (1963) 81ff; cf. LIETZMANN GAK III, 305ff.307.

[56] RF 37. Als Mahnung an die Predigthörer: hom. 5,4 (31,244f). Die Antiphon wurde zuerst von Flavian und Diodor – ebenfalls kirchlich aktiven Asketen – in Antiochien eingeführt: Theodor.h.e. II,24,8f (GCS 44,154).

[57] hom. 1,3 (31,165c).

[58] Z.B. hom. 20,7 (31,537/540); 13,7 (31,440); hom.ps. 1,5 (29,224b); 59,2 (29,464bc).

Regeln zur Vorlage hat[59], was GRIBOMONT 1953 aufgrund umfassender Aufarbeitung der Textüberlieferung der Ascetica bestätigt und dahingehend präzisiert hatte, dass zwei Redaktionen zu unterscheiden sind: das (von GRIBOMONT im Anschluss an die Scholiasten sogenannte) Kleine Asceticon (AscP), welches nur in lateinischer (Rufin) und syrischer Übersetzung vorliegt, sowie das Grosse Asceticon (AscM), welches seinerseits in zwei Rezensionen überliefert ist[60]. Die Bedeutung dieser Rekonstruktion der Entstehungsgeschichte des Asceticon liegt darin, dass damit die Möglichkeit gegeben ist, die bisherige gleichsam einflächige Sichtweise des basilianischen Möchtums durch eine Darstellung mit historischer Tiefenschärfe zu ersetzen und die Abfolge der Redaktionsstufen nicht nur zur Rekonstruktion der »progression doctrinale«[61] einzelner asketisch-theologischer Motive bei Basilius, sondern v.a. auch der organisatorischen Strukturen seiner Bruderschaften zu nutzen. –

[59] LAUN ZKG 44 (1925) 1–61.

[60] Grundlegend: GRIBOMONT Histoire passim (s. v.a. die Zusammenfassung pp. 323–325), seitdem untermauert durch zahlreiche Einzelstudien (s. Lit.–Verz.; wichtig: SE 12, 1974/75, 31ff). Demnach sind für uns (abgesehen von den verschiedenen Prologen) greifbar:

1. Die Moralia als die eigentlichen »Regeln« des Basilius (cf. oben p. 39,1);

2. das Asceticon Parvum aus der Zeit vor seinem Episkopat (GRIBOMONT Histoire 237ff): eine erste Fassung der (aus den Konferenzen mit seinen Asketen hervorgegangenen) »Fragen und Antworten«, erhalten nur in syrischer (nicht edierter) Version und in der Übersetzung Rufins (CSEL 86; PL 103,487–554);

3. das Asceticon Magnum aus der Zeit des Episkopats: eine erweiterte (und systematisierte) Fassung der »Fragen und Antworten«, die aus den 55 sog. regulae fusius tractatae (PG 31,905–1052; BEP 53,147–216) und den sog. regulae brevius tractatae (PG 31,1080–1305; BEP 53,231–367; GRIBOMONT Histoire 179–186) besteht und in zwei Rezensionen (von GRIBOMONT selbst als Redaktion 2 und 3 bezeichnet) vorliegt;

4. die Hypotyposis ascetica, eine (für die pontischen Kommunitäten bestimmte) Zusammenstellung von Moralia und Asceticon Magnum.

Zur Rekonstruktion des Asceticon Parvum ist Rufin der zuverlässigere Zeuge, dem v.a. zur Bestimmung des Umfangs zu folgen ist, während für den Wortlaut des AscP der edierte griechische Text heranzuziehen ist: s. GRIBOMONT Histoire 179–186; cf. oben p. 56,24 zu prol. III. – Über Rufin wirkte Basilius auf das westliche Mönchtum ein; diese Einwirkungen sind in der letzten Zeit Gegenstand intensiver Diskussion gewesen: s. ZELZER Überlieferung 625ff; ders. Rufinusübersetzung 341ff; LEDOYEN Iren. 58 (1980) 30ff; DESEILLE MonS 11 (1975) 73ff (Benedikt); LIENHARD StMon 22 (1980) 231ff (Benedikt); GRIBOMONT Ben. 27 (1980) 27ff (Benedikt); RIPPINGER 19 (1977) 7ff (Cassian); TAMBURINO Nicolaus 7 (1979) 333ff; GRIBOMONT Influence 119ff; RUSSO Nicolaus 8 (1980) 173ff. – Zu den sonstigen Übersetzungen von Basiliusschriften durch Rufin s. FEDWICK Translations 457ff sowie zuletzt H. MARTI (De Ieiunio I,II).

[61] GRIBOMONT Histoire 252,19.

Man kann diesen *Entwicklungsprozess* unter sehr verschiedenen Gesichtspunkten analysieren. Da ist einmal

a. der wachsende *institutionelle Ausbau* der klösterlichen Gemeinschaften. Bereits Ferdinand LAUN hatte in seinen Untersuchungen zu den »beiden Regeln des Basilius« registriert, dass die verschieden Redaktionen der Mönchsregeln unterschiedliche Phasen der organisatorischen Entwicklung wiederspiegeln[62]. Denn während in der ersten Redaktion, dem Asceticon Parvum aus den Jahren zwischen 365 und 369, nur solche Probleme zur Sprache kommen, die sich aus dem Zusammenleben der Asketen innerhalb e i n e r Kommunität ergeben, finden sich alle Fragen, die von m e h r e r e n Bruderschaften handeln – wie regelmässige Treffen der Vorsteher, deren Zusammenwirken bei der Abtwahl, Handel und Warenaustausch zwischen verschiedenen Kommunitäten, Inanspruchnahme fremder Hospize, gemeinsame Delegationen etc.[63] –, allein in der späteren Redaktion, dem Asceticon Magnum. Der Vorgang der Ausbreitung (innerhalb und ausserhalb einzelner Provinzen)[64] und organisatorischer Verfestigung der basilianischen Kommunitäten lässt sich also an der Abfolge der verschiedenen Redaktionen ablesen.

b. Damit ist verbunden ein weiterer Aspekt: die Ausbildung *hierarchischer Strukturen*. Sehr deutlich ist sichtbar, dass etwa die Forderung nach wechselseitiger Ermahnung der Brüder, gegenseitigem Gehorsam der Mönche sowie der einander geschuldeten διάκρισις διδασκαλίας der Koinobiten – wie sie ausgeprägt im Asceticum Parvum vorliegt – in der späteren Redaktion des Asceticon Magnum zwar keineswegs verschwindet, aber doch geschwächt wird zugunsten eines Konzeptes, das die Leitungsbefugnisse zunehmend in den Händen »des« (oder »der«) »Vorsteher(s)« zu konzentrieren sucht. In der Warnung vor einem δημοκρατικόν τι σχῆμα, das in der Bruderschaft bei Abwesenheit des Vorstehers einreissen könnte[65], sowie in der Unterscheidung zweier

[62] LAUN ZKG 44 (1925) 37.
[63] Z.B. RF 54; RF 43,2; RB 181.285; RB 286; RF 44,1 (alle AscM).
[64] Basilianische Kommunitäten lassen sich zu seinen Lebzeiten nachweisen in: Kappadozien I und II (Einzelnachweise bei KNORR Basilius II,58,19); Pontus (zu Kommunitäten ausserhalb Annisi cf. Rufin.h.e. XI,9 [GCS 9/2,1015,8ff]; Sozom.h.e. VI,17,4; KNORR Basilius II,59,21; CLARKE Basil 56; FOX Times 47ff). Beziehungen bestanden zu Kommunitäten in Lykaonien, Galatien, Lykien, Armenien, Palästina.
[65] RF 45,1 (AscM/31,1032c).

τάγματα im Kloster, die – wenngleich »mit unterschiedlichen Charismen« ausgestattet – entweder »mit der Leitung betraut« oder »zum Gehorsam bestimmt« sind[66], findet dieses Konzept seinen markanten Ausdruck.

c. Damit verbindet sich – drittens – die *zunehmende Separation* von der Welt des normalen Kirchenvolkes, die Absonderung also von der »Masse« jener Durchschnitts-»Christen«, welche sich mit der Befolgung einiger weniger Gebote begnügen[67] und aus der Perspektive des Klosters als »Verächter der genauen Beobachtung der Gebote Gottes«[68] erscheinen. Während beispielsweise der früheren Redaktion von RF 6 die räumliche Absonderung von solchen Menschen nur als »nützlich« erscheint[69], heisst es in der späteren Redaktion dieser Stelle, dass sich das Ziel eines gottgefälligen Lebens im Zusammenleben mit solchen Menschen »unmöglich« (ἀμήχανον) erreichen lasse[70]. Auch hier geht also mit dem Wachstum monastischer Einrichtungen zugleich die Tendenz zunehmender Abgrenzung nach »aussen« einher.

Zusammen mit weiteren Merkmalen – wie der fortentwickelten Ämterstruktur, einer zunehmend differenzierten Arbeitsorganisation, sich verfestigenden Formen des Gemeinschaftslebens oder dem verschärften Konformitätsdruck innerhalb der monastischen Kommunitäten – lassen diese Beispiele das wachsende Bewusstsein institutioneller Eigenständigkeit in den basilianischen Bruderschaften erkennen (und damit zugleich deren wachsende Distanz zum Kirchenvolk). So sehr sich diese Tendenzen bereits zu seinen Lebzeiten abzeichnen und verstärken, Basilius selbst freilich hat bis zum Schluss an der modellhaften Identität von kirchlicher und monastischer Gemeinde festgehalten.

[66] RB 235 (AscM/31,1240ab).
[67] prol IV,2.4 (31,893b.897a).
[68] RF 6,1 (AscP/31,925a).
[69] RF 6,1 (31,925a = interr. 2,94 CSEL 86,22): συντελεῖ δὲ πρὸς τὸ ἀμετεώριστον τῇ ψυχῇ καὶ τὸ ἰδιάζειν κατὰ τὴν οἴκησιν. Cf. GRIBOMONT Iren. 31 (1958) 294.
[70] RF 6,1 (AscM/31,925bc).

IV. EVANGELISCHER WANDEL

A. DIE ÖFFENTLICHE VERKÜNDIGUNG

1. »Was aber sind seine sonstigen Werke im Vergleich zu seiner Rednergabe«, fragt Gregor von Nazianz[1]; und als begnadeter Prediger ist Basilius insbesondere der byzantinischen Tradition in Erinnerung geblieben. Insoweit ist es erstaunlich, dass – gemessen am Œuvre eines Chrysostomus oder Augustin – nur verhältnismässig wenige Homilien des Basilius überliefert sind. Sie stammen aus unterschiedlicher Zeit und sind sowohl in die Zeit seiner Presbytertätigkeit wie seines Episkopats zu datieren. Zugleich richten sie sich an ein ganz anderes Publikum als seine asketischen Schriften[2]. Wie weit entsprechen sie dem Reformprogramm der Moralia?

Wenn man ausgeht von der in den Moralia (RM 70) gegebenen Bestimmung der kirchlichen Verkündigung – dass sie »alle zum Gehorsam gegenüber dem Evangelium zu rufen « und jedermann den »ganzen« Willen Gottes ohne Abstriche auszurichten habe – und herantritt an die tatsächlich gehaltenen (und erhaltenen) *Homilien* des Basilius, so ist festzustellen, dass sie – bei aller Unterschiedlichkeit der Sprach- und Argumentationsebene – den in den Moralia fixierten Grundsätzen entsprechen. Die Predigt soll »alle« zur »Vollkommenheit« führen (zB RM 70,31); das ist auch die Zielsetzung der Homilien, die dem Kranken Heilung und dem Gesunden Vervollkommnung wirken wollen[3] und darum beispielsweise die »Vollkommenheit« des Gebotes Mt 19,21 für

[1] Greg.Naz.orat. 43,65,1 (BOULENGER 196).

[2] Überblick über den Bestand (und Vorschläge zur Chronologie) bei BERNARDI Prédication 7–91 (konservative Schätzung: BERNARDI stuft 45 Homilien als authentisch ein); GRIBOMONT In tomos 29–31; ders. Notes biographiques 27ff; FEDWICK Chronology 9f.18f; ders. Church 90ff; cf. HÜBNER Apolinarius 1f; HAUSCHILD Briefe I,21f. – Einzelne hilfreiche Hinweise bei älteren Werken wie: ROUX Prédication; PROBST Predigt; PUECH Littérature III,25ff; cf. BERTHER Mensch passim. – Zur Manuskriptüberlieferung cf. RUDBERG Études. – Kaum authentisch sein dürften die von A. SMETS/M. VAN ESBROECK (SC 160) hg.n Homilien De creatione hominis (cf. FEDWICK Chronology 19,106; ders. Symposium II,713 n. 410). – Die Frage der jeweiligen Zuhörerschaft diskutiert bei BERNARDI Prédication 33ff (hom.ps.); 48ff (hexaem.); 55ff (hom.). Cf. MACMULLAN JThS.NS 40 (1989) 503–511 (The Preachers Audience AD 350–400); LIM VigChr 44 (1990) 351–370 (hexaem.).

[3] S.unten p. 76,17.

alle Christen verbindlich machen[4]. Die Weisungen der Schrift sind verbindlich: auch daran lassen die Homilien keine Zweifel, die etwa in der Aufforderung zum Fasten (hom. 1f), Besitzverzicht (hom. 6-8) oder Demut (hom. 20) keinen Rat, sondern eine ἐντολή und ein ἀναγκαῖον διάταγμα sehen und zugleich – womit einer weiteren Forderung der Moralia entsprochen ist – klar machen, dass die Nicht-Erfüllung bereits eines Gebots den Verlust der Seligkeit nach sich zieht[5]. Klagt der Verfasser von De Iudicio Dei, dass die gängige Unterscheidung lässlicher und schwerer Sünden schweren Schaden in der Kirche angerichtet habe und dem Wort des Apostels widerspreche, dass bereits Zorn, Schmähsucht und Trunkenheit den Tod nach sich ziehe[6], so tut der Homilet gerade mit den Worten des Apostels dar, dass Zorn, Schmähsucht und Trunkenheit »vom Himmelreich ausschliessen«[7]. Ist es nach den Moralia Kennzeichen der evangelischen Gerechtigkeit, bereits den sündigen Gedanken zu meiden (RM 43), so warnen die Homilien vor Zorn (hom. 10), Neid (hom. 11) und anderen krankhaften Regungen des Herzens; und wenn sie dabei naturgemäss in bestimmten, auch literarisch identifizierbaren philosophischen Traditionen stehen[8], so zählt doch im Bewusstsein des Predigers selbst allein die durch RM 43 bezeichnete »evangelische« Perspektive, weshalb er beispielsweise in hom. 13,7 den für alle getauften Christen verbindlichen »evangelischen Wandel« mit den Worten der Bergpredigt beschreibt. Auch die öffentliche Predigt des Basilius kennt keine Unterscheidung einer höheren und niederen Sittlichkeit: das Ziel der vita angelica[9] und eines »dem Evangelium entsprechenden Lebens«[10], an anderer Stelle als Kennzeichen der mönchischen Existenz genannt, bezeichnen in den Homilien das einem jeden Christen gesteckte Ziel.

[4] hom. 6–8; s.unten pp. 77ff.
[5] Z.B. hom. 7,3 (31,285cd); 20,5 (31,533cd).
[6] Iudic. 7 (31,669ab).
[7] Z.B. hom. 14,8 (31,452d); 10,4.6.7 (31,360d–361a.368ab.369c).
[8] Diskutiert für hom. 4 und 5 etwa bei: FUSSL JAC 24 (1981) 45–55; POHLENZ ZWTh 48 (1905) 72–95; cf. JACKS Literature; s. auch GRONAU Posidonius.
[9] Z.B. hom. 2,6 (31,193a); 3,6 (31,212b); 5,7 (31,265a); 13,3 (31,429d); 21,5 (31,549b).
[10] Ἡ κατὰ τὸ Εὐαγγέλιον πολιτεία: zur Kennzeichnung der Lebensweise der Mönche: zB ep. 207,2:16; prol. III (31,1080a); prol. IV,1 (31,892b); fid. 5 (31,689a); RF 8,3 (AscM/31,940c); verbindlich für alle Christen: zB hom. 13,7 (31,440a); 4,2 (31,221c); 7,8 (31,300b); 12,16 (31,420c); can. 84.

Es ist in diesem Zusammenhang von grosser Bedeutung, dass Basilius (anders als etwa Gregor von Nazianz) der Gemeindepredigt keine bloss vorbereitende Funktion – gegenüber einer höheren Form »theologischer« Rede beispielsweise – zumisst. Denn wohl besteht auch für Basilius das Ziel der christlichen Vollkommenheit in der »Erkenntnis Gottes, welche das Höchste ist«[11]. Aber zugleich gilt: »Dies ist die Erkenntnis Gottes: seine Gebote zu halten«[12]. Zwar bezeichnet die πρὸς θεὸν ὁμοίωσις das höchste erstrebenswerte Gut[13]. Jedoch: »Erkennungszeichen (γνώρισμα) der Liebe zu Gott« ist das »Halten seiner Gebote«[14]. Es ist darum zumindest missverständlich, wenn DÖRRIES bei der Aufzählung der in DSS genannten Wirkungen des Hl. Geistes die fehlende Erwähnung der kirchlichen Verkündigung konstatiert und daraus folgert: »Das Wort der Predigt ist nicht als Träger des Geistes verstanden«[15]. Denn wenn Basilius in DSS IX als die Wirkung des Geistes nennt: χειραγωγία τῶν ἀσθενούντων, τῶν προκοπτόντων τελείωσις[16], so beschreibt er in gleichlautender Weise auch den »Nutzen« der Predigt, welche »die Kranken heilt und die Gesunden zur Vollkommenheit führt«[17] und sich eben darin als Organ des Geistes und Funktion der Kirche erweist, welche Ort der Heilung und Vervollkommnung ist. – Und wie sich desweiteren die »mystischen« Psalmenhomilien nicht an ein gesondertes, etwa mönchisches Auditorium wenden, sondern an das gleiche – aus Handwerkern wie Tagelöhnern, aus den städtischen Notablen wie philosophisch Interessierten zusammengesetzte – Publikum wie die sonstigen Homilien[18], so werden auch die grossen

[11] hom. 5,4 (31,256a).

[12] hom. 23,4 (31,597a): Ἴδε πῶς νοεῖται Θεός· ἐκ τοῦ ἀκούειν ἡμᾶς τῶν ἐντολῶν αὐτοῦ· ἐκ τοῦ ἀκούοντας ποιεῖν. Τοῦτο γνῶσις θεοῦ, τήρησις ἐντολῶν θεοῦ. Cf. ep. 235,3:20–23.

[13] DSS IX,23:24.

[14] RB 213 (AscP).

[15] DÖRRIES DSS 183f. Diese Äusserung steht im Zusammenhang der Diskussion der Unterscheidung Kerygma – Dogma. Die an dieser Stelle vorgetragene Kritik an DÖRRIES beschränkt sich darauf, dass die Unterscheidung von Kerygma und Dogma (und analog die der Ausrichtung des Gotteswillen ἐν τῷ κοινῷ und κατ' ἰδίαν) bei Basilius nicht einfach zusammnefällt mit dem Gegenüber von grosser und Mönchsgemeinde (was DÖRRIES hier und in WuS I,128,8b anzunehmen scheint). Vielmehr bezeichnet sie eine Denkstruktur, die sich an unterschiedlichen Sozialgestalten von »Kirche« festmachen kann. Cf. unten p. 345,101; 261,48.

[16] DSS IX,23:13.

[17] Z.B. hom. 3,4 (31,205b.a); 10,1 (31,353ab); 11,5 (31,381b–384b); hom.ps. 1,2 (29,213a).

[18] Das hat BERNARDI (Prédication 48ff.33ff) gegenüber der anderslautenden Vermutung von GRIBOMONT (In tomum 29,11) gezeigt.

dogmatischen Streitfragen der Zeit von den Gemeinden nicht ferngehalten[19]; und in ihrer Mitte wird – so in hom. 15 – jener θεολογία Gehör verschafft, die andernorts – im berühmten 9. Kapitel von De Spiritu Sancto – Gegenstand einer dem kleinen Kreis vorbehaltenen Betrachtung ist[20]. Denn nicht um Spekulationen über die οὐσία Gottes geht es dem Prediger Basilius, sondern um die Erkenntnis seiner Wohltaten; und diese Erkenntnis der Wohltaten Gottes wiederum führt zur Anbetung und findet so im Gottesdienst der Gemeinde Ziel und Erfüllung[21]. – Unter unterschiedlichem Aspekt sucht die kirchliche Verkündigung so der Vorgabe zu entsprechen, »alle« in den Stand der Vollkommenheit zu führen (RM 70,31).

2. Soweit der allgemeine Befund, den wir nun durch Untersuchung zweier in sich ganz unterschiedlicher Einzelbeispiele näher zu bestimmen suchen. Zunächst *hom. 6 und 7*[22] (auch die in gleicher Zeit – nämlich wohl 369[23], während der andauernden Dürrekatastrophe, die das grossangelegte Hilfsprogramm des Basilius auslöste – gehaltene *hom. 8* ist hier heranzuziehen). Sie verdienen unser Interesse, da es hier um die *Frage des Reichtums* geht; und da Basilius wohl für seine Asketen, nicht aber für die Gemeindechristen völlige Besitzlosigkeit verbindlich gemacht hat, kommt dieser Thematik im Zusammenhang unserer Fragestellung besondere Bedeutung zu. In hom. 6 und 7 ergibt sich dabei folgendes Bild:

1. Die Forderung nach Besitzverzicht und Teilen mit den Armen (hom. 6) bzw. die Weisung Mt 19,21 (εἰ θέλεις τέλειος εἶναι, ὕπαγε πώλησον ...) (hom. 7) kennzeichnet nicht ein besonderes Vollkommenheitsideal, sondern ist *verpflichtendes Gebot* für alle Christen[24].

[19] hom. 15.24.29. DÖRRIES DSS 101: »Es ist wirklich eine kirchliche Lebensfrage, um die es sich handelt, die noch jedes Gemeindemitglied angeht«.

[20] Cf. hom. 15,1 (31,464cd) sowie die Synopse (und Diskussion) von hom. 15/DSS IX,22 bei DÖRRIES DSS 99(ff).

[21] ep. 234,3:12f: Οὐκοῦν ἀπὸ μὲν τῶν ἐνεργειῶν ἡ γνῶσις, ἀπὸ δὲ τῆς γνώσεως ἡ προσκύνησις.

[22] 31,261–304; kritische Edition bei COURTONNE (Homélies sur la richesse).

[23] Cf. HAUSCHILD Briefe I,232. 20,45; BERNARDI Prédication 61; TEJA Organización 151; FEDWICK Chronology 9(,35). Mit BERNARDI (Prédication 61) ist die chronologische Abfolge der Homilien zu bestimmen als: hom. 6.7.8.

[24] ἐντολή: hom. 6,1 (31,264a); 6,6 (31,273d); 7,3 (31,285c); 7,6 (31,297a); 7,7 (31,297d); 7,9 (31,301c.304a); πρόσταγμα: 7,3 (31,288a); 7,1 (31,281a); 7,9

2. Eben darum ist es unerlässlich zum Heil; wer diesem Gebot nicht Folge leistet, hat – mag er auch in allen sonstigen Dingen tadelsfrei leben – die ewige Seligkeit verloren (7,1: »wodurch a l l e i n du in die Gottesherrschaft eingehen kannst«; 7,3: Gleichnis vom Wanderer, der vor dem Ziel haltmacht und so alles verliert; 7,3: Askese ohne tätige Nächstenliebe ist hinfällig: »nicht nimmt sie die Gottesherrschaft auf«)[25].

3. Reichtum, der über den eigenen – nach Massstab von Lk 3,11 sehr eng definierten – »Bedarf« hinausgeht, ist »Raub«. Denn der Reiche ist nur *»Verwalter«*, nicht aber Eigentümer seiner Habe, die er folglich als »fremdes Gut« (ἀλλότρια) und nicht als seinen »Besitz« (ἴδια) zu behandeln hat[26]. »Bist du nicht Räuber? Was du zur Verwaltung empfangen hast, das machst du zu deinem Besitz«[27].

4. Der *Einwand*, dies Gebot sei schwer und *unmöglich* zu erfüllen (7,1 31,280b: χαλεπόν, βαρύ, ὑπέρογκον; 7,3 31,288a: ἀδύνατον; 7,8 31,300b: ἀδύνατα), wird zurückgewiesen, die Infragestellung des »Sinns« des Gebotes abgeblockt[28].

5. Nur schwerlich kann darum ein Reicher gerettet werden. »'Leichter', sagt er, 'kann ein Kamel durch ein Nadelöhr als ein Reicher ins Himmelreich gelangen'. Aber: dieser Ausspruch ist so klar, und der es sagt, lügt nicht; die (dem Wort aber) Folge leisten, sind *wenige*«[29].

6. Wie verhält sich die Rettung der »Wenigen« aber zum *universalen Heilswillen* Gottes? Es gilt – so endet die 6. Homilie –, dass Gott »uns a l l e in sein Reich gerufen hat«. Doch entscheidet sich alles am *Gehorsam* gegenüber dem Gebot: »Wenn du gehorsam bist, so sind dir die in den Verheissungen beschlossenen Güter in Aussicht gestellt. Hörst du aber nicht, so ist für dich die Drohung (des Gerichts) niedergeschrieben«[30].

So bestätigen hom. 6 und 7 an der sensitiven Frage der Besitzethik, dass Basilius auch gegenüber dem weiteren gemeindekirchlichen Publikum keine Ab-

(31,301c); νόμος: 7,3 (31,288a); διαταγή: 7,8 (31,300b: ὁ μὲν Κύριος ὡς ἀναγκαῖα ἡμῖν διετάξατο); 7,9 (31,301c.304c).

[25] Cf. weiter: hom. 6,6 (31,276a); 6,8 (31,277c); 7,4 (31,289c.292a); 7,6; 7,7 (31,297d); 7,9.

[26] hom. 6,2 (31,264c); 6,7 (31,276bc); 7,3 (31,288b).

[27] hom. 6,7 (31,276c).

[28] hom. 7,3 (31,288a).

[29] hom. 7,3 (31,288a).

[30] hom. 6,8 (31,277c).

striche an seinem evangelischen Reformideal vornimmt. Dass er dies gerade am Beispiel von Mt 19,21 tut – welches Wort andernorts[31] wie bei Basilius[32] als Stiftungstext der mönchischen Lebensweise gilt –, zeigt, wieweit er von jeder Zwei-Stufen-Ethik[33] oder einer Unterscheidung von Räten und Geboten[34] entfernt ist. Gleichwohl verliert er die unterschiedlichen Rahmenbedingungen von monastischer und gemeindlicher Lebensordnung nicht aus dem Auge.

a. Das Stichwort, das bei aller Unterschiedenheit der äusseren Lebensverhältnisse die einheitliche Geltung der evangelischen Norm für Christen in Kloster und Welt ermöglicht, ist der Begriff der *»Verwaltung«* (οἰκονομία). Denn während der Mönch beim Eintritt ins Kloster auf allen persönlichen Besitz zu verzichten hat[35], wird eine derartige Forderung gegenüber dem Christen im bürgerlichen Leben nicht erhoben. Statt dessen wird ihm beständig eingeschärft, seine Habe als »fremdes Gut« zu betrachten, das ihm nur treuhänderisch zur Unterstützung der Bedürftigen übertragen worden ist und über dessen rechte »Verwaltung« als οἰκονόμος τῶν ὁμοδούλων er einst beim »Geber« wird Rechenschaft ablegen müssen. Mehr von diesem Gut für sich selbst zurückbehalten wollen, als den eigenen Bedürfnissen entspricht, sei Diebstahl,

[31] Z.B. Athan.vit.Ant. 2. – Zur altkirchlichen Auslegung von Mt 19,21 cf. den Sammelband Per foramen acus (Milano 1986; darin zu Basilius: PERSIC Basilio 160ff).

[32] ep. 150,3:15ff; 223,2:13; RF 8,2; 9,1; RB 101.205. An das Gemeindepublikum gerichtet: hom. 7,1.4.7 (31,280b.289b.297cd); hom.ps. 1,4 (29,220a); cf. hom. 3,6 (31,213a).

[33] So etwa SEIPEL Lehren 95: »Ein solch vollkommener Ausgleich ... ist in der Welt nicht durchzuführen, ihn kann man nur im Kloster finden. Deswegen lobt der heilige Basilius das Klosterleben so sehr ...«.

[34] Dies ist immer noch ein verbreitetes Auslegungsschema; so etwa BAUS/EWIG Reichskirche 425 (»nur ein Rat«); GIET Basile 127–131 (»Précepte et conseil«). – Gesinnungsethische Interpretation etwa bei SCHILLING Eigentum 86ff; MEFFERT 'Kommunismus' 128ff. – Seltsam unklar KARAYANNOPOULOS (Social Activity), der den Widerspruch zwischen gesellschaftlicher Realität und den von Basilius vertretenen Prinzipien konstatiert und fortfährt: »Beyond that, however, Basil does not do anything to soften the inequality. He does not ... proceed to make measures against those who so grossly violate the principles of the Christian behaviour« (p. 387). Eben dies ist falsch: »wer etwas sein eigen nennt« (und nicht zu teilen bereit ist), hat sich für Basilius damit selbst aus der »Kirche Gottes« ausgeschlossen (RB 85) – ein Ausschluss, der im Kloster auch äusserlich sichtbar gemacht wurd (ibid.), in der grossen Gemeinde in der Predigt ausgesprochen, aber dem Gericht Gottes vorbehalten wird (s.u.).

[35] RF 9 (unter Verweis auf Mt 19,21); RB 187; etc. Zu den Modi der Besitzaufgabe cf. TREUCKER Studien 21ff; cf. unten p. 309,54.

wie Basilius mit seinem berühmten Theatergleichnis verdeutlicht: die zum Teilen nicht bereiten Reichen verhalten sich wie ein Theaterbesucher, der nicht nur einen, sondern zahlreiche Plätze mit Beschlag belegt und so für sich in Anspruch nimmt, was allen gehört[36]. Es sind diese und ähnliche Äusserungen, die der regelmässig aufflackernden Diskussion um den »Sozialismus« der Kirchenväter und speziell des Basilius Nahrung gegeben haben[37]. Im vorliegenden Zusammenhang interessiert uns aber eine ganz andere Beobachtung: dass die Oikonomia-Lehre es zwar einerseits erlaubt, das Leben der Christen in Kloster und Welt einem einheitlichen Massstab zu unterstellen – beiden steht nur zu, was zur Befriedigung des (durch Worte wie Lk 3,11 definierten) »Bedarfs« notwendig ist –, andererseits aber ganz *unterschiedliche* – und für die weitere Entwicklung der kirchlichen Armenfürsorge höchst bedeutsame – *Verteilungsmodelle* zur Folge hat. Denn im bürgerlichen Leben ist es der einzelne, der sein Hab und Gut zugunsten der Armen zu »verwalten«, hat. Und eine Schilderung wie in hom. 7,1 zeigt, dass Basilius dabei im wesentlichen die traditionellen Betätigungen privater Liebestätigkeit ins Auge fasst: Gastfreundschaft gegenüber dem Fremden, Speisung des Hungrigen, Bekleidung des Nackten usw. Im Kloster hingegen ist die Unterstützung der Bedürftigen nicht mehr Sache der einzelnen Mitglieder, sondern der eigens zu diesem Zwecke bestallten »Verwalter«; die Gemeinschaft fungiert also als Vermittlungsstelle zwischen Spender und Empfänger. In diese Rolle wächst die Kirche des 4. Jahrhunderts zwar infolge der ihr zufallenden Spenden und Erbschaften ohnehin von selbst hinein. Nur: bei Basilius wird diese Regelung für den klösterlichen Lebensraum ausdrücklich zum – alleingültigen – Organisationsprinzip erhoben[38], womit sich dann eine weitere Neuerung verbindet: die Einführung des Grundsatzes der Bedarfsprüfung. Denn zum klösterlichen Ökonomen wird bestallt, wer »den wahrhaft Bedürftigen vom Bettler aus Habgier« zu unter-

[36] hom. 6,7 (31,276b). χρεία als Kriterium: zB hom. 6,2.7 (31,265b.276b); 7,2 (31,284a); hom.ps. 48,1 (29,433c); RM 70,28; definiert nach Massgabe von Lk 3,11: ep. 150,3; RM 48,2; hom. 7,2 (31,284a); RF 23 (31,981). Der Grundsatz der οἰκονομικὴ τοῦ πλούτου χρῆσις (hom. 7,3 31,288b) wird neben in hom. 6 und 7 besonders auch in hom. 11 (v.a. 11,5) entfaltet: im Leib Christi sind a l l e Güter – materieller wie geistiger Art – allen gemeinsam.

[37] Überblick über die Diskussion bei FELLECHNER Askese I,51f; HAUSCHILD ZEE 16 (1972) 42ff; cf. GORDON Problem 105ff. Wichtige Hinweise auch in dem Artikel »Gütergemeinschaft« von M. WACHT (RAC XIII,1–59).

[38] ep. 150,3:20ff; RB 87.91.100f.187.302 (alle AscP); RB 302; RF 34 (AscM).

scheiden imstande ist[39]. Basilius begründet dies alles mit dem Vorbild der Urgemeinde[40]. De facto liegt hier aber gegenüber der älteren christlichen Liebestätigkeit, der dieser Grundsatz fremd war[41], eine tiefgreifende Neuerung vor[42], wie überhaupt die von Basilius auf breiter institutioneller Basis betriebene kirchliche Sozialarbeit gegenüber früheren Vorbildern einen qualitativen Sprung markiert[43].

b. Dass Basilius mit seiner Forderung nach Güterausgleich zwischen Arm und Reich nur auf beschränkte Resonanz stiess, war zu erwarten. Es ist nun aber kennzeichnend für ihn, dass er angesichts der Widerstände nicht resigniert oder sich mit unverbindlicher Rhetorik begnügt hat, sondern nach praktischen Wegen gesucht und sie aufzuzeigen sich bemüht hat, um das evangelische Ideal wenigstens in möglichst weitgehender Annäherung zu realisieren. Wir stossen hier auf die Konzeption des *Seelteils* und damit auf eines jener Beispiele, wo Basilius infolge seiner radikalen Rückbesinnung auf das urgemeindliche Modell zu Lösungsansätzen gefunden hat, die in mannigfaltiger Abwandlung dann für die Folgezeit prägend geworden sind: »Basilius des Großen Predigt bildet, soweit wir erkennen können, den Ausgangspunkt für die gesamte folgende Entwicklung«[44]. Bei Basilius selber sind nur zwei Stellen zu verzeichnen, die je für sich zu betrachten sind. Die eine Stelle findet sich in *hom. 7,7*, wo sich Basilius mit den Einwänden des Familienvaters auseinanderzusetzen hat, der unter Verweis auf seine Kinderschar den geforderten Besitz-

[39] ep. 150,3:26ff.

[40] ep. 150,3:22ff.

[41] Noch für Chrysostomus gilt: »Mit besonderem Nachdruck warnt Johannes davor, die Empfänger einer Gabe einer strengen Prüfung zu unterziehen« (BRÄNDLE Chrysostomos 157).

[42] HOLL Amphilochius 13,3 (zu ep. 150): »... daß man auch hier wieder sieht, wie die Anschauung des Basilius über Wohltätigkeit von der sonst in der griechischen Kirche herrschenden abweicht ... Basilius verlangt, was sonst verboten wird, eine διάγνωσις τοῦ ἀληθῶς δεομένου, und missbilligt in den schärfsten Ausdrücken ein gedankenloses Wegwerfen des Besitzes«.

[43] Zum Sozialwerk des Basilius s. unten pp. 306ff. – HAUSCHILD (ZEE 16, 1972, 44.39ff) stellt die von Basilius entwickelte »Verwaltungstheorie« der traditionellen »Almosentheorie« gegenüber und hebt ihre Bedeutung für die kirchliche Sozialarbeit hervor.

[44] BRUCK Erbrecht 3; cf. die Ausführungen pp. 3ff (zu Basilius) und pp. 55ff.69ff (zum Problem des Kompromisses und der 'doppelten Moral'). Cf. dazu HAUSCHILD TRE IV,22; STAATS ZThK 76 (1979) 18,50 (problematisch); RITTER Basileios 429,85.

verzicht ablehnt. Die Antwort des Basilius: die Evangelien haben für Verheiratete die gleiche Gültigkeit wie für alle übrigen. M.a.W.: die Konzession der Ehe und der Kinderzeugung bildet den einzigen Unterschied zwischen dem Leben der Verheirateten und beispielsweise der Mönche[45]. Aber Basilius geht doch – nach diversen Zwischenargumenten, die zeigen sollen, dass das Festhalten am Reichtum auch für die Kinder keineswegs förderlich ist – weiter und versucht einen Ausgleich zwischen der Vorsorge für die Kinder und der geforderten Hilfe für die Armen zu formulieren, indem er vorschlägt, einen Teil des Vermögens für die Armen abzuzweigen. Sorge doch, ruft er dem Familienvater zu, für deine eigene Seele, setze sie in die Rechte des Erstgeborenen ein, »gib ihr reichlichen Lebensunterhalt, und dann verteile den Kindern das übrige Vermögen«[46]. Nicht alles, aber doch ein besonders grosser Teil ist also in Sorge um das eigene Seelenheil den Armen zuzuwenden; eine konkrete Quote nennt Basilius an dieser Stelle nicht. Dass mit diesem Vorschlag eine Sonderregelung für Verheiratete ins Auge gefasst ist, machen die folgenden Worte an Kinderlose deutlich, denen dieser Ausweg verspert wird, jetzt erst das Leben zu geniessen und später dann beim Tod durch eine Erbschaft die Armen zu bedenken; »jetzt«, so Basilius, ist dem Gebot des Evangeliums Folge zu leisten, nicht erst in späterer Zeit (womit Basilius in dieser Frage ganz ähnlich wie im Fall des Taufaufschubs argumentiert). – Angesichts dieser Bemerkung in hom. 7,8 ist zu fragen, wie die zweite Stelle in *hom. 8,8* zu verstehen ist. Hier mahnt Basilius, nicht das ganze Vermögen für das Wohlleben in dieser Welt draufzugeben, sondern wenigstens die Hälfte der Seele zukommen zu lassen. BRUCK bezieht auch diese Stelle auf die den Armen zukommenden Erbquote. Dann müsste freilich Basilius die in hom. 7 ausgesprochene Einschränkung auf Eltern mit Kindern aufgegeben haben (was BRUCK, der eine Entwicklung von hom. 7 zu hom. 8 unterstellt, auch annimmt[47]). Doch auch der Vergleich mit Josef dürfte wohl eher dafür sprechen, dass Basilius eine Quote zur Linderung

[45] ps.Bas.serm.asc. XI,2 (31,629a) entspricht genau der Meinung des Basilius: »Wie alle Menschen sind wir zum Gehorsam gegenüber dem Evangelium aufgerufen, sowohl als Mönche wie als Eheleute«. Sinngleich Chrysostomus: »Wer in der Welt lebt, soll vor den Mönchen nichts voraus haben als allein dies, dass er mit einem Weib zusammenleben darf...; in allem übrgigen jedoch ist er zu demselben verpflichtet wie der Mönch« (hom.Hebr. 7 PG 63,67; Übersetzung und Diskussion bei RITTER Charisma 70; ders. JAC 31, 1988, 132f).

[46] hom. 7,7 (31,300ab).

[47] BRUCK Erbrecht 9f. Doch dürften hom. 6–8 innerhalb eines halben Jahres gehalten worden sein: BERNARDI Prédication 61.

der gegenwärtigen Hungersnot angibt. Jedenfalls berichtet Gregor von Nazianz, Basilius habe durch seine Predigten während der Dürrekatastrophe die Vorratskammern der Reichen geöffnet und so (neben seinen eigenen erheblichen Mitteln) wesentlich die grossangelegte Speisungsaktion ermöglicht[48]. Wie dem auch immer sei: mit der Anschauung vom Seelteil versucht Basilius auf immer noch hohem Niveau eine Minimalforderung zu fixieren, die die Forderung nach vollständigem Besitzverzicht zugunsten der Armen nicht ersetzen, sondern gleichsam in Reichweite belassen soll.

c. Wie aber steht es mit jener Mehrheit der wohlhabenden Christen, die trotz solcher Suche nach gangbaren Wegen ihren Besitz nicht in der von Basilius beschriebenen rechten Weise – nämlich treuhänderisch zugunsten der Armen – zu »verwalten« bereit sind? Was besagt dann der in RB 85 ausgesprochene (und in hom. 8,8 indirekt aufgenommene[49]) Grundsatz, dass sich der »von der Kirche Gottes trennt«, der »etwas sein eigen nennt«? Andere Druckmittel als das Wort der Verkündigung und die Ankündigung des Gerichtes standen dem Prediger Basilius nicht zur Verfügung, und er hat dies Mittel sehr bewusst und durchaus erfolgreich eingesetzt. Zur Beantwortung der Frage, wie sich in der Sicht des Basilius die *Stellung des Reichen in der Kirche* darstellt, ist *hom.ps. 48,1(ff)* sehr aufschlussreich[50].

Hier betont Basilius die Universalität des Heilswillens Gottes. An das »ganze Menschgeschlecht« ergeht sein Ruf; »darum ist auch die Kirche aus vielfältigen Ständen« (ἐκ παντοδαπῶν ἐπιτηδευμάτων) – unter denen »Reiche« und »Arme« eigens aufgeführt sind – »gesammelt, damit niemand ausserhalb ihres Nutzens bleibe«. Wichtiger aber als diese allgemeine Feststellung ist die nähere Bestimmung, die Basilius ihr gibt. Basilius legt hier ps. 48,2f (LXX) aus, wobei er die Einladung an »Heiden« und »Bewohner des Erdkreises«, an »Erdgeborene« und »Menschensöhne«, an »Reich« und »Arm« so versteht, dass in jedem Paar zuerst der »Stand, der ohne Hoffnung ist und nur schwer das Heil erlangt« (τὸ ἀπεγνωσμένον τάγμα, καὶ δύσκολον ἔχον τὴν σωτηρίαν), genannt ist. So deutet er die »Bewohner des Erdkreises« auf die, »die in der Kirche sind«, die »Heiden« jedoch auf die, die – noch – »dem Glauben fremd«

48 Greg.Naz.orat. 43,35,3 (BOULENGER 134).
49 hom. 8,8 (31,328ab).
50 29,432ff.

sind. Ähnlich das zweite Paar: als »Menschensöhne« sind die bezeichnet, die den Logos pflegen, als »Erdgeborene« hingegen die, »die Irdisches sinnen und sich an die Willensregungen des Fleisches halten« und die Basilius andernorts – sofern sie sich nicht ändern – als vom Himmelreich ausgeschlossen erklärt. Ebenso steht es nun auch mit den »Reichen«, die gegenüber den »Armen« den Part des »verurteilten« Standes (κατεγνωσμένον) spielen. »Aber da der Arzt der Seelen nicht kam, um die Gerechten, sondern um die Sünder zur Busse zu rufen, deshalb setzte er beim Ruf in jedem Paar den verurteilten Stand an die erste Stelle«. »Niemand« steht also »ausserhalb des Rufes«, auch nicht die Reichen, an die die gleiche Einladung ergeht wie an die Armen; sie sind nicht vom Heil ausgeschlossen, der Arme darf sie nicht verachten; und diesen Ruf auszurichten, ist Aufgabe der kirchlichen Verkündigung, welche die krankhafte Verhärtung des Herzens zu erweichen und alle zum Heil zu führen bestimmt ist. Aber eben: diesem »Ruf« zur »Busse« – und das heisst im Fall des Reichen nach hom. 6-8 konkret: zum Besitzverzicht zugunsten der Armen – muss dann aber auch Folge geleistet werden, was aber – laut hom. 7,3 – nur »wenige« tun; darum stellen die Reichen de facto den »verurteilten Stand« dar. Doch besteht immer noch die Hoffnung, dass die kirchliche Ausrichtung des »Rufes« zur »Busse« die Reichen erreicht und sie so in die »Kirche« einsammeln kann. – Bei all diesen Worten muss man sich vor Augen halten, dass wie das Volk so auch die besitzende Oberschicht Kappadoziens bereits weitgehend christianisiert war. Basilius wählt in dieser Situation nicht den Weg, den Klemens von Alexandrien (Quis dives salvetur) oder auch Augustin (etwa ep. 131 an die reiche Aristokratin Proba) gegangen sind: nicht den Verzicht auf den Besitz, wohl aber die innere Freiheit davon zu fordern; er macht andererseits auch nicht die Besitzlosigkeit der Mönche zur allgemeinen Vorschrift. Aber er erklärt die Frage des rechten »Gebrauchs« des Reichtums zum Kriterium der Zugehörigkeit zu jener Heilsgemeinschaft, die »Kirche Gottes« heisst.

3. An einem ganz anders gearteten Beispiel verdeutlichen *hom. 4 und 5*[51], dass alle Christen dem unverkürzten Anspruch des Evangeliums unterstellt sind. Hom. 4 liegt das Apostelwort 1Th 5,16-18 mit seiner Aufforderung zu *ständiger Freude, ununterbrochenem Gebet und Dankbarkeit in allen Dingen* zugrunde. Dabei sieht sich der Prediger dem Einwand von »Gegnern« konfron-

[51] 31,217–262.

tiert, die dies für ein Ding der Unmöglichkeit« erklären[52], und diese gegnerische Auffassung wird vom Prediger auch im Kreis seiner Zuhörer vermutet[53]. Jedenfalls ist die Frage für ihn so wichtig, dass er sie in der Predigt des folgenden Tages (hom. 5) wieder aufgreift und dafür den eigentlichen Anlass dieser Homilie – der Festtag der Märtyrerin Julitta, der immerhin von ihm selbst festgelegt worden ist[54] – nur in aller Kürze abhandelt. Gegenüber aller Kritik will er darum in beiden Homilien τό τε δυνατὸν τῆς ἀποστολικῆς νομοθεσίας καὶ τὸ ὠφέλιμον erweisen (so die Zusammenfassung am Schluss). Denn die beständige »Freude« (hom. 4,2-7), von der 1Th 5,16 spricht, erscheint nur dem ein Ding der Unmöglichkeit, der sie in Dingen des äusseren Wohlergehens sucht[55] und sich von irdischen Vergnügungen Befriedigung verspricht[56]. Wer hingegen wie Paulus[57] seinen Blick nach oben richtet, bei dem stellt sich ganz von selbst überschwengliche Freude ein. »Überhaupt wird die Seele, die einmal vom Verlangen nach dem Schöpfer erfasst ist und sich an dieser Schönheit ergötzt, diese Wonne und Freude nicht mit dem vielfachen Wechsel irdischer Leidenschaften tauschen«. Aus solcher Freude entspringt nicht nur Unempfindlichkeit gegenüber allen Wechselfällen des Lebens, sondern da stellt sich auch das rechte Verhalten zum Mitchristen ganz von selbst ein. Denn »wer nun beständig auf den Geliebten schaut und so seine Glückseligkeit mehrt, der kümmert sich auch um das Geschick seiner Mitknechte: er trauert mit den Sündern und richtet sie durch seine Tränen wieder auf«. – Ununterbrochenenes Gebet (hom. 5,3f): »Lass es nicht zu, dass durch trägen Schlaf dein halbes Leben unnütz vertan wird, sondern teile dir die Zeit der Nacht zwischen Schlaf und Gebet«. Ausserdem: nicht in blossen Worten erfüllt sich das Gebet des Christen, sondern in der rechten Einstellung, die in allen Dingen des Lebens das Gute von Gott erwartet; »verbinde dich durch dein ganzes Leben mit Gott, so dass dein Leben ein beständiges und ununterbrochenes Gebet sei«. – Dankbarkeit in allen Dingen (hom. 5,3-9): auch dies Gebot wird nur für den zum Problem, der die Wohltaten Gottes in der Schöpfung, die Erlösungstat

[52] hom. 4,1: διαβαλλόντων τὸ τῆς νομοθεσίας ἀδύνατον; 4,2: τὸ δυνατὸν τῶν ἀποστολικῶν διατάξεων ἀπαιτοῦσιν; ibid.: τὴν ἐπὶ τοῖς διατεταγμένοις ἡμῖν ὡς ἀδυνάτοις διαβολήν; ibid.: τολμῶσι κατηγορεῖν τοῦ Παύλου, ὡς ἀδύνατα ἡμῖν διορίζοντος; etc. (31,217a.b.; 220a.b.c.d.; 221c; 244a. 245a. 260c).
[53] hom. 4,1 (31,217d).
[54] hom. 5,1 (31,237a).
[55] hom. 4,1 (31,220a).
[56] hom. 4,3 (31,224a).
[57] hom. 4,2 (31,221a).

Christi sowie die vielfältig spürbaren Wirkungen des Hl. Geistes gänzlich ausser acht lässt und seine Freude in irdischen und vergänglichen Dingen sucht. – So liegt zusammen mit der Erfüllbarkeit der apostolischen Gesetzgebung auch der grosse Gewinn offen zutage, den sie dem Christen bringt; mit diesen Worten entlässt der Prediger seine Hörer.

Was ist der konkrete Hintergrund dieser Doppelpredigt? BERNARDI vermutet – unter Berufung auf die Verknüpfung von Märtyrereloge und Aufforderung zur »Freude« und »Dankbarkeit« auch im Leiden –, dass Basilius seine unter den Schikanen der antinizänischen Religionspolitik des Valens leidende Gemeinde stützen und aufrichten will[58]. Das ist als Nebenabsicht sehr wohl denkbar, lässt sich aber nicht positiv nachweisen. Ein anderer Ansatzpunkt wäre mit der Forderung ununterbrochenen Gebetes (1Th 5,17) gegeben. Wir erinnern uns an die scharfe Kritik, auf die Basilius bei seinem Bemühen stiess, die mönchische Sitte des beständigen Gotteslobes auf das liturgischen Leben der Gemeinde zu übertragen[59]. Andererseits stellt die Forderung beständigen Gebets eines der Erkennungszeichen der messalianischen Bewegung dar, die später wie Kleinasien so auch Kappadozien überschwemmen wird und die dort zumindest in einer Frühform durch Greg.Nyss.virg. 23 wohl schon für die Lebenszeit des Basilius bezeugt ist[60]. Schliesslich geht auch aus den Mönchsregeln hervor, dass es auch innerhalb der basilianischen Bruderschaften eine Debatte um dies Wort gegeben hat, dessen latente Gefährlichkeit Basilius durch Plädoyer für einen geordneten Lebensrhythmus im Wechsel von Gebet und Arbeit zu begegnen suchte[61]. So wäre es denkbar, dass Basilius sich in hom. 4 und 5 einer Opposition ausgesetzt sah, welche solchen protomessalianischen Tendenzen skeptisch bis feindlich gegenüberstand. Aber auch ein solcher Erklärungsversuch würde sicherlich nur Teilaspekte abdecken. Schon das relativ kurze Eingehen auf 1Th 5,17 (hom. 5,3f), das von der ausführlichen Erörterung von 1Th 5,16 (hom. 4) und 1Th 5,18 (hom. 5,3-9) absticht, zeigt, dass hier nicht der Schwerpunkt zu suchen ist. – Der Streitpunkt dürfte ein anderer sein. Mit der Forderung »ständiger« Freude und »ununterbrochenen« Gebets bringt das Apostelwort den zeitlichen Aspekt der vollständigen

[58] BERNARDI Prédication 79f.
[59] ep. 207,2(:2ff).3(:1ff).
[60] Zur Datierung von De virginitate cf. STAATS VigChr 39 (1985) 228ff.
[61] RB 238; RF 37f.

Inanspruchnahme durch das Evangelium zum Ausdruck, den Basilius auch sonst immer wieder hervorkehrt: »tags und nachts« hat der Christ bereit und »allezeit« auf die Ankunft des Herrn gerüstet zu sein[62]. Der Einwand, dem Basilius durchgehend in hom. 4 und 5 zu begegnen sucht, ist ja der, die apostolische Weisung sei »unerfüllbar«. Und damit steht und fällt für ihn zugleich die Frage nach der Verbindlichkeit des »evangelischen Lebens« überhaupt[63]; und da Basilius in diesem Einwand nur »Vorwände« zum Sündigen sieht, greift er die Frage grundsätzlich auf. Denn die Behauptung der »Unmöglichkeit« ständiger Freude entspringt ja einem Denken, das sich statt am Unvergänglichen an vergänglichen Gütern orientiert. Dies Denken gilt Basilius in der Tat als Mutterboden für alle übrigen Irrungen, die er hier wie sonst zu bekämpfen hat, wie etwa die heidnischen Trauerbräuche – welche zeigen, dass sich die Christen de facto nicht von jenen unterscheiden, die »keine Hoffnung haben«[64] – oder die Flucht in fatalistische oder manichäische Anschauungen[65]. Und umgekehrt ist mit dem Aufweis der »Freuden« des Christ-Seins nicht nur die Erfüllbarkeit der apostolischen Anordnung erwiesen. Vielmehr gerät ihm dieser Nachweis unter der Hand zu einer Schilderung des Christenlebens überhaupt, da er dabei all die positiven Auswirkungen (wie etwa die συμπάθεια des Christen) aufzeigt, die sich bei dem einstellen, der sich ganz von der »Liebe zu Gott« erfassen lässt.

B. ERFÜLLBARKEIT DER GEBOTE

1. Bereits in hom. 6-8 (Forderung nach Besitzverzicht) und in hom. 4-5 (Weisung zu beständiger Freude und ununterbrochenem Gebet) hat sich die Frage nach der »Erfüllbarkeit« – dem δυνατόν – der Weisungen des Evangeliums unüberhörbar angemeldet. Ihr gilt es nun im Zusammenhang nachzugehen. Zu oft wird sie im Werk des Basilius gestellt, als dass sie übersehen werden könnte. Angesichts seiner Forderung nach einem Christentum ohne Kompromisse drängt sie sich ganz von selbst auf.

[62] Z.B. RM 13,1; 80,22; prol. IV,1.4 (31,889bc.901a); hom. 21,2 (31,545a); 12,6 (31,400bc); RF 34,3 (31,1001c).
[63] hom. 4,2 (31,221c).
[64] hom. 4,6 (31,232c).
[65] hom. 5,5 (31,248c).

Freilich ist zuvor zu klären, in welchem Sinn diese Frage gestellt wird. BEYSCHLAG hat im Blick auf das Verständnis der Bergpredigt in der Alten Kirche vor unangemessenen, da modernen Fragestellungen gewarnt. Dazu zählt er auch die Frage nach der Erfüllbarkeit der Bergpredigt, die sich – als theoretische Frage – in der Alten Kirche gar nicht stellt, da sie als gegeben vorausgesetzt wird[1]. Dem ist zuzustimmen, gerade auch im Blick auf Basilius (der übrigens wie die Tradition vor ihm die Bergpredigt nicht als gesonderte Grösse innerhalb der Evangelien ins Auge gefasst hat). Denn die selbstverständliche Voraussetzung des Aufrufs zur Busse und zu einem dem Evangelium entsprechenden Leben war für ihn ja eben diese Überzeugung, dass die Gebote Gottes keine Überforderung des Menschen darstellen, sondern seiner Natur gemäss und seinen Möglichkeiten entsprechend sind. Und weil sich das so verhält, hat Basilius dort, wo er in der Bestreitung der Erfüllbarkeit eine blosse Schutzbehauptung und einen »Vorwand zum Sündigen« sah, den Einwand auch einfach niederschlagen können, ohne weitere Diskussion. So kann Basilius dem Reichen, der die Weisung Mt 19,21 für »unerfüllbar« (ἀδύνατον) erklärt, schroff erwidern: »Frage nicht nach dem Sinn der Anweisungen des Herrn«[2]; und dem von einigen Mönchen vorgetragene Einwand: »Einige sagen, es sei unmöglich, dass ein Mensch nicht zürne«, begegnet er mit der Gegenfrage, ob es denn möglich sei, »dass ein Soldat unter den Augen des Königs in Zorn gerate«[3]. Das heisst: angesichts des Bewusstseins von der ständigen und unmittelbaren Gegenwart Gottes des Herzenserforschers – und das war für Basilius das dem Christen allein angemessene Bewusstsein – erübrigt sich die Frage von selbst.

Aber typisch ist ein derartiges Niederschlagen der Fragen nicht für Basilius. Dafür ist er viel zu sehr Seelsorger, um Ermutigung und Einverständnis der Hörer besorgt, wie allein schon seine ausgeprägte Neigung zu naturrechtlicher Argumentation ausweist[4]. Und angesichts der Unbedingtheitsforderung seiner

[1] BEYSCHLAG ZThK 74 (1977) 297ff. Cf. HOLL Enthusiasmus 165.

[2] hom. 7,3 (31,288a).

[3] RB 127 (AscP); cf. RB 29 (AscP).

[4] »Basilius ist von allen drei Kappadokiern derjenige, der am stärksten eine naturrechtliche Argumentationskette aufbaut« (FELLECHNER Askese I,126). – M.W. ist bislang noch nicht wahrgenommen worden, dass sich die naturrechtliche Argumentation in den Mönchsregeln v.a. in der zweiten – auf Systematisierung und Allgemeinheit angelegten – Redaktion des Asceticon (AscM) findet, die somit über das blosse Gegebensein des biblisch begründeten Gotteswillens hinaus um

Predigt stellt sich für ihn diese Frage auch sehr viel dringlicher als in der herkömmlichen Gemeindeparänese, für die in der Tat – wie DIHLE hervorhebt[5] – mit ihrer Begrenzung auf elementare sittliche Grundforderungen die Frage der Erfüllbarkeit der göttlichen Gebote kein eigenes Thema war. Denn auch wenn es für Basilius bei seinem Beharren auf der »besseren Gerechtigkeit« des Evangeliums (das nicht nur die böse Tat, sondern bereits den bösen Gedanken verbietet)[6] nur darum ging, zu der seit jeher verbindlichen Norm des Christseins zurückzulenken, so wusste er sich dabei doch sehr wohl dem Verdacht ausgesetzt, etwas »Neues zu verlangen«[7]. Nicht umsonst nehmen die Moralia in ihr Portrait des »Christen«-Menschen die Forderung auf, »überzeugt zu sein, dass jedes Wort Gottes wahr und möglich (δυνατόν) ist, auch wenn die Natur dem widerstreitet« (RM 8,1). Und solche Überzeugung zu ermöglichen, ist die Absicht des Basilius, der darum die guten Absichten eines Fragenden aufzunehmen und ihn Schritt für Schritt soweit zu führen bemüht ist, dass ihm die Gebote Gottes nicht nur als erfüllbar erscheinen, sondern als Hilfe, ja als Grund zu überschwenglicher Freude und Einstimmung in den Jubel der Engel. Und wenn er beispielsweise in RB 176 (AscP) die Frage nach der »Erfüllbarkeit« des Gebots der Feindesliebe mit der Feststellung beantwortet, dass »uns der gute und gerechte Gott nicht etwas befohlen hätte, wenn er uns nicht zuvor die Befähigung dazu geschenkt hätte«, so ist es dieser Gedanke, den Basilius in RF 2 in sorgfältig ausgearbeiteter Gestalt an die Spitze des Asceticon stellt und somit zeigt, wie er die Einzelbestimmungen des Asceticon verstanden wissen möchte: als aus der Liebe zu Gott entsprungen. Denn RF 2 handelt vom Gebot der Gottesliebe als dem ersten aller Gebote, wobei Basilius sofort hinzufügt, dass in diesem einen Gebot der Gottesliebe virtuell alle übrigen eingeschlossen sind[8] (so wie er umgekehrt immer wieder daran erinnert, dass die Liebe zu Gott am Halten seiner Gebote zu erkennen ist). Die Liebe zu Gott aber, die der Herr geboten hat, ist dem Menschen bei seiner Erschaffung als ἀγαπητικὴ δύναμις

Verständlichkeit und Einverständnis bemüht ist. – Auf eine andere Funktion der naturrechtlichen Argumentationsweise (in den Homilien) – den Aufweis der Unentschuldbarkeit des Menschen – weist BERTHER Mensch 194ff hin. Cf. unten p. 291,37.

[5] DIHLE RAC VI,762.

[6] RM 43; ep. 22,1:16f. Cf. LORENZ ZKG 77 (1966) 37,84.

[7] RF 2,1 (AscP/31,900a).

[8] RF 2,1 (AscP/31,908d): δυνάμει δὲ πάσης ἐνεργητικὸν καὶ περιεκτικόν ἐστιν ἐντολῆς.

ins Herz gesenkt[9]. Deshalb gilt zugleich, dass »von allen Geboten, die uns von Gott gegeben sind, wir von ihm auch die Kraft zu ihrer Erfüllung zuvor erhalten haben«[10]. In der späteren Redaktion von RF 2 hat Basilius diesen Sachverhalt unter Aufnahme des Logos-spermatikos-Motivs ausgedrückt. Die Liebe zu Gott, so sagt er dort, wird nicht durch Belehrung vermittelt, sie ist uns Menschen vielmehr bei unserer Erschaffung als ein σπερματικός τις λόγος eingepflanzt, welcher von sich aus (οἰκόθεν) den Antrieb zur Gottesliebe enthält. Wenn nun dieser Same »in die Schule der Gebote Gottes geht, so wird er mit Sorgfalt herangezogen, mit Wissen genährt und durch die Gnade Gottes zur Vollkommenheit geführt«[11]. Wenngleich erst »in der Schule der Gebote Gottes« zur Entfaltung gebracht, so ist dieser σπινθὴρ τοῦ θείου πόθου dem Menschen von Natur aus zueigen ebenso wie die Freude am Licht oder die Sehnsucht nach dem Schönen. »So begehren die Menschen nun von Natur aus das Schöne. Wahrhaft schön und liebenswert aber ist das Gute. Gut aber ist Gott. Zum Guten strebt alles. Also strebt alles zu Gott«[12].

2. So beantwortet Basilius die Frage nach der Erfüllbarkeit der Gebote mit dem Verweis auf den natürlichen Antrieb eines jeden Menschen zur Liebe zu Gott und zur Erfüllung seiner Weisungen. Aber das ist nur eine vorläufige Antwort. Denn dies natürliche Vermögen des Menschen ist ja de facto zugeschüttet. Basilius kann das vom Sündenfall her aussagen: infolge der Sünde Adams ἐκακώθη δὲ ἡ ψυχὴ παρατραπεῖσα τοῦ κατὰ φύσιν[13]; und zusammen mit der ihm bei der Erschaffung verliehenen »Schönheit« ging dem Menschen durch den Anschlag der Schlange auch die δύναμις τῶν δεόντων ἐπιτελεστική verloren[14]. Korrespondierend[15] dazu tritt die Begründung von der

[9] RF 2,1 (AscP/31,909b).

[10] RF 2,1 (AscP/31,909a).

[11] RF 2,1 (AscM/31,908bc).

[12] RF 2,1 (AscM/31,912a). Zu RF 2 cf.: LUISLAMPE Spiritus 147ff; HAUSHERR Berufung 68; LORENZ ZKG 77 (1966) 36ff; BERTHER Mensch 195f (cf. 193ff: »Die Bestimmung zum Guten«).

[13] hom. 9,6 (31,344b).

[14] hom.ps. 29,5 (29,317ab).

[15] In die Sünde Adams ist jeweils auch der einzelne miteingeschlossen. Aber umgekehrt kann der einzelne die Sünde Adams in ihren Wirkungen auch wieder umkehren. »Da wir nicht fasteten, verloren wir das Paradies. Lasst uns nun fasten, damit wir wieder zurückkehren« (hom. 1,4 31,168b). »Tilge die urbildliche Sünde durch Mitteilung von Nahrung« (hom. 8,7 31,324c). Cf. GROSS Entstehungsgschichte I,140ff; BERTHER Mensch 51ff; ungenau: ORPHANOS Creation

Sozialisation des Individuums her daneben: die schlechte »Gewohnheit«, die sich durch langes Leben unter sündigen und gegenüber den Geboten Gottes gleichgültig eingestellten Menschen ausgebildet und verfestigt hat, gewinnt die »Kraft der Natur«, wird gleichsam zur zweiten Natur[16]. Faktisch jedenfalls sind die natürlichen Regungen der Gottesliebe und der freudigen Gebotserfüllung erstickt, und es ist diese – durch die Verkrustung sündiger consuetudo gebildete – zweite »Natur«, der die Überzeugung widerstreitet, »dass jedes Wort Gottes wahr und erfüllbar ist«[17]. So bedarf der einzelne der Hilfe, um die verschütteten Kräfte der freudigen und vollständigen Gebotserfüllung wieder freizulegen und zur Entfaltung zu bringen. Diese Hilfe erfährt er in der Gemeinschaft derer, die ein gottwohlgefälliges Leben zu führen sich vorgenommen haben. Denn dort wird der Prozess quasi-naturhafter Verfestigung schlechter consuetudo durch die Ausbildung einer guten, dem Evangelium entsprechenden Gewohnheit abgelöst und umgekehrt[18]; dort werden die Antriebe zur Gottesliebe befestigt, eingeübt, vor Störungen geschützt und zur Entfaltung gebracht; und dort werden dem einzelnen die Hilfen gereicht, die ihn das Geschenk der Taufgnade bewahren und wirksam werden lassen. Die *Frage nach der Erfüllbarkeit* der Gebote Gottes wird bei Basilius also durch *Verweis auf die Gemeinschaft* der Christen beantwortet.

3. Mit dem Verweis auf die Gemeinschaft ist nun in der Tat die für Basilius charakteristische Antwort bezeichnet. Denn dass der einzelne unmöglich alleine die Weisungen des Evangeliums erfüllen kann, sondern nur in der Gemeinschaft (und mit der Unterstützung) der durch das gleiche Ziel verbunde-

92ff. – Anders gewendet: mit der Taufe wird der Christ wieder ins Paradies versetzt. Es geht darum, die Taufgnade zu bewahren und den Verlust der (wiedergewonnenen) paradiesischen Unschuld zu vermeiden.

[16] RF 6,1 (31,925b): ἔθος γὰρ διὰ μακροῦ χρόνου βεβαιωθὲν φύσεως ἰσχὺν λαμβάνει.

[17] RM 8,1.

[18] »Was falsch ist, zu bessern, und was gut ist, zu festigen«, ist das Ziel der klösterlichen Lebensweise (zB RB 227), das der einzelne nicht alleine erreichen kann (RF 7,1). Als Abkehr von der πολυχρόνιος τῶν ἀνθρώπων συνήθεια (Iudic. 2 31,653c) und Wende ἀπὸ τοῦ κατὰ συνήθειαν βίου πρὸς τὴν ἀκρίβειαν τοῦ Εὐαγγελίου (prol. IV,1 31,892b) bedarf das neue Leben der »gemeinschaftlichen Einübung« (συνάσκησις), um Bestand zu haben. S. die Schilderung des Gemeindelebens in ep. 243,4:28ff. 2:29ff; ep. 113:26ff; hom. 2,7 (31,196ab) jeweils unter dem Gesichtspunkt gemeinschaftlicher »Gewohnheits«-Bildung resp. religiöser Sozialisation.

nen Mitchristen, ist ja in RF 7 eines der Hauptargumente für die könobitische Organisationsform des basilianischen Möchtums[19]. Es ist zugleich der Punkt, an dem sich das basilianische Reformprogramm von gleichgerichteten Bewegungen wie etwa der pelagianischen unterscheidet, mit der es gerade unter dem Aspekt der »Erfüllbarkeit« der Gebote Gottes sowie des für alle »Christen« in gleicher Weise verbindlichen strikten Vollkommenheitsideals eine Reihe signifikanter Gemeinsamkeiten gibt[20]. Nicht zu Unrecht hat R. LORENZ den basilianischen Mönchsregeln eine »anima naturaliter pelagiana« attestiert[21]. Während sich aber die Erweckungpredigt des Pelagius an den einzelnen richtet, ohne »von einem institutionellen und gemeinschaftlichen Mönchtum getragen« zu sein[22], bleibt für Basilius der einzelne Christ – an den sich die Forderung uneingeschränkter Gebotserfüllung richtet – eingebunden in die ihn stützende Gemeinschaft, wo der Schwache vom Starken gefördert, Gebotserfüllung aus Furcht in Gebotserfüllung aus Liebe verwandelt[23] und die Keimkräfte der Gottes- und Nächstenliebe gehegt und zur Entfaltung gebracht werden. Und wenngleich eine genauere Analyse hier - wie in weiteren analogen Fällen – zeigen würde, dass die monastische Kommunität diesem gemeinschaftlichen Ideal sehr viel direkter entspricht als das traditionelle Gemeindeleben, da die notwendigen »Hilfen« zur freudigen Gebotserfüllung

[19] V.a. RF 7,1.4 (31,929b. 933a-c).

[20] Ich nenne: 1. Theoretische Möglichkeit der Sündlosigkeit (unter diesem Aspekt vergleicht LORENZ ZKG 77, 1966, 36-38 Basilius und Pelagius); 2. die programmatische Verwendung des »Christen«–Titels (für Pelagius so zB De divina lege 9/PL 30,119: »Ego te christianum volo esse, non monachum dici«); 3. der damit gesetzte einheitliche Massstab für Mönche und sonstige »Christen«; 4. Rekurs auf die Taufe als Begründung der Heiligkeit der Kirche (für Pelagius s. GARCÍA–SANCHEZ Pelagius passim; cf. BOHLIN Pelagius 31ff; s. v.a. Punkt 19 der Anklageschrift von Diospolis [WERMELINGER Pelagius 71]); 5. LORENZ aaO 37 verweist noch auf »die Verbindung von Schöpfungstheologie mit stoischen Philosophemen im Dienst mönchisch–asketischer Gesinnung«. – Die Übereinstimmung mit Basilius ist offenkundig v.a. auf der Basis der Schrift »De vita christiana« (PL 50,383–402), deren Zuweisung an Pelagius (so PLINVAL Pélage 26ff; GARCÍA–SANCHEZ Pelagius 7; NUVOLONE/SOLIGNAC DSp XII,2900; cf. EVANS JThS 13, 1962, 72–98) nicht unbestritten ist (s. WERMELINGER Forschungskontroversen 205–213.216), die in jedem Fall aber in das Umfeld des Pelagius gehört. – Die Frage einer möglichen Abhängigkeit des Pelagius von Basilius, offengelassen bei LORENZ (aaO 37f), wird bejaht bei PLINVAL (Pélage 86; Zustimmung bei JAEGER Works 90f) und GARCÍA–SANCHEZ (Pelagius 310ff); Kritik bei BOHLIN Pelagius 79.

[21] LORENZ ZKG 77 (1966) 37; zustimmend zitiert bei BROWN Patrons 219.

[22] SCHINDLER Gnadenlehre 61. Stärkere Betonung des Gemeinschaftsgedankens bei Pelagius durch WERMELINGER Forschungskontroversen 193ff.

[23] Cf. prol. IV,3 (31,396b–397a).

dort in ungleich stärkerer Dosierung gereicht und störende Einflüsse bei der Verfolgung dieses Ziels weitaus effektiver abgeschirmt werden können, so bleibt dennoch festzuhalten, dass es für Basilius das gemeinschaftliche (und nicht isoliert das mönchische[24]) Leben ist, das die Erfüllbarkeit der Anordnungen des Herrn garantiert. Denn »es gibt nur *einen Weg*, der zum Herrn führt, und alle, die ihn beschreiten, müssen ihn *zusammen gehen* (συνοδεύειν ἀλλήλοις)«[25]. – Im Folgenden seien einige dieser von Basilius benannten »Hilfen« vorgestellt.

a. Bereits RF 2 verweist auf die Christengemeinschaft als den Ort, wo die Keimkräfte der Gebotserfüllung gehegt, gepflegt und zur Entfaltung gebracht werden. Im Anschluss an die Feststellung, dass der logos spermatikos der Gottesliebe in der »Schule der Gebote Gottes« herangezogen, genährt und zur Vollkommenheit geführt wird, fährt Basilius fort: »Deshalb begrüssen auch wir euren Eifer als zur Erreichung des Ziels notwendig und wollen uns, so Gott es gibt und ihr uns durch eure Gebete unterstützt, bemühen, den in euch verborgenen Funken der göttlichen Liebe gemäss der uns vom Geist verliehenen Kraft anzufachen«[26]. Vorausgesetzt ist hier offenkundig die Situation des *geistlichen Gesprächs*, wo Basilius sich als Lehrer den Fragen der Mönche stellt und so im Hin und Her von Fragen und Antworten gemeinsam der Wille Gottes erforscht und der Eifer um seine Erfüllung geweckt und so die verhaltene Glut der Gottesliebe zum lodernden Feuer angefacht wird. Die hier vorausgestzte Situation wird in prol. III beschrieben – »die, die mit dem Charisma der Lehre betraut sind«, antworten denen, die »der Erbauung aus den Hl. Schriften bedürfen« und nach »der Wahrheit des Wandels gemäss dem Evangelium« forschen[27] –, der literarische Niederschlag dieser Gespräche liegt in den Eratapokriseis des Asceticon vor. In RF 2 ist es die Mönchsgemeinde, die Ort solchen geistlichen Gesprächs ist. Doch macht Basilius es ganz generell dem kirchlichen Prediger zur Pflicht, den Willen Gottes sowohl in aller Öffentlichkeit (ἐν τῷ κοινῷ) wie je einzeln (κατ' ἰδίαν) jedem Hinzutretenden auszurichten[28], so wie er umgekehrt jeden um sein Heil bemühten Christen

[24] So etwa LORENZ ZKG 77 (1966) 37 (+ Anm. 89).
[25] ep. 150,2:5–7.
[26] RF 2,1 (AscM/31,906c).
[27] prol. III (31,1080ab).
[28] RM 70,19; can. 84; prol. III (31,1080ab); etc.

dazu anhält, nach dem, was Gott wohlgefällt, zu »fragen«[29]. Im erbauenden Gespräch der Christen untereinander wie in den vielfältigen Formen des Zusammenlebens sollen so in einem jeden die Keimkräfte freudiger Gebotserfüllung geweckt und zur Entfaltung gebracht werden.

b. Zum Gespräch, das der Erforschung von Gottes Willen dient, tritt die gemeinschaftliche Einübung in das als Gottes Willen Erkannte; συγγυμνασία bezeichnet darum den Zweck des Zusammenlebens sowohl in der monastischen[30] wie in der kirchlichen[31] Gemeinde. Doch auch die das gemeindliche Leben stützende Ordnung ist eine Hilfe für den, der um die Erfülllung der Gebote bemüht ist. In hom. 13, die mit der Taufe zugleich zu einem der Taufe entsprechenden »evangelischen Wandel« aufruft, sieht sich Basilius mit dem Einwand konfrontiert, dies sei eine »harte« Forderung. Auch hier begnügt er sich nicht mit blossem Appell, sondern benennt zugleich Hilfen, die ein solches Leben ermöglichen und die die in der Taufe geschenkte Reinheit auch im Alltag bewahren lassen: »Du hast, wenn du willst, Helfer: Gebet, das die Nacht durchwachen lässt, Fasten, welches das Haus hütet, Psalmen, die die Seelen leiten«[32]. Die Antwort besteht also im Verweis auf *Frömmigkeitsübungen,* die das Leben der Gläubigen begleiten und formen, die Seele zu sammeln und vor äusserer Störung zu schützen geeignet erscheinen. Solche frommen Übungen bestimmen das Leben der Christen in Familie und Gemeinde, sehr viel stärker noch natürlich das der Mönche im Kloster, deren Tagesablauf ja in einen – sich verdichtenden[33] – Rhythmus der Stunden des Gebets und des Psalmengesangs eingebettet ist. Aber auch das liturgische Leben der grossen Gemeinde sucht Basilius als Bischof nach diesem Rhythmus zu gestalten, wie die Einführung der Vigilien und der Antiphon erkennen lassen[34]. Ein Text wie RF 39(f) – der die erforderlichen Vorkehrungen bei Reisen bzw. Aufenthalt ausserhalb des Kōnobiums erörtert – lässt die geradezu immunisierende Wirkung (gegenüber von aussen kommenden Störungen)

[29] RM 8,2.
[30] RF 7,4 (31,933b).
[31] ep. 113:39.
[32] hom. 13,7 (31,440a–d).
[33] S. die Entwicklung von den vier Gebetszeiten in ep. 2 zu den sieben Horen in RF 37; cf. MATEOS OrChr 47 (1963) 87f; FRANK Mönchsregeln 384,90.
[34] Cf. pp. 69f.330-332.

erkennen, die Basilius Gebet und Psalmgesang zuerkennt[35]. Den geradezu »therapeutischen« und pädagogischen »Nutzen« des Psalmgesangs zu rühmen kann Basilius sich nicht genug tun. Er ist – so belehrt der Prediger die Gemeinde – »den Anfängern Unterweisung, Förderung der Fortgeschritteten, Stütze der Vollkommenen«; und er erfüllt – wie wir an gleicher Stelle erfahren – nicht nur die Kirchen, sondern auch die Häuser und die Gassen der Stadt[36].

c. Ist die Predigt der Ort, wo die Einwände derer zu Sprache kommen, »die die Erfüllbarkeit der apostolischen Anordnungen bestreiten«, so ist sie zugleich der Ort, wo diese Einwände aufgelöst werden. Unter den zahlreichen Gestalten, in denen die Kirche ihren »Nutzen« den in ihrer Mitte Versammelten zuwendet[37], ist die Predigt die, welche zwar nicht die intensivste Wirkung erzielt, wohl aber die weiteste Verbreitung findet. Der kirchlichen Verkündigung ist ja nicht nur die Aufgabe gestellt, den Gotteswillen unverkürzt an alle auszurichten. Zugleich soll sie auch Hindernisse gegen dessen Erfüllung aus dem Weg räumen: darum der durchgehend *therapeutische Charakter der Predigt* bei Basilius. Denn sie will – so beschreibt hom.ps. 28,7 ihre Funktion – zur Selbsterkenntnis, Sündenerkenntnis, einer der Busse gemässen Trauer sowie Furcht vor dem Gericht[38] (und man sollte noch hinzufügen: zur Erkenntnis der »Wohltaten« Gottes[39]) anleiten und damit zugleich jene krankhaften Einstellungen korrigieren, die in gleicher Weise für die einzelne sündige Handlung wie für die Bestreitung der Erfüllbarkeit des Evangeliums ursächlich sind. Zu solcher Selbsterkenntnis anzuleiten, ist notwendig, denn viele »wissen noch nicht einmal, dass sie krank sind«[40]. Wie sich diese Therapie vollzieht, liesse sich Schritt für Schritt etwa an hom. 11 (über den Neid) demonstrieren, welche zunächst Erkennungsmerkmale, Ursprung und Gefährlichkeit dieser Krankheit vor Augen stellt, dann einhält: »Was nun? Sollen wir die Rede mit der Anklage des Übels beenden? Aber das wäre gleichsam nur halbe Heilung«, um dann schliesslich volle Heilung und wirkungsvolle Prophylaxe dadurch zu gewähren, dass sie die rechte Einstellung zu den Dingen dieser Welt zu vermitteln sucht:

[35] Cf. auch hom. 14,8 (31,460d) und besonders Greg.Nyss.ep. 2,13f (GNO VIII/2,17).
[36] hom.ps. 1,2 (29,212d–213a).
[37] hom.ps. 48,1 (29,433b).
[38] hom.ps. 28,7 (29,301d–304a).
[39] hom. 5,7 (31,256a).
[40] hom. 3,5 (31,205b); 5,7 (31,256c); 7,9 (31,301c).

»nichts unter den menschlichen Dingen für gross und nichts für ausserordentlich zu halten«[41]. So wird den Hörern das Wort der Verkündigung gereicht, damit sie es »als Heilmittel auf die Wunden der Seele legen« können[42]. Ergänzend dazu verweist der Prediger auf die sonstigen zahlreichen Hilfen (wie Fasten, Busse, Schriftstudium, Sündenbekenntnis und brüderliche Vermahnung), welche das Gemeindeleben dem Kranken bereithält.

d. Wichtiger noch als die »Belehrung« durch das »Wort« ist die durch das »tägliche *Vorbild*«[43]. Denn dieses stützt den Schwachen, richtet den Schwankenden auf und führt den Zauderer zur Nachahmung in der Erfüllung der Gebote. Der erzieherische Wert positiver Beispielsgabe, der den des Wortes bei weitem übertrifft, ist traditioneller Topos[44]; das Besondere bei Basilius besteht in seiner Verknüpfung mit der Frage der Erfüllbarkeit (bzw. leitet sich unmittelbar daraus ab). RF 43 beantwortet die Frage nach den erforderlichen Qualifikationen des »Vorstehers« (im Kloster) folgendermassen: Dieser solle beständig »der Weisung des Apostels gedenken: 'Sei den Gläubigen Vorbild' und darum sein eigenes Leben als deutliches Beispiel (für die Erfüllung) eines j e d e n Gebots des Herrn darbieten, so dass er den von ihm Unterwiesenen keinerlei Anlass bietet, das Gebot Gottes für u n e r f ü l l b a r (ἀδύνατον) oder verächtlich zu halten«. Dass »alle« Gebote tatsächlich erfüllbar sind, wird so dem Zweifelnden und Schwachen im Zusammenleben der Brüder als »täglicher« Erfahrung vermittelt. Doch ist derartige Vorbildgabe Aufgabe nicht nur des monastischen, sondern auch des kirchlichen »Vorstehers«. Sie ist – je nach dem einem jeden gegebenen Mass – Pflicht jedes »Christen«[45].

[41] hom. 11,5 (31,381bc).
[42] hom. 21,8 (31,356b).
[43] ep. 150,4:7ff (zur Begründung der koinobitischen Lebensweise).
[44] S. etwa bei DANASSIS Chrysostomos 157f; zur Bedeutung des Vorbilds in der monastischen Tradition cf. ROUSSEAU JThS.NS 22 (1971) 389ff.
[45] Aufgabe des kirchlichen Vorstehers: zB RM 70,9f; 72; 80,11; Pflicht eines jeden Christen: zB RM 34,1. Cf. hom.ps. 48,2 (29,436c).

C. NAMENSCHRISTENTUM

Kehrseite des strikten Reformideals des Basilius ist seine Kritik eines nur nominellen Christentums, auf die wir in unterschiedlichem Zusammenhang gestossen sind und die etwa in den abschliessenden Worten der Busskanones über die Masse derer, »die den Namen Christi tragen«, aber kein dem Namen entsprechendes Leben führen (und über denen sichtbar das Gericht Gottes stehe), markanten Ausdruck findet[1]. Die besondere Bedeutung solcher Äusserungen liegt darin, dass sie auf dem Hintergrund von inzwischen *volkskirchlichen Zuständen* im damaligen Kappadozien zu sehen sind. Denn anders als in sonstigen Provinzen des Römischen Reiches wie etwa Phönizien oder weiten Teilen v.a. der westlichen Reichshälfte, wo das Heidentum nur mühselig zurückgedrängt werden konnte und die altgläubigen Bevölkerungsgruppen noch lange (zum Teil bis weit in das 5. Jahrhundert hinein) in der Überzahl blieben[2], haben wir es in Kappadozien (und einigen der angrenzenden Gebiete) längst mit einer christlichen Mehrheit zu tun. Dies zumindest ist der Eindruck, den auf das bestimmteste etwa die Mönchsregeln des Basilius vermitteln, für die die »Welt«, von der sich die ernsthaften Christen zurückziehen, nicht in den Verlockungen (oder Gefährdungen) einer heidnischen Gesellschaft besteht. Vielmehr wird sie repräsentiert von den »Verächtern der genauen Befolgung der Gebote«[3] und jener »Menge der Gesetzesübertreter«[4], die an anderer Stelle als »die Masse des Christenvolkes« identifiziert werden, die »nicht alle Gebote halten« (τὰ πλήθη τῶν Χριστιανῶν μὴ φυλάσσοντα πάσας τὰς ἐντολάς) (und die, wie weiter ausgeführt wird, »aus der Befolgung nur einiger Gebote keinerlei Nutzen ziehen«, da »'nicht jeder, der zu mir sagt: 'Herr', 'Herr', ins Himmelreich gelangen wird, sondern wer den Willen meines Vaters im

[1] can. 84.

[2] Zur regional sehr unterschiedlichen Ausbreitung des Christentums im 4. Jh. cf.: HARNACK Mission (v.a. pp. 946ff); MACMULLAN Christianizing; BAUS/EWIG Reichskirche 190–220; SCHULTZE Untergang II,101–339 (»Die provinziale Entwicklung«); FREND Christianity 561ff.699ff; FOX Pagans 265–335; verschiedene Einzelbeiträge in den von MOMIGLIANO (»The Conflict between Paganism and Christianity in the Fourth Century«) und FROHNES/KNORR (Missionsgeschichte) herausgegebenen Sammelbänden. Bei FROHNES/KNORR s. v.a. auch die umfangreiche Bibliographie (pp. 421ff) insbesondere zu den einzelnen Regionen (pp. 435–446).

[3] RF 6,1 (AscP/31,925a): τοῖς ἀφόβως καὶ καταφρονητικῶς πρὸς τὴν ἀκριβῆ τήρησιν τῶν ἐντολῶν διακειμένοις.

[4] RF 6,2 (AscP/31,928a).

Himmel tut'«)[5]. Die »Welt« trägt also inzwischen den christlichen Namen, das Heidentum als nennenswerte soziale Grösse kommt gar nicht mehr in den Blick. – Es stellt sich die Frage, wie sich die andern uns zur Verfügung stehenden Quellen zu diesem Bild verhalten[6].

Kein Geringerer als *Julian Apostata* bestätigt diesen Eindruck. Denn ihm, der in seiner Jugend sechs Jahre auf dem Krongut Macellum in der Nähe von Caesarea verbracht hatte[7], dürfte gerade in Kappadozien die Aussichtslosigkeit seines Versuches einer Restauration des Heidentums bewusst geworden sein. Caesarea zählt zu jenen Städten mit christlicher Bevölkerungsmehrheit (wie etwa auch Edessa oder Nisibis), die er mit harten Sanktionen wie dem Verlust des Stadtrechtes und dem Entzug sonstiger Privilegien überzog; »denn er hasste ... ihre Bewohner, da sie vollständig christlich waren« (ὡς πανδημεὶ χριστιανίζοντας) und weil sie früher den Tempel des Zeus Poliouchos und des Apollon Patroios gewaltsam zerstört hatten[8]. Und als sie unter seiner Herrschaft dann auch noch daran gingen, den letzten verbliebenen Tempel – den der Tyche – in Schutt und Asche zu legen, verhängte er drakonische Strafen gegen Bevölkerung und Kleriker der Stadt[9]. Aufschlussreich im Blick auf die bestehenden Kräfteverhältnisse ist in diesem Zusammenhang sein Vorwurf an die Heiden Caesareas, dass sie – »obwohl sehr gering an Zahl« – doch schon etwas mehr Widerstandsgeist an den Tag hätten legen sollen[10]. 362 zog er auf dem Weg nach Antiochien durch Kappadozien[11] und klagt, unter den Kappadoziern keinen einzigen »echten Hellenen« getroffen zu haben: »Bisher bin ich nur Leuten begegnet, die sich zu opfern weigerten, oder einigen wenigen, die es wohl möchten, aber nicht wissen, wie sie es anstellen

[5] prol. IV,3 (31,893c-896a); ebenso RM 7.

[6] Stärkere Betonung der Bedeutung des kappadozischen Heidentums bei KNORR Basilius.

[7] Ammian.Marc. XV,2,7; cf. BIDEZ Julian 29ff; FESTUGIÈRE Macellum 241-255; HILD/RESTLE Kappadokien 67.

[8] Sozom.h.e. V,4,2 (GCS 50,197); cf. ENSSLIN Klio 18 (1922) 181f.

[9] Sozom.h.e. V,4,2-5; 11,8 (GCS 50,197.210); Greg.Naz.orat. 4,92; 18,34 (35,625a.1029b-d). Cf. KNORR Basilius I,44-52 (»Kaiser Julian und die Tyche von Cäsarea«); LIETZMANN GAK III,282; BRENNECKE Homöer 150f. Das Fest des bei dieser Gelegenheit zum Märtyrer gewordenen Eupsychius hat Basilius zu einem von weither besuchten Treffen ausgestaltet (cf. epp. 142.176.200.100.252.71).

[10] Sozom.h.e. V,4,3 (GCS 50,197).

[11] Ammian.Marc. XXII,9,3ff.13.

sollen«[12]. WEIS kommentiert: »Julians Glaube an den Erfolg seiner religiösen Restauration erhielt hier vielleicht den ersten entscheidenden Stoss«[13]. Und Gregor von Nazianz erwähnt, dass sich nach seinem Tod die heidnischen Mitläufer nun mit umso grösserem Eifer an der Beseitigung der Götterbilder beteiligten[14].

Ein gleiches Bild wie Julian vermitteln auch die Bemerkungen des *Basilius*. Zwar finden sich bei ihm natürlich auch vielfältige Hinweise auf Nicht-Christen, in einzelnen (zumeist traditionellen) Kanones[15], gelegentlichen Bemerkungen seiner Homilien[16], den (sehr vereinzelten) Bestimmungen der Mönchsregeln, die vom Umgang mit Heiden handeln[17], oder in Berichten über sein Wirken. Die grossangelegte Speisungsaktion während des Hungerjahres 368/369 kam – so erfahren wir von Gregor von Nazianz – auch Judenkindern zugute[18], und bei seiner Beerdigung schlossen sich auch Heiden und Juden dem Trauerzug an[19]. Aber man halte nur Zeugnisse aus anderen Regionen dagegen – wie die auf die lykaonischen Verhältnisse bezogenen Äusserungen des Amphilochius[20] oder die (zeitlich zwischen 341 und 381 nicht näher bestimmbaren) Kanones von Laodicea, die vor heidnischen Praktiken, heidnischen Festen und leichtsinnigem Umgang mit Juden, mit Heiden und Häretikern warnen[21] –, um den Unterschied festzustellen. Als relevante soziale Gruppe, als ausserchristliche Öffentlichkeit tritt das Heidentum bei Basilius jedenfalls n i c h t in Erscheinung. Mit Beginn der vorösterlichen Fastenzeit – so erfahren wir etwa aus den Homilien 1 und 2 – kehrt in Caesarea über Nacht Stille ein. Nicht nur in den Familien, nicht nur in »einem jeden Haus«, nein auch in aller »Öffentlichkeit« wird die christliche Übung des Fastens beachtet; »die g a n z e Stadt« wird mit einem Schlag ruhig, und das »ganze Volk«

[12] Julian.ep. 11 (WEIS = BIDEZ-CUMONT 78).
[13] WEIS (Briefe) 252; ähnlich BIDEZ Julian 291. Cf. KNORR Basilius I,48; FLEURY Grégoire 148.
[14] Greg.Naz.orat. 5,37 (35,713a). – Zu Basilius und Julian s. unten pp. 287ff.
[15] can. 7:2; 9:2; 44; 73; 81-83.
[16] Z.B. hexaem. 5,7 (p. 312).
[17] RB 124.250.
[18] Greg.Nyss.laud.Bas. 17 (STEIN 38,7f).
[19] Greg.Naz.orat. 43,80,3 (BOULENGER 226).
[20] Z.B. Amphil.orat. 1:148ff; 5,1:7ff; 7,5:133ff (CCG 3,9.133.160).
[21] can.Laodic. 31ff.36ff (JOANNOU I/2,143ff).

findet zur Ordnung[22]. Wenn Basilius in Zeiten der Dürre in Caesarea einen Bussgottesdienst ansetzt, bekommen die Kinder der Stadt schulfrei[23]. Nicht nur in den Häusern, nicht nur in den Kirchen ist Psalmengesang zu hören, sondern auch auf der Agora, er erfüllt die ganze Stadt; jung und alt haben ihn auf den Lippen[24]. Wenn Basilius an den Rat von Tyana schreibt, so setzt seine mit Bibelzitaten durchsetzte Sprache hier – wie in anderen Fällen – einen bereits mehrheitlich christlichen Magistrat voraus[25]. Wenn Basilius in ep. 276 bei einem heidnischen Vater zugunsten seines Sohnes, der Christ geworden ist, interveniert, so weiss er sich in dieser Bitte durch »deine Stadt« – die also in ihrer Mehrheit als christlich gedacht ist – unterstützt. – Diesem Bild einer eindeutigen christlichen Mehrheit entspricht der fehlende Hinweis auf missionarische Aktivitäten zur Bekehrung von Heiden. Zutreffend notiert FEDWICK: »Nor is there extant any homily of any of the three Cappadocians intended for the conversion of the pagans«[26]. Eine ähnliche Beobachtung, im Blick auf die Predigthörer des Gregor von Nazianz, findet sich bei BERNARDI: »Il semble bien d'ailleurs que la plupart de ces chrétiens auxquels il s'adresse le soient de naissance«[27]; Christen der ersten Generation scheinen also rar in Kappadozien. Dies ist umso bemerkenwerter, als der Auftrag zur Mission und zum Zeugnis vor der »Welt« sowie die Sorge um die Aussenwirkung christlichen Lebens und Handelns ein ganz zentrales Anliegen für Basilius darstellen. Doch hat er dabei als Forum, vor dem »das Licht« der ernsthaften Christen »leuchten« soll, eben jenes Halb- oder Kompromisschristentum der »Verächter« der «genauen Beachtung der Gebote Gottes« im Auge, das seine asketischen Schriften auch sonst anvisieren[28].

[22] hom. 2,5 (31,192b); 1,11 (31,184bc). – Caesarea gehört so offenkundig auch nicht zu jenen Städten, über die der Prediger der Hexaemeron-Homilien kritisch bemerkt, sie seien »vom frühen Morgen bis späten Abend« voll von unsittlichen Schauspielen (hexaem. IV,1 p. 244). »On croit percevoir chez Basile une certaine satisfaction à mesurer la différence« (BERNARDI Prédication 51 zSt).

[23] hom. 8,3 (31,309c); zSt cf. MARROU Erziehung 591,64; FOX Times 43f; BERNARDI Prédication 64.

[24] hom.ps. 1,2 (29,213a).

[25] ep. 97. Zu weiteren Beispielen s. unten pp. 319f.321ff.

[26] FEDWICK Church 95; cf. aaO 95,125: »The Invectives of Gregory of Nazianzus – the only Cappadocian documents dealing directly with the revival of paganism – confront their opponents more on an abstract than existential level«.

[27] BERNARDI Prédication 101 (zu orat. 3).

[28] *Mt 5,14:* RM 18,6; 80,9; RB 223. 277; *Mt 5,16:* RM 4; RF 7,4; 17,2; RB 195.299.314; cf. RB 97.189.190; RF 22,3 (31,980b); RF 35,2 (31,1005b). Anders RB 250, das die »ausserhalb des Glaubens« Stehenden ins Auge fasst. Doch

Aber sah es auf dem *Land* nicht ganz anders aus? Schliesslich war Kappadozien eine ausgesprochen städtearme Provinz; und dass sich das Heidentum auf dem Land am hartnäckigsten halten konnte, ist bekanntlich ein gerade im 4. Jahrhundert (und der Folgezeit) in vielen Regionen zu beobachtendes Phänomen. Nun kann man hier natürlich keine pauschalen Ausssagen treffen, und v.a. soll nicht jenes Material, das für das Nachleben kappadozischen Heidentums im vulgären Christentum des ländlichen Raumes in die Diskussion eingeführt worden ist, beiseite geschoben werden[29]. Aber es dürfte doch lohnend sein, die folgenden Beobachtungen zusammenzustellen. In ep. 270 wirft Basilius seinen Landklerikern mangelndes Eingreifen gegen die Unsitte des Brautraubes vor und erklärt, dass diese Unsitte schon »längst« aus »unserem Vaterland« hätte vertrieben werden können, wenn sie nur »alle« bei der Abstellung dieses Brauches den rechten Eifer an den Tag gelegt hätten. Diese Schelte beweist zwar einerseits, wie hartnäckig sich altes Brauchtum auf dem Land hielt, setzt aber andererseits eben dort ein inzwischen wesentlich christliches Milieu voraus. Das gleiche Bild ergibt sich dort, wo Basilius ein ganzes Dorf »geschlossen« (πανδημεί) exkommunizieren[30] oder bei einzelnen Delinquenten verfügen kann , dass ergänzend zum kirchlichen Ausschluss auch »das ganze Dorf« keinen sozialen Kontakt mehr mit ihnen haben soll[31]. Jedenfalls hat GWATKIN recht, wenn er feststellt: »Cappadocia is an exception to the general rule that Christianity flourished best where cities were most numerous«[32]. Ganz im Gegenteil dürfte Kappadozien mit seiner grossen Zahl dörflicher Christengemeinden und seiner gut ausgebauten Organisationsstruktur auf dem Land – von 50 dem Basilius unterstellten Landbischöfen (Chorepiskopen) weiss Gregor von Nazianz zu berichten[33] – als positives

lässt der unmittelbare Zusammenhang (sie »halten die Lehren Gottes für verachtenswert«) auch hier eher an ein christliches Zielpublikum denken (cf. RF 6,1 31,925a). Cf. unten pp. 333f.

[29] Cf. KIRSTEN RAC II,883ff; KNORR Basilius I,24ff; RAMSAY Geography 292 (zu Glykerius); CUMONT Byz. 6 (1931) 521ff (zum Hirschopfer beim Märtyrerfest des Chorepiskopen Athenogenes von Pedachthoe); auch DIHLE Kultfrömmigkeit 49 (»Fortsetzung vorchristlicher Riten« bei Osterfeiern am Märtyrergrab). Diese Diskussion hat aber umgekehrt die Feststellung zur Voraussetzung: »somit fehlen unmittelbare Zeugnisse für die Auseinandersetzung mit dem Heidentum in C(appadocia)«: KIRSTEN RAC II,885.

[30] ep. 270:13-16.

[31] ep. 288:11-14.

[32] GWATKIN Arianism 245.

[33] Greg.Naz.carm.vit.sua 447f (JUNCK 76); zSt s. unten p. 228,37.

Beispiel dafür gelten, »wie stark das Christentum hier auf die vorgefundenen Verhältnisse Rücksicht genommen hat«[34] und sich »im Unterschied zur griechisch-römischen Kultur ... in Kappadozien schnell« zu verbreiten wusste[35]. Desweiteren weist TEJA darauf hin, dass »die Christianisierung auf dem Land damals schon weit fortgeschritten war«, als Mitte des 3. Jahrhunderts die Goten in Kappadozien einfielen und kappadozische Christen als Geiseln verschleppten (was dann später zu ihrer Christianisierung führen sollte)[36]. Überhaupt ist bei der Diskussion um die Christianisierung Kappadoziens ständig in Rechnung zu stellen, dass Kappadozien ja »das Zentrum der Missionierung der benachbarten Provinzen Pontus und Armenien« war[37], sich selbst also früh (und intensiv) dem christlichen Glauben geöffnet hat. – Dass dieses ländliche Christentum, auch schon angesichts allerlei synkretistischer Erscheinungen, in vielem nicht dem Standard entsprach, den Basilius von seinem evangelischen Reformideal her für geboten hielt, ist zwar a priori zu erwarten, hat uns hier aber nicht näher zu beschäftigen. Ablesbar ist dieser Sachverhalt bei Basilius 1. an verschiedenen sehr kritischen Äusserungen über (bzw. Massnahmen gegen) ländliche Kleriker, die ja zugleich ein Licht auf die von diesen repräsentierten Dorfgemeinden werfen[38]; sowie 2. an den Mönchsregeln, die sich ja zu einem wohl ganz erheblichen Teil an Bruderschaften im ländlichen Raum richten und dabei sowohl zum lokalen Klerus ein distanziertes Verhältnis erkennen lassen[39]

[34] KIRSTEN RAC II,887.

[35] TEJA Kappadokien 1120.

[36] TEJA Kappadokien 1123; cf. Philost.h.e. II,5 (GCS p. 17); Socr.h.e. IV,33; Bas.ep. 164.

[37] TEJA Kappadokien 1123; FREND Mission 36f. Cf. unten pp. 301ff (zu Armenien).

[38] Cf. unten pp. 219ff (zu epp. 53f); pp. 173f (zu ep. 270). Auch die Tendenz zur Beschneidung der Kompetenzen der Landbischöfe (s. unten pp. 219ff.226f.) kann in diesem Zusammenhang gesehen werden.

[39] RB 64.231 spricht von σκάνδαλα durch externe Priester (ἱερεύς) im Kloster, RB 187 empfiehlt Verwaltung von Erbschaften durch den lokalen Kirchenvorsteher, »w e n n er vertrauenswürdig ist« (ἐὰν ᾖ πιστός). – Die Verbreitung der basilianischen Kommunitäten im *ländlichen* Raum kann hier nicht im Detail diskutiert werden. Sie ist 1. a priori wahrscheinlich angesichts der ausgeprägten Städtearmut Kappadoziens (JONES Provinces 177; ders. City 41; KIRSTEN RAC II,871): mit der ganz überwiegenden Mehrheit der Bevölkerung hat man sich die Mehrheit der Christen und – angesichts ihrer dezentralen Organisationsstrukturen – der christlichen Asketen im ländlichen Raum vorzustellen; 2. legt sie sich nahe angesichts positiver Indizien wie RM 70,12.16 (Pflicht zu Visitation und evangelischer Präsenz in Stadt u n d Land: περιάγειν τὰς κώμας καὶ τὰς πόλεις πάσας); RF 35 (eine oder mehrere Bruderschaften in einer κώμη); Greg.Naz.orat.

wie auch überkommenen Formen kirchlichen Lebens wie v.a. den (von Basilius andernorts mit Nachdruck propagierten) Märtyrerfesten reserviert gegenüberstehen[40]. Aber eben dies ist dann umgekehrt auch festzuhalten: dass sich, anders als in weiten Teilen Ägyptens oder Syriens, die Funktion des Mönchtums auf dem Land nicht so beschreiben lässt, dass es durch seine Präsenz in diesem Raum eine Bekehrung der heidnischen Landbevölkerung bewirkte, die von den traditionellen Gemeindestrukturen nicht erreicht wurden, so dass »the winning of the countryside«[41] wesentlich als Verdienst des Mönchtums zu werten wäre. Vielmehr kommt diesem im Sinn des Basilius eher die Funktion eines vorgeschobenen Aussenpostens zu, der eine dem Namen nach längst christliche Gesellschaft mit dem Modell freudiger und vollständiger Gebotserfüllung konfrontiert.

Wenn Gregor von Nyssa gegen die umsichgreifende Sitte von Pilgerreisen ins Hl. Land u.a. mit dem Argument Stellung bezieht, dass man, »wenn man nach dem äusseren Anschein Gottes Gegenwart beurteilen wollte, sehr wohl zu der Meinung gelangen könnte, dass Gott mehr unter dem Volk der Kappadozier als an irgend einem Platz ausserhalb seinen Aufenthalt gewählt hat«[42], so bestätigt dies das bislang gewonnene Bild. Es ist darum nicht notwendig, mit MAY die in De vita Moysis gegebene Situationsschilderung – jeglicher Götzendienst ist geschwunden, die Bilder werden von ihren früheren Verehrern selbst zerstört – auf die durch Theodosius geschaffene Lage zu beziehen[43]; im Rückblick auf Basilius redet Gregor von Nyssa ganz ähnlich[44].

43,63,5 (Basilius überzog Stadt und Land mit einem Netz [klösterlicher] Hospize); einem Einzelbeispiel wie Timotheus, Asket, L a n d bischof und Klostervorstand (ep. 291; cf. Pall.hist.laus. 48); oder der Nachricht des Sozomenus (h.e. VI,34,7-9 GCS 50,291) über die kappadozischen Asketen zur Zeit des Valens, von Zeugniswert zumindest (aber wahrscheinlich keineswegs nur) für seine eigene Zeit: κατὰ συνοικίας δὲ ἐν πόλεσιν ἢ κώμαις οἱ πλείους ᾤκουν. – Im Blick auf die pontischen Kommunitäten sind – neben der bekannten Lage von Annisi – die Angaben bei Rufin (h.e. XI,9 GCS 9/2,1015) heranzuziehen.

[40] Cf. RF 40.

[41] So Titel und These der wichtigen Studie von W. H. C. FREND (JEH 18, 1967, 1-14); cf. ders. Mission 37ff; ders. Christianity 561-571 (»Christianity and the Countryside«); YANNOULATOS IRM 58 (1969) 208ff (»Monks and Mission«). – Darin besteht ein wesentlicher Unterschied gegenüber den Mönchen des Pachomius, die einen »unmittelbar heidnischen Hintergrund« hatten (BROWN Heiden 128).

[42] Greg.Nyss.ep. 2,9 (GNO VIII/2,16). Z.St. cf. KÖTTING Wallfahrtskritik 245ff.

[43] Greg.Nyss.vit.Mos. 2 (GNO VII/1,103,22 - 104,9); MAY JÖBC 15 (1966) 130.

Angesichts dieser Quellenlage gewinnen dann auch verschiedene argumenta e silentio – wie etwa das im Vergleich zu andern Kirchenvätern und Synodalbeschlüssen (etwa von Elvira) des 4. Jahrhunderts fast vollständige Schweigen über die Mischehenproblematik[45] – Aussagewert.

So lässt sich *resümieren*, dass das Heidentum in Kappadozien zur Zeit des Basilius kaum mehr in nennenswertem Umfang vorhanden und für das Alltagsleben der Christen ohne sonderliche Bedeutung ist. Es ist zwar keineswegs ausgestorben, sondern weiterhin

1. präsent als kulturelle Macht[46] (was für die beiden Gregore eine wichtigere Rolle spielt als für Basilius, wenngleich sich dieser in den späten Hexaemeron-Homilien zu verstärkter Auseinandersetzung mit der Weisheit der Hellenen gedrängt sehen wird[47]);
2. verstärkt anzutreffen in den gehobenen Ständen, v.a. jenen »unbelehrbaren Professoren der Philosophie« und »Staatsmännern«, die HARNACK in seiner Missionsgeschichte unter den sozialen Refugien des alten Kultes an vorderer Stelle nennt[48];
3. es begegnet in sporadischem Kontakt mit geschlossenen ethnischen Gruppen wie den merkwürdigen Magusäern, über die Basilius in ep. 258 ausführlich berichtet (und von denen er eigens vermerkt, dass »sie ihre eigenen Gesetze befolgen und keine Gemeinschaft mit den andern Menschen haben«), den peri-

[44] Greg.Nyss.laud.Bas. 9 (STEIN 14,20ff).

[45] Cf. KÖHNE ThGl 1931,333-350. – Bemerkenswert das Missverständnis des ἄπιστος ἀνήρ (von 1Kor 7,8ff) in can. 9, unter dem Basilius einen untreuen (und nicht einen ungläubigen) Ehemann versteht.

[46] Insbesondere in Gestalt der antik-paganen Bildung. Die daraus resultierenden Probleme »im Bildungsgang des jungen Christen« – der ja im höheren Schulunterricht zwangsläufig mit den klassischen Autoren konfrontiert wird – bilden bekanntlich das Thema der Basiliusschrift Ad adolescentes, die für selektive Aneignung des im Unterricht Gebotenen plädiert (cf. die Analyse bei LAMBERTZ ZKG 90, 1979, 86.75ff). Dass dabei die Auseinandersetzung mit der zeitgenössischen Philosophie nicht im Blickfeld dieser Schrift liegt, hebt u.a. RIST (Neoplatonism 219) eigens hervor. Cf. unten p. 291,37.

[47] Cf. RITTER Basileios 412f.

[48] HARNACK Mission 946; cf. KNORR Basilius I,7ff.10ff. Analyse des Briefwechsels des Basilius mit hochgestellten nichtchristlichen Korrespondenten bei TREUCKER Studien 43ff (und passim); ders. Letters 405ff; cf. KOPECEK ChH 43 (1974) 299ff.

odisch das Land überschwemmenden isaurischen Bergvölkern oder den seit 376 Kleinasien raubschatzenden Goten (und sonstigen «Barbaren«)[49];
4. schliesslich wirkt es fort in allerlei Formen der Volksfrömmigkeit und des Aberglaubens, gegen die vorzugehen Basilius sich genötigt sieht[50].

Aber es gibt nicht mehr das Gegenüber einer christlichen und heidnischen Öffentlichkeit wie im Antiochien des Johannes Chrysostomus (und Libanius), es gibt auch kaum mehr das Nebeneinander von Heiden und Christen im selben Haus, wie es noch Augustin als charakteristisch für seine Gemeinde voraussetzt[51]. Kappadozien – die »heilige und durch seine Frömmigkeit allen bekannte« Provinz[52] – ist ein christliches Land[53].

Als *Ergebnis* dieses Überblicks ist also festzuhalten, dass wir für Kappadozien eine volkskirchliche Situation vorauszusetzen haben mit einer deutli-

[49] *Magusäer:* ep. 258,4 (an Epiphanius); Epiph.fid. 13,1 (GCS 37,512); *Goten:* zB Greg.Nyss.bapt. (46,424c). Bei den πολέμιοι von Bas.ep. 215 ist umstritten, ob es sich dabei um Isaurier (so KNORR Basilius I,169; II,125,33) oder Goten (SCHWARTZ GS III,46) handelt, ebenso wie bei den »Barbaren«-Einfällen, die in can. 81.84 erwähnt werden: *Isaurier* (KNORR Basilius II,126,33), *Perser* (SCHWARTZ Athanasius VII,324; SEEBERG Antiochien 29), unidentifizierbar (HOLL Amphilochius 21). Cf. TEJA Invasiones 169ff; HILD/RESTLE Kappadokien 68. – Die synkretistische Sekte der *Hypsistarier* ist für Kappadozien v.a. durch die Grabrede des Gregor von Nazianz auf seinen Vater bezeugt, der ihr bis ca. 325 angehörte. Welche Verbreitung sie noch zur Zeit des Basilius hatte, ist schwer zu sagen (cf. Greg.Naz.orat. 18,5.12 [35,989d-992a.1000]; Greg.Nyss.ref.confut.Eunom. 38 [GNO II,327,13ff.18ff]; cf. ULLMANN Gregorius 558-567; SCHÜRER Genossenschaften 200, v.a. 221f; KIPPENBERG Goethe 8, 1943, 10ff; HAUSER-MEURY Prosopographie 88).

[50] Z.B. Beschwörungsformeln (hom.ps. 45,2 29,417c; hexaem. VI,11); Magie (can. 7f); Traumdeuterei (hexaem. IX,1 III,9); Tänze an den Märtyrergräbern (hom. 14; cf. ANDRESEN 364f).

[51] Cf. VAN DER MEER Augustinus 53ff.

[52] Greg.Naz.orat. 21,14 (35,1097a).

[53] »Kleinasien ist (im 4. Jh.) das christlichste Land im Orient« (HARNACK Mission 734). – Zwar muss man auch hier erheblich nach den einzelnen Regionen differenzieren; schon im benachbarten Lykaonien stellte sich die Lage ganz anders dar als in Kappadozien. Und noch im 6. Jh. hat Johannes von Ephesus in Asien, Karien, Phrygien und Lydien Tausende von Heiden dem Christentum zugeführt (dazu zuletzt: ENGELHARDT Byzanz 12ff; cf. HOLL Fortleben 246; JONES Empire II,938ff.1390ff). Selbst unter Justinian gab es also noch ausgedehnte weisse Flecken auf der Karte christlicher Präsenz in Kleinasien. Das schärft aber zugleich den Blick für das besondere, volkskirchlich strukturierte Umfeld des Wirkens des Basilius in Kappadozien.

chen christlichen Majorität und einer im Schwinden begriffenen (bzw. einer zunehmend auf vereinzelte soziale und ethnische Gruppen begrenzten) heidnischen Minorität. Das ist der Hintergrund, auf dem sowohl das evangelische Erneuerungsprogramm des Basilius wie seine Kritik eines nur nominellen Christentums ihr spezifisches Profil gewinnen. An sich stellt solch ein Vorwurf des Namenschristentums keinerlei Besonderheit dar, spätestens seit Origenes bildet er einen festen Topos der östlichen Ekklesiologie[54]. Seine veränderte Bedeutung bei Basilius ergibt sich zum einen aus dem von ihm angelegten Massstab und zum anderen aus der veränderten realen Situation: das Christentum ist zur Religion der Mehrheit geworden. Damit aber gewinnt der Aufruf zur kompromisslosen Befolgung des Evangeliums und zu einem Christentum der Tat und nicht nur des Bekenntnisses, mit dem die Moralia antreten (RM 7), eine ganz neue Qualität; und zugleich gewinnt die Unterscheidung eines wahrhaftigen und eines nur nominellen Christentums erhöhte Bedeutung. Dann wenn die Moralia beispielsweise dazu anhalten, die Gemeinschaft mit den »Sündern« zu meiden und mit ihnen »zu keinem andern Zweck zu verkehren als um sie zur Busse zu rufen«[55], so muss man sich dabei vor Augen halten, dass Basilius hier offenkundig an die christliche Mehrheit denkt. Basilius kann die »Masse« des Kirchenvolkes in der Figur des Reichen Jünglings schildern, der – anders als der versucherische Schriftgelehrte – zwar in »gesunder Weise« fragt und »heilsame Lehren« lernt, aber nicht bereit ist, »die Lehren in die Tat umzusetzen«. »Lehrer nennst du ihn, aber seine Lehren befolgst du nicht. Du nennst ihn gut, willst aber nichts wissen von seinen Gaben!«[56] Zwei Konsequenzen einer solchen Lagebeurteilung sind denkbar. Die eine besteht in asketischer Distanzierung – das ist die Entwicklungslinie, die von den Moralia zum Asceticon führt. Die andere zeigt sich in dem Bemühen, die Masse des Kirchenvolkes immer wieder auf die Konsequenzen der von ihnen ja akzeptierten »heilsamen Lehren« anzusprechen – das tut der Prediger Basilius. Beide Tendenzen begleiten sein Werk.

[54] Zu Origenes cf. HARNACK Ertrag II,114ff (»Wie es unter Christen zugeht«).
[55] RM 52,2.
[56] hom. 7,1 (31,280ab).

V. TAUFE

A. GRUNDDATUM DES CHRISTSEINS

1. In den vorangegangenen Kapiteln sind wir wiederholt auf die Taufe gestossen. In der Tat ist die *zentrale Bedeutung der Taufe* für Denken und Kirchenverständnis des Basilius unübersehbar. Bei anderen Theologen der griechischen Reichskirche, etwa bei Kyrill von Alexandrien, hätte eine Darstellung der Ekklesiologie ihren Ort bei der Entfaltung der eucharistischen Theologie[1]. Bei Basilius ist dieser Einsatzpunkt die Taufe. Als Begründung des Christenstandes, als Massstab für Glauben und Leben sowie als Scheidemarke von Kirche und Welt weist Basilius ihr eine bestimmende Stellung zu.

Als den entscheidenden Tag seines Lebens hat Basilius den Tag seiner Taufe – die er als Erwachsener im Alter von wohl 27 Jahren empfing – verstanden; und wie er selber diesen Tag als »Anfang des Lebens« und »den ersten der Tage« empfunden hat[2], so hat er auch andere auf die Taufe und ihre Bedeutung für ihren Glauben und ihr Leben als Christen angesprochen. Es sind vor allem drei Zusammenhänge, in denen Basilius dergestalt auf das Grunddatum der Taufe rekurriert: die Frage des wahren Bekenntnisses und der rechten Doxologie; die Forderung eines Lebens in Entsprechung zum Evangelium; sowie die Taufe als Ort der Verleihung des Geistes, der fortan das ganze Leben der Gläubigen mit seinen Wirkungen begleitet. Dies sei in Kürze skizziert.

a. Georg KRETSCHMAR hat darauf hingewisen, dass die Taufe im arianischen Streit im Osten zunächst keine Rolle gespielt hatte und auch bei Athanasius erst in der 358 einsetzenden Kontroverse um die Gottheit des Geistes an Bedeutung gewinnt[3]. Im theologischen Denken des Basilius hingegen kommt der Taufe von Anfang an eine bestimmende Rolle zu. Bereits in seinem Frühwerk gegen Eunomius stellt er der eunomianischen Bestreitung der gottheitlichen Würde des Geistes den Verweis auf die Gegebenheiten des Tauf-

[1] Cf. MERSCH Corps mystique 414-452; DU MANOIR DE JUAYE Cyrille 287ff.

[2] DSS X,26:17f; XII,28ff; ep. 223,2:1ff.

[3] KRETSCHMAR Taufgottesdienst 149ff; ders. Trinitätstheologie 125ff. Seinen Ausgangspunkt bei Taufe und Taufbefehl nimmt der homöusianische Synodalbrief von Ankyra 358 (ap.Epiph.pan. 73,3,1ff GCS 37,271); cf. GUMMERUS Homöusianische Partei 68ff.

befehls entgegen[4]; und thematisch wird der Zusammenhang von Taufe und rechtem trinitarischem Glauben in De Spiritu Sancto entwickelt, wo Basilius in cap. X – nachdem er in den vorangegangenen Kapiteln durch den (aus der Bibel geführten) Nachweis der Gottheit des Sohns das argumentative Fundament für die folgende Diskussion gelegt hat – die eigentliche Auseinandersetzung mit der eustathianisch-pneumatomachischen Gegenposition so eröffnet, dass er die Bedeutung des Taufbefehls für Glaube und Doxologie entfaltet. In DSS X,26 heisst es:

> »Wodurch sind wir Christen? Durch den Glauben, wird jeder sagen. Auf welche Weise werden wir gerettet? Offenkundig, indem wir wiedergeboren werden durch die bei der Taufe (verliehene) Gnade. Wer dieses Bekenntnis, das wir bei der ersten Einführung abgelegt haben, bewahrt und durch sein ganzes Leben hindurch als sicheren Schutz festhält, der schliesst sich selbst von den Verheissungen Gottes aus, da er der eigenen Schuldurkunde zuwiderhandelt, welche er bei dem Glaubensbekenntnis aufgesetzt hatte. Denn wenn mir der Anfang des Lebens die Taufe und der erste Tag jener Tag der Wiedergeburt ist, dann ist offenkundig auch jenes Wort das kostbarste von allen, das bei (der Verleihung der) Gnade der Sohnschaft ausgesprochen worden ist. Jene Überlieferung (= Mt 28,19) nun, die mich zum Licht geführt und mir die Erkenntnis Gottes gewährt hat, durch die ich, der ich bislang Feind war um der Sünde willen, zum Kind Gottes gemacht worden bin, die soll ich preisgeben? ... Vielmehr erbitte ich für mich, mit diesem Bekenntnis zum Herrn einzugehen, und ermahne sie, diesen Glauben unversehrt zu halten bis zum Tag Christi und den Geist ungetrennt vom Vater und vom Sohn zu bewahren, indem sie die bei der Taufe (ausgesprochene) Lehre im Bekenntnis des Glaubens und im Darbringen des Lobpreises festhalten.«

Basilius setzt hier die unlösbare Zuordnung von Glaube und Taufe voraus. Mit Worten, die später Balthasar Hubmaier in Basilius eine Bundesgenos-

[4] cEunom. III,5:28ff: Τοῦτο δὲ (die Nachordnung des Geistes hinter Vater und Sohn) σαφῶς μάχεται τῇ παραδόσει τοῦ σωτηρίου βαπτίσματος: Mt 28,19. Ἔστι γὰρ τὸ βάπτισμα σφραγὶς τῆς πίστεως, ἡ δὲ πίστις θεότητος συγκατάθεσις.

sen sehen liessen[5], formuliert er gegen Eunomius: »Erst muss man glauben, dann durch die Taufe gesiegelt werden«[6]. Diese Zuordnung von Glaube und Taufe ist aber nur recht verstanden, wenn sie vom konkreten Taufvollzug her begriffen wird. Denn dieser Glaube ist konkret gedacht als das Glaubensbekenntnis bzw. die ὁμολογία τῆς πίστεως vor der Taufe, wo der Täufling – nachdem er zuvor in der Apotaxis dem Satan »entsagt«, hat – sich nun in der Syntaxis durch das trinitarische Glaubensbekenntnis Gott »zusagt«[7]. Und bei der Taufe denkt Basilius vor allem an die trinitarische Tauffformel, jenes »kostbare Wort, das bei (der Verleihung der) Gnade der Sohnschaft (über mir) ausgesprochen worden ist«. So entprechen Glaube und Taufe, »die beiden Weisen des Heils«, einander, da »beide durch dieselben Namen vollzogen werden: Denn wie wir an den Vater und Sohn und Hl. Geist glauben, so werden wir auch auf den Namen des Vaters und Sohns und Hl. Geistes getauft. Das Bekenntnis (ὁμολογία) geht zwar voran und führt ein ins Heil, es folgt aber die Taufe, die unsere (im Taufbekenntnis ausgesprochene) Zusage (συγκατάθεσις) besiegelt«[8]. Beide, Glaubensbekenntnis wie Taufvollzug, gründen im Taufbefehl. Das ist die »Überlieferung«, auf die sich Basilius immer wieder beruft. Diese παράδοσις aber schliesst eine ganz bestimme »Lehre«[9] ein, die in der »Erkenntnis« der Gemeinschaft und gleichen Würde von Vater, Sohn und Geist besteht. Das ist der springende Punkt in der Argumentation gegen Eunomius (und später gegen Eustathius), dass der Taufbefehl (und die ihm entsprechende trinitarische Taufhomologie und Taufformel) keine Absonderung und Unterordnung des Geistes (und Sohnes) gegenüber dem Vater zulässt, sondern als »notwendiges und heilvolles Dogma« (ἀναγκαῖον καὶ σωτήριον δόγμα) die Verbindung und Gemeinschaft des Hl. Geistes mit dem Vater einschliesst[10]. Darum ist die Taufe der Punkt, auf den die Häretiker festgenagelt und der den Gläubigen im Streit der Meinungen als sicherer Massstab[11] an die Hand gegeben werden muss. Und darum die Forderung des Basilius, diese »Lehre der Taufe« im Bekenntnis «durch das ganze Leben hindurch« zu bewahren und so »den Glauben unversehrt bis auf den Tag Christi zu erhalten«. Wer das nicht tut,

[5] Schriften, edd. WESTIN-BERGSTEN (QFRG 29), p. 230.
[6] cEunom. III,5: 32f.
[7] συγκατάθεσις: DSS XII,28:40; cf. cEunom. III,5: 32.
[8] DSS XII,28:31ff.
[9] DSS X,26:6.28.
[10] DSS X,25:17ff; X,24:1ff; cEunom. III,5:28ff; 2:11ff.
[11] Z.B. ep. 105:20ff.30.

wer – wie die Häretiker – die bei der Taufe ausgesprochenen »Namen« von Vater, Sohn und Geist tritheistisch missversteht oder pneumatomachisch scheidet, der widerstreitet nicht nur dem Glauben, sondern macht auch seine Taufe zunichte (ἀθετεῖν τὸ βάπτισμα)[12] und ist »weiter vom Heil entfernt« als am Tag seiner Taufe. Darum ist es unerlässlich, »im Bekenntnis des Glaubens und im Darbringen des Lobpreises die Lehre der Taufe festzuhalten«. Das rechte Bekenntnis bewahrt lebenslang die Taufhomologie, im rechten gottesdientlichen Lobpreis kommt die Taufe zum Ziel. Damit lenkt Basilius nicht nur zum Ausgangspunkt des Streites um die rechte doxologische Formel (dem unmittelbaren Anlass des Traktates De Spiritu Sancto) zurück. Zugleich bindet er damit Taufe, Bekenntnis des einzelnen und Lobpreis der Gemeinde zu einer unlösbaren (und nur um den Preis des Verlustes der Taufgnade aufzulösenden) Einheit zusammen.

So sind »Überlieferung« bzw. Taufbefehl, »Glaube«, »Taufe«, und »Doxologie« bei Basilius fest miteinander verkettet. Dieser Zusammenhang ist – so DÖRRIES[13] – eines der »sichersten Kennzeichen seines Denkens« und verdichtet sich in zahlreichen komprimierenden Formeln, die zugleich die Normen kirchlicher Gemeinschaft fixieren. So in ep. 125,3: »Wir müssen getauft werden, wie wir es übernommen haben, glauben, wie wir getauft wurden, lobpreisen, wie wir zum Glauben gekommen sind: (an) Vater, Sohn und Hl. Geist«. Auch in seinem Einflussgebiet zählt diese Sequenz zu den Merkmalen der Orthodoxie, wie ihre Aufnahme durch die von Amphilochius geleitete Synode von Ikonium wohl im Jahr 377 zeigt[14]. Die Abfolge der Glieder dieser Kette steht fest, mit einer Ausnahme: der Glaube kann vor[15] oder nach[16] der Taufe genannt werden. Denn es ist einundderselbe Glaube, der vor der Taufe bekannt wird und das ganze Leben lang zu bewahren ist.

b. In der Abrenuntiation entsagt der Täufling dem Satan und der Welt; in der Syntaxis sagt er sich – durch die Homologie – Gott zu. So markiert die Taufe einen Herrschaftswechsel und damit zugleich einen tiefen Einschnitt im

[12] hom. 29,3 (31,1492a); 24,5 (31,609d).
[13] DÖRRIES DSS 180.156; ders. Symeon 434.
[14] ep.syn.Icon. 3,57f (CCG 3,220); cf. DÖRRIES DSS 171ff; HAUSCHILD Pneumatomachen 208; MARAN Vita 38,1.
[15] Z.B. ep. 175:13ff; DSS XII,28:35ff.
[16] Z.B. ep. 251,4:7ff; DSS XXVII,68:14ff; XXVII,67:4ff.

Leben des Täuflings: sie setzt seiner sündigen Vergangenheit ein Ende und ist *Anfang eines neuen Lebens*. Das ist zwar ein traditioneller Topos der altkirchlichen Tauftheologie; das Besondere bei Basilius ist, dass er diesen Gedanken ganz ins Zentrum rückt. Taufe ist Nachahmung des Todes Christi. Wie aber werden wir dem Tod Christi gleichgestaltet? »Indem wir mit ihm durch die Taufe begraben werden. ... Als erstes ist es notwendig, dem Verlauf des bisherigen Lebens ein Ende zu bereiten. Dies aber ist unmöglich, wenn einer nicht 'von oben geboren wird', wie der Herr sagt. Denn die Wiedergeburt ist, wie der Name selbst sagt, Anfang eines zweiten Lebens. Um aber mit dem zweiten Leben zu beginnen, muss man folglich dem früheren Leben ein Ende setzen. Denn wie bei den Läufern im Stadion, die beim Doppellauf wenden, gewissermassen ein Anhalten und Stillhalten die entgegengesetzten Bewegungen trennt, so erschien es auch notwendig, dass beim Wechsel des Lebens der Tod zwischen beiden Leben steht, indem er das frühere beendet und dem folgenden den Anfang gibt«[17]. Wie also die Wendemarke beim Doppellauf dem Läufer eine neue Richtung gibt, so auch die Taufe, die – an der Schnittstelle zweier βίοι plaziert – den Lebenslauf des Christen umdreht und in die entgegengesetzte Richtung wendet. Die Taufe schenkt Vergebung der Sünden und gibt der befleckten Seele ihre ursprüngliche Reinheit zurück. Dieser Bruch, dieses *»Durchhauen« der biographischen Kontinuität* ist vollständig. Die Sorge des Gregor von Nyssa, dass sich der alte Sauerteig der Sünde durch das Reinigungsbad der Taufe hindurch ins neue Leben hinüberretten könnte[18], die Behauptung der Messalianer, die Wurzel der Sünde werde von der Taufe nicht erfasst[19], ist Basilius fremd. Das neue Leben des Getauften ist die εὐαγγελικὴ πολιτεία, das Leben nach der Norm und in Entsprechung zum Evangelium, zu dem der Getaufte aufgerufen und befähigt ist[20]; und so, wie es der Herr gewollt hat und Basilius es entsprechend den Weisungen des Evangeliums beschreibt – als Freiheit von Zorn und Begierde, als das geduldige Ertragen von Übeln, als die Erfüllung der Gebote der Bergpredigt –, ist dies vom »Evangelium« bestimmte Leben gleichsam ein Vorgriff auf das Leben in der Auferstehung. »Folglich verwirklichen wir bereits jetzt aus freiem Entschluss (ἐκ προαιρέσεως), was jener Äon (der Auferstehung) von Natur aus besitzt (κατὰ

[17] DSS XV,35:15-26.
[18] Greg.Nyss.vit.Mos. II (GNO VII/1,72,2 - 74,10); orat.cat. XXXV,9 (45, 89b); cf. DÜNZL VigChr 44 (1990) 376.
[19] So der Vorwurf der Synode zu Side (ap. Theodor.haer.fab. IV,11 PG 83, 429b).
[20] DSS XV,35:65; ebenso hom. 13,7 (31,440a).

τὴν φύσιν κέκτηται). Wenn einer nun die Definition aufstellt, dass das (dem) Evangelium (entsprechende Leben) die Vorabbildung des Lebens aus der Auferstehung darstellt, so dürfte er nach meiner Meinung die Wahrheit nicht verfehlen«[21].

Diese Reinheit, die die Taufe schenkt, ist dann auch das ganze Leben hindurch zu bewahren. Ep. 292 ist an einen Neophyten gerichtet, hier schreibt Basilius: »Da nun der Herr durch die Gnade dich sich zu eigen gemacht, dich von aller Sünde befreit, das Himmelreich geöfnet und die Wege, die zu jener Glückseligkeit führen, gezeigt hat, so ermahne ich dich, ... umsichtig die Gnade zu empfangen, ein treuer Hüter des Schatzes zu werden, mit aller Sorgfalt das vom König anvertraute Gut zu bewahren, damit du unversehrt das (Tauf-)Siegel bewahrst und dich dem Herrn in der Herrlichkeit der Heiligen leuchtend darstellst und 'keinerlei Makel noch Runzel'[22] auf das reine Gewand der Unsterblichkeit kommen lässt, sondern die (in der Taufe erlangte) Heiligung an allen Gliedern bewahrst, da du ja Christus angezogen hast«[23].

c. Mit der Taufe erlangt der Christ die Gnade der Gotteskindschaft. Damit wird er zugleich vom *Geist* erleuchtet und geheiligt und mit Charismen begabt. Für Basilius besteht der Lobpreis des Geistes im Aufzählen seiner Wirkungen[24]; und die erste der Wirkungen, die die danksagende Gemeinde im Lobpreis nennt, ist die Taufe und das der Taufe vorangehende und sie begründende Bekenntnis des Glaubens. Wie kann man, so hält Basilius den Bestreitern der gottheitlichen Würde des Geistes entgegen, den Geist auf eine Ebene mit den Kreaturen stellen, wo er doch in allem der Gottheit verbunden ist und ohne ihn keine Gabe zur Schöpfung gelangt, »im Bekenntnis des Glaubens, im Taufbad der Erlösung, in der Kraft der Wunder, in der Einwohung bei den Heiligen, in

[21] DSS XV,35:67ff.
[22] Cf. Eph 5,29.
[23] ep. 292:9ff. Zur ecclesia sine macula et ruga bei Basilius und ihrer Begründung von der Taufreinheit her s. unten pp. 204ff. Neben das Bild vom »Bewahren« des Taufsiegels kann – sinngleich – auch die Vorstellung von der Realisierung der Taufgnade treten: Τίς ὁ λόγος ἢ ἡ δύναμις τοῦ βαπτίσματος; Τὸ ἀλλοιωθῆναι τὸν βαπτιζόμενον κατά τε νοῦν καὶ λόγον καὶ πρᾶξιν, καὶ γίνεσθαι ἐκεῖνο κατὰ τὴν δοθεῖσαν δύναμιν, ὅπερ ἐστί τὸ ἐξ οὗ ἐγεγεννήθη (RM 20,2): die Quelle ist zugleich Ziel.
[24] DSS XXIII,54:20f.

den Gnaden für diejenigen, die auf ihn hören?«[25]. So begleitet der Geist, anhebend mit der Taufe, das ganze Leben des Gläubigen; als »Geist der Sohnschaft, Spender der Charismen, Verheissung von Siegeskränzen« gibt er sich ihnen zu erkennen[26]. Die Taufe eröffnet das Heiligungsleben des Christen. »Zwei Ziele hat die Taufe: den Leib der Sünde abzutöten, dass er nicht mehr dem Tod Früchte bringt, und dem Geist zu leben sowie die Frucht in der Heiligung zu haben«[27].

Mit dieser doppelten Ausrichtung der Taufe wird nicht nur das Leben des Getauften als vom Geist bestimmt beschrieben und damit an anderer Stelle eines der wichtigsten Argumente gegen den Taufaufschub gewonnen; denn die Taufe ist nicht nur Sakrament der Sündenvergebung (und darum möglichst lang hinauszuschieben, um seine sündentilgende Kraft nicht vorzeitig in Anspruch zu nehmen), sondern auch positiv die Quelle aller durch den Geist gespendeten Heiligungskräfte. Damit wird vor allem auch eines der elementaren Strukturmomente des Christseins sowie eine der bestimmenden Erfahrungen des mönchischen Lebens sicher am Ort der Taufe verankert: die *Begabung des Christen mit Charismen*. Es ist nicht zufällig, dass die Erörterung der Taufe in DSS ausmündet in die Schilderung der Gaben des Geistes, die bei der Taufe verliehen werden: Wiedereinsetzung ins Paradies; Rückkehr zur Sohnschaft; Freiheit Gott Vater zu nennen und Kinder des Lichts zu heissen; Teilhabe an der Gnade Christi etc., die alle als »Angeld« des Geistes eine Vorstellung von der vollkommenen Herrlichkeit zu vermitteln bestimmt sind. Auch sonst gedenkt Basilius – wo er die Wirkungen des Geistes aufzählt – in besonderer Weise der Taufe. So in dem Glaubensbekenntnis seiner Frühschrift De Fide: der Hl. Geist, »in dem wir besiegelt worden sind auf den Tag der Erlösung hin, der Geist der Wahrheit, der Geist der Sohnschaft, in dem wir schreien: Abba, Vater; der die Charismen, die von Gott kommen,verteilt und wirkt, einem jeden zum Nutzen, wie er will, der alles lehrt und an alles erinnert, was er vom Sohn hört« etc.[28] .

[25] DSS XXIV,55:24ff.
[26] hom. 5,7 (31,253c).
[27] DSS XV,35:46-49.
[28] fid. 4 (31,687bc).

Dass sich die Wirkungen des Geistes nicht auf das Heiligkeitsleben des einzelnen beschränken, sondern schon vor der Schöpfung beginnen und bis in die künftige Welt hineinreichen, weiss Basilius ebenso wie die vorangegangene (vor allem wo von Origenes geprägte) Tradition[29]. Doch spürbar und erkennbar sind diese ἐνέργειαι τοῦ πνεύματος für ihn erst seit der Taufe. Es entspricht dem traditionellen Verständnis, die Taufe als Ort der Geistbegabung zu beschreiben. Das Besondere bei Basilius – was ihn etwa von Augustin im Westen oder Kyrill von Alexandrien im Osten unterscheidet[30] – liegt in der *charismatologischen Ausprägung dieses Geistverständnisses:* der Geist bekundet sich in seinen ἐνέργειαι, die Taufcharis in den Charismen; diese Charismen aber sind für Basilius lebendige Gegenwart und (vor allem in der Gemeinschaft gleichgesonnener Mitchristen) erfahrbare Wirklichkeit. Insofern ist die Tauftheologie des Basilius – wiederum mit DÖRRIES – zu einem guten Teil von der »Tauferfahrung« bestimmte Theologie[31]. Angesichts der charismatologischen Qualifizierung der Taufe verwundert es nicht, dass Basilius das Hochziel mönchischen Vollkommenheitsstrebens – das engelgleiche Leben und die Gemeinschaft mit Gott – als unmittelbare Folge der Taufgnade bezeichnet. »Zur Freiheit ruft dich« – so der Prediger in hom. 13 an die ungetauften Gemeindeglieder – »der Herold, dass er dich von der Knechtschaft befreie, dir gleiches Bürgerrecht wie den Engeln gewähre und dich durch die Gnade zum Gotteskind mache«[32]. Und als Ziel des Heilswillens Gottes – wie er in der Taufe begründet ist – stellt DSS XV,35 die ἐπάνοδος εἰς οἰκείωσιν θεοῦ fest[33].

2. *Taufe und Busse.* Unter vielfältigen Aspekten tritt uns so die Taufe als Beginn des Christenstandes entgegen, und – da Gabe und Verpflichtung der Taufe im ganzen Leben festzuhalten und zu bewahren sind – zugleich als dessen bestimmende Mitte. Diese Mittelpunktstellung der Taufe kennzeichnet nun aber das *Verhältnis auch zu den anderen Akten* kirchlichen Lebens, der Eucharistie etwa oder der *Busse*. Dies ist zunächst im Blick auf die *Busse* zu diskutieren. Seitdem es im 2. Jahrhundert zu einem Konsens über die Möglichkeit einer »paenitentia secunda« kam, stehen Taufe und Busse als Mit-

[29] DSS XVI,37ff; XIX,49.
[30] Cf. SCHINDLER RAC XI,426ff; ders. Gnadenlehre 55ff; RITTER Charisma 170ff.
[31] DÖRRIES DSS 151,133; ders. Symeon 442; ders. WuS I,139f.
[32] hom. 13,7 (31,429b).
[33] DSS XV,35:1ff; cf. IX,23:21-25.

tel zur Erlangung der Sündenvergebung in latentem oder offenem Spannungsverhältnis zueinander, und diese Konkurrenz ist im 4. Jahrhundert eher stärker als schwächer geworden. Denn viele – so eine wiederholt geäusserte Klage – schieben die Taufe deshalb so lange auf, um dies wirksame Mittel zur Erlangung vollständigen Sündenerlasses nicht vorzeitig in Anpruch zu nehmen; und die sich zur Taufe entschliessen, tun dies oftmals nur deshalb, weil sie wissen, dass sie auf die Busse als Sicherungsmöglichkeit zurückgreifen können. »Bona ergo paenitentia, quae si non esset, omnes ad senectutem different ablutionis gratiam«, ruft etwa Ambrosius aus[34]. Bei Basilius nun finden sich beide Momente: die betonte Hervorhebung der Taufe als Grund des Christseins sowie die beständige Aufforderung zur Busse. Beide Momente widerstreiten einander nicht – sondern bedingen vielmehr einander –, da es für Basilius in der Busse um nichts anderes geht als die kämpferische Bewahrung der Taufgnade. »Muss der, der nach der Taufe sündigt, an seinem Heil verzweifeln, wenn seine Sünden zahlreich sind? Oder bis zu welchem Sündenmass darf man durch die Busse auf Gottes Erbarmen hoffen?«, lautet eine der Fragen, die Basilius von seinen Asketen gestellt worden ist. Basilius hat diese Frage verneint und geantwortet, dass es für Gottes Erbarmen kein Mass gebe, sofern nur die Busse aufrichtig sei; denn nicht zur »Verzweiflung«, sondern zur Erkenntnis von Gottes Barmherzigkeit sei das gegenwärtige Leben bestimmt[35]. Dass der Sünder, der um die Forderung des Evangeliums weiss, in grösserer Schuld steht als der von der christlichen Botschaft noch nicht Erreichte, schärft Basilius ebenso ein wie die Überzeugung, dass der unendlich mehr zu verlieren hat, dem die Taufgnade zuteil geworden ist. Doch auf der anderen Seite ist diese Zerstörung der Taufgnade durch die Sünde für Basilius nie eine endgültige, sie kann durch die Busse stets wieder instandgesetzt werden (auch wenn wiederholter Rückfall die Tiefe des Schadens sowie die Schwierigkeiten einer Therapie anzeigt). So bleibt die μετάνοια für Basilius lebenslange Aufgabe und die Bewahrung der Taufgnade lebenslanges Ziel. In De Spiritu Sancto sagt Basilius es so: der Geist vermischt sich nicht mit denen, die seiner unwürdig geworden sind; »aber er scheint bei den einmal (in der Taufe) Gesiegelten doch irgendwie zu verbleiben und die Rettung aus ihrer Umkehr abzuwarten«. Beim Endgericht

[34] Ambros.paen. II,11,98 (SC 179,194). Cf. SCHMITZ Gottesdienst 32.30ff.
[35] RB 13 (AscM).

hingegen wird er dann »vollständig von der Seele abgeschnitten, die seine Gnade befleckt hat«[36].

3. *Taufe und Eucharistie.* Auch die Frage nach dem Stellenwert der Eucharistie bei Basilius lässt die zentrale Bedeutung der Taufe für sein Denken erkennen. Zunächst fällt gegenüber dem beständigen Rekurs auf Taufe und Taufbefehl auf, dass Basilius nur selten auf die Eucharistie zu sprechen kommt[37]. In dem Amtsspiegel der Moralia für Bischof und Klerus (RM 70f; 80,12-21) beispielsweise (der einzigen Stelle, wo sich Basilius zusammenhängend über die Aufgaben des Priesters äussert) werden – ganz anders als in den Programmschriften des Gregor von Nazianz (orat. 2) oder Chrysostomus (De sacerdotio) über das Priestertum – kultische Funktionen und damit auch die Eucharistie mit keinem Wort erwähnt[38]; und eine Schilderung des Gottesdienstes wie in hom.ps. 28,7 kann die Eucharistie ganz übergehen und dafür Predigt und Doxologie in den Mittelpunkt stellen[39]. Wo Basilius aber die Eucharistie erwähnt, entfaltet er ihre Bedeutung weitgehend gerade in Kategorien der Tauftheologie. So in den Moralia, wo Basilius zweimal ausführlich

[36] DSS XVI,40:31-35; DÖRRIES DSS 151 paraphrasiert mit »wartendes Dabeistehen des Geistes«. Cf. RB 204 (AscP).

[37] Dieser Tatbestand ist offenkundig und mehrfach ausgesprochen worden, zB ORPHANOS Creation 122: »As far as the Eucharist as a means of salvation is concerned Basil suggests it, but does not discuss this particular issue; on the whole topic of the Eucharist, only some very rare, incidental references are to be found in his works«; DÖRRIES DSS 183: das Abendmahl zählt zu den Dingen, die bei Basilius in seiner Beschreibung des »innerkirchlichen Wirken(s)« des Hl. Geistes »fast außer acht« bleiben; BETZ Eucharistie 92: »Die Eucharistieverkündigung des Basilius ist verhältnismässig blaß«; GRIBOMONT DSp IV,1711; KNORR Basilius I,156. – Die verschiedenen Ansätze hingegen, die Bedeutung von eucharistischer Frömmigkeit und Gemeinschaft bei Basilius stärker zu betonen und für die Ekklesiologie fruchtbar zu machen (zB BOBRINSKOY Liturgie 198ff; SCAZZOSO Ecclesiologia 144ff; LECUYER Assemblée liturgique 137ff; LUBATSCHIWYSKYJ ZKTh 66, 1942, 20ff), stützen sich jeweils in erster Linie auf die *Basiliusliturgie* und partizipieren an deren Problemen. Denn trotz der teilweisen Zustimmung, die der Versuch von H. ENGBERDING (Hochgebet passim; OrChr 47, 1963, 16ff), eine kürzere Rezension herauszuarbeiten, die auf Basilius selbst zurückgeht, gefunden hat (etwa: CAPELLE Liturgies 45ff; SCHULZ Liturgie 23f; RAES REByz 16, 1958, 158-161; Überblick über diese Diskussion bei: GIBSON Liturgical Authorship passim; cf. CPG II,164), ist mit G. KRETSCHMAR (TRE I,263f) auf die »Schwierigkeiten dieser Hypothese« hinzuweisen, die einen Rückgriff auf die überlieferte Basiliusliturgie zur Rekonstruktion des Eucharistieverständnisses des Basilius ausschliessen. – Cf. auch GAIN Correspondance 207ff; DÖLGER AuC 5,232ff.

[38] S. unten pp. 210ff.

[39] hom.ps. 28,7 (29,301b-304b).

und zwar jeweils im Anschluss an die Taufe auf die Eucharistie zu sprechen kommt. RM 21 ist eine der ausführlichsten Äusserungen über das Abendmahl. Bedeutet die Taufe – wie zuvor in RM 20 ausgeführt – ein Absterben der Welt und eine vollständige Erneuerung von Denken und Handeln, so geschieht die Eucharistie (RM 21) »zur Erinnerung an den G e h o r s a m des Herrn bis hin zum Tod, damit die Lebenden nicht mehr sich selbst leben, sondern dem für sie Gestorbenen und Auferstandenen«; Hier wie dort steht die Verpflichtung zum neuen Leben im Vordergrund[40]. Dem entspricht die Polemik gegen ein sakramentalistisches Missverständnis der Eucharistie und die Warnung vor unwürdigem Empfang: »Wer zur Gemeinschaft hinzutritt, ohne die Weise (λόγος) zu bedenken, in der die Teilnahme an Leib und Blut Christi gewährt wird, hat keinerlei Nutzen« und verfällt dem Gericht. – Das Schlusswort der Moralia (80,22) wiederholt und verschärft die in RM 21 angeführten Momente: Rückbindung an die Taufe, in der der Christ »jeder Sünde« abgestorben ist; Teilnahme am Tische des Herrn als »Erinnerung« an den Kreuzestod Christi; diese »Erinnerung« bewahrheitet sich im neuen Leben des Christen. »Was ist das Merkmal derer, die Brot und Kelch des Herrn essen und trinken? Dass sie beständig die Erinnerung an den bewahren, der für sie gestorben und auferstanden ist. Was ist das Merkmal derer, die ein solches Gedächtnis bewahren? Dass sie nicht mehr sich selbst, sondern dem für sie Gestorbenen und Auferstandenen leben«. Darum soll der Christ »frei sein von jeglicher Befleckung« und »keinerlei 'Runzel oder Makel' oder etwas derartiges haben, sondern er soll sein heilig und untadelig, und s o soll er den Leib Christi essen und das Blut trinken«[41]. Auch hier ist jedes sakramentalistische Missverständnis der Eucharistie ausgeschlossen: die Kraft der Taufe und der Eucharistie ist wirksam nur in dem, der das neue Leben des Getauften lebt; und die Eucharistie ist nicht eine höhere Stufe auf einem mit der Taufe eröffneten Vollkommenheitsweg oder Quelle besonderer Heiligungskräfte, sondern stellt sich dar als die »beständige Erinnerung« an den in der Taufe vollzogenen Herrschaftswechsel, nach dem der Christ nunmehr »nicht mehr sich selbst lebt«, sondern seinem Herrn. Das gleiche Bild zeichnen die Bemerkungen des Asceticon. In RB 234 (AscM) antwortet Basilius auf die Frage, wie die Weisung der Einsetzungs-

[40] Das »Gedächtnis des 'Gehorsams des Herrn bis zum Tod' (Phil 2,8)«, von RM 21,3 zum Kriterium rechten Eucharistieempfanges gemacht, realisiert sich im eigenen »Gehorsam bis zum Tod« des Christen; cf. RB 172.116.199.206 (AscP); RF 28,2 RB 317 (AscM); sowie unten p. 121(,10f).

[41] RM 80,22 (31,869ab).

worte, »den Tod des Herrn zu verkünden«, zu verwirklichen sei; er antwortet unter Verweis auf Mt 16,24 (»Wer zu mir kommen will, verleugne sich selbst und nehme sein Kreuz auf sich«) und Gal 6,14 (»Mir ist die Welt gekreuzt und ich in der Welt«) und schliesst die Bemerkung an: »Dazu haben wir uns bereits bei der Taufe verpflichtet«, was er dann im folgenden mit Rm 6,3.6 und anderen Tauftexten weiter ausführt. Die umwandelnde – und durch »Erfahrung« bestätigte – Kraft der Taufe im Blick auf Heiligungsleben und würdigen Eucharistieempfang der Mönche unterstreicht sehr deutlich RB 309[42]. – Folgende Bemerkungen seien hier noch angefügt. 1. BETZ bemerkt zu dem Text RF 2,3, dass Basilius hier »faktisch den Großteil eines eucharistischen Danksagungsgebets zitiert«[43]. Bemerkenswert ist dann aber der jetzige Kontext: die Begründung des Christen- und Mönchslebens aus der Liebe zu Gott und der Dankbarkeit gegenüber dem Herrn. Auch andere eucharistische Motive wie etwa das Psalmwort Ps 33,9 (»Schmecket und sehet, wie freundlich der Herr ist«) werden von Basilius in einen anderen Bezugsrahmen – den der Taufe – hineingestellt[44]. 2. Basilius betont zwar nachdrücklich die Notwendigkeit persönlicher Reinheit als unerlässlicher Voraussetzung für den Eucharistieempfang. Damit wird aber der Eucharistie keine spezifische Dignität zugesprochen; denn einerseits gilt diese Voraussetzung in gleicher Weise für alle Wirkungen des Hl. Geistes (RB 204: nur wer »alle« Gebote erfüllt und gänzlich von der Welt geschieden ist, »kann des Hl. Geistes gewürdigt werden«), und zum andern wird auch diese erforderliche Heiligkeit wieder auf die Taufe zurückgeführt[45]. 3. Regelmässige Erwähnung findet die Eucharistie v.a. in den

[42] Konkret geht es hier – erstmals wohl in der monastischen Literatur – um die Frage des Eucharistieempfanges nach ejaculatio nocturna (bzw. während der Menstruation). Für seine ablehnende Antwort beruft Basilius sich auf die umwandelnde Kraft der Taufe: »Dass der stärker als Gewohnheit und Natur ist, der mit Christus in der Taufe begraben worden ist, hat der Apostel gezeigt« (es folgt Rm 6,6; Kol 3,5; Gal 5,24) und nennt es Sache der »Erfahrung« ('Εγὼ δὲ ἔγνων), dass Männer und Frauen aus »echtem Glauben an den Herrn« derartige Regungen der Sexualität (bzw. des alten Menschen) überwunden haben.

[43] BETZ Väter 154,51.

[44] hom. 13,2 (31,425d): Taufe; hom.ps. 33,6 (29,364c-365b): spiritualisierende Eucharistieauslegung.

[45] S.o. zu RB 309. – In RB 172 haben BETZ (Väter 126; Eucharistie 56) und ihm folgend KRETSCHMAR (Taufgottesdienst 159; TRE I,77f) den bzw. einen der ersten Belege für die neue, durch »Furcht und Zittern« geprägte Haltung zum Abendmahl gesehen, die sich u.a. aus der anti-arianischen Betonung der Gottheit Christi ergebe. Doch geht diese Interpretation am Text vorbei; die »Furcht« ergibt sich aus

Busskanones, die den Ausschluss des sündigen Gemeindegliedes von der Eucharistie als Mittel der kirchlichen Disziplin verfügen und umgekehrt mit der Zulassung zum Abendmahl seine Wiederaufnahme in die kirchliche Gemeinschaft und die Restituierung seiner vollen Rechte als getauftes Mitglied der Gemeinde bekunden[46]. Diese Regelung entspricht der kanonischen Tradition und der allgemeinen Praxis der Alten Kirche[47]. Gleichwohl fügt sie sich der Verschränkung von Taufe und Eucharistie bei Basilius präzise ein. Wie das erste, der Taufe folgende Abendmahl, so bleibt auch später die Eucharistie der Taufe (und dem durch sie begründeten Christenstand) zugeordnet.

B. BINDEGLIED ZUM MÖNCHTUM

Unter vielfältigen Aspekten kommt so die Taufe als Beginn und bestimmende Mitte des Christenlebens in den Blick. Damit aber erweist sie sich zugleich als die Voraussetzung und der *innere Grund der Kongruenz von Kirche und Mönchtum* bei Basilius; und all das, was in Kapitel IV über die Einheit des Christseins in Gemeinde und Kloster gesagt worden ist, liesse sich ebenso gut auch unter dem Blickwinkel der Taufe und ihrer Bedeutung für das Christenleben entfalten. Denn es ist der »e i n e Vertrag des Lebens« – eben die Taufe –, der für Gemeindechristen wie Kōnobiten in gleicher Weise verbindlich ist[1], und es ist (in Vermeidung monastischer Sonderterminologie) der eine Titel »Christ«, der beide Gruppen unterschiedslos zusammenschliesst und der von seinem Ursprung her und in seiner bleibenden Verpflichtung auf die Taufe verweist. »Wann endlich wirst du Christ?« ist die Quintessenz der Aufforderung zur Taufe in hom. 13[2]. Es ist bekannt, dass im 4. Jahrhundert der Entschluss zur Taufe für viele zusammenfiel mit dem Beginn eines asketischen Lebens. So war es auch bei Basilius, der seine eigene Taufe darum in Kategorien einer Bekehrungsterminologie zur Sprache bringt: »Ich verwandte lange Zeit auf Nichtiges und verschwendete beinahe meine ganze Jugend auf Nichtigkeiten …

den Kriterien des würdigen Empfangs, nämlich der persönlichen Heiligkeit bzw. des eigenen – des Kreuzesgehorsams Christi gedenkenden – »Gehorsams bis zum Tod«.

[46] Einzelheiten s. unten pp. 166-180.

[47] ELERT Kirchengemeinschaft passim.

[1] ep. 150,2:7.

[2] hom. 13,1 (31,425b).

Als ich aber, wie aus tiefem Schlaf mich erhebend, zum wunderbaren Licht der Wahrheit des Evangeliums aufblickte, da ... beweinte ich viel mein früheres elendes Leben«[3]. Diese Wertung der Taufe ist umso bemerkenswerter, als Basilius einer seit Generationen christlichen Familie entstammte und nicht nur im gleichen Zusammenhang[4], sondern auch sonst häufig betont auf die christliche Erziehung verweist, die er von Kindesbeinen an erhalten hat[5]. So markiert die Taufe einen *tiefen biographischen Einschnitt*, den Wechsel von einem konventionellen zu einem bewussten Christentum[6]. Das macht verständlich, wieso für Basilius Christsein in der Gemeinde und im Kloster auf der Basis der Taufe zusammenfiel. Diese Funktion der Taufe als Bindeglied zwischen grosser und Mönchsgemeinde ist von zwei entgegengesetzten Polen aus zu beleuchten: einmal von der gängigen Praxis des Taufaufschubs und zum andern vom Verhältnis von Taufe und Mönchsgelübde aus.

1. *Taufgelübde und Mönchsgelübde.* Nach gängiger Überzeugung findet sich erstmals in der Geschichte des Mönchtums bei Basilius die Forderung nach einem Gelübde, das beim Eintritt in das Kloster abzulegen und lebenslang zu halten ist[7]. Doch hebt dies Gelübde den Asketen nicht aus dem Kreis der

[3] ep. 223,2:1ff. Cf. die analoge Beschreibung des Tauferlebnisses etwa bei Cyprian.Donat. 2 (CSEL 3/1,5).

[4] ep. 223,3:35ff.

[5] Iudic. 1 (31,653a): ... ἄνωθεν δὲ καὶ ἐξ ἀρχῆς ὑπὸ Χριστιανοῖς γονεῦσιν ἀνατραφείς, παρ' αὐτοῖς μὲν ἀπὸ βρέφους καὶ τὰ ἱερὰ γράμματα ἔμαθον ...; ep. 51,1:28f (Dianius); ep. 204,6:1ff (Makrin. d.Ä.); ep. 236,1:11ff; ep. 224,2:35f; Greg.Nyss.laud.Bas. (STEIN 4,12ff). – Cf. auch die verschiedenen von Basilius erwähnten Bekanntschaften ἐκ παιδός mit Asketen und späteren Klerikern (ep. 291:7; 102:8; 274:2; 212,1:4).

[6] Nach der Rückkehr aus Athen hatte Basilius zeitweilig in der Versuchung gestanden, die Rhetorenlaufbahn einzuschlagen (ep. 210,2; Greg.Naz.orat. 43,25,2; Rufin.h.e. XI,9 GCS 9/2, 1014,16ff). Gregor von Nyssa berichtet, er sei damals ziemlich aufgeblasen und von Bildungsdünkel erfüllt gewesen, Makrina habe ihm den Kopf zurechtgerückt und den Weg zur Askese gewiesen (vit.Macrin. 46,965bc). Das ist präzise die Situation, auf die sich die Schilderung in ep. 223,2 bezieht. Zu Basilius als Rhetor cf. GRIBOMONT RHE 53 (1959) 115-124; LAZZATI SMSR 38 (1967) 284-292; GALLAY Vie 67,4; PATRUCCO RSLR 15 (1979) 54-62; AUBINEAU SC 119,54f.

[7] »Zu diesem Rigorismus gehört auch die bei Basilius erstmals erhobene Forderung, das beim Eintritt in den Mönchsstand abgelegte Gelübde auf ewig zu halten« (SCHINDLER Reichskirche 217). – Gelübde bei Basilius: CLARKE Basil 107-109 (»Permanent vows«); ders. Works 175,2; MORISON Basil 86-95 (»Vocation and Vow«); MURPHY Basil 94; AMAND DE MENDIETA Ascèse 238-242; LOHSE Mönchtum 38ff; FEDWICK Church 164f; ROTHENHÄUSLER BenM 4 (1922) 280-289; SCHIWIETZ

übrigen Christen heraus; vielmehr handelt es sich dabei im wesentlichen um nichts anderes als eine Bekräftigung und Vertiefung jener Verpflichtung, die alle Christen bei der Taufe aussprechen. B. LOHSE vertritt eine entgegengesetzte Sicht der Dinge. Er verweist auf die ewige Bindung und den Rechtscharakter dieses Gelübdes und folgert: »Indem das Gelübde ... nun zu einer festen, kirchenrechtlich verpflichtenden Einrichtung wird, wird nun das Charisma zu etwas Verfügbarem ... Das aber bedingt, daß die christliche Ethik in eine höhere und niedere Stufe gespalten wird ... Es kann daher nicht verwundern, daß auch für Basilius der Eintritt in diese vollkommene Gemeinschaft der Taufe vergleichbar ist: der Mönch erhält ein unauslöschliches 'Siegel', das ihn von dem Weltchristen unterscheidet, so wie das Siegel der Taufe Christen von Nichtchristen trennt«[8]. Gegenüber einer derartigen Interpretation, die Basilius in die Nähe der Wertung des Mönchsgelübdes als einer zweiten Taufe bei Hieronymus[9] rückt, ist Einspruch einzulegen. Denn: 1. Die von LOHSE angeführte Stelle RF 5,2 (AscP) handelt gar nicht vom Gelübde, sondern von der ἔννοια τοῦ θεοῦ, die durch beständiges und reines Gedenken der Seele als unauslöschliches Siegel einzuprägen ist. 2. Die lebenslange Bindung durch das Mönchsgelübde darf nicht isoliert ins Auge gefasst werden; nur *im Rahmen der Gehorsamsethik* des Basilius ist sie verständlich. Denn in allen Dingen, im grossen wie im kleinen wie überhaupt bei »jedem Gebot«, ist für Basilius der Christ (in Gemeinde wie Kloster) zum »Gehorsam bis zum Tod« verpflichtet[10]. Darin folgt er dem Vorbild seines Herrn, der um unseres Heiles willen »gehorsam war bis zum Tod«[11]. Erst wenn der Zusammenhang mit dieser

AKathKR 82 (1902) 454; NISSEN Klosterwesen 27; CASEL JLW 5 (1925) 13; OPPENHEIM Mönchsweihe 261; RAFFIN Rituels 19-21; GAIN Correspondance 137ff. – Pachomius selbst kennt keine Gelübde: SCHIWIETZ Mönchtum I,123; ders. AKathR 82 (1902) 454; CAPELLE Voeu 34-40; VEILLEUX Liturgie 213-220.

[8] LOHSE Mönchtum 41.

[9] Hieron.ep. 39,3,4 (CSEL 54,299); ep. 130,7,14 (CSEL 56,186). Cf. DEKKERS HJ 77 (1958) 91-97; LOHSE Mönchtum 58ff.

[10] ὑπακοὴ μέχρι θανάτου: AscP: RB 116.119.152.199.206; AscM: RF 28,2; RB 103. 317. Bezogen auf: πᾶσα ἐντολή: RB 206 (AscP); Liebesgebot: RB 186 (AscP); Küchendienst im Kloster: RB 152 (AscP); Martyriumsbereitschaft bei der Gebotserfüllung (RM 64,1; RB 199 AscP) und Verkündigungsauftrag (RM 70,13.19); etc. Der fordernde Wille Gottes, dem gegenüber er zu lebenslangem Gehorsam verpflichtet ist, begegnet dem einzelnen Könobiten in der Weisung der Vorgesetzten (zB RB 103 AscM) wie der Gemeinschaft als ganzer wie im Wort des einzelnen Mitbruders (RB 115 AscP: E: Πῶς ὑπακούειν ἀλλήλοις χρή; A: Ὡς δούλους δεσπόταις ...; RB 114 AscP).

Gehorsamsethik verloren geht, gewinnt die Forderung lebenslänglich bindender Gelübde einen eigenständigen, unterscheidenden Stellenwert. 3. Explizit bezeugt findet sich, was m.W. noch nicht wahrgenommen worden ist, die Forderung des Gelübdes *erst in der späteren Schicht* des Asceticon (dem Asceticon Magnum), sie hat sich also erst mit der Entwicklung der Könobien ausgebildet[12]. Der Zusammenhang mit der Verpflichtung a l l e r Christen wird dennoch deutlich ausgesprochen, so RB 2 (AscM): »Welches Gelübde (ὁμολογία) müssen die, die gemäss dem Willen Gottes zusammenleben wollen, voneinander fordern? (Antwort:) Jenes (Gelübde), das der Herr für j e d e n, der zu ihm kommt, festgesetzt hat: 'Wenn einer mir folgen will, so soll er sich verleugnen und sein Kreuz auf sich nehmen ...' (Mt 16,24)«. Und RF 8, worauf RB 2 im folgenden verweist, hebt ebenfalls die Allgemeinheit der Forderung nach gänzlicher ἀποταγή hervor (»Da unser Herr Jesus Christus nach Bekräftigung durch vielfältige Taten zu a l l e n sagt : Mt 16,24 Lk 14,33«), um dann im einzelnen aufzuzählen, worin diese geforderte ἀποταγή zu

[11] Phil 2,8 zur Begründung der Gehorsamspflicht: AscP: RB 116.199.206; AscM: RF 28,2; RB 317. Cf. RM 21,3; RB 172 (AscP/31,1196 b.c).

[12] RB 2 (Ποίαν ὁμολογίαν ἀπαιτεῖσθαι δεῖ παρ' ἀλλήλων τοὺς ἐπὶ τὸ αὐτὸ ζῆν κατὰ Θεὸν βουλομένους) und RF 14 (Περὶ τῶν ἑαυτοὺς τῷ Θεῷ καθομολογησαμένων, εἶτα τὴν ὁμολογίαν ἀθετεῖν ἐπιχειρούντων) gehört zu AscM. Auch RF 36,1 (Τούς γε μὴν ἅπαξ καθομολογησαμένους ἀλλήλοις τὴν ἐπὶ τὸ αὐτὸ ζωήν) und RB 102.74, die vom Verlassen des Klosters handeln, sowie RF 33,1 (ὁ ἅπαξ γάμον ἀπαρνησάμενος), RB 93 (τὸν ἅπαξ ἀποκτησάμενον) und RF 32,1 (τοὺς ἅπαξ παραδεχθέντας εἰς τὴν ἀδελφότητα) gehören der späteren Redaktion (AscM) an. Im übrigen dürfte solche wechselseitige Willensbekundung zunächst formlos, »schweigend«, durch das Faktum des Eintritts erfolgt sein, wie can. 19 zeigt (»Gelübde von Männern kennen wir nicht, es sei denn, dass jemand sich selbst zum Mönchsstand zählt. Solche Leute scheinen die Ehelosigkeit stillschweigend [κατὰ τὸ σιωπώμενον] angenommen zu haben«). – Die ὁμολογία hingegen, von der in den dem AscP zuzuschreibenden Partien in RF 15 die Rede ist, bezieht sich auf den speziellen Fall der Klosterschüler (RF 15,4 31,956b = Interr. 7,3 CSEL 86,39: firma tamen tunc erit professio virginitatis, ex quo adulta iam aetas esse coeperit; titulus 31,952a = Interr. 7 CSEL 86,38, wo allerdings das technische nosmet ipsos offere deo des Lateiners nicht durch den Syrer gedeckt ist und also nicht für AscP in Anspruch genommen werden kann: GRIBOMONT Histoire 247). Diese Kinder sollen, wenn sie herausgewachsen sind und sich definitiv zum Verbleib entschlossen haben, in aller Öffentlichkeit – »vor vielen Zeugen« – aufgenommen werden, um Verleumdungen keinen Anhalt zu bieten (analoge Regelung auch bei Eheleuten). In der späteren Redaktionsstufe (AscM) nun werden diese vielen Zeugen repräsentiert durch die Bischöfe der lokalen Kirchen (RF 15,4 31,956b), die natürlich auch beim traditionellen – innergemeindlichen – Virginitätsgelübde ihre Funktion haben. – Aus ganz unterschiedlichen Voraussetzungen und in einzelnen Schritten bildet sich also das, was als monastisches Gelübde die folgende Entwicklung bestimmen wird.

bestehen hat – in der Absage an den Teufel, an die Leidenschaften des Fleisches, an leibliche Verwandtschaft, an alles, was dem Evangelium widerstrebt, ja: an sich selbst –, und den Weg zu solcher τελεία ἀποταγή zu eigen: er beginnt bei der Trennung von den äusseren Dingen und endet bei gänzlicher Selbstentäusserung[13]. Die von »allen« Christen geforderte (und in der Taufe ausgesprochene) »Absage« an den Teufel und seine Werke[14] wird so bekräftigt, vertieft und auf die Lebensbedingungen der klösterlichen Kommunität hin ausgelegt[15].

Mönchsgelübde wie Taufapotaxis sind für Basilius Akte bewusster Entscheidung, sie setzen Urteilsvermögen und das Wissen um die eingegangene Verpflichtung voraus. Basilius polemisiert darum gegen die Unsitte, dass unmündige Mädchen von ihren Eltern bzw. Vormündern »vorzeitig« und nicht »aus eigenem Antrieb« dem Jungfrauenstand zugeführt werden: sie sollen nur aufgenommen werden, wenn sichergestellt ist, dass der Wunsch nach Aufnahme ihrer »eigenen Meinung« entspringt[16]. Und in RF 15,4, wo die Transformation des traditionellen Virginitäts- in das Klostergelübde mit den Händen zu greifen ist, wird begründet, warum bei Klosterschülern bei der Ablegung der Profess bis zur Reife zu warten ist: »Dann erst darf man auch das Jungfräulichkeitsgelübde zulassen, da es nunmehr zuverlässig ist und aus eigenem Entschluss und Urteil entspringt, nach erlangtem vollständigen Gebrauch der Vernunft«; wer es nicht ablegen will, soll entlassen werden[17]. Und was die Taufapotaxis angeht, so besteht eins der wichtigsten Argumente des Basilius gegen die Unsitte des Taufaufschubs im Hinweis darauf, dass bei einer Taufe erst auf dem Krankenbett sich all das »ohne Bewusstsein« (ἀναισθήτως)

[13] RF 8 (31,936cd). RF 8 handelt allgemein von der ἀποταγή, ohne Erwähnung des Mönchsgelübdes; in Interr. 4 hat es eine partielle Vorlage. Da die lateinische und die syrische Version nicht übereinstimmen (GRIBOMONT Histoire 244-246), lässt sich der Text von AscP nicht mehr zuverlässig rekonstruieren; zur Interpretation ist vom griechischen Text (AscM) auszugehen.

[14] DSS XI,27:6; XXVIII,66:27; hom. 13,5 (31,436c).

[15] Eine gleichartige Beurteilung bei FEDWICK Church 164f (»reconfirmation of the baptismal promises«). Cf. GRIBOMONT TRE IV,220.

[16] can. 18:44ff.

[17] RF 15,4 (AscP/AscM; 31,956b). Zu verweisen ist auch auf ep. 23:23: αὐθαιρέτως hat sich der Kandidat für das asketische Leben entschieden. Derartige Ablehnung jeglichen Zwanges ist neben den von SCHÄFER (Beziehungen 5f) angegebenen stilistischen Unterschieden ein gewichtiger zusätzlicher Grund, ep. 55(:28f) für unecht zu halten.

sich vollziehe, was »mit Verstand« (συνετῶς) zu geschehen habe: nicht vermag der Täufling »zu seinem Nutze belehrt werden, nicht in sicherer Weise das Bekenntnis zu sprechen, nicht Gott das Gelöbnis zu geben, nicht dem Feinde abzusagen ...«[18] DÖLGER wollte in dieser Forderung nach bewusstem Taufvollzug einen Nachklang antiker Mysterienvorstellungen sehen[19]. Zutreffender dürfte der Hinweis auf den geforderten Willensentscheid sein, den Basilius selbst gibt: Ἐπαινοῦμεν δὲ τοὺς κατὰ προαίρεσιν ἀγαθούς, οὐ τοὺς ἀπό τινος ἀνάγκης ἐξειργομένους.[20]

2. *Taufaufschub und Taufverpflichtung.* In diesem Zusammenhang nun ist die Praxis des Taufaufschubs zu erörtern; erst auf diesen Hintergrund wird die Bedeutung voll verständlich, die Basilius der Taufe als Voraussetzung des »Christ«-Seins und Wendepunkt des Lebens beimisst. Vor allem in seiner weiten Verbreitung zählt der Brauch, die Taufe möglichst lange und oftmals bis hin zum Sterbebett aufzuschieben, zu den charakteristischen Symptomen des Umbruchs, den die Kirche im 4. Jahrhundert erfuhr[21]. Er ist für alle Regionen der Reichskirche bezeugt, auch jene mit einer langen und festen Tradition der Kindertaufe, wie etwa Afrika; das eigene Beispiel des Augustin, der später mit der Ausformulierung der Erbsündenlehre gegenüber den Pelagianern die theoretische Begründung für die ausschliessliche Geltung der Säuglingstaufe liefern sollte, ist hier bereits Anschauungsunterricht genug[22]. Es ist naturgemäss schwierig, das quantitative Verhältnis von getauften Christen und Dauerkatechumenen näher zu bestimmen. KRETSCHMAR schätzt allgemein für das 4. Jahrhundert: »der großen Masse der Katechumenen standen offenbar oft nur re-

[18] hom. 13,5 (31,436cd).
[19] DÖLGER AuC II,263.
[20] hom. 13,5 (31,436c).
[21] Eine umfassende Darstellung des Taufaufschubs im 4. und 5. Jh. fehlt. Auch die (auf Nordafrika beschränkte) Arbeit von NAGEL über Kindertaufe und Taufaufschub füllt nicht die bestehende Lücke. Die Frage wird meistens nur punktuell (im Zusammenhang etwa der Kindertauffrage) und oft mit einem festen und gleichbleibenden Stamm von 10 bis 15 Paradigmen erörtert. Insbesondere fehlt eine Materialzusammenstellung und Diskussion für den Osten, wo die Spättaufe erheblich länger nachweisbar ist, als etwa JONES Empire II,980 meint. Wichtige Hinweise bei BÜSCHING De procrastinatione 121-136; DÖLGER Taufe 377-447; ders. AuC II,258-267; III,260-277; KRAFT Taufe 642-648; KRETSCHMAR Taufgottesdienst 145ff (sowie zahleiche verstreute Hinweise); VAN DER MEER Augustinus 411ff; WENGER SC 50,66ff; sowie in den Textsammlungen von KRAFT Kindertaufe; DIDIER Enfants; etc.
[22] Aug.conf. I,11,17f (CSEL 33,15-17).

lativ wenige Getaufte gegenüber«[23], und BERNARDI kommt speziell im Blick auf die kappadozischen Verhältnisse zu einem gleichartigen Ergebnis, wobei er sich v.a. auf die Predigten der Kappadozier gegen den Taufaufschub stützt: »On a l'impression que cette chrétienté cappadocienne est principalement constituée de ce que nous appellerions des sympathisants et que les adultes baptisés se distinguent mal de moines«[24]. Das sind allgemeine Schätzungen; sie bestätigen sich bei Auswertung der zahlreichen verstreuten Einzelhinweise. Allein die Sorge um die vielen ungetauft verstorbenen Gemeindeglieder, so Gregor von Nazianz, habe ihn trotz allen Sträubens dazu bewegt, zeitweilig die Funktion eines Bischofs in der verwaisten väterlichen Gemeinde in Nazianz auszuüben;[25] und wie sehr die Spättaufe auch in gut christlichen Familien die Regel war, zeigt ein Blick auf sein eigenes Elternhaus. Seine Schwester Gorgonia, ein Muster frommer Lebensführung, liess sich erst vor ihrem Tod taufen, bei dieser Gelegenheit empfing auch ihr Mann die Taufe[26]. Gregor selbst war einst als Jüngling bei einem Seesturm während der Überfahrt nach Athen von panischer Angst gepackt, ungetauft zu sterben[27]; gleichwohl dürfte er sich erst nach seinen Athener Studienjahren haben taufen lassen[28]. Sein Bruder Caesarius, erfolgreicher Arzt und Sorgenkind der Familie, entging wie durch ein Wunder dem verheerenden Erdbeben, das Nicaea am 11. Oktober 368 zerstörte; sowohl Gregor wie Basilius drängten ihn, wenigstens jetzt die Taufe zu empfangen[29]. Auch seinen Vetter Amphilochius, den späteren Bischof von Ikonium und Vertrauten des Basilius, hat Gregor nach einer Affäre, die dessen Rhetorenlaufbahn aufs schwerste bedrohte, »Gott«, der Taufe und damit

[23] KRETSCHMAR Konfirmation 23.

[24] BERNARDI Prédication 69; ebenso 91: »Cette prédication (sc. de Basile) ... s'adresse à une communauté où les baptisés ne sont plus qu'une minorité«; 11f; 68-70 (ad Bas.hom. 13); 33 (Auditorium der Psalmenhomilien); 209ff. 214ff (ad Greg.Naz.orat. 40); 298-302 (ad Greg.Nyss.bapt.). Zurückhaltender KNORR Basilius I,38.

[25] Greg.Naz.carm.vit.sua 526ff. 533-536 (JUNGCK 78/80): καὶ γὰρ οὐκ ἀνίεσαν ὀρκοῦντες, ἐμπίπτοντες τινες εὐλαβῶν, πολλῶν ἀτελέστων μηνύοντες ἐξόδους. Eine vergleichbare Nachricht findet sich bei Socr.h.e. 5,22,52 (HUSSEY II,634): In Thessalien ist Ostern der einzige Tauftermin: διὸ σφόδρα πλὴν ὀλίγων οἱ λοιποὶ μὴ βαπτισθέντες ἀποθνήσκουσιν.

[26] orat. 8,20 (35,312c-313a).

[27] orat. 18,31 (35,1024bc); carm.vit.sua 124ff.162ff (JUNGCK 60/63).

[28] GALLAY Vie 68f; FLEURY Grégoire 24f; ULLMANN Gregorius 467.

[29] Greg.Naz.orat. 7,15 (35,772f); Bas.ep. 26; HAUSER-MEURY Prosopographie 48-50.

zugleich dem asketischen Leben »zugeführt«[30]. Euseb, Amtsvorgänger des Basilius in Caesarea, wurde als Ungetaufter gewählt; ihn zu taufen und als Bischof auszurufen, hatte das Volk von den zur Wahl versammelten Bischöfen verlangt[31]. Aus Priestermangel und ebenfalls im Widerspruch zur kanonischen Ordnung müssen Basilius und Amphilochius bei der Stellenbesetzung auf Neophyten zurückgreifen[32]. Zu den Briefpartnern des Basilius zählt der hohe Militär Arinthaeus, zeitweiliger Konsul und Förderer der nizänischen Sache; durch die Taufe auf dem Totenbett bewahrte er die Taufunschuld unbefleckt für das künftige Leben[33]. Naturkatastrophen, Hungersnot und kriegerische Wirren – alles nicht selten in Kappadozien – sind es, die den Massenandrang zur Taufe auslösen, stellt Gregor von Nyssa 381 fest[34]. Zugleich gibt er ein Beispiel dafür, dass es für das Taufbegehren dann schon viel zu spät sein kann: als kürzlich, beim Aufstand der gotischen Geiseln (379), beim kappadozischen Comana der junge Aristokrat Archias tödlich von den Barbaren getroffen wurde, verlangte er sterbend die Taufe, doch niemand war da, sie ihm zu geben[35].

[30] Greg.Naz.carm. II/2 AdOlymp. v. 2 (37,1550a); KNORR Basilius I,171; HOLL Amphilochius 10f.15.

[31] Greg.Naz.orat. 18,33 (35,1028bc). Ähnliches widerfuhr dem Nektarius von Konstantinopel, Nachfolger des Gregor (Rufin.h.e. XI,21; Sozom.h.e. VII,8,6f; RITTER Konstantinopel 113) und Ambrosius von Mailand (dazu: FISCHER Ambrosius 527-531). Gregor von Nazianz beklagt als verbreiteten Missstand, das Bischofsamt Neophyten zu geben: orat. 43,26 (36,532ab); carm. I,13 Ad episcopos v. 87 (37,1234a).

[32] Bas.ep. 217:28-32; zSt cf. KNORR Basilius II,129,56.

[33] Bas.ep. 269 (,2:22ff). 179; Theodor.h.e. IV,33,3 (GCS 44,272); PLRE I,102f; TREUCKER Studien 48f.

[34] Greg.Nyss.bapt. (46,420a): Ὁρῶ ὅταν ποτὲ σεισμὸς ἐπιγένηται τῷ βίῳ, ἢ λιμὸς, ἢ πολεμίων καταδρομὴ, πάντας ἐπειγμένως ἐπὶ τὸ βαπτιστήριον σπεύδοντας, ἵνα μὴ κενοὶ τῆς χάριτος ἐξ ἀνθρώπων ἀπέλθωσιν; cf. Greg.Naz.orat. 40,14 (36,376d).

[35] Greg.Nyss.bapt. (46,424cd; zSt cf. BERNARDI Prédication 299; DANIÉLOU RSR 29, 1955, 353-355). Das bekannteste Beispiel einer Massentaufe in Kriegszeiten stellt die Taufe des Heeres des Konstantius vor der Schlacht 351 bei Mursa gegen Magnentius dar (Theodor.h.e. 3,3,7 GCS 44,179), cf. auch die Taufe des Konstantius vor dem Feldzug gegen Julian (Socr.h.e. II,47 HUSSEY I,372f). Was die von Gregor von Nyssa unter den Taufanlässen genannte Hungersnot angeht, so sei darauf aufmerksam gemacht, dass Kappadozien ja 368 von einer schweren Dürrekatastrophe heimgesucht wurde. Und im Blick auf den durch Erdbeben ausgelösten Taufandrang sei auf die Schilderung der Zerstörung der Städte Palästinas und Phöniziens durch Erdbeben 362/63 (und deren Folgen) bei Greg.Naz.orat. 5,6f (35,672) verwiesen.

K. ALAND hat die Praxis des Taufaufschubs im 4. Jahrhundert als »die letzte Epoche der altkirchlichen Praxis« der Erwachsenentaufe bezeichnet[36]. Dies Urteil ist auf weite Strecken (und v.a. in der Gegenüberstellung zur Kindertaufe) sicherlich zutreffend. Im kleinasiatischen Pisidien ist sogar noch für einen sehr viel späteren Zeitraum – Anfang des 6. Jahrhunderts – die Taufe erst zu Beginn des Erwachsenenalters als verbreitete Übung bezeugt[37]. Und wenn sich die Befürworter einer späten Taufe, um deren Widerlegung sich Gregor von Nazianz bemüht, u.a. auf die Taufe des 30jährigen Jesus berufen, so lässt sich eine ganz ähnliche Verwendung dieses Motivs auch in der älteren synodalkanonischen Tradition Kleinasiens aufweisen[38]. Gleichwohl kommt das entscheidende Problem nicht in den Blick, wenn man die Sitte des Taufaufschubs im wesentlichen nur als Ausläufer der früheren Praxis der Erwachsenentaufe bezeichnet. Unter den Bedingungen der vorkonstantinischen Minderheitskirche bezeichnete für den, der nicht einfach in die christliche Gemeinschaft hineingeboren wurde, der Eintritt in den Katechumenenstand den entscheidenden biographischen Einschnitt. Denn bereits mit diesem Schritt war der Bruch mit der heidnischen Welt vollzogen und oftmals auch die Aufgabe des bisherigen Berufs verbunden – sofern dieser (wie im Fall von Soldaten, obrigkeitlichen Ämtern, Schauspielern oder Lehrern) als mit dem Christentum unvereinbar beurteilt wurde. Die endgültige Aufnahme durch die Taufe (nach einer im Regelfall dreijährigen Probezeit als Katechumen) ratifizierte dann nur noch diesen ersten (und entscheidenden) Schritt[39]. Im 4. Jahrhundert hingegen[40], angesichts der zunehmenden Christianisierung des öffentlichen Lebens und Privilegisierung der christlichen Kirche, *verändert sich der Charakter des Kate-*

[36] ALAND Säuglingstaufe 72.

[37] Zachar.Rhet.vit.Sev. (PO II/1,10ff) begründet, wieso der zusammen mit seinen älteren Brüdern zum Studium nach Alexandrien gereiste spätere Patriarch von Antiochien Severus aus Sozopolis (†538) noch ungetauft war: »La coutume étant établie dans son pays (= Pisidien) ... de ne pas s'approcher du saint baptême, à moins de nécessité urgente, avant l'âge mûr, il se fit que Sévère et ses frères n'étaient encore que catéchumènes, quand ils vinrent à Alexandrie ...«; und erzählt später (pp. 76ff) von seiner Taufe.

[38] Greg.Naz.orat. 40,29 (36,400c); cf. can.Neocaes. 11 (in Verbindung mit 6) (JOANNOU I/2,80.77f).

[39] So die Kirchenordnung Hippolyts c. 15-17 (BOTTE 32-38); Const.Ap. VIII,32 (FUNK I,534ff); can.Eliberit. 42.2 (LAUCHERT 20.14).

[40] DÖLGER Taufe 431 hält unter Verweis auf Dokumente wie can.Neocaes. 12 oder die Spättaufe des Gelasinos den Taufaufschub schon um 300 für ein in »weiten Kreisen« verbreitetes Phänomen.

chumenats vollständig. Nun bietet der Eintritt in den Katechumenenstand alle Vorteile der Zugehörigkeit zur christlichen Kirche, ohne die Verpflichtungen mit sich zu bringen, denen die getauften Vollchristen unterstehen. Darum dehnt sich die Dauer des Katechumenats immer länger aus, während man sich oftmals erst im Alter (wenn die Stürme der Jugend vorbei sind) zur Taufe meldet oder die Taufe schlichtweg zum Sterbesakrament entartet – ἐντάφιον βάπτισμα nennt das Gregor von Nyssa[41]. Diese Entwicklung aber hatte gerade in einem so weitgehend christianisierten Land wie Kappadozien[42] ganz unmittelbare *ekklesiologische Konsequenzen:* die Grenzen der Kirche werden verschwommen. Alle sind Christen, aber nur wenige getauft; die grosse Menge zählt im allgemeinen Bewusstsein und nach ihrem Selbstverständnis zur Kirche, aber nur wenige unterliegen den Verpflichtungen, die die Taufe auferlegt, sowie der Bussdisziplin, die die Einhaltung dieser Verpflichtung überwacht. »Sie fürchten die Taufe, da sie den Ausschweifungen im Wege steht und von den schmutzigen Vergnügungen zurückhält«, erklärt Gregor von Nyssa die verbreitete Scheu vor der Taufe[43]. Und Basilius charakterisiert die Einstellung der Taufunwilligen mit den Worten: »Das Heute mir und das Morgen Gott.« »Schön ist das Gesetz, aber süsser die Sünde.« »Erst soll in mir die Sünde herrschen, dann einst auch der Herr. Jetzt will ich meine Glieder als Waffen der Ungerechtigkeit der Gesetzlosigkeit zur Verfügung stellen, später einmal auch als Waffen der Gerechtigkeit Gott«. »Wohlan, jetzt soll mir mein Leib zur Befriedigung schändlicher Leidenschaften dienen ... und wenn ich einmal an den Lastern genug habe, will ich dann die Taufe empfangen«[44]. So lagert sich um einen Kern von getauften Gemeindegliedern die Grauzone derer, die sich mit der Option auf die Taufe begnügen. Das Problem des – von Basilius an vielen Stellen so vehement beklagten – blosse *Namenschristentums* ist mit der Tauffrage unmittelbar verknüpft. Basilius hat dabei jene im Auge, die entweder mit den sich aus der Taufe ergebenden Verpflichtungen nicht Ernst machen[45] oder – häufiger – den Schritt zur Taufe noch gar nicht getan haben.

[41] Greg.Nyss.bapt. (46,432a).
[42] S. oben pp. 97ff.
[43] Greg.Nyss.bapt. (46,425d). Chrys.hom.Act. 23 (PG 60,182): Οἱ μὲν οὖν κατηχούμενοι τοῦτο σπουδάζοντες, οὐδεμίαν ποιοῦνται ἐπιμέλειαν.
[44] hom. 13,6.5 (31,437b.436a.436ab.433b).
[45] Z.B. can. 45.

Das ist die Situation, die die wohl zu Beginn seiner Bischofszeit gehaltene Predigt gegen den Taufaufschub (*hom. 13*) im Auge hat[46]. Basilius antwortet auf doppelte Weise. Einmal durch Korrektur des gängigen Missverständnisses der Taufe als eines blossen Sakraments der Sündentilgung: οὐ μόνον ἄφεσις τῶν παρελθόντων, ἀλλὰ καὶ δωρεαὶ τῶν μελλόντων προεκηρύχθησαν[47]. Die Taufe ist nicht nur Garant vollständiger Vergebung der vergangenen Sünden (und darum erst möglichst spät in Anspruch zu nehmen), sondern zugleich Ursprung des Heiligungslebens und Quelle geistiger Kräfte, von denen sich der ausschliesst, der die Taufgnade nicht empfängt. Vor allem aber stellt diese Homilie einen einzigen Aufruf zur Entscheidung dar: Basilius appelliert an seine Hörer, aus dem Zwischenzustand des Dauerkatechumenats herauszutreten, den entscheidenen Schritt zum »Christ«-Sein zu tun und sich durch die Taufe als einen der »Unsrigen« zu erkennen zu geben. Denn: »Keiner wird erkennen, ob du zu den Unsrigen zählst oder auf der Gegenseite stehst, wenn du deine Zugehörigkeit nicht durch die mystischen Zeichen (der Taufe) ausweisen kannst«[48]. Irrig ist die Heilsgewissheit derer, die sich als Ungetaufte zur Kirche halten: »Wie kannst du sagen: 'Ich gehöre zu Gott', wenn du nicht die Erkenntnismerkmale (der Taufe) trägst?«[49]. »Du betest den an, der für dich gestorben ist; so erkläre dich bereit, mit ihm durch die Taufe begraben zu werden«[50]. Die ständige Vertröstung auf das »Morgen«, das ewige Vorsichhinschieben des Taufentschlusses ist ein wirkungsvoller Winkelzug des Satans, der es nicht mehr wagen kann, offen zum Abfall aufzurufen: »Voller Hinterlist nun stiehlt er uns das Heute, indem er uns die Hoffnung auf das Morgen überlässt. Dann aber, wenn das Morgen kommt, naht wider unser übler Teilhaber und verlangt für sich das Heute und überlässt das Morgen dem Herrn. So entzieht er uns immer mit Hilfe der Lust die Gegenwart und überlässt die Zukunft unseren Hoffnungen und bringt uns so unbemerkt um das Leben«[51]. »Du rühmst mit den Worten die Heiligkeit, durch dein Handeln aber reihst du dich unter die Verdammten ein«[52]. So stellt der Aufruf zur Taufe die Auf-

[46] Zeit: BERNARDI Prédication 68, dem FEDWICK Church 142 folgt, vermutet als Datum den 6.1.371, andere (wie KNORR ZNW 58, 1967, 283) allgemeiner die Zeit des Epikopats. Literarische Analyse von hom. 13: GRIBOMONT Protreptique 72-92.
[47] hom. 13,3 (31,429d).
[48] hom. 13,4 (31,432bc).
[49] hom. 13,4 (31,432c).
[50] hom. 13,2 (31,428a).
[51] hom. 13,6 (31,437c).
[52] hom. 13,7 (31,441a).

forderung zu einem konsequenten Christentum dar. Er bedeutet *nicht* ein *Plädoyer für die Kindertaufe*. Die Kindertaufe wird – obwohl höchst wahrscheinlich auch in den kappadozischen Gemeinden geübt – bei Basilius an keiner einzigen Stellen erwähnt; sie widerspricht sowohl seinem Taufverständnis, das mit der Forderung nach einem bewussten Entscheid von der Erwachsenentaufe aus konzipiert ist, wie auch seienem Menschenbild, nach dem die Unschuld des Kindesalters Modell und Vorbild für die Lebensführung der Erwachsenen ist[53]. Auch der Verweis auf die von den Juden praktizierte Beschneidung am achten Tag in hom 13,2 bildet kein Gegenargument, da er ebenso wie die anderen Vergleiche mit den vorchristlichen Vorabbildungen der Taufe (wie etwa der Johannestaufe) nur eine antitypische Funktion wahrnimmt: wenn die Juden bereits ihre nur von Händen vollzogene Beschneidung am achten Lebenstag ausführen lassen, wieviel mehr Grund zur Eile gibt es dann für den, der sich durch die nicht mit Händen vollzogene Beschneidung im Taufbad das ewige Heil und die Angleichung an Gott erwerben kann[54]. Konkret angesprochen

[53] ep. 5, Trostbrief an Nektarius wegen seines ἐν αὐτῷ τῷ ἄνθει τῆς ἡλικίας (5,1:13f) gestorbenen Sohnes, endet mit den Worten: Μόνον γένοιτο ἡμᾶς δι' ἀρετῆς τῇ καθαρότητι ἐκείνου ὁμοιωθῆναι, ἵνα διὰ τὸ ἄδολον τοῦ ἤθους τῆς αὐτῆς τοῖς ἐν Χριστῷ νηπίοις ἀναπαύσεως τύχωμεν (5,2:39-42). Ähnlich ep. 206:33ff: Τοῖς μὲν γὰρ νηπίοις αὐτάρκης ἡ ἡλικία πρὸς τὸ ἀνέγκλητον, ἡμεῖς δὲ ὑπεύθυνοί ἐσμεν τὰ διατεταγμένα ἡμῖν ὑπερετεῖν τῷ Δεσπότῃ; ep. 300:45ff: οὐκ ἐποίησε κακὸν, οὐκ ἔρραψε δόλον τῷ πλησίον, οὐκ εἰς ἀνάγκην ἦλθε φρατρίαις μιγῆναι πονηρευομένων ..., οὐχ ὑπέμεινεν ἀνάγκην ἁμαρτημάτων. Der Gedanke einer Erbsünde ist Basilius fremd (BERTHER Mensch 51ff, v.a. 57: »muss das Vorliegen einer Erb-Sündenlehre bei Basilius verneint werden«; GROSS Entstehungsgeschichte I,140-143); wo die Sünde Adams als die Sünde seiner Nachfahren in den Blick kommt, gilt sie als heilbar, zB durch Busse (hom. 1,3 31,168a), Fasten (hom. 1,4 31,168b) oder Almosen (hom. 8,7 31,324c: λῦσον τὴν πρωτότυπον ἁμαρτίαν τῇ τῆς τροφῆς μεταδόσει. Ὡς γὰρ Ἀδὰμ , κακῶς φαγὼν, τὴν ἁμαρτίαν παρέπεμψεν, οὕτως ἐξαλείφομεν ἡμεῖς τὴν ἐπίβουλον βρῶσιν, ἐὰν χρείαν ἀδελφοῦ καὶ λιμὸν θεραπεύσωμεν). Dabei ist die letztgenannte Stelle nicht nur durch die Vorstellung der »Tilgbarkeit« der »urbildlichen Sünde« bemerkenswert, sondern auch dadurch, dass im gleichen Zusammenhang die Unschuld des Kindesalters betont und die Sündhaftigkeit allein der Erwachsenen behauptet wird (hom. 8,3 31,309c-312b). Zur Unschuld des Kindesalters allgemein cf. HERTER JAC 4 (1961) 146-162; GÄRTNER Familienerziehung passim.

[54] Zutreffend stellt bereits JEREMIAS Kindertaufe 107 fest, dass Basilius und Gregor von Nyssa »zwar scharf gegen Leute auftreten, die die Taufe immer wieder hinausschieben, daß sie aber beide Erwachsene im Auge haben« (ebenso: DIDIER MSR 5, 1948, 233f), während – in Verkehrung der sonst bezogenen Fronten – ALAND Säuglingstaufe 72 meint, dass nicht nur Gregor von Nazianz, sondern auch Basilius »mit aller Unbefangenheit zur baldigen Taufe der Kinder auffordern«, was für Gregor von Nazianz offenkundig zutreffend ist (s.u. pp. 133ff), für Basilius

jedenfalls ist allein die *Zielgruppe der Dauerkatechumenen*, die den Entschluss

jedoch nicht. Es lässt sich bei Basilius auch *an keiner einzigen Stelle* nachweisen, dass er *die Kindertaufe erwähnt*; der einzige Bericht, der Basilius in Zusammenhang mit einer Kindertaufe bringt (Theodor.h.e. IV,19,8-10 GCS 44,244: Basilius bietet an, den todkranken Sohn des Kaiser Valens zu taufen), ist 1. legendarisch; weicht 2. – wie JEREMIAS Kindertaufe 107,4 zu Recht hervorhebt – gerade im entscheidenden Moment der Taufe von den Vorlagen des Theodoret bzw. von den älteren Berichten ab (Greg.Naz.orat. 43,54 BOULENGER 166/168; Rufin.h.e. XI,9 GCS 9/2,1016,13ff; Socr.h.e. IV,26, 20-24 HUSSEY II,542f; Sozom.h.e. VI,16,1ff GCS 50,256f), die nur Anwesenheit resp. erbetene Fürbitte des Basilius nennen; und würde 3. auch keineswegs einen Beleg für eine *Kinder*taufe, sondern nur für eine *Kranken*taufe an einem Kind darstellen (und insofern eher für das Gegenteil sprechen). Nur den, der durch die Taufe »*wie*« ein »Kind« oder »Neugeborenes« geworden ist, erwähnt Basilius (hom. 12,13 31,413ab), nirgends aber das *getaufte* Kind oder Säugling; und hom. 8, an ein fast aussschliesslich aus Kindern bestehenden Auditorium gerichtet (8,3 31,309b-312a), redet die παῖδες nicht als Getaufte, sondern als Katechumenen an (8,1 31,305b: »Segnung«, »Hand«-Auflegung). Auch sonstige Indizien nötigen nicht dazu, für den von Basilius repräsentierten Teil Kleinasiens eine verbreitete Praxis der Kindertaufe anzunehmen (deren Vorkommen mit alledem nicht bestritten werden soll). So kann etwa Gregor von Nyssa in einem eigenen Traktat die Frage nach dem Tod von Kleinkindern – im pelagianischen Streit immerhin *der* Testfall in der Auseinandersetzung um Erbsünde und Säuglingstaufe – abhandeln, ohne die Taufe auch nur ein einziges Mal zu erwähnen (De infantibus qui praemature abripiuntur: 46,161-192; cf. DANIÉLOU VigChr 20, 1966, 159-182). Was die frühere Tradition angeht, so stellen zwar die dem aus Kappadozien stammenden Asterius Sophistes zugeschriebenen Homilien ein Zwischenglied in der von DIDIER (MSR 5, 1948, 233f; Enfants 79f) für den Osten zwischen Origenes und Gregor von Nazianz konstatierten Lücke in der Bezeugung der Kindertaufe dar (Texte bei DIDIER MSR 5, 1948, 245f; KRAFT Kindertaufe 41-43). Aber es wäre zu fragen, 1. ob die Homilien (bei Zuschreibung an Asterius) nicht als Zeugnis für die Praxis in Syrien zu gelten hätten, wo Asterius in erster Linie wirkte (cf. Athan.synod. 18,3 OPITZ II/1,245; Socr.h.e. I,36,3 HUSSEY II,165); 2. v.a. aber ist die Autorschaft des Asterius energisch bestritten (und eine Datierung der Homilien zwischen 385 und 410 vorgeschlagen) worden (KINZIG Asterius passim; Datierung pp. 159ff; zur Kindertaufe dort pp. 160-162). Und die Art und Weise, wie der pontische Verhältnisse reflektierende (und für Basilius als bekannt vorauszusetzende) can. 6 von Neocaesarea (JOANNOU I/2,77f) die Frage beantwortet, ob man eine schwangere Frau taufen dürfe – δεῖ φωτίζεσθαι ὁπότε βούλεται· οὐδὲν γὰρ ἐν τούτῳ κοινωνεῖ ἡ τίκτουσα τῷ τικτομένῳ, διὰ τὸ ἑκάστου ἰδίαν τὴν προαίρεσιν τὴν ἐπὶ τῇ ὁμολογίᾳ δείκνυσθαι –, schliesst in der Fragestellung sowie dem Verweis auf die je eigene προαίρεσις von Mutter und Kind bei der Taufhomologie die Kindertaufe als verbreiteten Brauch im Blickwinkel dieser Synode so gut wie aus (cf. DIDIER MSR 5, 1948, 233,3: »le moins qu'on puisse en dire est que le pédobaptisme n'est pas dans ses perspectives«), da sich diese vorausgesetzte προαίρεσις des Täuflings, nach Ausweis von can. 12 als Gegensatz zur ἀνάγκη etwa des Klinikers, verstanden auf das freiwillige Taufbekenntnis des mündigen Bewerbers bezieht. – Zur Kindertaufe bei Gregor von Nazianz s. u. pp. 133ff, zur kirchlichen Stellung des Kindes bei Basilius s. u. pp. 143ff.

zur Taufe von Monat zu Monat und von Jahr zu Jahr verschieben[55], die – »obwohl von Kindesbeinen an im Wort unterrichtet« – den entscheidenden Schritt zur Taufe immer noch nicht zu tun bereit sind[56], mit denen die Kirche »seit langem in Geburtswehen liegt« und sie dennoch nicht gebären kann[57], und die zwar »ständig lernen« und »ihr Leben lang erproben«, aber dennoch noch nicht – in der Taufhomologie – »der Wahrheit zugestimmt haben«[58]. Und wo die Zielgruppe der Taufkandidaten altersmässig differenziert wird, sind es allein die jungen Leute (Νέος εἶ) und die Alten (Παράδραμεν ἡ ἀκμή), niemand sonst[59]. Sie alle werden aufgefordert, dem an sie ergangenen »Ruf« zu folgen[60], in den Soldatendienst Christi einzutreten und sich zu einem dem Evangelium entsprechenden Leben (εὐαγγελικὴ πολιτεία) zu verpflichten, welches Basilius im Anschluss an die Forderungen der Bergpredigt beschreibt[61]. Dabei hat sich Basilius dem Einwand zu stellen, dass diese Forderung »schwer zu erfüllen« und »dieser Schatz schwer zu bewachen« sei[62]. Er antwortet mit dem Satz, dass nur der Athlet auch die Siegeslorbeeren verdient, und er bietet Hilfen zur Bewahrung der Taufgnade an, wobei diese Hilfen ihre Nähe zum monastischen Milieu nicht verleugnen können: »Du hast als Mitarbeiter (zur Bewahrung des Schatzes), wenn du willst, das Gebet, welches die Nacht durchwachen lässt, Fasten, welches das Haus hütet, Psalmengesang, welcher das Herz nach oben geleitet. An die sollst du dich halten«[63].

Nicht nur im Leben des einzelnen stellt die Taufe als Beginn und Entscheid für ein bewusstes Christentum einen Wendepunkt dar. Vielmehr markiert der betonte Verweis und die beständige Erinnerung an die Taufe zugleich auch die *Grenzen der Kirche*. Ein dreifaches ist damit impliziert. 1. Die *Neudefinierung der Kirchengliedschaft:* nur die Getauften, nicht aber die Masse

[55] hom. 13,6 (31,437c); 13,1 (31,425b); 13,7 (31,441b). Eine der Polemik gegen den Taufaufschub analoge Warnung vor dem Hinausschieben des Entschlusses zum mönchischen Leben in prol. IV,1 (31,889b-892a).

[56] hom. 13,1 (31,425b).

[57] hom. 13,1 (31,425a).

[58] hom. 13,1 (31,425b).

[59] hom. 13,1 (31,432c).

[60] hom. 13,1 (31,425c); 13,8 (31,444b).

[61] hom. 13,7 (31,440ab).

[62] hom. 13,7 (31,440b): Ἀλλὰ χαλεπὰ ταῦτα; ἀλλὰ δυσφύλακτος ὁ θησαυρός (31,440d).

[63] hom. 13,7 (31,440d).

der lebenslangen Katechumenen gelten als »Christen« und zählen zur Kirche als μέρις τῶν σωζομένων bzw. als Heilsgemeinschaft. Damit zieht Basilius die Konsequenzen aus einer Entwicklung, die den Katechumenat aus einer begrenzten Eintrittsphase zu einer Dauereinrichtung, zu einer Form lebenslanger Mitgliedschaft mit verminderten Verpflichtungen hatte werden lassen[64]; 2. die *dualistische Perspektive:* die Taufe ist Scheidemarke von Kirche und Welt, auch inmitten einer nominell christlichen Gesellschaft; 3. (und deckungsgleich mit dem 2. Gesichtspunkt): *Mönchtum und Gemeindechristentum* werden zwar organisatorisch, nicht aber im Blick auf die Verpflichtung der einzelnen »Christen« unterschieden. – Angesichts der fliessenden Grenzen der Kirche kommt so der Taufe in ganz neuer Weise wieder eine kritisch-unterscheidende Funktion zu. Nur realisisiert sich diese Scheidung von Innen und Aussen, von »Kirche« und »Welt« nicht mehr wie früher im Gegenüber von christlicher und heidnischer Gesellschaft, sondern – in Antwort auf die volkskirchliche Situation, deren Probleme sich im Kappadozien des Basilius zum erstenmal in bedrängender Schärfe stellen – als Trennung innerhalb der Gesamtheit derer, die sich Christen nennen.

3. *Einheit und Desintegration.* Soweit Basilius, dessen Kirchenbegriff auf der Einheit des Christseins in Kirche und Kloster kraft der Taufe beruht. Sobald sich nun dieser konzeptionelle Bezugsrahmen ändert, kommt zwangsläufig auch der Taufe ein veränderter Stellenwert zu. Das ist bereits bei den Weggefährten des Basilius, Gregor von Nazianz und Gregor von Nyssa, der Fall, wie ein Vergleich ihrer (ca. 10 Jahre später gehaltenen) Predigten gegen den Taufaufschub[65] mit der gleichthematischen Homilie des Basilius ausweist. Und da diese nicht nur gleiche Verhältnisse wie Basilius ins Auge fassen, sondern auch literarisch die Basiliushomilie zur Voraussetzung haben, lassen sie die verschiedenen Entwicklungstendenzen deutlich erkennen. Hervorgehoben seien folgende Momente.

[64] Näheres s. unten pp. 138ff.

[65] Greg.Naz.orat. 40 (36,359-425); Greg.Nyss.bapt. (46,415-432). Die Homilien des Basilius (ca. 371) und des Gregor von Nyssa (7.1.381) sind im kappadozischen Caesarea, die des Gregor von Nazianz (7.1.380 oder 7.1.381) in Konstantinopel gehalten (cf. DANIÉLOU RSR 29, 1955, 353-355; BERNARDI Prédication 298.205).

a. Basilius will, so sahen wir, mit der Polemik gegen den Taufaufschub nicht für die *Kindertaufe* plädieren, sondern zur Entscheidung aufrufen. Bei Gregor von Nazianz, der im Unterschied zu Basilius unter seinen Hörern ausdrücklich auch die Zielgruppe der Eltern anspricht[66], ist dies anders; hier schliesst die Kritik des Taufaufschubs die Aufforderung zur Kindertaufe ein[67]. Dabei lassen seine im Einzelnen widersprüchlichen Vorstellungen und tastende Argumentation deutlich die Situation des Übergangs erkennen. Auch ihm gilt die Taufe als »Vertrag eines zweiten Lebens«[68], er denkt also im wesentlichen noch von der Erwachsenentaufe aus; und die Übung der Säuglingstaufe kennt er nur, »falls Gefahr im Anzug ist« (und dafür – also für die Nottaufe an Kleinkindern! – kann er sich dann auch auf das Vorbild der Beschneidung am 8. Tag berufen)[69]. Hingegen »rät« er, Kinder im Alter von etwa drei Jahren zu taufen, wenn sie die Worte der Taufliturgie zwar noch nicht »ganz verstehen«, aber immerhin doch »hören« und »beantworten« können. Und wenn er hinzufügt, dass die νήπια zwar vor Erlangung der Vernunft noch nicht schuldfähig seien und dass die ungetauft verstorbenen Kinder ὡς ἀσφραγίστους μὲν, ἀπονήρους δέ nicht dem Gericht verfallen, dass es aber angesichts der zahlreichen unkalkulierbaren Risiken des Lebens »in jedem Fall nützlicher« ist, sie durch das Taufbad zu schützen[70], so wird seine Ferne zur afrikanisch-augustinischen Begründung der Kindertaufe deutlich, die ja gerade von der Erbsünde und der Verdammung der ungetauft verstorbenen Kinder aus argumentierte[71]. Vielmehr sind es, wie der Verweis auf die durch die Taufe gewährte »Sicherheit« und »Heiligung« erkennen lässt, andere Motive und Begründungsmuster, die bei Gregor (wie im Osten überhaupt) die Entwicklung zur Kindertaufe bestimmen[72]. Zugleich ist der Unterschied zu Basilius und seiner

[66] orat. 40,17 (36,380cd). Man vergleiche Bas.hom. 13,5 (31,432c): Νεός εἶ; ... Παράδραμεν ἡ ἀκμή; mit Greg.Naz. ibid.: Νέος εἶ; ... Γηραιὸς εἶ; ... Νήπιον ἔστι σοι;

[67] orat. 40,28.17.23 (36,400ab; 380d-381a; 389); carm. I,1,9,87-95 (37,463f).

[68] orat. 40,8 (36,368b).

[69] orat. 40,28 (36,400a).

[70] orat. 40,28.23 (36,400b; 389b).

[71] Augustin hat sich gegenüber Julian zu unrecht auf Gregor berufen (c.Julian. 1,15.32 2,7 PL 44,649f.663.667f). – Zu Sündenbegriff und Kindertaufe bei Gregor von Nazianz cf. ALTHAUS Heilslehre 79ff, v.a 102ff; 118ff; 152ff, v.a. 164ff.

[72] Für das eine Motiv sei als Beispiel auf (ps.)Aster.Soph.hom. 20 ps. VI (PG 40,445b) verwiesen: ὀφείλει ταχινωτέρα τῷ βρέφει πρὸς ἀσφάλειαν δίδοσθαι; dazu: DIDIER MSR 5 (1948) 238; für das andere Motiv Chrys.cat. III (ad neophytos), 6 (SC 50,153f): Εἶδες πόσαι τοῦ βαπτίσματος αἱ δωρεαί; καίτοι γε πολλοῖς δοκεῖ ὅτι

Forderung nach »bewusster« Teilnahme an der Taufe offenkundig[73]. Die unterschiedliche Verwendung des gleichen Motivs beleuchtet die eingetretene Verschiebung: das Bestreichen der Türschwellen Exod 12, von Basilius für die Notwendigkeit des Taufsiegels als solchen angeführt, beweist für Gregor von Nazianz die Möglichkeit, »ohne eigenes Wissen geheiligt zu werden«[74].

b. Eine vergleichbare Akzentverschiebung in Richtung auf ein stärker sakramentalistisches Taufverständnis lässt sich auch bei Gregor von Nyssa feststellen. Nur betrifft diese hier nicht die Busspraxis als solche, sondern das Verhältnis von *Taufe und Busse*. »Vor die Wahl von zwei Übeln gestellt«, sagt er, »ist es eher vorzuziehen, dass einer nach Empfang des heilbringenden Taufbades wieder in Sünde fällt als dass er ohne Anteil an der Taufgnade aus dem Leben scheidet«[75]. Mit dieser Argumentation will Gregor der Sorge entgegenwirken, durch sofortigen Taufempfang die Gelegenheit zu vollständigem Sündennachlass verfrüht in Anspruch zu nehmen; der Getaufte, so Gregor, steht in jedem Fall besser da als der Ungetaufte, auch wenn er in seine alten Sünden zurückfällt. Basilius hätte nicht so reden können. Für ihn ist mit der Taufe alles gegeben, und es kann nur darum gehen, diese Taufe durch Busse und in der Hilfe der Gemeinschaft kämpferisch zu bewahren. Gerade für den in die Nachfolge Gerufenen gilt ja das Herrenwort Joh 15,22: »Hätte ich nicht zu ihnen geredet, so hätten sie keine Sünde«[76]. Bei Gregor von Nyssa hingegen kommt die Taufe eher als Ausgangspunkt eines individuellen Vollkommen-

μόνον ἁμαρτημάτων ἄφεσιν ἔχει ἡ δωρεά, ἡμεῖς δὲ δέκα ἀπηριθμησάμεθα τιμάς. Διὰ τοῦτο οὖν καὶ τὰ παιδία βαπτίζομεν καίπερ ἁμαρτίας οὐκ ἔχοντα ἵνα προστεθῇ ἁγιασμὸς, δικαιοσύνη, υἱοθεσία etc. Im übrigen hat sich der Übergang zur Kindertaufe als Regelform im Osten ungleich langsamer vollzogen als im Westen; speziell für Konstantinopel haben wir 20 Jahre nach Gregors Rede das wichtige Zeugnis Chrys.hom.Act. 23 (PG 60,182), der nicht nur die Getauften der grossen Masse der Katechumenen gegenüberstellt, sondern auch noch dreifach unterteilt: solche, die als Kind, die in Krankheit und die bei Gesundheit (als Erwachsene) getauft worden sind.

[73] Bas.hom. 13,5 (31,436c-437a).

[74] Bas.hom. 13,4 (31,432c); Greg.Naz.orat. 40,28 (36,400a). – Eine ebenfalls bemerkenswerte Motivverschiebung findet sich bei Gregor von Nazianz selbst, der in orat. 40,17 (36,381a) die Eltern unter Verweis auf Anna, die Samuel schon vor der Geburt Gott geweiht hat, zur Kindertaufe anhalten will, das Anna-Motiv sonst aber auf seine eigene Mutter bezieht, die ihn ebenfalls schon vor seiner Geburt Gott geweiht hatte, aber eben o h n e ihn taufen zu lassen (carm. II,1,1,426 37,1001; orat. 18,11 35,997a; carm.vit. 194ff JUNCK 62).

[75] Greg.Nyss.bapt. (46,424a).

[76] Cf. RB 45 (AscP).

heitsstrebens in den Blick, und kann darum isoliert betrachtet und (in der einen Linie seines Denkens) sakramentalistisch abgesichert werden.

c. Eine signifikante Änderung des ekklesiologischen Bezugsrahmens der Taufe ist schliesslich in der umittelbaren Texgeschichte des basilianischen Schrifttums greifbar, wo wir mit *ps.Bas.ep. 43* ein Stück der Taufhomilie des Basilius als separate Einheit überliefert finden[77]. Das Bemerkenswerte an diesem Vorgang liegt im *Wechsel des Adressaten:* den »evangelischen Wandel«, den Basilius in hom. 13,7 mit Worten der Bergpredigt beschreibt und als für alle Christen verbindliche Taufverpflichtung formuliert, erscheint hier nun als Anweisung nur noch für einen speziellen Stand, den der Mönche. Als Einzelbeispiel beleuchtet dieser Vorgang einen umfassenden Prozess, dem wir vielfältig begegnen: die von Basilius proklamierte Einheit von Christ-Sein in Gemeinde und Kloster ist zerbrochen, sie hat auf Dauer keinen Bestand gehabt. Man überliess den »evangelischen Wandel« dem Stand anerkannter Heiliger.

d. Anders als ps.Bas.ep. 43, die eine Redaktion wohl aus späterer Zeit darstellt[78], führen die ps.bas. Bücher *De baptismo* in die unmittelbare Nachgeschichte des Basilius im kappadozischen Mönchtum ein. In jüngerer Zeit hat U. NERI in seiner Edition den erneuten Versuch des Nachweises ihrer Authentizität unternommen, der aber (ebenso wie frühere Zuweisungen dieser Schrift an Eusthatius von Sebaste) missglückt sein dürfte[79]. Denn zu offenkundig sind – ganz abgesehen von spachlichen und stilistischen Differenzen – die Gegensätze gerade im Verständnis der Taufe, die in De baptismo in eine

[77] hom. 13,7.8 (31,440 a15-b7; 444 c2-8) = ps.Bas.ep. 43; s. KNORR ZNW 58 (1967) 279-286; ZKG 80 (1969) 375-381.

[78] KNORR vermutet Redaktion im Akoimetenkloster von Konstantinopel, wo für das 5. und 6. Jh. analoge literarische Bearbeitungstätigkeit angenomen werden kann (KRAWCYNSKI-RIEDINGER ByZ 57, 1964, 15ff).

[79] U. NERI, Il battesimo, Brescia 1976; ders. in : U. NERI/M. A. ARTIOLI, Opere Ascetiche, 22f.515ff; cf. FEDWICK Chronology 15,83 14,81; ders. Church 152; GRIBOMONT Notes biographiques 44f; RUDBERG Études 61. Für Eustathius als Autor: KRETSCHMAR Taufgottesdienst 150,14; HAUSCHILD Pneumatomachen 220-224; Kritik bei RITTER ZKG 80 (1969) 404ff, der zugleich präzise die Unterschiede gegenüber Basilius herausstellt. – Auch die Ausgabe von De baptismo in SC 357 durch J. DUCATILLON (mit dem Text von U. NERI), Paris 1989, bringt keine neuen Argumente in Sachen Authentizität und verändert nicht die Diskussionslage. – Frühere Voten zur Echtheitsfrage verzeichnet in CPG II,159. Cf. auch DAVIDS StPatr 16 (1976) 302ff.

(logische, nicht zeitliche) Abfolge von Taufen im Namen des Heiligen Geistes, des Sohnes und des Vaters zerlegt wird[80], womit nicht nur der stufenweise Aufstieg des Asketen beschrieben, sondern auch eine je unterschiedliche δόξα von Vater, Sohn und Hl. Geist behauptet wird[81]. Andererseits besteht eine so grosse Nähe zu Einzelmotiven und Schrifttum des Basilius, dass hier die Umprägung seines Gedankengutes unmittelbar greifbar wird. Für uns hier von Belang ist die Feststellung, dass in De baptismo der Getaufte *exklusiv* mit dem *Asketen* gleichgesetzt wird, Taufe sich also nur noch im Kloster realisiert. Erfordert die Taufe bereits eine längere Zeit vorangehender Bewährung und »Jüngerschaft«[82], so ist die untere Stufe der Geisttaufe dadurch charakterisiert, dass »der von oben Geborene den Ort und die Sitte und die Umgebung (τοὺς συζῶντας) wechselt«, um so schliesslich als »vollkommener Stufe« zur Taufe im Namen des Vaters und zur Gotteskindschaft zu gelangen, die mit den Worten von 2Kor 6,17 beschrieben wird: »Geht heraus aus ihrer Mitte ... und ich will euch Vater sein«[83]. Damit ist die Taufe als Einheitsband aller Christen aufgegeben zugunsten einer Konzeption, die den mit der Taufe verbundenen Anspruch nur noch im Kloster glaubt realisieren zu können.

C. TAUFE UND DIE GRENZEN DER KIRCHE

Eines der wesentlichen Ergebnisse der bisherigen Diskussion bestand in der Einsicht, dass bei Basilius die Taufe in neuer Weise als Beginn (und nicht Stufe) des Christenlebens und damit zugleich als Eintrittstor in die Kirche und als Scheidemarke von Kirche und Welt in den Blick kommt. Diesen neuen – unterscheidenden – Stellenwert gewinnt die Taufe in einer Situation, in der durch die verbreitete Praxis des Taufaufschubs und angesichts einer Mehrheit von Dauerkatechumenen die Konturen der Kirche zu verschwimmen drohen. Wir müssen diesen Faden an dieser Stelle noch einmal aufnehmen und die Bedeutung der Taufe für die Grenzen der Kirche in doppelter Hinsicht zu präzisieren suchen. Einmal: Was bedeutet die betonte Hervorhebung der Taufe

[80] De baptismo I,2,20-24; 26f; I,3,1 (31,1560c-1565b; 1569b-1572d; 1573ab).
[81] De baptismo I,2,20 (31,1560c): πρῶτον μὲν οὖν ἑκάστου ὀνόματος ἰδιαζόντως τὴν τοῦ ὀνομαζομένου δόξαν ἀναγκαῖον.
[82] De baptismo I,1,1; 2,1.26 (31,1513c; 1525c; 1569b).
[83] De baptismo I,2,27.21.24 (31,1572ab; 1561b-1564a; 1565ab).

für die Bewertung des Katechumenenstandes bei Basilius? Zum andern: Inwieweit definiert die Taufe auch gegenüber den Angehörigen ausserkatholischer Gemeinschaften die Grenzen der Kirche?

1. *Katechumenat*

a. Die veränderte Bewertung der Stellung der Katechumenen lässt sich am veränderten Gebrauch des Titels *»Christ«* ablesen. Wir sahen, dass in der vorkonstantinischen Zeit der Eintritt in den Katechumenenstand den entscheidenden Schritt darstellt, der den Bruch mit der alten Welt und die Zugehörigkeit zum Gottesvolk begründet; und dieser Bedeutung des Katechumenenstandes entspricht es, dass bereits die Katechumenen als »Christen« gelten. So bei Hippolyt, Tertullian[1], Origenes[2] oder – an der Schwelle zur Reichskirche – in den Kanones der Synode zu Elvira (306?)[3], die nicht nur bestätigen, dass sich das »Christ-Werden« durch Aufnahme in den Katechumenenstand vollzieht, sondern sich auch im Fall erkrankter, aber bekehrungswilliger Heiden damit begnügen, sie durch Handauflegung zu Katechumenen und so zu »Christen« zu machen[4]. Sowohl der Sprachgebrauch (Katechumenen als »Christen«) wie die Einschätzung des Katechumenenstandes als einer gewissen Versicherung des Heils sind nun auch für das 4. Jahrhundert bezeugt, jetzt aber unter den veränderten Bedingungen des Massen- und Dauerkatechumenentums. Und wenngleich es natürlich auch nicht an ganz anders gearteten Stimmen fehlt, die die Katechumenen mit den Heiden zusammenstellen oder in ihnen jene kritische Öffentlichkeit sehen, vor der sich nicht blosszustellen die Kirche bestrebt sein

[1] S. KRETSCHMAR Taufgottesdienst 66.

[2] Z.B. Orig.hom. I,5 ps. 38 (PG 12,1405bc), wo vom Katechumenen, der »Christianus dicebatur et signo Christi signabatur in fronte«, der Getaufte unterschieden wird, der dem Satan und der Welt »renuntiavit in baptismo«.

[3] can.Eliberit. 39.45.59 (LAUCHERT 19.20.22).– Zur umstrittenen Datierung der Kanones cf. ORLANDIS/RAMOS LISSON Synoden 3-30 (»um 360«); MEIGNE RHE 70 (1975) 361ff.

[4] can.Eliberit. 39: Gentiles si in infirmitate desideraverint sibi manum imponi ..., placuit eis manum imponi et fieri Christianos; cf. den deckungsgleichen can.Arelat. 6. Zu Handauflegung als Katechumenatsritus (Titel ist sekundär) cf. Eus.vit.Const. IV,61,3 (GCS 7,142); Sulp.Sev.vit.Mart. 13,9 (CSEL 1,123); dial. II,4,8f (CSEL 1,185): tum vero multitudo omnes ... postulantes ut eos faceret Christianos. nec cunctatus ... cunctos imposita manu catecumenos fecit ...; zur andersgearteten Behandlung erkrankter Katechumenen cf. can.Eliberit. 38.11.

müsse[5], so dürfte doch aufs Ganze gesehen jene Selbsteinschätzung der Katechumenen vorherrschend gewesen sein, die Basilius mit den Worten wiedergibt: τοῦ θεοῦ εἰμι: obwohl ungetauft, weiss sich der Katechumen gottzugehörig;[6] oder die in der Erwartung ihren Ausdruck findet, im Himmel zwar wohl keinen Ehrenplatz einnehmen zu können, aber als Katechumen wenigstens vor den Höllenstrafen sicher zu sein (so die Stimme des Interventen bei Gregor von Nyssa[7]). Konnte sich doch auch Konstantin durch das Urteil christlicher Bischöfe als Ungetaufter in seiner Heilsgewissheit bestätigt fühlen[8]. Dass man (vereinzelt) gar Katechumenen zum Klerus zuliess, ist ebenfalls bezeugt[9]. Fest steht jedenfalls, dass der Titel »Christ« keineswegs die Taufe zur notwendigen Voraussetzung hatte, sondern vielmehr den Oberbegriff darstellte, innerhalb dessen man dann nach Katechumenen und Getauften differenzierte. Dies entsprach sowohl dem Selbstverständnis der Katechumenen[10] wie ihrer Stellung in der Öffentlichkeit[11] wie der Terminologie der staatlichen Gesetzgebung[12] wie dem Sprachgebrauch der liturgischen Formulare, und zwar in Ost wie in West. Für das eine stehe als Beispiel Augustin, z.B. Tract.Ioh. 44,3: »Interroga hominem: Christianus es? ... Si autem dixerit: Sum, adhuc quaeris ab eo: catechumenus an fidelis? etc.«[13], für das andere der sog. 7. Kanon von

[5] Z.B. Athan.syn. 2,3 (OPITZ II/1,232); Amphil.haer. 17:636f (CCG 3,201).

[6] Bas.hom. 13,4 (31,432c).

[7] Greg.Nyss.bapt. (46,428c): Οὐ κολάζομαι, φησὶν, οὐδὲ φοβοῦμαι τὰς ἀπειλάς· ἀρκοῦμαι δὲ τῷ μὴ παθεῖν τι δεινὸν, μήτε ὡς κατορθώσας τι γενναῖον ἀποδειχθῆναι.

[8] Eus.laud.Const. XI,1 (GCS 7,223); cf. KRAFT Taufe 647; DÖLGER Taufe 437ff: »'christianus' oder der ungetaufte Christ«.

[9] Z.B. Socr.h.e. V,22,49 (HUSSEY II,633): Ἐν τῇ αὐτῇ δὲ Ἀλεξανδρείᾳ ἀναγνῶσται καὶ ὑποβολεῖς ἀδιάφορον, εἴτε κατηχούμενοι εἰσὶν εἴτε πιστοί. Cf. QUASTEN Musik 136; BOTTERMANN Beteiligung 53ff (»Das Kind als Lektor«); PETERSON EL 48 (1963) 437-442 (»Das jugendliche Alter der Lektoren«).

[10] So der Rückblick des (erst als Erwachsener getauften) Hieronymus (praef. in lib.Job PL 28,1082): Ego christianus de parentibus christianis natus ...; oder Gregor von Nazianz (orat. 43,21,2 BOULENGER 102) über die gemeinsame Athener Studienzeit mit Basilius.

[11] So Athanasius (apol.Const. 1,1; OPITZ II/1,279) an den ungetauften Kaiser Konstantius: Ἐκ πολλῶν ἔτων ὄντα σε χριστιανὸν καὶ ἐκ προγόνων φιλόθεον ἐπιστάμενος. Ebenso Lucif.Athan. 2,28 (CSEL 14,198) an Konstantius: qui tamen Christianum te pium prudentem atque iustum videri posse censeas.

[12] Cod.Theod. XVI,7,2 (MOMMSEN I/2,884) etwa unterscheidet zwischen »Christen, die (getaufte) Gläubige sind« (christianis ac fidelibus) und »Christen im Katechumenenstand« (his vero, qui Christiani et catechumeni tantum).

[13] Aug.tract.Ioh. 44,2 (PL 35,1714); serm. 46,13,31 (PL 38,288): quaeris: Paganus es, an Christianus? Respondet: Christianus ... Quaeris, ne forte catechumenus sit ... respondet: Fidelis. Quaeris cuius communionis sit ... (HOFMANN

Konstantinopel 381, der als die drei Stufen der Aufnahme in die Kirche den Status 1. als »Christ«, 2. als Katechumen und 3. als Getaufter bezeichnet[14].

Das ist der Hintergrund, auf dem der *restriktive Sprachgebrauch bei Basilius* zu sehen ist, der den »Christen«-Titel (und damit die Zugehörigkeit zu Christus) der Masse der Dauerkatechumenen abspricht und den Getauften vorbehält, weshalb die ganze Rede gegen den Taufaufschub auf den einen Satz hinausläuft: »Wann endlich wirst du Christ?«[15] Basilius ist zwar keineswegs der einzige, der den Christentitel für die Getauften reserviert, und er handhabt diesen Sprachgebrauch auch nicht mit schematischer Starre, kann also (entsprechend der konventionellen Redeweise) vereinzelt auch Katechumenen als Christen ansprechen[16]. Gleichwohl aber ist bei ihm Ursprung und betonter Rückbezug des Christentitels auf die Taufe unverkennbar[17]. Und da es gerade dieser »Christen«-Titel ist, den er (seit den Moralia) in seiner aggressiv-unterscheidenden Bedeutung zum Schlagwort seines Reform- und Erneuerungsprogramms der Kirche macht, so wird deutlich, dass er zusammen mit der Taufe die Grenze markiert, die den Katechumenen von der Kirche scheiden. In diesem Zusammenhang verdient die Beobachtung Erwähnung, dass Basilius nur von »dem« Christen spricht, anders als etwa Gregor von Nyssa[18] oder Symeon[19] differenziert er nicht durch Zusatz von τέλειος, ἀληθινός etc. Vielmehr gibt es in seinen Augen nur den einen Stand der »Christen«, und diese heben sich ab von all denen, die – wie die Katechumenen – nicht getauft sind oder – wie die blossen Namenschristen – ihr Leben nicht aus der Taufe führen.

Augustinus 206,39 zSt: »offensichtlich ein Frageschema ..., das man Auswärtigen gegenüber ... anwandte); serm. 294,14 (PL 38,1343); etc. Cf. ROETZER Quelle 136-143; LAMIRANDE REAug 9 (1963) 221-234.

[14] can.Const. 381 7 (COD 35), der in Wirklichkeit dem 5. oder 6. Jh. angehört.

[15] hom. 13,1 (31,425b).

[16] So hom. 13,6 (31,437c), wo indirekt allerdings auch Zusamengehörigkeit von Taufe und »Christen«-Titel vorausgesetzt wird; wahrscheinlich ep. 94:55 (Provinzstatthalter Elias, wohl noch Katechumen: KNORR Basilius I,100); vielleicht ep. 225,1:3 (Demosthenes).

[17] DSS X,26:1ff; hom. 13,1 (31,425b); can. 45; etc.

[18] Z.B. Greg.Nyss.bapt. (46,421c).

[19] Zum »Christen«-Titel bei (Makarius/)Symeon cf. die exkursartige Anmerkung in der Ausgabe der Homilien PTS 4,45-47.

b. Eine veränderte *kirchenrechtliche* Stellung der Katechumenen bei Basilius ist nicht erkennbar (wenn man nicht die wiederholt in Erinnnerung gerufene, in praxi aber nicht immer durchzuhaltende Warnung vor der Weihe von Neophyten in diesem Zusammenhang nennen will). Die Signation der Katechumenen mit dem Kreuzeszeichen gilt ihm als apostolischer Brauch[20], ihre Zulassung nur zum Wortgottesdienst entspricht der traditionellen Ordnung; im übrigen ist Basilius naturgemäss immens daran interessiert, diese weitere christliche Öffentlichkeit durch das Medium der Predigt zu erreichen. Das neue – und zugleich auch gegenüber den beiden Gregoren Unterscheidende – liegt vielmehr in der Schärfe, mit der die *Heilsnotwendigkeit der Taufe* betont wird. Surrogate der Taufe lehnt Basilius ab, lediglich die Bluttaufe des Märtyrers erkennt er als vollgültigen Ersatz der Wassertaufe an[21]. Insbesondere ist ihm der Gedanke der sog. Begierdetaufe völlig fremd, wie ihn etwa die taufunwilligen Hörer des Gregor von Nazianz vortragen[22] oder Ambrosius in seinem Epitaph auf den ungetauft verstorbenen Valentinian II. formuliert: »Non habet ergo gratiam quam desideravit: non habet quam poposcit? Certe quia poposcit, accepit«[23]. Die Ablehnung dieses Gedankens ist ihm mit den beiden Gregoren gemeinsam[24]. Gleichwohl bestehen in der Frage der Heilsnotwendigkeit der Taufe deutliche Unterschiede zwischen den drei Kappadoziern. Vielleicht ist bereits die dubitative Redeform signifikant, mit der Gregor von Nyssa vom Heilsausschluss des Ungetauften spricht: οὐκ οἶδα οὐδὲ εἰ ...[25] Vor allem aber ist der unterschiedliche Stellenwert der Taufe an den unterschiedlichen eschatologischen Vorstellungen ablesbar. Für Basilius ist der Hörer mit der Aufforderung zur Taufe vor die Wahl zwischen Heil und Unheil gestellt, ein Drittes kennt er hier – wie auch sonst – nicht: »Mensch, entweder fürchte das Gericht oder strebe nach dem Himmelreich, jedenfalls verachte nicht den Ruf!«[26] Die beiden Gregore hingegen unterscheiden, ebenfalls in den Reden gegen den Taufaufschub, drei (oder mehr) gegeneinander abgestufte eschatolo-

[20] DSS XXVII,77:10-13.
[21] DSS XV,36:23-29.
[22] Greg.Naz.orat. 40,22 (36,388b): Οὐχὶ φιλάνθρωπον, φησὶ, τὸ Θεῖον; καὶ γνωστικὸν γὰρ ἐννοιῶν, δοκιμάζει τε τὴν ἔφεσιν, καὶ ἀντὶ βαπτίσματος, ποιεῖται τὴν ὁρμὴν τοῦ βαπτίσματος.
[23] Ambros.obit.Valent. 51 (PL 16,1374c).
[24] Bas.DSS X,26:9-11; hom. 13,4 (31,432); Greg.Nyss.bapt. (46,424c-425b); Greg.Naz.orat. 40,23 (36,389c).
[25] Greg.Nyss.bapt. (46,424b).
[26] hom. 13,8 (31,444b).

gische Zustände und fassen dabei auch einen Zwischenzustand ins Auge, in dem sich Getaufte und Ungetaufte treffen können. Dreifach geteilt, sagt Gregor von Nyssa, ist das Menschengeschlecht in der künftigen Welt, und nennt die drei τάγματα: »erstens die Ordnung derer, die Lob verdienen und gerecht sind; zweitens: jene, die weder Ehre noch Strafe empfangen; drittens: jene, die für ihre Vergehen Strafen abbüssen«; jene Christen, die die Taufe bis auf die Todesstunde aufschieben, weist er dem mittleren τάγμα zu[27]. Die gleiche Auffassung vertritt auch Gregor von Nazianz, der neben den sog. Klinikern (also erst auf dem Sterbebett Getauften)[28] auch jenen den Mittelzustand ohne Lohn und Strafe zuerkennt, die frei von Schlechtigkeit und ohne eigenes Verschulden ungetauft sind[29]. Überhaupt tritt – komplementär und damit zugleich relativierend – neben das Faktum des Getauftseins das Kriterium der Lebensführung: Οἱ δὲ καὶ πρὸ τῆς τελειώσεως ἦσαν ἐπαινετοί[30]. Ein solches Beispiel stellt seine Schwester Gorgonia dar, die sich zwar erst kurz vor ihrem Tod hatte taufen lassen, zuvor aber ein Leben voller Heiligkeit geführt hatte, so dass die Taufe diesem Leben nur das Siegel der Zugehörigkeit zu Christus hinzufügte: »Ihr ganzes Leben war Reinigung und Vollendung«[31]. Eine gleichartige Aussage trifft Gregor von Nazianz auch im Blick auf seinen Vater, der lange Zeit der Sekte der Hypsistarier angehörte und erst im Alter von ca. 35 Jahren die christliche Taufe empfing[32]. Er gehörte, so Gregor, schon vor seiner Taufe zur Kirche, da ihn – wie viele andere der »Aussenstehenden« – »sein sittliches Leben mit uns zusammengebunden hatte«[33]. Bildet so für Gregor von Nazianz die Taufe nicht nach hinten die definitive Grenzmarke der Kirche, so auch nicht nach vorne, im Blick auf das künftige Geschick der nicht oder ungültig Getauften, wie seine Äusserungen über die Novatianer in orat. 39,19 zeigen, die er zwar für die Gegenwart verloren gibt, aber doch auf ihre

[27] Greg.Nyss.bapt. (46,428ab).

[28] Greg.Naz.orat. 14,12 (36,375bc).

[29] ibid. 40,23 (36,389bc): τοὺς δὲ, μήτε δοξασθήσεσθαι, μήτε κολασθήσεσθαι παρὰ τοῦ δικαίου κριτοῦ, ὡς ἀσφραγίστους μὲν, ἀπονήρους δὲ, ἀλλὰ παθόντας μᾶλλον τὴν ζημίαν, ἢ δράσαντας.

[30] ibid. 40,22 (46,388c). Zum ganzen Abschnitt c. 40,23 cf. (unter Einschränkung) ALTHAUS Heilslehre 103ff; dort weitere Literatur.

[31] ibid. 8,20 (35,812cd): πᾶς ὁ βίος κάθαρσις ἦν αὐτῇ καὶ τελείωσις.

[32] Cf. oben p. 105,49 sowie: ZIEGLER MThZ 32 (1980) 262ff.273ff.

[33] Greg.Naz.orat. 18,6 (35,992b): Ἐκεῖνος καὶ πρὸ τῆς ἡμετέρας αὐλῆς ἦν ἡμέτερος· εἰσεποίει γὰρ αὐτὸν ἡμῖν ὁ τρόπος. Ὥσπερ γὰρ πολλοὶ τῶν ἡμετέρων οὐ μεθ' ἡμῶν εἰσιν, οὓς ὁ βίος ἀλλοτριοῖ τοῦ κοινοῦ σώματος, οὕτω πολλοὶ τῶν ἔξωθεν πρὸς ἡμῶν, ὅσοι τῷ τρόπῳ τὴν πίστιν φθάνουσι, καὶ δέονται τοῦ ὀνόματος, τὸ ἔργον ἔχοντες.

Rückgewinnung im Taufbad des Läuterungsfeuers im künftigen Äon hofft[34]. Damit bezieht er einen ganz anderen Standort als Basilius, für den der künftige Äon Zeit des Gerichts und allein der gegenwärtige Äon Zeit der Busse und des tätigen Heilserwerbs ist[35]. Und wenn er aus eben diesem Grund die origeneische Theorie von der ἀποκατάστασις πάντων ablehnt[36], so unterscheidet er sich darin von Gregor von Nyssa, der sie kennt[37] (und damit zugleich den heilsentscheidenden Wert der Taufe relativiert). Anders Basilius, der jegliche Korrektur- und Revisionsmöglichkeit im künftigen Leben auf das bestimmteste ablehnt und für den darum »jetzt« – in der Befolgung oder Verweigerung des »Rufs« zur Taufe – die Entscheidung über Leben und Tod fällt.

c. Angesichts der Heilsnotwendigkeit der Taufe aber stellt sich die Frage nach der *Stellung der Kinder* im Kirchenbild des Basilius. Die Unerlässlichkeit der Taufe betont auch der antipelagianische Augustin[38], aber unter der Voraussetzung der Säuglingstaufe (weshalb er, prägend für die mittelalterliche Tradition[39], die Verdammung der ungetauft verstorbenen Kinder gelehrt hat). Basilius hingegen denkt von der Erwachsenentaufe aus; welchen Platz misst er unter diesen Prämissen den Kindern bei? Folgende Feststellungen lassen sich dazu treffen. 1. Wie bereits erwähnt, wird die Kindertaufe bei Basilius weder erwähnt, noch ist sie von seinen Voraussetzungen her – Taufe als bewusster Entscheid, Kindesalter als Alter der Unschuld – zu erwarten. Wir sahen zwar, dass sich im Osten für die Kindertaufe ganz andere Begründungsmuster ausbilden als die in der westlich-augustinischen Tradition massgeblichen. Gleichwohl ist festzuhalten, dass sich bei Basilius kein positiver Hinweis auf die Praxis der Kindertaufe findet[40]. 2. Stattdessen spricht Basilius vom ἀπὸ βρέφους τὰ ἱερὰ γράμματα μανθάνειν, wenn er den Stand derer bezeichnen will, die von Kindesbeinen an Christen sind[41]. In der Tat legt Basilius allergrössten Wert auf

[34] ibid. 39,19 (36,357c), zSt cf. VOGT Coetus 242; ULLMANN Gregorius 504f.

[35] RM 1,2; prol. IV,1.

[36] RB 267 (AscM; GRIBOMONT Histoire 267-271).

[37] Z.B. dial.anim.resurr. (46,72b); orat.cat.magn. 26,8 (45,69b); cf. BARBEL (BGrL 1,161.158ff) zSt.

[38] HOFMANN Augustinus 464ff. Anders noch seine Haltung in der donatistischen Kontroverse: ibid. 381ff.

[39] Cf. zB NEUNHEUSER Taufe 77 (Gregor d.Gr.). 78 (Isidor von Sevilla).

[40] S. oben pp. 129ff.130,54.

[41] Z.B. RB 224 (AscM); Iudic. 1 (31,653a).

gute christliche Erziehung von frühster Jugend an[42]; eine solche setzt er auch bei den Kindern von Eltern im Katechumenenstand voraus[43]; diesem Ziel dient auch seine Pioniertat der Einrichtung von Klosterschulen (die ja nur zum geringsten Teil auf die Ausbildung des klosterinternen Nachwuchses ausgerichtet ist). 3. Als selbstverständlich wird darum auch die Teilnahme von Kindern am Gottesdienst[44] und Leben der Gemeinde (vorösterliche Fastenpraxis[45], Psalmengesang[46] etc.) vorausgesetzt. Bei solcher Gelegenheit erfahren wir, dass die kleinen Gottesdienstbesucher wohl bereits im Regelfall dem Katechumenenstand angehören[47]. 4. Sind also die Kinder von Anfang an bewusst in das Gemeindeleben integriert, so sind sie dennoch keine vollwertigen Gemeindeglieder, da sie – abgesehen von den sich aus dem Katechumenenstand ergebenden Einschränkungen – noch nicht verantwortungsfähig sind. Für diesen Tatbestand und seine nähere Begründung ist hom. 8 in höchstem Masse aufschlussreich. Angesichts der Dürrekatastrophe hatte Basilius einen Bussgottesdienst angesetzt, der aber ausser von einigen wenigen Erwachsenen fast nur von (Schul-)Kindern besucht ist. Basilius ist über das Fernbleiben der Erwachsenen empört, da sie es sind, die durch ihre Sünden das Strafgericht der Dürre verursacht haben und darum der Busse bedürfen, wohingegen die Kinder unschuldig und zur Busse nicht befähigt sind. »Der grosse Haufe der erwachsenen Männer und das mit Sünden beladene Volk läuft zügellos, ausgelassen und schreiend durch die Stadt, das Volk, das die Schuld an diesem Elend in seiner Brust trägt, das Unglück veranlasst und verschuldet hat. Nur die unmündigen, schuldlosen Kinder eilen herbei und finden sich ein zur Busse, obschon sie keine Schuld tragen an der Heimsuchung, noch recht zu beten wissen oder können. Komm doch du in unsre Mitte, der du mit Sünden befleckt bist, wirf

[42] Z.B. ep. 296:14ff; RM 76,2. Schilderung seines Erziehungsideals bzw. seiner Vorstellungen von religiöser Sozialisation etwa in hom. 12,9 (31,404bc) oder hom.ps. 7,5 (29,240a-c). Gänzlich unzureichend hier die ältere Arbeit von WEISS über die Erziehungslehre der Kappadozier.

[43] hom. 14,8 (31,461c).

[44] Z.B. ep. 92,2:44; 242,2:13; 243,4:30f; hom.ps. 7,5 (29,240ab); hom. 12,9 (31,404b); hexaem. 4,7 (p. 276).

[45] hom. 2,2 (31,185d.b).

[46] hom.ps. 1,2 (29,212c-213a).

[47] hom. 8,1 (31,305b): παῖδες ..., οὓς 'διὰ τοῦ Εὐαγγελίου ἐγέννησα', οὓς διὰ τῆς εὐλογίας τῶν χειρῶν ἐσπαργάνωσα. Zu Handauflegung als Katechumenatsritus cf. ausser den bereits angegebenen Belegen Aug.pecc.mer. 2,26 (CSEL 60/1,113): »Non unius modi est sanctificatio; nam et catechumenos secundum modum suum per signum Christi et orationem manus impositionis puto sanctificari«.

du dich nieder, weine und seufze! Lass das Kind tun, was seinem Alter entspricht! Warum verbirgst du dich, der du angeklagt bist, und warum stellst du den Unschuldigen zur Verteidigung?«[48] Damit sollen die Kinder vom Bussgottesdienst nicht ausgeschlossen werden, sie sollen teilnehmen, aber – nach dem Vorbild der Niniviten – zusammen mit den Erwachsenen. Gerade weil Basilius die Lage der Kirche so sehr vom Zusammenhang zwischen zu verantwortender Schuld der Christen und Strafgericht Gottes her begreift, sind es die verantwortungsfähigen Erwachsenen, nicht die ἀναίσθητα καὶ ἄμεμπτα βρέφη, die im Mittelpunkt seines Kirchenbildes stehen. 5. So dürfte folgendes die Taufpraxis sein, die Basilius als ideale Ordnung vorschwebt: Kinder aus christlichem Elternhaus, von Kindesbeinen an durch ihre Eltern im Glauben unterwiesen und in die Frömmigkeit eingeübt, vermutlich schon bald nach der Geburt durch die »Segnung durch die Hände« in den Katechumenenstand versetzt und durch die Predigt mit dem göttlichen Wort und den Hl. Schriften vertraut gemacht, melden sich mit Eintritt ins Erwachsenenalter zur Taufe[49]. Dieser Entscheid für ein bewusstes und verantwortetes Christsein stellt den Ziel- und logischen Schlusspunkt der vorangegangenen Erziehungsarbeit in Haus und Kirche dar. Zu einem früheren Zeitpunkt nicht sinnvoll, darf dieser Schritt auch nicht länger hinausgezögert werden.

d. Bestätigt und präzisiert wird dies Bild durch die Auslegung, die Basilius den Arbeitern der ersten und elften Stunde im *Weinberggleichnis* gibt. Gregor von Nazianz hatte es abgelehnt, diese Stelle wie seine taufunwilligen Hörer auf die Taufe zu beziehen und es heilsgeschichtlich verstanden wissen wollen[50]; Basilius bezieht es auf die Taufe (kurz in hom. 13,5, ausführlich in RB 224), aber in der für ihn charakteristischen Weise. Als Arbeiter der ersten Stunde gelten ihm nicht die als Kind Getauften, sondern jene »Viele«, die gemäss der Weisung des Apostels »von Kind an die Hl. Schriften lernen«. Für die Arbeiter

[48] hom. 8,3 (31,309-312a); Übers. BKV 47,262.

[49] Auf den Eintritt ins Erwachsenenalter als für Basilius regulären Zeitpunkt der Taufe führen die gesamten bisherigen Überlegungen sowie der Taufaufruf in hom. 13,5 (31,432c) an Jünglinge (νεοί) und Ältere. Sonstige Beispiele eines derartigen Taufalters zB noch im Pisidien des 6. Jh.s.: Taufe erst bei beginnendem Bartwuchs (PO II/1,78; s.o. pp. 124ff); weiter der Hinweis des Gregor von Nazianz (carm.vit. 112ff JUNGK 58ff), noch bartlos gewesen zu sein, als er als Ungetaufter vom Seetod bedroht war, wohl ebenfalls Hinweis auf eine derartige Praxis; sowie die Analogie von RF 15,4 (31,955ab).

[50] Greg.Naz.orat. 40,20 (36,384d/385a).

der elften Stunde hingegen stehen jene, die wie der Hauptmann Kornelius von Act. 10 nur »langsam zur vollkommenen Erkenntnis gelangen« und erst »am Ende« die Taufe empfangen[51]. Dass Kornelius noch in der elften Stunde angenommen wird, erklärt sich einmal aus seinem früheren untadeligem Leben – er hatte, zwar in Unkenntnis des wahren Heils, aber doch in »Begierde nach Vollkommenheit« das ihm »Mögliche« getan – und zum andern eben daraus, dass er – ganz anders als die christlichen Dauerkatechumenen – »keinen Lehrer hatte«, der ihm den Weg zu Taufe wies: »'Wie aber sollen sie glauben'«, sagt (der Apostel), »'wenn sie nicht hören?'«. Darum lässt sich Gott auch an seiner »Begierde nach (der im Taufbad gewährten) Vollkommenheit« »genügen«[52] und rechnet ihm seine »nutzlose Vergangeheit« *vor* der Taufe – immerhin die Zeit seiner von Gott erhörten Gebete und Almosen[53] – nicht als Schuld an. – Die Arbeiter der ersten und der elften Stunde beziehen sich also auf Menschen, die unter sehr unterschiedlichen Ausgangsvoraussetzungen zur Taufe gekommen sind: christliche Erziehung von Anfang an – Unkenntnis des Rufs zum Glauben. So wie hier stellt Basilius auch sonst gerne Menschen mit unterschiedlichen Startbedingungen (christliche Erziehung – Aufwachsen in schlechter Umgebung) einander gegenüber, um zu zeigen, dass für denjenigen, der »von Anfang an in der Gottesfurcht erzogen wird«, die Befähigung zu einem sündenfreien Leben natürlich und ein Abgleiten in ein lasterhaftes Leben mit ungleich mehr Schuld behaftet ist als für den andern (der zwar gleichsam milieugeschädigt ist, aber immerhin noch den »natürlichen« Regungen zum Guten hätte folgen können)[54]. Ganz ähnlich argumentiert Basilius auch in RB 224: Wie das Tun des Guten, so ist auch der (zeitgerechte) Entschluss zur Taufe für die, die »von Kind an« im Wort Gottes unterrichtet worden sind, natürliche Sache. Nur denen, die – wie einst Kornelius – erst spät vom Ruf zum Glauben erreicht werden, rechnet Gott ein Kommen in elfter Stunde nicht als Schuld an.

[51] RB 224 (AscM/ 31,1232a): καὶ ἐπὶ τέλει ἐπιμελέστερον κατορθουμένων. Dabei denkt Basilius an die Taufe des Kornelius (Act 10,47f), wie auch hom. 18,7 (31,504c) zweifelsfrei ausweist.

[52] Allein diese Art der »Begierde«-Taufe erkennt Basilius an!

[53] Act 10,4 = hom. 18,7 (31,504c).

[54] hom.ps. 7,5 (29,240ab); hom. 12,9 (31,404c).

2. *Ketzer- und Schismatikertaufe*

Neben den kirchlichen Katechumenen sind es die Angehörigen ausserkatholischer Gemeinschaften, für die die Taufe das Eintrittstor zur Kirche markiert. Damit ist die Frage nach der Gültigkeit der in häretischen oder schismatischen Gemeinschaften gespendeten Taufe gestellt. In der praktischen Handhabung flexibel, vertritt Basilius hier ausgesprochen rigoristische Grundsätze.

Dass eine unvollständige Taufe gleichbedeutend ist mit keiner Taufe, stellt Basilius in De Spiritu Sancto fest: »es ist derselbe Schaden, ob einer ohne die Taufe aus dem Leben scheidet oder ob er eine Taufe empfängt, die etwas von der Überlieferung auslässt«[55]. Damit ist nicht nur die Heilsunwirksamkeit einer Taufe mit unvollständiger Tauffformel behauptet – wie sie etwa später für die Eunomianer mit ihrer Taufe nur »auf den Tod des Herrn« hin bezeugt ist[56] –, sondern auch einer Taufe, in der sich mit den Namen der Trinität nicht auch der rechte Glaube verbindet, d.h. Vater, Sohn und Hl. Geist nicht »gleichgeordnet« werden, wie es doch der Herr mit dem Taufbefehl als »verpflichtendes und heilsames Dogma« überliefert hat[57]. Denn Glaube und Taufe gehören ja für Basilius unlösbar zusammen: die Taufe vollendet und besiegelt den Glauben: nur zusammen führen sie zum Heil[58]. Wie es darum erforderlich ist, durch rechte Doxologie die Taufhomologie »das ganze Leben hindurch« zu »bewahren«[59], so machen umgekehrt jene »die Taufe unwirksam«, die – wie die Pneumatomachen – das bei der Taufe abgelegte Glaubensbekenntnis »verkürzen« und den Hl. Geist von Vater und Sohn trennen[60]. So sind Taufe und rechter Glaube einander von Anfang bis Ende unlösbar zugeordnet. Darum ist mit dem falschen Glauben der Häretiker auch ihre Taufe hinfällig.

[55] DSS X,26:9-11.
[56] Z.B. (ps.)Didym.Alex.trin. II,15 (PG 39,720).
[57] DSS X,25:16ff.
[58] DSS XII,28:31ff.
[59] DSS X,26:11ff.26ff.
[60] hom. 24,5 (31,609d): Οἱ δὲ χωρίζοντες Πατρὸς καὶ Υἱοῦ καὶ τῇ κτίσει συναριθμοῦντες τὸ Πνεῦμα ἀτελὲς μὲν ποιοῦσι τὸ βάπτισμα, ἐλλιπῆ δὲ τὴν ὁμολογίαν τῆς πίστεως.

Soweit die grundsätzliche Einschätzung der Ketzertaufe bei Basilius. Wie er aber im konkreten Fall mit übertrittswilligen Aspiranten verfährt, die in einer ausserkatholischen Gemeinschaft die Taufe empfangen haben, lässt sich aus solchen Bemerkungen nicht entnehmen. Diese Praxis der Rezeption tritt uns vielmehr – wenigstens für die dem Amphilochius auf den Nägeln brennenden Fälle – in den *kanonischen Briefen* des Basilius entgegen[61].

Amphilochius hatte angefragt, wie bei der Aufnahme von Novatianern, Montanisten, Enkratiten, Apotaktiten und anderen radikalasketischen Gruppen zu verfahren sei. In seiner Antwort (can. 1) verweist Basilius zunächst auf die Unterscheidung dreier Kategorien, die die »Alten« bei der Aufnahme von Konvertiten unterschieden hätten: »Häresie« (Unterschied im Glauben), »Schisma« (Differenzen in Busspraxis und sonstigen kirchlichen Fragen) und »Parasynagoge« (Sondergemeinden infolge der Insubordination einzelner Kleriker). Entsprechend ihrer unterschiedlichen Nähe und Ferne zur Kirche sind diese Gruppen bei der Aufnahme unterschiedlich zu behandeln. Häretiker – als Beispiele werden Manichäer, Valentinianer und Markioniten genannt[62] – sollen wiedergetauft werden, da sie »gänzlich« von der Kirche getrennt sind und ihre Taufe »gänzlich« zu verwerfen ist. Die Taufe der Schismatiker wird anerkannt, sie sollen (unter Salbung, wie später ergänzend mitgeteilt wird[63]) aufgenommen werden. Für Angehörige einer Parasynagoge ist nur Busse und Umkehr erforderlich, um wieder zur Gemeinschaft zugelassen zu werden. – Dieser Kanon der Alten mit seiner singulären Dreierteilung wirft eine Reihe von Fragen auf. Über seinen Ursprung und Charakter ist viel, aber ohne schlüssiges Ergebnis gerätselt worden[64]. Schwierigkeiten bereitet insbesondere die Kategorie der Parasynagoge, die eine leere Rubrik bleibt und (zumindest als Terminus) weder in der kanonischen Tradition[65] noch bei

61 S. unten pp. 166-180.

62 Damit dürften nicht nur historische, sondern immer noch aktuelle Beispiele genannt sein; cf. hexaem. II,4 (p. 154); hom.ps. 48,8 (29,449a; zSt cf. BERNARDI Prédication 38); etc.

63 can. 1:80ff.

64 Z.B. ERNST Ketzertaufangelegenheit 3-5 (nimmt einen »zwischen 257 und 264« erlassenen Taufkanon an); SATTLER Ketzertaufe 104 (nicht schriftlich fixierte Regel); 72.64 (ein »Ketzertauflogos Firmilians in Verbindung mit can. 8 Nic« als Quelle). Weiter zu can. 1: GIRARDI VetChr 17 (1980) 49-77; SACHALAS Nicolaus 9 (1981) 315-347; HALLEUX EThL 42 (1986) 381-392; FENGER Ketzertaufe 190.

65 Verwandte Termini etwa can.Ant. 5 (JOANNOU I/2,108,20-22): ἀφώρισεν ἑαυτὸν τῆς ἐκκλησίας καὶ ἰδίᾳ συνήγαγε; ep.syn.Gangr. (JOANNOU I/2,86,22f):

Basilius[66] sonst eine Rolle spielt. Aber es wäre nun sicherlich falsch, sich allzu sehr an die Terminologie zu halten, über die sich Basilius – der die Arianer wiederholt als »Schisma«[67] und die gerade in Rom als Ketzer verklagten Apollinaristen als »Parasynagoge«[68] bezeichnen kann – ja auch sonst grosszügig hinwegsetzt. Und von der Sache her bzw. angesichts der vielfältig zerrissenen Kirche des Ostens ist eine Kategorie wie die der Parasynagoge, die anders als Häresie und Schisma eine nicht auf dogmatischen oder sonstwie prinzipiellen Differenzen beruhende Absonderung bezeichnet, nicht nur gut begründet, sondern sogar dringend erforderlich. Das Beispiel des Anthimus von Tyana – mit dem sich Basilius im Streit um die Metropolitanrechte in Kappadozien erst völlig verworfen hatte und in dem er später einen wichtigen Mitstreiter gegen die homöischen Arianer fand – mag als Illustration dienen[69]. Das Kernproblem jedoch besteht darin, dass sich die praktische Urteilsbildung des Basilius nicht an diesem Dreierschema orientiert, sondern sich nach ganz a n d e r e n G e s i c h t s p u n k t e n vollzieht. Deshalb ist es notwendig, die konkreten Einzelfälle zu untersuchen.

a. Die *Novatianer* klassifiziert Basilius als Schismatiker (can. 1:46f). Gleichwohl erkennt er ihre Taufe nicht an, wie es den von ihm zuvor referierten Grundsätzen entsprochen hätte, sondern will sie unter Berufung auf Cyprian und Firmilian wiedergetauft wissen. Damit setzt sich Basilius nicht nur in Gegensatz zu der von Amphilochius für die Asia (und Lykaonien?) erwähnte Praxis der Anerkennung novatianischer Taufen[70], sondern vor allem auch zu Kanon 8 von Nicaea 325, der die Aufnahme der Novatianer ohne erneute Taufe angeordnet und damit die östliche Praxis massgeblich geprägt

ἰδίᾳ συνάξεις ποιούμενοι καὶ ἐκκλησιάσεις; can.Const. 6 (COD 34,2): ἀποσχίσαντας δε καὶ ἀντισυνάγοντας; can.Ap. 32 (JOANNOU I/2,22,19). παρασυνάγω bezogen auf Sondergemeinden: Socr.h.e. IV,29,3 (HUSSEY II,551: Ursinus); V,24,3 (ibid. 645: Theophronius).

[66] Sonst im echten basilianischen Schrifttum nur noch ep. 265,2:25. Cf. hom.ps. 28,3 (29,288b): ἰδίας αὐλὰς καὶ συναγωγάς.

[67] ep. 214,3:2; DSS XXX,77:3.

[68] ep. 265,2:25; cf. ep. 263,4 sowie ep. 265,2:52f, wo er den Apollinaristen gerade Zerstörung der christlichen Taufe vorwirft. Cf. LIETZMANN Apollinaris 21f.23f.

[69] Anderes Beispiel: ps.Bas. ep. 55:34ff.

[70] can. 1(:1-5.63-65). Auch Kanon 8 der Synode von Laodicea sieht für novatianische Konvertiten keine Taufe, sondern Salbung vor.

hatte[71]. Das ist angesichts seiner sonstigen Hochschätzung von Nicaea bemerkenswert; denn dass er (nicht nur das Symbol, sondern auch) die Kanones von Nicaea gekannt hat, lässt sich zwar nicht mit Sicherheit nachweisen, ist aber gleichwohl anzunehmen[72]. Vielmehr greift er zurück auf Firmilian und Cyprian, die im Ketzertaufstreit gegenüber der römischen Position den Grundsatz der Ungültigkeit jeder ausserkirchlichen Taufe hochgehalten[73] und dafür von Stephan mit Exkommunikation(sandrohung) überzogen worden waren[74]. Dieser Rekurs auf die cyprianisch-firmilianische Tradition der Wiedertaufe ist alles andere als selbstverständlich. Zwar ist es »unser Firmilian«, auf den als eine der grossen Leuchten Kappadoziens sich Basilius hier wie auch andernorts[75] beruft. Aber man muss nur das Beispiel des Gregor von Nazianz daneben stellen, der mit seiner völligen Unkenntnis der Person Cyprians auch Unkenntnis der mit seinem Namen verknüpften Kontroverse und Tradition verrät[76], um zu sehen, dass diese Erinnerung keineswegs allgemein verbreitet war. Falls (was wahrscheinlich ist) der Hinweis des Amphilochius auf die

[71] can.Theoph.Alex. 12 (JOANNOU II,271) beruft sich für die Aufnahme der Novatianer auf can.Nicaen. 8; auch für Theodor.haer. III,5 (PG 83,408bc) ist die Salbung novatianischer Konvertiten alte Ordnung der »Väter«.

[72] Zwar gehören generell die Überlieferung von Symbol und Kanones nicht zusammen (SCHWARTZ GS I,203), und der einzig mögliche direkte Beweis für die Kenntnis nizänischer Kanones bei Basilius, nämlich ep. 55, entfällt, da unecht. Aber: Basilius ist sich sehr wohl bewusst, dass die von ihm befolgte Praxis der Aufnahme der Novatianer im Widerspruch zu anderen Kanones steht (can. 47:2f: ὅτι περὶ μὲν ἐκείνων κανὼν ἐξεφωνήθη, εἰ καὶ διάφορος); und auch seine frühe Vertrautheit mit Reichssynoden (359: Konstantinopel, wohl auch Seleukia) spricht für Kenntnis der nizänischen Kanones. Dass der Translationskanon von Nizäa in praxi »längst tot« war, wie der ihm zum Opfer gefallene Gregor von Nazianz (carm.vit.sua 1810f JUNCK 142) klagt, stimmt zwar, hinderte aber nicht seinen wiederholten Einsatz gegen missliebige Gegner. ZIEGLER MThZ 31 (1980) 275.277 sieht in Greg.Naz.orat. 2,8 (35,416b) Beweis für Kenntnis von can.Nicaen. 2 durch Gregor. Cf. Aug.ep. 213 (CSEL 57,732-739) und dazu: KÖTTING Bischofswahl 405ff.

[73] Firmilian (ap.Cypr.ep. 75,19 CSEL 3/2, 823): repudiandum esse omne omnino baptisma quod sit extra ecclesiam constitutum (Beschluss der Synode von Ikonium, an der Firmilian mitwirkte).

[74] Firmilian: Cypr.ep. 75,25; Eus.h.e. VII,5,4f.

[75] DSS XXIX,74:39f; Greg.Nyss.vit.Greg.Thaum. (46,905c). Zusammenstellung der Nachrichten über Firmilian bei HARNACK Literatur I/1,407-409. Zu Authentizität und Integrität von ep. 75 cf. ERNST ZKTh 18 (1894) 209-259.

[76] Sonst hätte er diesen nicht nur nicht in seiner improvisierten Rede (orat. 24) auf den Märtyrer Cyprian mit dem Zauberer Cyprian verwechselt, sondern diese Eloge nicht auch noch in seine Redensammlung aufgenommen. Cf. BERNARDI Prédication 161ff, v.a. 163.

Gültigkeit lokaler Bräuche sich nicht nur auf die Aufnahmepraxis der Asia, sondern auch Lykaoniens bezieht, so wäre dies ein zusätzliches Indiz dafür, dass die von Firmilian vertretene (und auf der Synode von Ikonium sanktionierte[77]) Praxis der Wiedertaufe auch im Sprengel des Amphilochius keine Geltung mehr hatte. So ist die Berufung auf die firmilianisch-cyprianische Tradition als ein restaurativer Akt zu werten. Es ist die gleiche Tradition, die im Westen – nachdem sich die afrikanische Kirche in Arles 324 »der seit alters vertretenen römischen Linie«[78] angeschlossen hatte – von den Donatisten festgehalten wird, denen gegenüber Augustin dann für die Folgezeit massgeblich den Grundsatz der Gültigkeit (wenngleich nicht der Heilswirksamkeit) der ausserhalb der katholischen Kirche gespendeten Taufe begründet. Dass der Rigorismus des Basilius nicht zu vergleichbaren Auseinandersetzungen wie bei den Donatisten führt, liegt daran, dass er jede prinzipielle Schärfe vermeidet und den Grundsatz der οἰκονομία im Auge behält: wenn die lokalen Gegebenheiten es erfordern, kann auf die Forderung der Wiedertaufe verzichtet werden[79]. Bei alledem ist sich wie einst Firmilian so auch Basilius des Gegensatzes zur römischen Praxis wohl bewusst. Denn wenn er in can. 47 eine Synode ins Auge fasst, die die Aufnahme der Novatianer und anderer in seinem Sinn regeln soll, so hat er dabei zwar in erster Linie die Vereinheitlichung der kleinasiatischen Praxis im Auge, doch er zielt zugleich ausdrücklich auch auf die »bei den Römern« herrschende Praxis.

b. »Die Pepuzener (= *Montanisten*) sind offenkundig Häretiker«[80] und müssen darum wiedergetauft werden. Sowohl die Einstufung als Häretiker wie die Forderung der erneuten Taufe entsprachen der gängigen Praxis[81], waren aber gleichwohl nicht unbestritten: Amphilochius hatte in seiner Anfrage auf ein anderslautendes Urteil des Dionysius von Alexandrien hingewiesen (von dem wir nur aus dieser Mitteilung des Basilius Kenntnis haben)[82], was – da im

[77] Firmilian: ep. 75,19.7 (CSEL 3/2,823.815); Eus.h.e. VII,7,5 5,5.
[78] SCHINDLER TRE I,657.
[79] can. 1:63-65; cf. 72ff.
[80] can. 1:31ff.5ff.23.
[81] Z.B. can.Laod. 8 (JOANNOU I/2,133f); (ps.)Didym.Alex.trin. II,15 (PG 39,720); Athan.cArian. II,43 (PG 26,737bc). Cf. ERNST Ketzertaufangelegenheit 77-79; SATTLER Ketzertaufe 107,2.
[82] Dazu BIENERT Dionysius 30f.185ff.188; ERNST ZKTh 30 (1906) 49f; SATTLER Ketzertaufe 55f. Auf Unsicherheit in der Beurteilung der Montanisten macht auch

Widerspruch zu der von Basilius befürworteten (und von Firmilian begründeten[83]) Praxis stehend – zu recht sarkastischen Bemerkungen des Basilius über den »kanonischen« Dionysius führt[84]. Doch konnte sich Basilius hier, wie gesagt, auf die gängige Praxis berufen. Wichtiger darum seine Begründung: »sie haben gegen den Hl. Geist gelästert«, denn: »sie taufen auf den Vater und den Sohn und Montanus oder Priszilla«. Hier karikiert Basilius natürlich, wie andere vor ihm[85]; denn er gibt hier nicht die Taufformel der Montanisten wieder, sondern ihren Glauben, dass der Paraklet in Montanus und Priszilla gesprochen habe. Jedenfalls ist es der falsche Glaube, darum auch ihre Taufe nichtig: »denn nicht sind die getauft worden, die auf das uns nicht Überlieferte getauft worden sind«.

c. Dass nicht der unkorrekte Taufvollzug, sondern der falsche Glaube die Taufe ungültig macht, wird auch bei den *Enkratiten* und Apotaktiten deutlich. In can. 47 werden sie erst den Novatianern (also Schismatikern), dann den Markioniten (also Häretikern) gleichgestellt. In jedem Fall sind sie »wiederzutaufen« (ἀναβαπτίζειν), ungeachtet ihrer korrekten Taufformel: »Wir nehmen sie nicht in die Kirche auf, wenn sie nicht auf unsere Taufe getauft werden. Denn sie sollen nicht behaupten: 'Wir sind auf den Vater und den Sohn und den Hl. Geist getauft', da sie doch im Wetteifer mit Markion und den übrigen Häresien Gott für den Schöpfer des Bösen halten«[86]. D.h.: Basilius unterstellt der Askese der Enkratiten und Gesinnungsgenossen dualistische Motive, darum ist ihre Taufe ungültig[87]. – Dass der Taufritus bei Enkratiten und Katholiken identisch ist, ergibt sich auch aus weiteren Beobachtungen. In can. 1:65ff erwähnt Basilius, dass die Enkratiten die kirchliche Taufe praktizieren (vorher also die kirchliche empfangen haben). Dieser Sachverhalt bestätigt sich auch von der späteren Streitschrift des Amphilochius gegen die Häresie der Enkratiten und Apotaktiten, wo er seine Gegner – die die Eucharistiefeier der Kirche wegen des für unrein erachteten kirchlichen Priesters meiden – z.T. noch auf ihre Taufe durch eben denselben Priester ansprechen kann: »denn du

Origenes aufmerksam (comm.Tit. PG 14,1306a): »Requisierunt sane quidam utrum haeresim an schisma oporteat vocari eos qui Cataphrygae nominantur«.

[83] Firmilian: ep. 75,7.19 (CSEL 3/2,814.822f).

[84] can. 1:6f.43-46.

[85] Z.B. Cyr.Hier.cat. 16,8 (PG 33,928f).

[86] can. 47:12ff.

[87] Ähnlich die Argumentation Firmilians: ep. 75,7 (CSEL 3/2,814).

hast ja die Taufe in der Kirche Christi erhalten«[88]. Von dieser kirchlichen Taufe haben sich die einen früher, die anderen später gelöst, unter bleibender Anerkennung der von den Katholiken gespendeten Taufe (can. 1), der die eigene Taufe ganz offenkundig gleichgestaltet ist. Doch da sie – im Urteil des Basilius – den falschen Glauben haben, müssen sie »wiedergetauft« werden.

d. Versuchen wir an dieser Stelle im Blick auf die von Amphilochius vorgetragenen und von Basilius beantworteten Fälle eine Zwischenbilanz zu ziehen, so wäre zu konstatieren: Ungeachtet des von ihm selbst eingangs referierten Dreier-Schemas und abweichend von der z.T. ganz anders gearteten Rezeptionspraxis in anderen (und vereinzelt wohl auch dem eigenen[89]) Kirchengebieten strebt Basilius eine möglichst *umfassende Praxis der Wiedertaufe* von Konvertiten aus anderen christlichen Gemeinschaften an[90]. Damit verwischt er – unter Berufung auf die cyprianisch-firmilianische Tradition – die Unterscheidung von Häresie und Schisma und die darin mitgesetzte[91] Differenzierung nach grösserer oder geringerer Nähe zur Kirche und sucht die Trennungslinie zwischen der Kirche auf der einen und den ausserkatholischen Gemeinschaften auf der anderen Seite zu ziehen. Andererseits trägt er dem Grundsatz der οἰκονομία Rechnung: steht die Forderung der Wiedertaufe dem Ziel der Bekehrung im Wege[92], so kann sie fallengelassen werden. Doch lässt ihn diese οἰκονομία sein Ziel einer einheitlichen Regelung nicht aus dem Auge verlieren[93]. In can. 47 sucht Basilius sehr direkt, ohne die komplizierten Zwischenüberlegungen von can. 1 und in Abgrenzung zur abweichenden kleinasiatischen und römischen Praxis, seinen Vorstellungen von der Konvertitenaufnahme durch Wiedertaufe mittels Synodalbeschluss allgemeine Geltung zu verschaffen: ὁ ἡμέτερος λόγος ἰσχὺν ἐχέτω.

[88] Amphil.haer. 18,661f. 17,630ff (CCG 3,202.201).
[89] Die in can. 1:83ff erwähnte Aufnahme enkratitischer Kleriker ohne erneute Taufe scheint sich in Kappadozien zugetragen zu haben.
[90] Unzutreffend also WICKERT TRE XIX,259: »Erst im 4. Jh.hat in Kleinasien die Wiedertaufe aufgehört«.
[91] can. 1:10ff.25ff.
[92] can. 1:75-77. – Zur oikonomia bei Basilius s. zuletzt HALLEUX EThL 42 (1986) 381ff.
[93] Anders zB can.Tim.Alex. 19 (JOANNOU II,252f), der die Forderung nach »Wiedertaufe« generell fallen lässt, da sonst »kaum ein Mensch von der Häresie übertreten würde«.

e. Hat Basilius auch im Blick auf die Gegner der laufenden *kirchenpolitischen Auseinandersetzungen* – »Arianer«, Pneumatomachen, Markellianer etc. – mit dem Grundsatz Ernst zu machen versucht, dass die aus einer »Häresie« Übertretenden wiederzutaufen sind? Leider fehlen uns hier ähnlich präzise Informationen wie die Angaben der kanonischen Briefe, und die zur Verfügung stehenden Quellen sperren sich gegen diese Frage. Das Unionsdokument ep. 125 etwa bezeichnet die Bedingungen kirchlicher Gemeinschaft nicht nur für die, die im Verdacht der Häresie stehen, sondern auch für die, welche – »zuvor einem anderen Glaubensbekenntnis verhaftet« – zu den Rechtgläubigen übertreten wollen, oder die, welche als kirchliche Katechumenen Aufnahme begehren[94], und nennt als solche Voraussetzung nur die Anerkennung des antipneumatomachisch qualifizierten Nicaenums. Hier lässt zwar die Gleichstellung mit den kirchlichen Katechumenen die Option einer Wiedertaufe offen, die aber gleichwohl angesichts der konkreten Adressaten dieses Zeugnisses eines missglückten Unionsversuches wie auch von der Analogie des Tomus ad Antiochenos kaum im Blickwinkel dieser Schrift gelegen haben dürfte. In ep. 265 tadelt Basilius die exilierten ägyptischen Konfessoren wegen ihrer leichtfertigen Kirchengemeinschaft mit den Anhängern des Markell, nennt die Anathematisierung von dessen »Häresie« durch seine Anhänger als (Mindest-) Voraussetzung für deren Zulassung zur kirchlichen Gemeinschaft und will eine endgültige Regelung einer ökumenischen Übereinkunft zwischen Ost und West vorbehalten wissen[95]. Aber dass er dabei die Forderung der Wiedertaufe im Auge gehabt haben könnte, verbietet sich angesichts der Stellung Roms und Alexandriens in dieser Frage ganz von selbst. Ep. 243 erwähnt und beklagt Taufen in den Gemeinden, in denen die homöischen und pneumatomachischen Häretiker das Ruder in der Hand haben; weitergehende Informationen sind dieser Stelle nicht zu entnehmen[96]. Positiv jedenfalls hören wir in diesen und ähnlichen Fällen nichts von einer Forderung nach Wiedertaufe. Das ist angesichts der vollkommen ungeklärten kirchlichen Verhältnisse auch nicht anders zu erwarten. Selbst im Fall der längst klassischen Häresie der Arianer, deren Taufe eine Autorität wie Athanasius für nichtig erklärt hatte[97] und für deren Wieder-

[94] ep. 125,1:6ff. 1ff.

[95] ep. 265,3:3ff.35ff.

[96] ep. 243,4:31.

[97] Athan.cArian. II,43 (PG 26,237b): ἀλυσιτελὲς ἔχουσι καὶ τὸ παρ' αὐτῶν διδόμενον ὕδωρ; zurückhaltender ibid. II,2 (κινδυνεύουσιν).

taufe vielleicht Theodoret von Kyrus als Zeuge gelten kann[98], war man aus diesem Grund sehr zurückhaltend. Noch im Jahr 375 begründet Epiphanius seiner Ärger über die ihm bekanntgewordenen Fälle von Wiedertaufe der Arianer in Lykien damit, dass »noch bis heute« die Arianer z.T. mit den Orthodoxen «vermischt« lebten, weshalb die Klärung die Frage einer Wiedertaufe einer »ökumenischen Synode« vorbehalten bleiben solle[99]. Wenn sich schon bei den Arianern, die dem Basilius immerhin als »offenkundig vom Leib der Kirche abgerissen« gelten[100], derartige Schwierigkeiten einstellten, so mussten diese bei den neumodischen Häresien des Eustathius, Apollinaris und Markell – die dem Basilius als »Wölfe im Schafspelz« erschienen und deren namentliche Verdammung er darum von Rom zwar verlangte[101], aber nicht erreichte – schier unüberwindbar sein. Allein für die in Kappadozien verbreiteten Eunomianer wird man angesichts ihrer nicht-trinitarischen Taufformel[102] (falls sie schon zu Basilius' Zeit üblich gewesen sein sollte) Wiedertaufe beim Übertritt vorauszusetzen haben.

[98] So zumindest interpretiert SATTLER Ketzertaufe Theodor.Cyr.ep. 113, wo Theodoret die (nach ep. 145 durch die Taufe vollzogene) Aufnahme von Markioniten, Arianern und Eunomianern (die in jedem Fall wiederzutaufen waren) in einem Atemzug nennt. Zur Beurteilung der arianischen Taufe cf. ERNST Ketzertaufangelegenheit 79-84.

[99] Epiph.fid. 13,6-8 (GCS 37,513f). Nachrichten über relative Ungeschiedenheit für frühere Zeit: Philost.h.e. III,44 (GCS p. 44); Sozom.h.e. II,32,1ff (GCS 50,96f).

[100] ep. 263,2:1-4.

[101] ep. 263,2:4ff.15.

[102] (ps.)Didym.Alex.trin. II,15 (PG 39,720); Philost.h.e. X,4 (GCS p. 127); Sozom.h.e. VI,26,2 (GCS 50,272); can.Ap. 50 (JOANNOU I/2,32f). – Nach ALBERTZ (ThStKr 82, 1909, 267f) ist die veränderte Taufpraxis der Eunomianer nicht vor 379 anzusetzen.

VI. BUSSE

Dies ist die Zeit der Busse und der Sündenvergebung, der kommende Äon aber die Zeit des gerechten Vergeltungsgerichtes – mit diesen Worten beginnen die Moralia, Reformprogramm und Bussaufruf des Basilius an das Christenvolk. Entsprechend dieser Kennzeichnung der gegenwärtigen Zeit als Zeit (und Chance) der Busse wird bei Basilius auch die Kirche gesehen: sie ist die Gemeinschaft, in der die Sünde des einzelnen aufgedeckt, er zur Besserung geleitet, sein Vergehen geheilt und so Vergebung der Sünden erlangt wird. Wenn Basilius von Busse redet, so fasst er sie stets unter einem doppelten Aspekt ins Auge: als Therapie des in Sünde gefallenen Mitchristen, der zur Busse anzuhalten und so zu heilen ist, sowie als Schutz der Gemeinschaft, die sich notfalls durch Ausschluss eines unheilbaren Gliedes vor Ansteckung zu bewahren hat. Beide Elemente, Therapie des einzelnen und Schutz der Gemeinschaft, sind je für sich traditionell. Die Art ihrer Zuordnung jedoch sowie v.a. ihre Gleichwertigkeit[1] lassen das spezifische Profil des Bussverständnisses bei Basilius erkennen. Das soll im Folgenden diskutiert werden.

In gegenläufiger Hinsicht hat Basilius an der Busspraxis seiner Zeit *Kritik* geübt. Die eine Äusserung findet sich in De Iudicio Dei und ist ein Wort schärfsten Tadels *an der traditionellen Gemeindedisziplin:* diese greife die einen Sünden heraus und lasse andere ganz unberücksichtigt. Damit stehe sie nicht nur in Widerspruch zu den Worten des Apostels, der unterschiedslos eine jede Bekundung des Ungehorsams gegen den Willen des Herrn als verwerflich bezeichnet habe, sondern übe auch einen verheerenden Einfluss auf das Leben der Gläubigen aus. »Also hat uns jene äusserst üble Gewohnheit[2] irregeleitet, also ist uns jene verdrehte Menschenüberlieferung zur Ursache grosser Übel geworden, die die einen Sünden zwar verwirft, die andern aber unterschiedslos wählt, und gegen einige - wie Mord und Ehebruch und derartiges – heftigen Abscheu vorgibt, anderes aber nicht einmal blossen Tadels für wert erachtet wie Zorn oder Schmähsucht oder Trunkenheit oder Habgier und was es derartiges mehr gibt, obwohl der in Christus redende Paulus dasselbe Urteil auch an-

[1] prol. IV,4 (31,897d): Ἐλεήμων γὰρ ὁ Κύριος, καὶ δίκαιος. Μὴ οὖν ἐξ ἡμισείας τὸν Θεὸν γνωρίζωμεν.

[2] Κακίστη συνήθεια. Zu συνήθεια als kirchliches Gewohnheitsrecht cf. can. 4:11; 9:4.10.19; 21:13. Dabei wird sie in can. 9 in Gegensatz zur ἀπόφασις Κυρίου gestellt.

dernorts gegen all diese Dinge ausspricht, wenn er sagt: 'Die derartiges tun, sind des Todes würdig' (Rm 1,32)«.[3] Karl HOLL stellt die Frage, was hier mit dieser κακίστη συνήθεια gemeint sei, und antwortet: «Wenn man nicht geradezu sagen will: die Bussdisziplin – das hiesse dem Verfasser dreier kanonischer Briefe unbedachten Eifer zutrauen –, so muss man mindestens sagen: die sittliche Anschauung, die sich unter dem Einfluss der Bussdisziplin gebildet hatte«[4]. – Die positive Konsequenz dieser Kritik liegt einmal in der beständigen Ermahnung an die kirchlichen Vorsteher, den ganzen und ungeteilten Willen Gottes zu bezeugen und jedermann zu Werken der Busse anzuhalten, betrifft also die kirchliche Verkündigung; und zum andern in der Ausbildung einer Bussdisziplin bzw. der *Entwicklung neuer Formen* seelsorgerlicher Betreuung, welche jede Verfehlung – also auch die krankhaften Regungen des Herzens – der Heilung zugänglich zu machen suchen. Das können wir v.a. in den monastischen Kommunitäten des Basilius beobachten; es wird zu fragen sein, ob und inwieweit davon auch die traditionelle Gemeindedisziplin betroffen ist.

Der andere Punkt der Kiritk betrifft umgekehrt den *Verfall* und die laxe Handhabung *der öffentlichen Kirchenbusse*, die Basilius dem verweltlichten reichskirchlichen Klerus anlastet und worin er ebenfalls einen wesentlichen Grund für den allgemeinen Sittenzerfall sieht. Diese Klage findet sich etwa in einer allgemeinen Schilderung des katastrophalen Zustands der östlichen Kirchen: »von genauer Beachtung der kirchlichen Satzungen ist keine Rede mehr, Gelegenheit zum Sündigen gibt es viel. Denn die (Bischöfe), die durch menschliche Machenschaften (bei der Wahl) die Herrschaft erlangt haben, zeigen sich eben dadurch erkenntlich, dass sie den Sündern alles erlauben, was diesen Lust bereitet. Geschwunden ist gerechtes Gericht; ein jeder wandelt nach dem Gutdünken seines Herzens. Die Schlechtigkeit ist ohne jedes Mass; das Volk wird nicht zurechtgewiesen; die Vorsteher sind ohne Freimut. Denn da sie durch Menschenhilfe die Herrschaft erlangt haben, sind sie nun Sklaven derer, die ihnen diese Gefälligkeit erwiesen haben«[5]. Die praktische Konsequenz dieser Kritik liegt dann in dem Bemühen, diesem Grundsatz der κανόνων ἀκρίβεια[6], der genauen Beachtung der Kanones, wieder praktische Geltung zu

[3] Iudic. 7 (31,669ab).
[4] HOLL Enthusiasmus 258; zustimmend CLARKE Works 86,2.
[5] ep. 92,2:17-25.
[6] ep. 92,2:17.

verschaffen: durch Reform des Klerus (als dessen unerlässlicher Voraussetzung); durch Einschärfung der Rügepflicht und strikten Handhabung der Kirchendisziplin; durch eine generelle »Erneuerung« der »Kanones der Väter«[7].

Die folgende Diskussion der Busspraxis bei Basilius orientiert sich an den beiden eingangs genannten (und durch die Punkte der Kritik des Basilius bestätigten) Grundaspekte der Heilung des busswilligen und der Trennung vom bussunwilligen Gemeindeglied. Diese sollen im Durchgang durch die Zeugnisgruppen der Moralia, des Asceticon, der kanonischen Briefe sowie der Homilien erörtert werden. Damit kommen nicht nur verschiedene Adressaten in den Blick, sondern auch die unterschiedlichen Rahmenbedingungen des klösterlichen und gemeindlichen Lebensbereiches, so dass unter dem speziellen Aspekt der Busspraxis auch hier wieder das Verhältnis von kirchlicher und monastischer Gemeinde zur Sprache kommt. Abschliessend einige Bemerkungen zur Bedeutung dieser Busspraxis für das Kirchenverständnis des Basilius.

A. TRENNUNG

1. *Moralia*. Die Weisungen der Regulae Morales für den Umgang mit dem in Sünde gefallenen Gemeindeglied richten sich an den einzelnen Christen wie an die kirchlichen Vorsteher; beide sind verpflichtet, sich um den sündigenden Bruder[8] zu mühen und ihn zur Besserung anzuhalten, sich aber von ihm zu trennen, falls alle Bemühungen nichts fruchten. Von den Pflichten eines jeden Christen handeln RM 51-54: sie warnen vor Gleichgültigkeit und falschem Schweigen gegenüber den Sündern (52,1f), erlauben den Umgang mit ihnen »zu keinem andern Zweck als um sie zur Busse zu rufen, sofern dies möglich ist, ohne selbst in Sünde zu verfallen« (52,3) und gebieten die Trennung vom unbussfertigen Sünder. Denn wenn er sich beharrlich der erst privaten und dann öffentlichen Zurechtweisung verschliesst, so hat er gemäss Mt 18,15-17 als »Heide und Zöllner« zu gelten, mit dem keinerlei Gemeinschaft

[7] ep. 54:28f.1f.5f.

[8] Obwohl ja an männliche wie weibliche Kommunitäten gerichtet, sprechen (Moralia und) Asceticon die Könobiten fast durchgängig als »Brüder« an – trotz Betonung der Gleichheit des Rufes an Männer und Frauen (zB RM 11,5). Dieser Sprachgebrauch wird sich nicht vermeiden lassen.

mehr möglich ist (52,4). Die Aufgaben der kirchlichen Vorsteher werden in RM 70f ausführlich erörtert: sie haben in jeder Sache das Wort Gottes unverkürzt und ohne falsche Rücksicht auf die Hörer auszurichten (70,6.30) und unterschiedslos alle zum Gehorsam gegenüber dem Evangelium anzuhalten, trotz aller Widerstände, bis hin zum Martyrium (70,13). Wehe ihnen, wenn sie »etwas von dem verschweigen, was für ein Gott wohlgefälliges Leben notwendig ist«: das Blut der Irregeleiteten kommt über ihr Haupt (70,7). Die apostolische Mahnung zur öffentlichen Zurechtweisung des Sünders schärft Basilius ausdrücklich ein: der Priester hat »den einer Sünde Überführten bekanntzumachen, damit weder er selbst an dessen Sünde teilhabe noch die anderen Anstoss nehmen, sondern vielmehr Furcht lernen« (70,2). Die Widerspenstigen sind in aller Sanftmut zu erziehen und zur Busse anzuleiten, »bis das Mass der Sorge um sie erfüllt ist« (70,32); dann aber ist die Trennung von ihnen unumgänglich (70,35); und von denen, die sich hartnäckig der Predigt des Evangeliums verschliessen, dürfe man noch nicht einmal in Fällen der Not irgendetwas annehmen. Dass jedes, auch das scheinbar unentbehrliche Glied «abzuhauen« ist, wenn es »Anstoss bereitet«, bringt RM 41 in grundsätzlicher Weise in Erinnerung.

Deutlicher noch als die Einzelanweisungen der Moralia lässt der vorangestellte Prolog *De Iudicio Dei* den Vorstellungshintergrund erkennen, der die Trennung vom unbussfertigen Sünder zur zwingenden Notwendigkeit macht. Er besteht im Verweis auf das *Gericht Gottes,* das für Basilius sichtbar über die verrotte Christenheit seiner Zeit hereingebrochen ist und als dessen αἰτία er den allgemeinen Ungehorsam gegenüber den Geboten Gottes ausmacht. Doch bedroht das Gericht Gottes nicht nur den Sünder selbst, sondern auch die Gemeinschaft, die ihn in ihrer Mitte duldet: »seine Sünde (bleibt) nicht allein bei ihm, sondern (geht über) auch auf die, die nicht den guten Eifer zeigen«[9], wobei dieser gute Eifer, der gegenüber dem Sünder zu beweisen ist, in der Befolgung des Schriftwortes besteht: »du sollst den Übeltäter aus Israel entfernen«[10]. Basilius führt dafür eine Reihe biblischer Beispiele an, die nicht nur die Unerbittlichkeit des Gerichts vor Augen stellen, sondern zugleich auch jeweils darauf hinauslaufen, dass der Zorn Gottes nicht nur den Sünder selbst, sondern

[9] Iudic. 7 (31,668c): ἡ ἁμαρτία αὐτῆς (= der Seele des Sünders) οὐκ ἐν αὐτῇ μόνον, ἀλλὰ καὶ ἐπὶ τοὺς μὴ ἐπιδειξαμένους τὸν ἀγαθὸν ζῆλον.
[10] So Dt 17,12 in Iudic. 7 (31,668d).

»das ganze Volk« bzw. »die ganze Kirche« bedroht und trifft: so die Geschichte von Achar[11], vom Holzsammler am Sabbat[12], von Hiob und seinen Söhnen[13], von Eli und seinen Söhnen[14] sowie vom Blutfrevler in Korinth[15], wobei letzteres Beispiel die Quelle für das von Basilius immer wieder in Erinnerung gerufene Schriftwort: »Entfernt den Bösen aus eurer Mitte« sowie »Ein wenig Sauerteig durchsäuert den ganzen Teig« darstellt. Das Beispiel des Achar ist besonders aufschlusssreich, da Basilius an ihm zeigt, dass sein Vergehen für das ganz Volk zum Verhängnis wurde, »obwohl es weder die Tat kannte noch dem Sünder zustimmte«, um nach diesen und ähnlichen Beispielen am Schluss zu resümieren: es gilt, dem Zorn Gottes zu entkommen und nicht nur das Gericht zu fliehen, das für jede auch noch so geringfügige Bekundung des Ungehorsams bestimmt ist, sondern auch »jenes furchtbare Gericht, das die trifft, die zwar nicht sündigen, dennoch aber den Zorn (Gottes) erleiden, weil sie gegen die Sünder nicht den guten Eifer gezeigt haben«[16].

Vorstellungshintergrund (die Sünde des einzelnen bedroht die ganze Gemeinschaft) und Einzelmotive (wie etwa das auch bei Greg.Thaum.can. 3 vorgegebene Achar-Beispiel) entstammen der *Busstradition*[17]. In ihren Denkformen vollzieht sich die Lageanalyse von De Iudicio Dei, die folgerichtig in das Reformprogramm der Moralia als Bussaufruf an die verkommene Christenheit einmündet: Dieser Äon gehört der Busse, der kommende dem Gericht (RM 1,2). Die Konsequenz dieses Gerichtsgedankens liegt in der Trennung vom unbussfertigen Glied der Gemeinschaft, die zur »Sicherheit« der übrigen und zur Vermeidung des Zornes Gottes unumgänglich geworden ist. Und was die Moralia (zusammen mit De Iudicio Dei) grundsätzlich feststellen, entfalten

[11] Iudic. 4 (31,661bc): Jos 7.
[12] Ibid.: Num 15,32ff.
[13] Iudic. 5 (31,664c); Hi 1,5.
[14] Iudic. 5f (31,664d-665b): 1Sam 2ff.
[15] Iudic. 7 (31,669bc): 1Kor 5.
[16] Iudic. 8 (31,673d-676b).
[17] Cf. zB Greg.Thaum.can. 2 (JOANNOU II,22,12ff): Ὅθεν ἔδοξε τοὺς τοιούτους πάντας ἐκκηρῦξαι, μήποτε ἐφ᾽ ὅλον ἔλθῃ τὸν λαὸν ἡ ὀργή, καὶ ἐπ᾽ αὐτοὺς πρῶτον τοὺς προεστῶτας τοὺς μὴ ἐπιζητοῦντας. 'Φοβοῦμαι γὰρ', ὡς ἡ γραφὴ λέγει, 'μὴ συναπολέσῃ ἀσεβὴς τὸν δίκαιον' (Gen 18,23). 'Πορνεία γάρ', φησί, 'καὶ πλεονεξία, δι᾽ ἃ ἔρχεται ἡ ὀργὴ τοῦ θεοῦ ἐπὶ τοὺς υἱοὺς τῆς ἀπειθείας' (Kol 3,5); oder den abschliessenden Basilius-Kanon 84:12f: μὴ θελήσωμεν ἁμαρτίαις ἀλλοτρίαις συναπόλλυσθαι. Zum Vergleich mit bussrigoristischen Bewegungen wie den Novatianern oder Donatisten cf. unten p. 203.

dann die Bestimmungen des Asceticon für den klösterlichen Lebensbereich und die Busskanones für die Gemeindedisziplin; hier wie dort ist derselbe Vorstellungshintergrund bestimmend. Es sei allerdings angemerkt, dass der Ausschluss des Sünders nicht die einzige Form der Trennung ist, die in der Perspektive der Moralia zu liegen scheint. Denn die eigentümliche Ausdrucksweise, die von der »Abwendung« (ἀποστρέφεσθαι) und dem »Rückzug« (ἀναχωρεῖν) vom Sünder spricht[18], lässt die mönchische Separation als mögliche Konsequenz keineswegs ausgeschlossen erscheinen. Eine derartige Perspektive wäre in einer Schrift wie den Moralia, die zwar alle Christen ansprechen wollen, als unmittelbare Adressaten aber doch asketische Kreise hat[19], keineswegs abwegig; und es lässt sich innerhalb des Asceticon zeigen, dass dieselbe Begründung für beide Formen der Trennung herangezogen werden kann[20]. Jedenfalls scheinen sich bei Basilius mönchische Absonderung und disziplinärer Ausschluss aus analogen Motiven zu speisen.

2. *Die Klosterdisziplin.* Die doppelte Weisung der Moralia, sich um die Besserung des in Sünde gefallenen Gemeindegliedes zu mühen, den unbussfertigen Delinquenten hingegen auszuschliessen, bringt das Asceticon für den Lebensbereich der klösterlichen Kommunität zur Geltung. Auch hier ist der Exkommunikationszwang die Kehrseite der Therapiepflicht[21]; ἢ διορθωθήτω ἢ ἐξαρθήτω ἐκ μέσου, lautet die Option für den Sünder[22]. Es ist bemerkenswert, wie stark auch hier ganz wie in De Iudicio Dei die Rüge- und Ausschlusspflicht vom Gerichtsdenken her begründet wird, sowohl in den Äusserungen grundsätzlicher Art wie bei der Regleung konkreter Einzelfälle. RB 47 (AscP) etwa, die die Frage behandelt, »ob man gegennüber den Sündern schweigen darf«, stellt so etwas wie einen Abriss des Argumentationsduktus von De Iudicio Dei dar. Basilius verweist auf das Beispiel des Achar, der Eli-Söhne sowie des Blutschänders von Korinth und das von ihnen über die ganze

[18] RM 52,4 70,35.

[19] Iudic. 8 (31,676a).

[20] 2Thess 3,6 begründet etwa in RB 9 (AscP) den Ausschluss des unbussfertigen Könobiten aus der Gemeinschaft, in RB 20 (AscM) hingegen die Notwendigkeit, Kontakte mit denen zu meiden, »die ein schlechtes Leben führen«; etc.

[21] RB 102 (AscM): Παντὶ τρόπῳ χρὴ τὸν ἀσθενοῦντα θεραπεύειν ... 'Εὰν δὲ ἐπιμένῃ τῇ κακίᾳ οἱᾳδηποτοῦν, ἀφιέναι ὡς ἀλλότριον; RB 293 (AscM): Χρὴ γὰρ τὴν μακροθυμίαν καὶ τὴν εὐσπλαγχνίαν ἐπιφέρεσθαι τῇ ἀποτομίᾳ; RF 36 (AscM): τὸ ἑαυτοῦ ἀσθενὲς θεραπευσάτω ἢ ... ἀπρόσδεκτος ἔστω.

[22] RB 84. 281 (AscM).

Gemeinde gebrachte Unheil und begründet so die Interventionspflicht gegenüber dem in Sünde gefallenen Bruder: »Denn wenn schon gegen die, welche dem Sünder nicht zustimmten, und gegen die, die ihn zu hindern suchten ..., ein solcher Zorn entbrannte, was soll man dann erst von denen sagen, die (um das Vergehen) wissen und dennoch schweigen?« In RB 164 hat sich Basilius der Frage zu stellen, inwiefern sich die klösterliche Busspraxis mit der Weisung Lk 6,37 (»Richtet nicht«) in Übereinstimmung bringen lasse, und unterscheidet dabei ein legitimes und ein illegitimes Richten. Unzulässig sei es, den Bruder in eigener Sache zu richten, »unabweisbare Notwendigkeit« jedoch, das Gericht Gottes gegen den unbussfertigen Sünder auszurichten, »damit nicht der, der Schweigen bewahrt, des Zornes Gottes teilhaftig werde«[23]. Wie sehr auch die Regelung konkreter Einzelfragen vom Gerichtsgedanken und dem »Sicherheits«-Bedürfnis der Gemeinschaft her bestimmt ist, veranschaulicht RB 155, wo es um externe Patienten im Klosterhospiz geht, die sich der klösterlichen Ordnung nicht fügen wollen. Ein solcher Patient ist vom Vorsteher zu ermahnen. »Bleibt er aber bei seinem Verhalten, so liegt offenkundig das Gericht Gottes auf ihm«, dann ist er zu entfernen. Durch seinen Ausschluss werden die mit der Krankenpflege beauftragen Brüder vor Zweifeln bewahrt »und alle, die zusammenleben, sind in Sicherheit« (καὶ τοῖς συζῶσι πᾶσι τὸ ἀσφαλὲς ὑπάρξει).

Bei der Darstellung des basilianischen Mönchtums werden immer wieder die massvollen Anforderungen an den einzelnen[24] hervorgehoben, die als einer der Gründe für den Erfolg seines könobitischen Modells gelten. Das ist sicherlich zutreffend, überzogene asketische Leistungen hat Basilius deutlich abgelehnt[25]. Der Grund dafür liegt jedoch weniger in einer allgemeinen Senkung des Anspruchniveaus als vielmehr darin, dass Basilius im Streben des einzelnen nach asketischen Spitzenleistungen eine krankhafte Bekundung des Eigenwillens[26] und zugleich eine Störung für das Zusammenleben der Brüder[27]

[23] RB 164 (31,1192a).
[24] Z.B. AMAND DE MENDIETA RHR 152 (1957) 55: »un niveau relativement modéré d'ascetisme«.
[25] Z.B. RB 129 (AscP): ἀμέτρως νηστεύειν; 127 (AscP): ἐγκρατεύεσθαι ὑπὲρ δύναμιν; etc. Cf. RF 19-21.
[26] RB 125 (AscM): ποιοῦντά τι ... ὑπὲρ τὸ διατεταγμένον αὐτῷ; 138 (AscM): πλέον τῶν ἄλλων νηστεύειν ἢ ἀγρυπνεῖν, κατὰ τὸ ἴδιον θέλημα; 137 (AscP).
[27] RB 129 (AscP); 127 (AscP).

sah. Das Verdikt, das über ein individualistisches Vollkommenheitsstreben ausserhalb des Klosters ausgesprochen war, traf ein solches innerhalb der Kommunität umso stärker. Jedenfalls reagiert die Klosterordnung sehr sensibel dort, wo sie Zusammenhalt und Funktionsfähigkeit der Bruderschaft als Übungsplatz des Tugendkampfes und Stätte vollkommener Gebotserfüllung[28] durch eigenmächtiges Verhalten (und die davon ausgehende Irritation und Verunsicherung der übrigen) in Frage gestellt sah. Hier erinnert Basilius beharrlich an die Weisung Mt 18, wonach der fehlende Bruder nach Möglichkeit durch das Mittel der vertraulichen und dann der offenen Zurechtweisung zu bessern und zu bekehren, der hartnäckig sich verschliessende Sünder jedoch als »Heide und Zöllner« zu betrachten, auszuschliessen und »zwar unter vielen Tränen und Klagen, aber dennoch als verdorbenes und gänzlich unbrauchbares Glied nach Art der Ärzte vom gemeinsamen Leib abzuschneiden« sei[29]. Diese Regelung ist nicht auf eine bestimmte Klasse schwerer Verfehlungen beschränkt, da Basilius ja die prinzipielle Gleichheit aller Sünden behauptet (dem nicht widerspricht, dass er um die Unterschiede der πάθη τῆς ψυχῆς hinsichtlich ihrer Therapiefähigkeit und der erforderlichen Heilmethoden weiss). Gerade RB 293, die die Unterscheidung leichter und schwerer Sünden als schriftwidrig verwirft, macht zugleich deutlich, dass alle Vergehen, im Grossen wie im Kleinen, dem von Mt 18 vorgeschriebenen Verfahren zu unterwerfen sind, notfalls bis hin zum Ausschluss: »Man muss nun bei jedem Sünder, was auch immer seine Sünde sein mag (ἐπὶ παντὸς ἁμαρτάνοντος οἱουδήποτε ἁμάρτημα), das Gericht des Herrn beachten: Mt 18,15-17«. Beispiele solcher notfalls von Ausschluss bedrohter Vergehen können sein: Ärger über das nächtliche Wecken zum Gebet[30]; Weigerung, die Psalmen zu lernen[31] und zu singen[32]; parteiische oder sonstwie unzulängliche Amtsführung des Ökonomen[33]; Verleumdung eines Bruders[34] oder des Vorstehers[35]; Bereitwilligkeit, dem Verleumder Gehör zu schenken[36];

[28] RF 7,4 (AscM/BEP 53,159,35-37).
[29] RF 28,1 (AscM). *Mt 18,15-17*: AscP: RB 3.9.41.47.57; AscM: RF 7,3 36 (46); RB 232.261.293; ep. 22,3:27ff; *Mt 5,29f*: AscP: RB 7.44.57; AscM: RF 28,1; *1Kor 5,13*: AscM: RF 47; RB 155; *2Thess 3,6:* AscP: RB 9; AscM: RB 20.
[30] RB 44 (AscP).
[31] RB 61 (AscM).
[32] RB 201 (AscM).
[33] RB 149f (AscP).
[34] RB 26 (AscP).
[35] RB 27 (AscP); RF 47 (AscM).

Selbstabkapselung innerhalb der Bruderschaft[37]; eigenmächtiges Verlassen des Klosters[38]; häretische Anschauungen[39]; Duldung oder Entschuldigung des Sünders[40]; ungerechtfertigter Tadel[41]; Nachlässigkeit in der Gesetzeserfüllung[42]; wie eben pauschal jede Form des »Sündigens« überhaupt[43]. Die Notwendigkeit des Eingreifens auch bei scheinbar geringfügigen Vergehen ergibt sich daraus, dass jede Verfehlung – und dies umso mehr, je hartnäckiger der Delinquent darin beharrt – eine Äusserung des Ungehorsams und der Eigenmächtigkeit darstellt, womit in der Tat das Erzübel bezeichnet ist: den eigenen Willen an die Stelle des – durch den Vorsteher, die Mitkönobiten, die ganze Bruderschaft repräsentierten – Willens Gottes zu setzen. Da heisst es, bereits den Anfängen zu wehren, damit nicht ein wenig Sauerteig den ganzen Teig durchsäure[44], der Bazillus des Ungehorsams die ganze Gemeinschaft infiziere, das gute Vorbild freudiger Gebotserfüllung durch solche Beispiele des Ungehorsams ins Gegenteil verkehrt werde und sich eine schleichende Gewöhnung an die Sünde einstelle. Verhängnisvoll, ja brudermörderisch wäre darum vermeintliche Milde gegenüber dem hartnäckigen Sünder, nichts anderes als »Preisgabe der Wahrheit, Anschlag auf das Gemeinwohl, Gewöhnung zur Gleichgültigkeit gegenüber dem Bösen«[45]. So handelt es sich bei dem Ausschluss des unbussfertigen Sünders um einen Akt des Selbstschutzes und der Sorge um die eigene »Sicherheit«[46]. Konstituiert durch den σκοπὸς τῆς τοῦ θεοῦ εὐαριστήσεως, zusammengekommen gerade zum Zweck vollkommener Gebotserfüllung, kann die klösterliche Gemeinschaft nicht die beharrlichen Sünder in ihren eigenen Reihen dulden und so ihren eigenen Daseinszweck in Frage stellen. Da jene die Bruderschaft in Zweifel stürzen, die die Bereitschaft zur Gebotserfüllung untergraben und durch ihr Vorbild »zu Lehrern des Ungehorsams« werden, müssen sie aus der Bruderschaft entfernt werden[47].

36 RB 26 (AscP)

37 RB 86 (AscP): Ἐὰν δὲ λέγῃ τις, ὅτι οὔτε λαμβάνω παρὰ τῆς ἀδελφότητος, οὔτε δίδωμι, ἀλλὰ τοῖς ἐμοῖς ἀρκοῦμαι; RB 85 (AscP): Ὁ ... λέγων ἴδιον τι εἶναι.

38 RB 74. 102 (AscP); RF 36 (AscM).

39 RB 84. 20 (AscM).

40 RB 47 (AscP).

41 RB 82 (AscP).

42 RF 28 (AscM).

43 RB 293.83 (AscM); RB 3.47 (AscP); RF 46 (AscM).

44 1Kor 5,6: AscP: RB 57.86; AscM: RF 28,1; 47; RB 20.84.281.

45 RF 28,1 (AscM/31,989a).

46 ἀσφάλεια: RB 57 (AscP); 155 (AscM); RF 10,2 (AscM); cf. ep. 22,3:29-32.

47 RF 47 (AscM/31,1036c-1037a).

Dieser Ausschluss ist definitiv; er erfolgt erst, wenn sich nach langem und vergeblichem Bemühen um den fehlenden Bruder herausstellt, dass dieser *»unheilbar«* ist[48]. Wie oft in der Praxis zu diesem letzten Mittel gegriffen wurde, entzieht sich unserer Kenntnis. Unklar ist darum auch die kirchenrechtliche Stellung der aus dem Kloster Ausgeschlossenen. Von den Prämissen des Basilius aus gedacht, für den sich im Kloster zwar keineswegs exklusiv, aber doch vollgültig der Leib Christi darstellt, müsste zumindest in seinem eigenen Jurisdiktionsbereich die Entfernung aus dem Kloster auch den kirchlichen Ausschluss nach sich ziehen bzw. damit zusammenfallen; denn die klösterliche Gemeinde, die sich gemäss Mt 18 von einem unheilbaren Glied trennt, handelt darin eben als ἐκκλησία τοῦ θεοῦ[49]. Doch liegen keine Nachrichten über die

[48] *»Unheilbarkeit«* als Ausschlusskriterium: RB 57 (AscP): ἐλάττωμα ἀδιόρθωτον; RF 28,1 (AscM): ἀνίατος πάθος; RF 46 (AscM/BEP 53,208,1): νόσος ἀθεράπευτος; RB 9.41.82 (AscP): ἀμετανόητα ἁμαρτάνοντα; etc. Kennzeichen der »Unheilbarkeit« ist das hartnäckige »Beharren« in der Sünde (zB RF 28,1; 36; 47; RB 82.102; ep. 22,3:27f; cf. hom. 11,6 31,369a) bzw. die Weigerung, sich zu bessern und die von der Gemeinschaft gereichten Heilmittel der brüderlichen Zurechtweisung, der Strafe und der Anleitung zur Busse anzunehmen (zB RF 28,1/AscM: ἐπιμένοντα δὲ τῇ ἀπειθείᾳ καὶ τὴν διόρθωσιν μὴ δεχόμενον). Nicht Art und Schwere der Verfehlung, sondern die Einstellung des Delinquenten entscheiden also über Heilbarkeit bzw. Nicht-Heilbarkeit und damit über Verbleib oder Ausschluss. – Über die in den basilianischen Kommunitäten üblichen *Strafen* erfahren wir – anders als etwa bei Pachom oder Benedikt – nur wenig (die PG 31,1305-1316 abgedruckten ἐπιτιμίαι sind unecht, wahrscheinlich einschliesslich der von GRIBOMONT Histoire 294-297.324 für möglicherweise echt erklärten poenae 24f [31,1309b], die in jedem Fall wenig aussagekräftig sind). Sie orientieren sich primär an der therapeutischen Zielsetzung, die ἀναχώρησις von der Sünde durch ein dem πάθος entgegengesetztes Verhalten bzw. durch »wahre Früchte der Busse« sicherzustellen, und werden darum nicht schematisch festgesetzt (cf. unten pp. 186f). Als Strafmassnahmen erfahren wir etwa: Nahrungsentzug (ἀσιτία): RB 44.122.134 (AscP); gesonderter Arbeitsplatz (RF 51 AscM); Ausschluss von der εὐλογία (RB 122 AscP), womit (da geringere Strafe als die ἀσιτία) nicht der Ausschluss von der Eucharistie gemeint sein kann (cf. CLARKE Works 275,4 sowie ps.Bas.poenae 12.16.17-20). Prügelstrafe kennt Basilius – anders als Pachom (Regula 163 BOON 65,6; Paralip. 2 HALKIN 124,29f 125,4.7), Augustin (ord.monast. PL 32,1152) oder Benedikt (reg. 23,5 28,1 30,3 43,3) – nicht, jedenfalls erfahren wir davon nichts; und seine Argumentationsweise etwa in ep. 288 spricht strikt gegen eine derartige Praxis.

[49] Vereinzelte Fälle solcher Gleichstellung kirchlicher und klösterlicher Exkommunikation sind in der Frühzeit des Mönchtums bezeugt. S. zB die Episode bei Pachom.vit.bohair. 68 (CSCO 89,129), wo der Bischof zu Pachom sagt: »Wenn du ihn (= den des Diebstahls überführten Mönch) ausstösst, werden wir ihn auch ausstossen« (zSt cf. BACHT Kirche und Mönchtum 130; VEILLEUX Liturgie 360). In späterer Zeit wird die Aufgabe dringlicher, die kirchlichen Rechte ausgeschlossener

praktische Handhabung derartiger Fälle vor. Einzig für den Kasus eigenmächtigen und illegitimen Verlassens des Klosters sehen wir etwas klarer: hier hat Basilius nicht nur die Aufnahme des Flüchtlings durch andere Kommunitäten untersagt[50], sondern dem Delinquenten auch mit Abbruch der kirchlichen Gemeinschaft gedroht[51]. Doch zeigt gerade der Fall des Klosterflüchtlings, wie sehr die Dinge noch im Fluss waren bzw. wie wenig den Ordnungsvorstellungen des Basilius auch im Bereich seiner eigenen Kommunitäten die alleinige Herrschaft zufiel. Das Beispiel des Euagrius Pontikus, der aus einer basilianischen Bruderschaft entwich und trotzdem von Gregor von Nazianz zum Presbyter geweiht wurde, veranschaulicht dies[52].

3. *Die Gemeindedispziplin (Kanones).* a. Unter den von Basilius genannten kirchlichen Missständen nimmt die Klage über die geschwundene »Beachtung der Kanones« eine hervorstechende Rolle ein; und darunter versteht er nicht nur allgemein die Zerrüttung der auf die Kanones gegründeten kirchlichen Ordnung, sondern er fasst dabei in besonderer Weise den Zerfall der öffentlichen Kirchendisziplin ins Auge: »Verdunkelt ist die genaue Beachtung der Kanones, Gelegenheit zum Sündigen gibt es viel ... Die Schlechtigkeit ist ohne Mass, die Laien werden nicht ermahnt, die Vorsteher sind ohne Freimut ...«[53]. Diesem Missstand sucht Basilius auf vielfältige Weise zu begegnen, durch Reform des Klerus, Erneuerung der kanonischen Ordnung, Einschärfung der strikten Handhabung der Kirchenzucht. Die Form der Gemeindedisziplin nun, die Basilius dabei im Auge hat, ist das in Kappadozien traditionelle System der Bussstufen; dies ist nirgends so ausführlich beschrieben wie in den drei sog. *»kanonischen« Briefen* des Basilius an seinen jüngeren Kollegen Amphilochius von Ikonium (epp. 188.199.217)[54]. Bereits dieser Umstand ist

oder entlaufener Mönche zu definieren; cf. etwa Cyr.Alex.can. 4,2 (JOANNOU II,282), Timoth.Alex.can. 28 (JOANNOU II,257), Aug.ep. 60 (CSEL 34/2,221f).

[50] RF 36 (AscM); cf. RB 102.74 (AscM).

[51] ep. 116:28-31 an Firminus (ep. 117 zeigt, dass die Drohung des Basilius Erfolg hatte). Zu ep. 116 cf. TREUCKER Studien 90-93.

[52] Cf. Pall.hist.Laus. 38 (BUTLER 116f) sowie v.a. BOUSSET Apophthegmata 336f. ps.Bas.ep. 8 ist – wie BOUSSET aaO und MELCHER 8. Brief passim unabhängig voneinander nachgewiesen haben – dem Euagrius zuzusprechen und stellt dessen Entschuldigungsschreiben an seine alte Mönchsgemeinschaft dar (ep. 8,1).

[53] ep. 92,2:17ff: 'Ημαύρωται κανόνων ἀκρίβεια, ἐξουσία τοῦ ἁμαρτάνειν πολλή ... 'Η πονηρία ἄμετρος, οἱ λαοὶ ἀνουθέτητοι, οἱ προεστῶτες ἀπαρρησίαστοι.

[54] In der Überlieferung des Nomocanon der 14 Titel werden auch ep. 236,4; 160; 55; 54; 53; sowie Auszüge aus DSS XXVII und XXIX zu den kanonischen Briefen

aufschlussreich: er bezeugt, dass – trotz aller, z.T. weitreichender Einzelkritik an der kanonischen Tradition – dies System für ihn keineswegs nur antiquierter Überrest[55], sondern ein durchaus exportfähiges Ordnungsmodell war. Denn Amphilochius stand an der Spitze der Provinz Lykaonien, die erst vor kurzem aus Teilen anderer Provinzen neu gebildet worden war, wie wir gerade von Basilius erfahren[56]; und das Fehlen einer einheitlichen kirchlichen Tradition dieses zusammengewürfelten Gebietes bildet – zusammen mit der mangelnden praktischen und theologischen Erfahrung des Amphilochius – den Hintergrund von dessen zahlreichen Anfragen, auf die Basilius nicht nur mit Ratschlägen in konkreten Einzelfällen und Anwendungsfragen geantwortet hat, sondern eben auch so, dass er ihm die in Kappadozien gültige und von ihm selbst gehandhabte und weiterentwickelte Praxis mitteilt. Und Lykaonien ist auch keineswegs die einzige Nachbarprovinz, die ihm bei seiner Sorge um Aufrechterhaltung der kirchlichen Disziplin als Betätigungsfeld diente. Denn auch in Armenien (mit dessen kirchlicher Reorganisation er offiziell beauftragt war) hat er »Kanones gegeben«, um den sittlichen Standard zu heben und der »verbreiteten Gleichgültigkeit« entgegenzuwirken[57]; gegenüber der antiochenischen Gemeinde tritt er als Rechtsgutachter auf[58]; und in einem offenen Brief an Diodor von Tarsus hat er zur Frage der Digamie gutachterlich Stellung

gezählt (= can. 86-92 bei JOANNOU II,159-187). *Literatur zu epp. 188.199.217*: L'HUILLIER MEPR 44 (1963) 210-217 (»Les sources canoniques de Saint Basile«); VELOSO PhilipSac 7 (1972) 244-267; PAVERD OrChrP 38 (1972) 5-63 (Quellen); ders. Aug. 21 (1981) 298ff (»Disciplinarian Procedures«); ders. Confession 285ff; SALACHAS Nicolaus 8 (1980) 145-157; ders. Nicolaus 9 (1981) 315-347 (can. 1); BONIS ByZ 44 (1951) 62-78 (Gattungsfragen); HONIGMANN Mémoires 52ff (Überlieferung innerhalb der Kanonessammlungen); GIRARDI VetChr 17 (1980) 49-77 (can. 1); erwähnenswert auch die ältere Arbeit von CAYRE EOr 19 (1920) 295-321; LIGIER NRTh 89 (1967) 940-967. Die bei FELLECHNER Askese II,265 genannte Arbeit von Hubertus SAINT-VALLIER, La discipline pénitentielle dans les épitres canoniques de S. Basile le Grand et de S. Grégoire de Nysse, Rom 1948, liess sich nicht identifizieren.

[55] SCHWARTZ GS V,349: »... Ausflicken eines schon verfallenden Bauwerks ... Das ganze System der öffentlichen Busse ist ihm schon etwas Mechanisches geworden, ein Haufe von Paragraphen, in dem er notdürftig Ordnung schaffen will ...« Dies Urteil steht in Zusammenhang mit seiner Quellentheorie; dazu s.u. pp. 178f.

[56] ep. 138,2:21ff.

[57] ep. 99,4:12ff: ... διαλεχθεὶς αὐτοῖς τὰ πρέποντα, ὥστε ἀποθέσθαι τὴν συνήθη ἀδιαφορίαν (so mit LCP 2 zu lesen) καὶ ἀναλαβεῖν τὴν γνησίαν τοῦ Κυρίου ὑπὲρ τῶν Ἐκκλησιῶν σπουδήν, δοὺς αὐτοῖς καὶ τύπους. τύπος als Kanon: can. 76.78.3. Sorgfältige Interpretation von ep. 99,4 bei KNORR I,186f.

[58] S. can. 17.

genommen und später selbst auf diesen Brief als autoritativen Entscheid verwiesen[59]. Wichtigste Quelle dieses vielfältigen Bemühens um Festigung der kirchlichen Ordnung aber bleiben die Briefe an Amphilochius. Sie sind auf die vorausgesetzte Praxis der Gemeindedisziplin zu befragen.

b. Es sind im wesentlichen *kapitale Vergehen*, die von der kirchlichen Disziplin erfasst werden. Als Busse wird der (abgestufte) Ausschluss aus der kirchlichen Gemeinschaft verhängt, zB 20 Jahre für Mord (can. 56), 10 Jahre für Totschlag (can. 57), 15 Jahre für Ehebruch (can. 58), 7 Jahre für Unzucht (can. 59), 1 Jahr für Bigamie (can. 4), um die wichtigsten Strafmasse zu nennen, denen dann die konkreten Fälle der Gemeindepraxis subsumiert werden. So werden mit dem Mass für Mord etwa Abtreibung[60], Aussetzung von Neugeborenen (can. 33.52), Inzest mit der Schwester (can. 67) oder Befragung von Sehern (can. 72) belegt; mit der Strafe für Ehebruch wird homosexueller Verkehr (can. 62), Bruch des Virginitätsgelübdes (can. 60.18), vorzeitige Wiederverheiratung bei Verschwinden des Ehemannes (can. 31) oder Heirat mit der Schwägerin (can. 78) geahndet. An verschiedenen Stellen *korrigiert* Basilius stillschweigend oder expressis verbis die ältere kirchliche Praxis. Auf Bruch des Virginitätsgelübdes etwa, von »den Vätern« in Analogie zur Digamie nur mit 1 Jahr belegt, will er – entsprechend biblischen Vorgaben und angesichts der veränderten Zeitumstände – die schärfere Bestimmung für Ehebruch angewendet wissen[61]. Zwar wird die Taufe der schismatischen Novatianer, Enkratiten und Apotaktiten in verschiedenen Regionen Kleinasiens und in Rom anerkannt; doch »soll unsere Regelung« – die kappadozische Praxis der Wiedertaufe also – »Geltung haben« (can. 47.1). Die Kanones der 314 oder 315 in Caesarea abgehaltenen Synode[62], von Basilius an anderer Stelle fast wörtlich zitiert[63], sehen für Totschlag 5 Jahre, Basilius hingegen 10 Jahre vor[64]. Tötung im Krieg haben die »Väter« straffrei gelassen; der »Rat« des Basilius hingegen: die

[59] ep. 160; can. 23.
[60] can. 2. 8:47-49.
[61] can. 18. 60; cf. can.Ancyr. 18.
[62] can.Caesar. (20-25) (= can.Ancyr. 20-25. [JOANNOU I/2,70-73; LAUCHERT 34]); cf. LEBON Muséon 51 (1938) 89-132; HONIGMANN Studies 2-4; PAVERD OrChrP 38 (1972) 49ff; CPG IV,3.
[63] can.Caesar. 21 (JOANNOU I/2,71,4-11) = Bas.can. 2:8-10.
[64] can.Caesar. 23 (JOANNOU I/2,72,3-7) / Bas.can. 57. Andererseits: für Mord bestimmt can.Caesar. 22 (JOANNOU I/2,71,14-16) lebenslänglichen, Bas.can. 56 hingegen 20jährigen Ausschluss.

Soldaten sollen sich 3 Jahre lang der Eucharistie enthalten[65]. Häufig würde Basilius eine strengere Regelung bevorzugen, toleriert jedoch die laxere Praxis. So can. 9.21.77: Der Ausspruch des Herrn (Mt 5,32) stellt Männer und Frauen im Blick auf Scheidung und aussereheliche Bindungen gleich, nicht jedoch die kirchliche Praxis, die für Männer eine andere Behandlung vorsieht als für Frauen. »Der Grund dafür ist schwer einzusehen, die (kirchliche) Sitte (συνήθεια) will es nun einmal so«[66]. Wer seine Frau verlässt und sich eine andere nimmt, müsste gemäss der evangelischen Regelung der Strafe für Ehebruch (= 15 Jahre) unterworfen werden; jedoch haben die »Väter« über ihn nur eine 7jährige Busszeit verhängt[67]. Ist so die Tendenz zu einer Verschärfung der Bussdisziplin unverkennbar, so grenzt sich Basilius andererseits von dem übersteigerten Rigorismus ab, wie er in Lykaonien im Umkreis dortiger radikalasketischer Bewegungen anzutreffen ist, und schraubt dort praktizierte überlange Busszeiten zurück[68]. Eine als zu lax kritisierte kirchliche συνήθεια auf der einen und rigoristischer Übereifer auf der anderen Seite sind also die Klippen, zwischen denen Basilius hindurchzusteuern sucht. Die von ihm festgesetzten Busszeiten sind keineswegs mechanisch zu verstehen: nicht auf die Länge der Zeit, sondern auf den τρόπος τῆς μετανοίας ist im Einzelfall vor allem zu achten[69]. Darum stört es auch nicht, wenn sich für dasselbe Vergehen unterschiedliche Zeitangaben finden[70].

[65] can. 13; cf. unten pp. 323f.320f.

[66] can. 21.12f. Ungleiche Behandlung von Männern und Frauen ist für Basilius einer der Punkte, wo evangelische Lebensordnung (cf. zB RM 11,5) und kirchliches Gewohnheitsrecht besonders drastisch auseinandertreten. – Cf. Lact.inst. VI,23,24ff (CSEL 19,568); Hieron.ep. 77,3,2 (CSEL 55,39).

[67] can. 77.

[68] can. 7: die (bereits geleistete) Busszeit von 30 Jahren (für in Unwissenheit begangene Unzuchtssünden) wird ausdrücklich als völlig ausreichend bezeichnet. Frontstellung gegen rigoristische Praktiken und Gruppen auch in can. 28; can. 1:1ff.49ff; can. 47 (über Montanisten, Novatianer, Enkratiten, Sakkophoren und Apotaktiten); ep. 236,4; sowie in den Schriften des Amphilochius (gegen Apotaktiten und Enkratiten: s. FICKER Amphilochiana; CCG 3; dazu BONIS GOTR 9, 1963, 79-96) und seinen kirchenpolitischen Massnahmen (cf. HOLL Amphilochius 36ff). Umgekehrt die Stossrichtung in can. 6: die Kirche darf sich gegenüber den Vorwürfen der »Häretiker«, die Menschen durch Freiheit zum Sündigen (διὰ τὴν τοῦ ἁμαρτάνειν ἄδειαν) an sich zu ziehen, keine Blösse geben.

[69] can. 74.84.2.54.

[70] Z.B. can. 57/11 (Totschlag); can. 59/22 (Unzucht).

c. Die Busszeit wird auf die vier in Kappadozien gültigen –und in dieser Form allein bei Basilius bezeugten – *Bussstufen* verteilt[71]. Dies System der Bussstufen sei am Beispiel des can. 75 illustiert[72], der als Strafe für Inzest mit der eigenen Halbschwester 11jährigen Ausschluss aus der Gemeinde festsetzt. Diese Zeit wird folgendermassen auf die Sufen der »Weinenden«, »Hörer«, »Knienden« und »Mitsteher« verteilt:

»Wer sich mit seiner Schwester väter- oder mütterlicherseits befleckt hat, dem soll der Zutritt zum Gebetshaus nicht gestattet sein, bis er von dem gesetzwidrigen, frevlerischen Tun ablässt.

> (1) Nachdem ihm diese schreckliche Sünde ins Bewusstein gekommen ist, soll er drei Jahre *weinen* (προσκλαίειν), indem er an der Tür des Gebetshauses steht und das zum Gebet eintretende Volk bittet, dass ein jeder voller Erbarmen für ihn inständige Gebete zum Herrn schicke.
> (2) Danach soll er weitere drei Jahre nur als *Hörer* (εἰς ἀκρόασιν) aufgenommen werden; nach den Schriftlektionen und der Predigt soll er entlassen und nicht zum Gebet zugelassen werden.

[71] Nur bei Basilius sind v i e r Stufen der »Weinenden«, »Hörer«, »Knienden« und »Mitstehenden« bezeugt. Im kanonischen Brief des Gregor von Nyssa (JOANNOU II,203-226/PG 45,221-236), der eine philosophische Ordnung des Busssystems versucht, fehlt die Stufe der »Mitsteher«, obwohl er diese zu kennen scheint (cf. unten Anm. 77; der 11. Kanon des Gregor Thaumaturgus (JOANNOU II,29f) hat zwar alle Stufen wie Basilius, ist aber – wie bereits Morinus i.J. 1682 erkannt hat und in neuerer Zeit nur von dem unermüdlichen GROTZ (Entwicklung 406-408) bestritten worden ist – ein späteres und zwar von Bas.can. 75 abhängiges Scholion. Auch die Kanones von Ankyra, Caesarea und Neocaesarea sowie die auf den Osten (»Tyrannei des Licinius«) abzielenden Bussbestimungen von Nicaea (can. 11f) kennnen noch nicht das vollentwickelte System, wie es Basilius vertritt. Zu den mit Basilius deckungsgleichen Kanones des Kanonikon des Palladius sowie der antiochenischen Synode von 324/25 s.u. pp. 178ff. - Klassische Positionen zur *Entwicklung des Bussstufensystems* vertreten FUNK Abhandlungen I,182ff.209ff (»Die Bußstationen im christlichen Altertum«, »Die Katechumenatsklassen des christlichen Altertums«); HOLL Enthusiasmus 240-301; die unten in Anm. 96 genannten Arbeiten von SCHWARTZ; KOCH ThQ 82 (1900) 481-534; 85 (1905) 254-270; HJ 21 (1900) 58-78. Cf. weiter: SEEBERG Antiochien 32-56 (»Über die Entwicklung des Systems der Bußstufen«); WATKINS Penance 239ff.283ff.319ff. 321ff, v.a. 327f (»Review of graded penance«); GROTZ Entwicklung passim; POSCHMANN Ausgang 31ff.93f; ders. Paenitentia 315ff.474ff; VORGRIMLER Buße 77.69ff (Literatur!); BIENERT Dionysius 182,22; u.a.

[72] Ausführliche Schilderungen noch in can. 22 und 56.

(3) Danach, wenn er unter Tränen darum gebeten und sich vorm Herrn mit zerknirschtem Herzen und in tiefer Demut hingeworfen hat, soll ihm für weitere drei Jahre der Platz der *Knienden* (ὑπόπτωσις) zugewiesen werden.
(4) Und so soll er, wenn er die der Busse angemessenen Früchte vorweist, im zehnten Jahr zum Gebet der Gläubigen zugelassen werden, ohne jedoch an der Eucharistie teilzunehmen, und soll zwei Jahre beim Gebet mit den Gläubigen *mitstehen* (συστὰς ... τοῖς πιστοῖς),
und so schliesslich zur Teilnahme am Guten (d.h. der Eucharistie) zugelassen werden«.

Das Bussverfahren besteht also in der stufenweisen Zulassung der Pönitenten zum Gottesdienst der Gemeinde; ihnen werden unterschiedliche Plätze erst vor und dann innerhalb der Kirche zugewiesen. Volle kirchliche Gemeinschaft ist erst mit der Zulassung zur Eucharistie gegeben. Damit ist der Büsser εἰς τὴν τῆς ἐκκλησίας ἀποκατάστασιν gelangt[73] und wieder in die Rechte des Getauften eingesetzt. Die Bussstufen stellen also *Stationen auf dem Weg zur vollen kirchlichen Gemeinschaft* dar. Am weitesten von diesem Ziel entfernt ist die Klasse der »Weinenden«, denen ein Platz ausserhalb (im Vorhof) der Kirche zugewiesen ist, damit sie die Eintretenden um Fürbitte anflehen können; sie gelten als »von den Gebeten ausgeschlossen« und «exkommuniziert«[74]. Immerhin aber verfolgt auch diese Stufe des Gemeindeausschlusses noch den Zweck und die Erwartung der Besserung und tätigen Reue des Delinquenten. Deshalb wird ihm ja auch die Wiederaufnahme in Aussicht gestellt, während jene, die noch nicht einmal das Verwerfliche ihres Tuns einsehen – oder, als der öfter ins Auge gefasste Kasus: die keinerlei Bussbereitschaft durch Unterwerfung unter die kirchliche Busse zeigen –, gänzlich von der Gemeinde fernzuhalten sind. – Die weiteren Stufen sind: die »Hörer«, die nur zum Wortgottesdienst zugelassen sind und danach die Kirche zu verlassen haben; die »Knienden«: sie sind zu den die Eucharistie einleitenden Gebeten zugelassen, doch gesondert von den Gläubigen und in der typischen Busshal-

73 So bezeichnet Greg.Nyss.can. 5 (JOANNOU II,220,6f/PG 45,232a) die Zulassung zur Eucharistie.

74 πάντῃ ἀπείργειν τῆς Ἐκκλησίας: can. 4:13; ἐκβάλλειν τῶν προσευχῶν o.ä.: can. 22.30; ep. 270:15f; 287:14; 288:1f; ἐκκήρυκτον ποιεῖν: ep. 270:11; παραδιδόναι τῷ Σατανᾷ (1Kor 5,5): can. 7.

tung des Kniens[75], danach werden auch sie entlassen[76]; sowie schliesslich die »Mitstehenden«, die am ganzen Gottesdienst teilnehmen dürfen und dabei, wie es ja ihr Name besagt, mit den Gläubigen zusammenstehen, anders als jene jedoch von der Teilnahme an der Eucharistie ausgeschlossen sind. Dies ganze Bussverfahren ist *öffentlich;* den Pönitenten werden entsprechend ihren Stufen je unterschiedliche Plätze erst vor und dann in der Kirche zugewiesen[77]; und öffentlich ist auch das Sündenbekenntnis, das am Beginn dieser Busse steht[78] und vor der ganzen Gemeinde ausgesprochen wird. Es ohne Scheu auch bei verborgenen Sünden abzulegen, ermuntert der Prediger seine Hörer: »Was im Verborgenen geschehen ist, das bekenne ohne Scham öffentlich und bitte die Brüder, dass sie dir voll Erbarmen zur Heilung behilflich sein mögen«[79]. Das ist jenes Sündenbekenntnis, das etwa can. 56 und 61 als strafmildernd erwähnen.

d. Soweit das Institut der kirchlichen Busse, wie es sich in den kanonischen Bestimmungen des Basilius darstellt. Nun ist damit freilich über die faktische Handhabung und Durchsetzbarkeit einer solchen Regelung noch wenig

[75] Darum kann in can. 22:16 der Stand der »Knienden« auch einfach als der Stand der »Busse« bezeichnet werden. – Knien als Zeichen der Busse allgemein: s. FUNK Abhandlungen I,219,1: bei Basilius: ep. 74:2 76:24 92:6f 96:15 242,3:4f (allgemein Bild des demütigen Bittstellers); DSS XXVII,66:89-95 (liturgisch); hom. 14,8 (31,461c) (Privatbusse). Zwischen Ostern und Pfingsten sowie an den Herrentagen war den Gläubigen Gebet im Knien untersagt (can.Nicaen. 20; ps.Just.quaest.et resp. 126 [115], von HARNACK dem Diodor zugewiesen [PG 6,1364b; TU 21/4,135f]; Petr.Alex.can. 15)); das markiert die Sonderstellung der »Knienden«. – Nach SCHWARTZ GS V,309 und HAUSCHILD Briefe II,179,269 haben die ὑποπέσοντες »während des Gottesdienstes« gekniet, doch ist dies nur für die Zeit des Gebets nachweisbar (Bas.can. 81f; cf. DSS XXVII,66; Greg.Nyss.can. 4.5 [JOANNOU II,215,13-15 218,23-25/PG 45,292ab.232ab]).

[76] can. 56.

[77] In can. 34.50 spricht Basilius im Blick auf Ehebruch (bei Frauen) und Trigamie von nicht-öffentlichen Formen der Busse. PAVERD OrChrP 38 (1972) 20f bezieht das unter Verweis auf can. 4, der ebenso wie can. 50 den Fall der Trigamie abhandelt, auf die Bussstufen der »Hörer« und »Mitsteher«, wo den Pönitenten kein äusserlich erkennbarer Sonderplatz zugewiesen wird. Das ist überzeugend, auch wenn auf Dauer natürlich das beständige Fernbleiben von der Eucharistie auffallen musste. Als Nebenergebnis wäre dabei i.ü. auch verständlich, wieso der in abstrakter Dreier-Schematik systematisierende Gregor von Nyssa in seinem kanonischen Brief gerade die Bussstufe der »Mitstehenden« – die er, entgegen anderslautenden Auskünften, gemäss can. 2 (JOANNOU II,210,3-6/PG 45,225c) doch zu kennen scheint – hat ausfallen lassen können.

[78] Wie etwa aus can. 7 deutlich hervorgeht.

[79] hom.ps. 32,3 (29,332ab).

gesagt, es stellt sich also die Frage, inwieweit die in den kanonischen Briefen niedergelegten Grundsätze der *Praxis* entsprachen. Eine Antwort auf diese Frage geben die Briefe des Basilius, die in diesem Zusammenhang erstaunlicherweise kaum berücksichtigt werden; sie lassen die von Basilius geübte Kirchendisziplin sogar noch um einige Grade rigoroser erscheinen, als es bereits die Kanones tun. Wir beschränken uns auf drei Beispiele.

aa. *ep. 270* ist besonders instruktiv, da der hier verhandelte Fall des Brautraubes (ἁρπαγή) auch in den Kanones behandelt wird. Auf Anfrage des Amphilochius hatte Basilius dort selbst eine Regelung getroffen, da kein älterer Kanon vorlag[80]; das Vorgehen in ep. 270 entspricht genau dieser Regelung. Im einzelnen ist folgendes hervorzuheben. 1. Der Brief beginnt mit einer harten Schelte für den bzw. die Empfänger, kappadozische Landkleriker wohl, die nicht nur nicht gegen den Täter vorgegangen waren, sondern darüber hinaus jegliches Bewussstein für das Unrecht dieser Tat vermissen liessen; denn wären sie sich alle dessen bewusst, so »wäre dieser üble Brauch schon längst aus unserem Land ausgemerzt«. Diese Rüge wirft ein helles Licht auf die Hartnäckigkeit der herrschenden Sitte auf dem Land, die Probleme des Basilius mit dem Landklerus und die resultierende Schwierigkeit, kirchlichem Recht praktische Wirksamkeit zu verleihen. 2. Dies unterlassene Eingreifen ist umso gravierender, als die Empfänger im Besitz der Kanones des Basilius waren: κατὰ τὸ ἤδη προλαβὸν παρ' ἡμῶν κήρυγμα hätten sie handeln sollen. Dies ist zum Verständnis der kanonischen Briefe des Basilius wichtig: sie stellen keine privaten Schreiben an Amphilochius dar, sondern sind zugleich auch für eine weitere Öffentlichkeit bestimmt; zumindest setzt Basilius die Kenntnis der dort getroffenen Bestimmungen bei seinen Klerikern voraus[81]. 3. Ganz in Entsprechung zu diesen Kanones aber befiehlt Basilius nun rigoroses Durchgreifen: das Mädchen ist den Eltern zurückzugeben (= can. 22); der Täter ist (für 3 Jahre) »von den Gebeten auszuschliessen und zu exkommunizieren« (= can. 30); gleiches

[80] can. 30.22; cf. 53.

[81] ep. 270 stellt so – gegen die Kritik von PAVERD OrChr 38 (1972) 41 – ein zusätzliches Argument für die These BONIS' (ByZ 44, 1951, 65ff) vom δημόσιος χαρακτήρ der kanonischen Briefe des Basilius dar. – Auch DEFERRARI Letters IV,141,2 bezieht den Verweis der ep. 270 auf can. 30 des kanonischen Briefes ep. 199. Es ist in der Tat a priori wahrscheinlicher (und durch die Parallele der ep. 160, deren öffentlicher Chrarakter und Verbreitung can. 23 belegt, zusätzlich gestützt), an die kanonischen Briefe als solche und weniger an Einzelverlautbarungen des Basilius zu denken.

gilt für seine Helfer (= can. 30) wie für das Dorf, das das Mädchen versteckt hat: geschlossen (πανδημεί) sind sie von den Gebeten fernzuhalten (d.h. in den Stand der »Weinenden« zu versetzten). 4. Damit sollen nicht nur die Beteiligten bestraft, sondern Tat und Täter auch öffentlich geächtet werden: als gemeinsamer Feind sind die Entführer anzusehen und zuverjagen.

bb. In ganz anderer Hinsicht aufschlußreich ist der an Athanasius gerichtete Brief *ep. 61*; er gehört, bisher kaum beachtet, in die Vorgeschichte der Kirchenbusse des Theodosius. Athanasius hatte den aus Kappadozien stammenden *Gouverneur von Libyen* exkommuniziert; dessen Name sowie die Begründung dieser Massnahme erfahren wir leider nicht[82]. Basilius beeilt sich nun mitzuteilen, dass er dies Urteil übernommen und publik gemacht hat: »es ist der hiesigen Kirche bekannt gemacht« und »allen seinen Angehörigen, allen seinen Freunden und allen seinen Gästen angezeigt« worden: »alle werden wissen, dass sie ihn zu meiden haben« (ἀποτρόπαιον αὐτὸν πάντες ἡγήσονται). Wieder reicht dieser Ausschluss weit über den binnenkirchlichen Raum hinaus, er hat den Charakter sozialer Ächtung und öffentlicher Brandmarkung: »alle werden wissen, dass sie ihn zu meiden haben, und weder Feuer noch Wasser noch Dach mit ihm teilen«. Ep. 61 wird zumeist auf das Jahr 371 datiert, dürfte also zu einer Zeit verfasst sein, als des Basilius eigene Position alles andere als gefestigt war, er vielleicht vom kaiserlichen Hof das Schlimmste zu erwarten hatte. Umso erstaunlicher und bemerkenswerter das gradlinige, unerschrockene Handeln des Basilius. Er demonstriert, dass er angesichts keiner noch so starken Widerstände von einer strikten Handhabung der Bussisziplin abzugehen bereit war.

cc. *Ep. 288* illustriert, was mit einem in Sünde gefallenen Gemeindeglied geschieht, das sich beharrlich der kirchlichen Rekonziliation entzieht: mit ihm wird jeglicher Kontakt abgebrochen, kirchlich wie sozial. »Denn die, welche weder die gewöhnlichen Strafen« – womit wohl der Stand der Büsser resp. Knienden gemeint ist – »zur Vernunft bringt, noch der Ausschluss von den

[82] Eine Identifizierung dieses ἡγεμὼν τῆς Λιβύης scheint nicht möglich. Unspezifisch: MARAN Vita 16,5; SCHÄFER Beziehungen 69; TREUCKER Studien 108; DEFERRARI Letters II,12,1; PEKAR AOSBM 10 (1979) 26; cf. HAUSCHILD Briefe I,201,284. HALL Fonctionaire 157-159 verweist auf den Eintrag »?Hegemon« PLRE I,409. – Zur Vorgeschichte der Kirchenbusse des Theodosius cf. einstweilen SCHIEFFER DA 28 (1972) 334ff.

Gebeten« – die Versetzung in den Stand der »Weinenden« also – »zur Busse treibt, müssen den vom Herrn gegebenen κανόνες unterworfen werden: Mt 18,15-17«; sie sind also wie »Heiden und Zöllner« zu behandeln. »Das ist nun auch mit diesem hier geschehen. Ein erstes Mal wurde er getadelt; vor einem, vor zweien wurde er zurechtgewiesen; ein drittes Mal vor der Gemeinde. Da wir ihn nun zurechtgewiesen haben, er es aber nicht angenommen hat, so sei er fortan ausgeschlossen«. Folgendes sei hier festgehalten: 1. Dieser Text bestätigt und ergänzt unsere Bermerkungen zu can. 75: der Ausschluss des Sünders im Rahmen der Gemeindezucht zielt auf dessen Busse und Wiedereingliederung; wer sich diesem Buss- und Besserungsinstrument entzieht, wird definitiv ausgestossen; diesen definitiven Ausschluss besagt für Basilius Mt 18,12: »Er sei dir wie ein Zöllner und Sünder«. 2. Auch hier zieht der kirchliche Ausschluss den Abbruch aller sozialen Kontakte mit sich: »Und dem ganzen Dorf (!) soll mitgeteilt werden, dass es mit ihm keinerlei Gemeinschaft in Dingen des täglichen Zusammenlebens gibt«.

e. Der bisherige Überblick über Busskanones und Busspraxis des Basilius zeigt, dass er am *öffentlichen* Bussverfahren als Regelform betont festgehalten hat. Dies ist zu seiner Zeit keineswegs mehr sebstverständlich, auch nicht in Kappadozien, für dessen Busspraxis er uns als Quelle dient. *Gregor von Nazianz* etwa hat – fast zeitgleich mit den Moralia des Basilius – in seiner zu einer Programmschrift über das Priestertum ausgearbeiteten zweiten Rede die Schwierigkeiten des priesterlichen Amtes gerade auch am Beispiel der öffentlichen Bussdisziplin demonstiert, die er von der therapeutischen Zielsetzung der Busse und dem erforderlichen Eingehen auf die unterschiedlichen Voraussetzungen der einzelnen Gemeindeglieder her problematisiert. So ist für den einen Lob, für den anderen aber Tadel das angemessene Heilmittel; für den einen ist die öffentliche, für den anderen die private Zurechtweisung nützlicher. Die einen achten nicht auf Vorhaltungen, die unter vier Augen ausgesprochen werden, werden aber durch öffentliche Kritik zur Vernunft gebracht; andere reagieren abgebrüht auf öffentliche Zurechtweisung, zeigen sich jedoch der Rüge im vertrauten Gespäch zugänglich. Bei den einen muss man unnachsichtig auch den geringsten Fehler aufdecken, bei anderen hingegen ist es besser, manches zu übersehen, etc.[83] – Ganz im gleichen Sinn wie Gregor, äussert

[83] Greg.Naz.orat. 2,30-34 (35,437-441).

sich auch *Johannes Chrysostomus,* der ebenfalls die Schwierigkeiten des priesterlichen Dienstes an der Handhabung der Gemeindedisziplin verdeutlicht, wo falsches Strafmass und falsche Behandlungsmethode den beabsichtigten therapeutischen Erfolg in Frage stellen. So empfiehlt es sich, übermässige Strenge zu vermeiden und auf die Freiwilligkeit der Busse zu setzen; denn viele, gegen die mit den Mitteln der Kirchenzucht und Exkommunikation vorgegangen worden ist, haben dadurch den letzten Halt verloren und sind so in noch grössere Sünde gestossen worden[84]. Darum ruft der Prediger Chrysostomus zwar beständig zur Busse auf, aber er zeigt zugleich, dass damit keine unbillige Härte verbunden ist: denn das Bekenntnis der Sünden ist nur gegenüber Gott, nicht aber »wie in einem Theater« vor den Menschen abzulegen[85]. Und auch die Dauer der Busse stelle keine unerträgliche Belastung dar. Auf wenige Tage nur sei sie zu bemessen, fünf, ja ein Tag könne schon ausreichen[86]. Petrus hat den Herrn verleugnet; »aber brauchte er deshalb mehrere Jahre zur Busse? Keineswegs. In ein und derselben Nacht ist er gefallen und wiederaufgestanden, wurde er verwundet und geheilt, krank und wieder gesund ... durch Weinen und Wehklagen«[87]. – Wie sehr auch ein streng asketisch gesonnener Geist an der Härte der öffentlichen Bussdisziplin Anstoss nehmen konnte, zeigt *Nilus von Ankyra.* Er warnt davor, Glieder Christi durch Exkommunikation und öffetntliche Busse in übermässige Trauer zu stürzen, und plädiert für das Heilmittel der freiwilligen Busse[88].

Derartige Voten sind keineswegs nur als Einzelstimmen oder (wie etwa im Fall des Johannes Chrysostomus) als Zeugnis regional unterschiedlicher Busspraxis zu werten. Vielmehr beleuchten sie zugleich die *strukturelle Krise,* in die das überkommene System der öffentlichen Kirchenbusse unter den Bedingungen des Massenchristentums im 4. Jahrhundert geraten war. Blieb früher, in vorkonstantinischer Zeit, die Exkommunikation in ihrer Wirkung auf den binnenkirchlichen Bereich beschränkt, da dem ausgeschlossenen Ge-

[84] Chrys.sacerd. II,4 III,18 (NAIRN 33ff. 94f).
[85] Chrys.incomprehens. 5 (PG 48,746): Ὀυδὲ γὰρ εἰς θέατρόν σε ἄγω τῶν συνδούλων τῶν σῶν, οὐδὲ ἐγκαλύψαι τοῖς ἀνθρώποις ἀναγκάζω τὰ ἁμαρτήματα· τὸ συνειδὸς ἀνάπτυξον ἔμπροσθεν τοῦ θεοῦ; Laz. 4,4 (PG 48,1012): Οὐκ ἀναγκάζω ... εἰς μέσον ἐλθεῖν σε θέατρον καὶ μάρτυρας περιστῆσαι πολλούς; In 2Kor 21 (PG 48,216).
[86] Chrys.Theodor. 6 (PG 47,284); Philogon. 4 (PG 48,754).
[87] Chrys.paenit. 5,2.
[88] Nil.Ancyr.ep. III,243; II,190.143 (PG 79,496-501.300b).

meindeglied jederzeit der Weg zurück in die heidnische Gesellschaft offenstand, so hatte sich dies mit der zunehmenden Christianisierung des öffentlichen Lebens im 4. Jahrhundert grundlegend geändert: »Wer jetzt ausgeschlossen wurde, fand nicht mehr in einer grossen heidnischen Welt eine gesicherte Existenz wieder: die Exkommunikation wirkte wie eine Ächtung und erhielt so sehr den Charakter einer weltlichen Strafe, dass ihre kirchliche Bedeutung darunter verkümmerte«[89]. Dieser Wandlungsprozess betraf mehr noch als die Kirchen des Westens die des Ostens[90] und führte dazu, die Bedeutung der öffentlichen Busse zu reduzieren: sei es, dass sie auf bestimmte Verfehlungen (wie etwa die öffentlich bekannten Kapitalvergehen) eingeengt wurde; sei es, dass die Übernahme der öffentlichen Bussleistungen mehr Sache des freiwilligen Entschlusses als eines regulären Disziplinierungsinstrumentes wurde; sei es schliesslich, dass das System als solches zerfiel. Nicht zufällig finden sich die entsprechenden Klagen des Basilius in ep. 92 in einer allgemeinen Schilderung des Zustandes der orientalischen Kirchen. Die Gefahr einer laxen Handhabung war naturgemäss dort besonders gross, wo – wie in dem von den Apostolischen Konstitutionen repräsentierten System – die Entscheidung über die Dauer der Busse allein dem Urteil des Bischofs (auf der Basis ohnehin relativ geringfügiger Bussfristen[91]) überlassen war. Und wenn dies schon bei einem asketischen Reformer wie Chrysostomus zu minimalisierten Bussfristen (und der Preisgabe des Grundsatzes der Unwiederholbarkeit der kanonischen Busse[92]) führen konnte, kann man sich leicht vorstellen, wie die Bussdisziplin in der Hand von Bischöfen ausgesehen haben mag, denen weniger an der Hebung des sittlichen Niveaus ihrer Gemeinden lag. – Für den Osten kommt insbesondere auch dem viel kommentierten Ereignis der Aufhebung des Buss-

[89] SCHWARTZ GS V,353; ebenso SEEBERG DG II,303.

[90] WATKINS Penance 319f. Zur Entwicklung der kirchlichen Busse im Abendland im 4. Jh.s. WATKINS Penance 273ff.365ff; FITZGERALD Penance passim; ders. Conversion passim; GÖLLER RQ 36 (1928) 235-298; POSCHMANN Kirchenbusse.

[91] Const.Ap. II,16,2 (FUNK I,61) etwa sieht Exkommunikationsfristen von bis zu 7 Wochen vor.

[92] Cf. Socr.h.e. VI,21,3-6 (HUSSEY II,719), ebenso der 7. Vorwurf gegen Chrysostomus auf der Eichensynode 403 (MANSI III,1146). – Zur Bussdisziplin im Werk des Chrysostomus cf. ausführlich WATKINS Penance 300-314.328-346.358ff (mit Dokumentation) sowie RUF Sündenvergebung passim; ferner: HOLL Enthusiasmus 241.272f; RAUSCHEN Eucharistie 181; KORBACHER Außerhalb 128ff; RANCILLAC Église 62f; PAVERD Messliturgie 453ff; BRÄNDLE Chrysostomos 172f.

priesteramtes in Konstantinopel im Jahr 391 eine gewisse Signalwirkung zu[93]. Zwar war dies Institut als solches auf Konstantinopel (und die engere Umgebung) beschränkt; und es hatte auch nicht, wie auch in neuerer Zeit wieder behauptet worden ist, die Abschaffung der öffentlichen Busse im Osten generell zur Folge (wogegen ja bereits die Überlieferungsgeschichte der kanonischen Literatur der orientalischen Kirchen spricht). Aber: es fehlte dort nun die Instanz, vor der das öffentliche Sündenbekenntnis ausgesprochen wurde, die Bussstrafen verhängen, deren Ableistung überwachen und dem als unwürdig beurteilten Gemeindeglied die Eucharistie verwehren konnte; dies alles blieb fortan dem Gewissen des einzelnen überlassen[94]. Damit beschleunigte sich, so das Urteil des Sokrates und Sozomenus, der Sittenzerfall in Konstantinopel[95].

f. Angesichts derartiger Entwicklungstendenzen trägt die Erneuerung der traditionellen Bussdisziplin bei Basilius unverkennbar *restaurative Züge*. Dem Verfall der kirchlichen Disziplin, von Basilius vehement beklagt und als Ursache zahlreicher Übel angeprangert, begegnet er durch Rückgriff (und Weiterentwicklung) auf jene Busspraxis, wie sie sich in den Kirchen Kleinasiens unter den Bedingungen einer Minderheitensituation ausgebildet und in einer Reihe synodaler Entscheidungen zu Beginn des 4. Jahrhunderts fixiert worden war. – Freilich besteht über den genauen Charakter der von Basilius aufgenommenen kanonischen Tradition eine Kontroverse, die hier nicht eingehend diskutiert, aber doch wenigstens erwähnt sein soll und die sich v.a. mit dem Namen von E. SCHWARTZ verbindet[96]. SCHWARTZ ist dieser Frage im Zusammenhang der von ihm entdeckten Synode in Antiochien 324/25 nachge-

[93] Socr.h.e. V,19 (HUSSEY II,614ff); Sozom.h.e. VII,16 (GCS 50,322ff); der Bericht des Sokrates ist zuverlässiger. Die Wiedergabe dieses Ereignisses bei VORGRIMLER Buße 72f und VOGT Coetus 208f u.a. geht an der Quellenananlyse durch E. SCHWARTZ (GS V,354ff) vorbei: auch das Bekenntnis vor dem Busspriester war ein öffentlicher, kein privater Akt, und der skandalträchtige Fehltritt des Diakon Gegenstand dieses öffentlichen Bekenntnisses. Cf. noch RAUSCHEN Jahrbücher 537ff; HOLL Enthusiasmus 274ff; KOCH HJ 21 (1900) 64ff; ROY ScEc 1 (1948) 217ff; RAHNER LThK II,811.

[94] Socr.h.e. V,19,9 (HUSSEY II,615).

[95] Socr.h.e. V,19,11 (HUSSEY II,616); Sozom. VII,16,10 (GCS 50,324).

[96] SCHWARTZ: Zur Geschichte des Athanasius VI (NGWG.PH 1905, 257-299; zit. nach GS III,117-168), v.a. 134-155; Zur Geschichte des Athanasius VII (NGWG.PH 1908, 305-374), v.a. 322ff; Bußstufen und Katechumenatsklassen (Schr.d.Wiss.Ges.Strassb. 7, 1911, 1-61; zit. nach GS V,274-362), v.a. 316ff; Die Kanonessammlungen der alten Reichskirche (ZSRG.K 56, 1936, 1-114; zit. nach GS IV,159-275), v.a. 181ff.

gangen; nach ihm hat Basilius mit can. 65-84A – jenen Kanones also, die für die Bussstufen am wichtigsten sind – zwei ältere Korpora ziemlich unverändert übernommen, wie sie bereits in den Kanones der antiochenischen Synode 324/25 vorliegen und die als solche bis ins 3. Jahrhundert zurückreichen; ausser in Antiochia 324/25 tauchte ein ähnliches Korpus, mit can. 56-74 des Basilius deckungsgleich, aber ebenfalls von ihm unabhängig, in den Kanones der Konstantinopler Synode von 382 auf. – Nun ist die Diskussion der diesbezüglichen Thesen von SCHWARTZ im allgemeinen Streit um die von ihm entdeckte antiochenische Synode und insbesondere die Bedeutung ihres Synodalbriefes für die Vorgeschichte des nizänischen Konzils[97] ziemlich untergegangen. Nach Erich SEEBERG, dessen 1913 erschienenes Buch über die Synode von Antiochia wesentlich zur allgemeinen Anerkennung der SCHWARTZschen Position beigetragen hatte, hat es in jüngerer Zeit erst PAVERD unternommen, die dieser Synode zugeschriebenen Kanones in ihrem Verhältnis zu Basilius einer gründlichen Untersuchung zu unterziehen[98]. Sein Ergebnis besteht in einer grundsätzlichen Kritik der diesbezüglichen SCHWARTZschen Anschauungen, sowohl was dessen literarkritische Analyse des basilianischen Korpus wie dessen Zuordnung zu den der antiochenischen und der Kontantinopler Synode zugeschriebenen Kanones angeht. Als Quelle des Basilius sieht er statt dessen die Gesetzgebung kappadozischer (und kleinasiatischer) Provinzialsynoden zu Beginn des Jahrhunderts an.

Welcher Variante man hier auch folgt (wobei freilich die grössere Wahrscheinlichkeit a priori wie im Detail bei PAVERD liegt) – beide implizieren die Annahme, dass Basilius ein Bussmodell der vorkonstantinischen Zeit mehr oder minder unverändert in die eigene Gegenwart übertragen und für die Kirche seiner Zeit verbindlich gemacht hat. Trotz seiner eigenen Kritik an der

[97] Die Historität der Synode wurde von A. von HARNACK: Die angebliche Synode von Antiochien im Jahre 324/5 (SPAW 1908, 477-491; 1909, 401-425) bestritten. Über die dadurch ausgelöste Diskussion informieren: SEEBERG Antio-chien 1-3; CROSS CQR 128 (1939) 49-76; PAVERD OrChrP 38 (1972) 7-10. Neuere Voten: HOLLAND ZKG 81 (1970) 163-181; ABRAMOWSKI ZKG 86 (1975) 356-366; RITTER TRE III,704.

[98] SEEBERG Antiochien 13-56; PAVERD OrChrP 38 (1972) 5-63. GRIBOMONT In Tomum 32,9; sowie GEERARD CPG II,162 unterlassen in ihren Angaben zu den kanonischen Briefen des Basilius den Hinweis auf SCHWARTZ. – Eine detaillierte Auseinandersetzung mit SCHWARTZ war geplant, sie würde zuviel Raum in Anspruch nehmen. Aus inneren und äusseren Gründen bestätigen sich mehrheitlich die Argumente PAVERDS.

traditionellen Bussordnung galt sie ihm offenkundig dennoch als konsensfähig und geeignet, zur Grundlage des Gemeindelebens gemacht zu werden. Dass ein derartiges Unternehmen mit enormen Schwierigkeiten verbunden war, lassen die ausgelösten Widerstände erkennen und wird drastisch durch das Schlusswort in can. 84 beleuchtet, das die Mehrheit des Christenvolkes in Aufnahme der Sodomstypologie als λαὸς ἀπειθὴς καὶ ἀντιλέγων bezeichnet. Dass dies Unternehmen des Basilius aber weithin erfolgreich war, darf trotz des anderen Weges, den beispielsweise die beiden Gregore in dieser Frage eingeschlagen haben, angenommen werden. Jedenfalls bezeugt der gerade an Fragen der Disziplin lebhaft interessierte Kirchenhistoriker Sokrates noch für das Kappadozien des 5. Jahrhunderts eine Busspraxis von novatianischer Strenge[99]. Dass freilich ein derartiger restaurativer Rückgriff auf Ordnungsvorstellungen der vorkonstantinischen Zeit unter den Bedingungen einer längst mehrheitlich christlichen Gesellschaft zu ganz andersgearteten Auswirkungen führen musste, ist ebenso evident. Die bei Basilius erstmals bezeugte Exkommunikation eines hohen kaiserlichen Funktionärs (ep. 61) – ein Meilenstein in der Geschichte des kirchlichen Bussinstituts – oder der Ausschluss einer ganzen Dorfgemeinschaft im Rahmen der kirchlichen Bussdisziplin (ep. 270) belegen dies.

4. *Gemeindedisziplin (Homilien).* Recht und Notwendigkeit, die Gemeindedisziplin in der Perspektive der Homilien gesondert zur Darstellung zu bringen, ergibt sich aus einem doppelten Grund. Einmal: Nur durch das Medium der Predigt war es möglich, auf Abstellung auch jener Missstände hinzuwirken zu suchen, die von der traditionellen Bussdisziplin nicht erfasst wurden; Gregor von Nyssa etwa hat bei seiner Kritik der unvollständigen kanonischen Gesetzgebung der Väter ausdrücklich die öffentliche Verkündigung als den Ort bezeichnet, um etwa für den von ihnen ausser acht gelassenen Kasus der Habgier das »Heilmittel« des Wortes zu reichen[100]. Der andere Grund ergibt sich aus dem *Unterschied der Adressaten*, er soll uns an dieser Stelle interessieren. Denn während der kirchlichen Bussdisziplin allein die getauften Vollchristen unterstanden (für viele ein weiterer Grund, möglichst lang die Taufe hinauszuschieben), richtet sich die Predigt naturgemäss an ein sehr viel weiteres Publikum

[99] Socr.h.e. V,22,59 (HUSSEY II,635).
[100] Greg.Nyss.can. 6 (JOANNOU II,221,29ff; PG 45,233a).

und kann etwa auch die von der Kirchenbusse nicht erreichten[101] Katechumenen ansprechen, die ja immerhin die Mehrheit der christlichen Bevölkerung ausmachten. In diesem Zusammenhang verdient *hom. 14* Beachtung. In der Osternacht, am Ende der siebenwöchigen Fastenzeit, war es an den Märtyrergräbern vor der Stadt zu orgiastischen Ausschweifungen gekommen. Frauen hatten sich trunken und in aufgelöstem Zustand zu unzüchtigen Tänzen hinreissen lassen, in ein unsittliches Treiben war das Fest ausgeartet[102]. Das alles verschlägt dem Prediger das Wort; da vermag kein Wort der Belehrung mehr etwas auszurichten[103]; nur mühsam lässt er sich herbei, auch für derartige Verirrungen ein Heilmittel zu benennen[104]. Disziplinarische Massnahmen ergreift er nicht. Warum? Da ungetauft, bliebe dieses Mittel bei ihnen wirkungslos[105]. Was ihm darum neben geharnischten Worten allein übrigbleibt, ist der Appell an die Gemeinde, sich selbst der Sache anzunehmen und den rechten Eifer des Pineas zu zeigen (der einst durch Entfernung des Übeltäters Israel vor Unheil bewahrt hatte). Der Abbruch sozialer Kontakte, der sonst allenfalls ergänzend oder verstärkend zum kirchlichen Ausschluss hinzukommt[106], ist in diesem Fall zum alleinigen Pressionsinstrument geworden. »Euch nun, die ihr den Herrn fürchtet und jetzt das schändliche Treiben der Verurteilten beklagt, befehle ich dies: Wenn ihr seht, dass sie über ihre törichten Handlungen Reue empfinden, so habt Mitleid mit ihnen wie mit eigenen kranken Gliedern. Wenn sie aber in ihrer Sünde beharren und eure Trauer über sie verachten, so 'Geht aus ihrer Mitte und sondert euch von ihnen und rührt nichts Unreines an' (1Kor 6,17), damit sie beschämt werden und zur Erkenntnis des eigenen Übels gelangen, ihr aber den Lohn für den Eifer des Pineas empfangt«[107].

[101] Zwar gab es Strafbestimmungen gegen sich verfehlende Katechumenen (can.Neocaes. 5 [JOANNOU I/2,77]; can.Laod. 19 [JOANNOU I/2,138]; can.Nicaen. 14 [JOANNOU I/1,36]), sie waren jedoch an sich wie v.a. dort, wo die Katechumenen in der Mehrzahl waren, kirchlich kaum zu kontrollieren. V.a. aber: καὶ καθόλου τὰ ἐν τῷ κατηχουμένῳ βίῳ γενόμενα εἰς εὐθύνας οὐκ ἄγεται (Bas.can. 20:8f).
[102] hom. 14,1 (31,444-8).6 (31,460f).
[103] hom. 14,2 (31,448).
[104] hom. 14,8 (31,461c).
[105] Darauf hat zurecht KNORR Basilius I,39 aufmerksam gemacht.
[106] Cf. epp. 270.61.288
[107] hom. 14,8 (31,464a). Zur Aufnahme des Pineas-Motives cf. noch hom. 10,6 (31,386c); cEunom. I,1 (p. 146,45/29,501a).

B. HEILUNG

1. *Moralia.* Im vorangegangenen Abschnitt kam die Bussdisziplin nach ihrer abgrenzenden Seite hin – sofern sie als ultima ratio zur Trennung vom unbussfertigen Gemeindeglied führt – ins Blickfeld. Das eigentliche Ziel jedoch ist ein positives: die Heilung und Wiedergewinnung des in Sünde gefallenen Mitchristen. Und diese Aufgabe stellt sich für Basilius mit besonderer Dringlichkeit, da er – anders als die traditionelle Gemeindedisziplin, anders aber auch als ein Rigorismus novatianischer Prägung – um die Forderung der Schrift weiss, nicht nur die böse Tat, sondern bereits die sündige Regung des Herzens zu meiden. »Wie das Gesetz die schlechte Taten verbietet, so das Evangelium selbst die verborgenen Laster der Seele«, proklamieren die Moralia (RM 43,1) unter Verweis auf Mt 5,21f, fügen hinzu, dass niemand ohne diese bessere Gerechtigkeit des Evangeliums ins Himmelreich wird eingehen können[1], und erinnern schliesslich noch an die biblische Lehre, nach der jede Sünde, ob gross oder klein, als Akt des Ungehorsams gegenüber dem in der Schrift bekundeten Willen Gottes vom Heil ausschliesst[2]. – Umgekehrt aber entspricht diesem geschärften Sündenbewusstsein die Überzeugung, dass eine jede Sünde auch vergeben werden kann und heilbar ist, mit dem Ergebnis einer *intensivierten Busspraxis.* Als deren hervorstechende Merkmale sind zu nennen: die *Rügepflicht* gegenüber dem sündigen Mitchristen, die dem Vorsteher wie dem einfachen Gemeindglied in gleicher Weise aufgetragen wird[3]; die Einschärfung der Notwendigkeit, eine derartige Zurechtweisung als *unerlässliches Heilmittel,* als φάρμακον ἀναιρετικὸν πάθους καὶ ὑγείας κατασκευαστικόν bereitwillig anzunehmen[4]; sowie die Aufforderung zu einer Busse, die nicht nur im Unterlassen des Falschen, sondern positiv im Erbringen von »angemessenen Früchten der Busse« besteht[5].

2. *Klosterdisziplin (Asceticon).* Die wechselseitige Vermahnung, von den Moralia zum Programmpunkt erhoben, wird in den basilianischen Kommunitäten eingeübt, erprobt und weiterentwickelt. Ja mehr noch: das könobitische Ideal als solches wird bei Basilius ganz wesentlich von der *mutua correptio*

[1] RM 43,3 80,22 (31,761c.869c).
[2] Iudic. 6-8; RM 12,1.3; 43,2f; etc.
[3] RM 72,6; 51; 52,2.
[4] RM 72,6.
[5] RM 1,4.

fratrum als der Mitte des gemeinschaftlichen Lebens her begründet. RF 7 stellt so etwas wie die Magna Charta des κοινωνικὸς βίος (und einen der Schlüsseltexte für das Verständnis von Leib Christi bei Basilius) dar; auf diesen Text hat Basilius verwiesen, wenn es darum ging, die Notwendigkeit des gemeinschaftlichen Lebens gegenüber eremitischer Vereinzelung zu begründen. Unter den dabei angegebenen Gründen ist besonders wichtig (und wird in der späteren Redaktion noch verstärkt) der Hinweis, dass allein in der Gemeinschaft der Mitchristen Erkenntnis und Heilung der Sünden möglich und so die Aufgabe vollständiger Gebotserfüllung realisierbar sei. Denn nur hier findet der Irrende den Bruder, der ihn auf seinen Fehler hinweist; nur hier wird ihm die Medizin eines verständigen und liebevollen Tadels gereicht; und einzig in der Gemeinschaft der Brüder wird so die συμπάθεια erfahrbar, wie sie zwischen den Gliedern des Leibes Christi herrscht. Wer sich hingegen in anachoretischer μόνωσις absondert, vermag weder seine Sünde zu erkennen noch seinen Fehler zu bessern und darum auch nicht zur Vollkommenheit zu gelangen. Ihm gilt das Wort der Schrift: »Wehe dem einzelnen, wenn er fällt und keiner da ist, der ihn aufrichtet« (Eccl 4,10)[6]. Wie in RF 7 so wird auch sonst bei der Beschreibung des monastischen Lebens die Rügepflicht und wechselseitige Beobachtung und Belehrung in den Vordergrund gestellt: so in dem Abriss über die mönchische Vollkommenheit in ep. 22[7]; so in dem Schreiben ep. 295, das dem ἀμάρτυρος βίος der Anachoreten das Leben der Könobiten gegenüberstellt, in dem πάντες καὶ φύλακες τῆς ἀλλήλων ἀκριβείας ... καὶ μάρτυρες τῶν κατορθουμένων seien[8]; so in zahlreichen Einzelanweisungen des Asceticon. Diese schärfen sowohl dem einfachen Könobiten wie den Verantwortlichen wie der ganzen Bruderschaft die Pflicht ein, niemand ungewarnt vom rechten Weg abgehen zu lassen, und nehmen zugleich niemand von solcher Zurechtweisung aus: auch der Vorsteher[9], auch die Gemeinschaft als ganze[10] muss gerügt werden, wenn sie irregeht.

a. Bereits an dieser zentralen Bedeutung der mutua correptio fratrum für Begründung und Ausgestaltung des Klosterlebens lässt sich das spezifische *Profil* des basilianischen Möchtums erkennen. Denn bei den Vätern der Wüste

[6] RF 7,1.3 (AscM/31,929ab.932c-933a).
[7] ep. 22,3:3-41.
[8] ep. 295:13-17.
[9] RF 27.47 RB 103 (AscM).
[10] RF 36 (AscM).

war es weithin verpönt, den fehlenden Bruder zurechtzuweisen[11]; in den Grossklöstern des Pachomius ist die Übung allenfalls in Ansätzen zu erkennen[12]; und auch in den späteren monastischen Entwürfen eines Augustin[13] oder Benedikt kommt diesem Motiv eine geringere Bedeutung zu. Basilius hingegen misst der ἔλεγξις den Rang eines unerlässlichen Heilmittels bei, das von der Sünde befreit[14], Sündenvergebung wirkt[15] und zum Heil führt[16]. Dem gilt darum das schwerste Gericht, der seinem Bruder diese lebensspendende Medizin vorenthält[17] oder sie durch Entschuldigung des Sünders wirkungslos macht[18]. Denn die klösterliche Bruderschaft ist ja der Zusammenschluss derer, die das eine Ziel der Rettung ihrer Seelen haben; dies aber ist nur möglich bei vollständiger Gebotserfüllung; darum wäre es verhängnisvoll, den fehlenden Bruder in seiner Sünde bzw. – was häufig die Ursache dafür ist – im Unwissen über diese seine Sünde zu belassen. Denn: κακία σιωπηθεῖσα νόσος γίνεται ἀθεράπευτος[19]. Darum muss jede Störung benannt und so der Heilung zugänglich gemacht werden, und es stellt ein Verbrechen gegen den kranken Mitchristen ebenso wie gegen die von Ansteckung bedrohte Gemeinschaft dar, sein Vergehen und die von ihm ausgehende Bedrohung nicht kenntlich zu machen. Darum ist es auch nicht Beweis von Nachsicht, sondern Zeichen einer brudermörderischen Grausamkeit, das Gericht über den Bruder Gott zu überlassen, den man durch Zurechtweisung noch hätte retten können[20]. Und wehe denen, die ihre Kritik am Zustand der Gemeinschaft oder den Anweisungen des

[11] DÖRRIES WuS I,225-250 (»Die Beichte im alten Mönchtum«), v.a. 233.236ff.

[12] Das ist besonders für die Frühzeit evident, wo »Pachomius dem Ideal des anachoretischen Mönchtums gemäss zunächst darauf verzichtet hatte, widersetzliche Mönche zurechtzuweisen« (LEHMANN ZSRG.K 37, 1951, 69.39). Bezeichnenderweise fehlt in der Beschreibung des »cönobitischen Ideals des Pachomius« durch BACHT Pachomius 185-220 die correptio fraterna. Anders als die kleinen, überschaubaren basilianischen Kommunitäten boten die pachomianischen Grossklöster auch nicht den erforderlichen seelsorgerlichen Rahmen. Zur Busspraxis in den pachomianischen Klöstern cf. VEILLEUX Liturgie 340-365; HOLL Enthusiasmus 262,1; LEHMANN aaO passim; MOLLE VS.S. 23 (1970) 199ff.

[13] Zur correptio fraterna bei Augustin s. VERHEIJEN Approche 110-116.322ff.346ff.

[14] RF 50 (AscM).

[15] RB 261 (AscM).

[16] RF 52.50 (AscM).

[17] Z.B. RF 25 (AscM/31,984c): Ὅτι φοβερὸν τὸ κρῖμα τῷ προεστῶτι μὴ ἐλέγχοντι τοὺς ἁμαρτάνοντας; RB 261 (AscM/31,1258b); etc.

[18] RB 7 (AscP).

[19] RF 46 (AscM/BEP 53,36f).

[20] RB 232 (AscM).

Vorstehers für sich behalten und nicht offen vortragen, damit der Schaden erkannt und behoben werden kann. Sie müssen – falls sie beharrlich nur »im Verborgenen murren« und »ihre Klage nicht offen vorbringen« - ausgeschlossen werden[21].

b. Damit aber das Heilmittel der brüderlichen Vermahnung vom Betroffenen auch wirklich als Hilfe erfahren wird und nicht vielmehr Gegenreaktionen auslöst, die ihren heilsamen Effekt ins Gegenteil verkehren und statt Besserung Verhärtung hervorrufen, müssen verschiedene *Bedingungen* erfüllt sein. Zunächst: der evangelischen Weisung gemäss gilt es, erst den Balken im eigenen Auge auszureissen, bevor man sich an den Splitter im Auge des Bruders macht. Ganz wie die Moralia[22] betonen darum auch die Mönchsregeln, dass nur der seinen Bruder wegen eines Vergehens tadeln kann, der selber frei von diesem Fehler ist. RB 164 ist hier besonders aufschlussreich: denn zum einen bekräftigt Basilius hier noch einmal den Grundsatz, dass es »unabweisbare Notwendigkeit ist, die Gerichte Gottes (gegen den Sünder) auszurichten, damit nicht der, der Schweigen bewahrt, selber dem Zorn Gottes verfällt«, gibt aber andererseits eine höchst bezeichnende Ausnahme von dieser ehernen Regel an: »es sei denn, dass einer, der dasselbe wie der Beschuldigte tut, keine Freiheit hat, den Bruder zu richten, da er die Worte des Herrn hört: Mt 7,5«. Ohne die ergänzende Unterstützung durch das *persönliche Vorbild* – von Basilius ohnehin zu den wichtigsten Hilfen des gemeinschaftlichen Lebens gezählt[23] – bleibt das Instrument der heilsamen Rüge stumpf. Dann: Die Rüge darf nicht aus Hass[24], Zorn, Herrschsucht, Selbstgefälligkeit, in eigener Sache oder sonst aus persönlichen Motiven ausgeprochen werden; sie muss vielmehr ausschliesslich der *Liebe* zum fehlenden Bruder und der Sorge um seine σωτηρία entspringen. Denn nur so kann das Ziel seiner Besserung erreicht und jene συμπάθεια eingeübt werden, wie sie für die Glieder des Leibes Christi kennzeichnend ist. Wer den Sünder hingegen aus Zorn zurechtweist, vermag ihn nicht nur nicht von seiner Sünde zu befreien, sondern belädt sich darüber hinaus selbst mit

[21] RF 47 (AscM/31,1036c): λάθρα μὲν καταμεμφόμενοι, μὴ δημοσιεύοντες δὲ τὴν λύπην; RF 36 (AscM).
[22] RM 34,1; 70,9f; 80,11.
[23] RF 7,4 (AscP); RF 43,1 (AscM); ep. 150,4:7-10; etc.
[24] Obwohl auch der Tadel eines Feindes Gutes bewirken kann: RF 7,1 (AscM/31,929a).

Schuld[25]. So wird die Frage dringlich, woran die rechte διάθεσις des Rügenden erkannt und wie sie befestigt werden kann; und diese Frage ist oft gestellt worden, sowohl von denen, die die Rügepflicht wahrnehmen, wie von den andern. »Wie erkennt einer, ob er aus Eifer für Gott gegen seinen sündigen Bruder bewegt wird oder aus Zorn?«, heisst es da[26], oder: »An welchen Früchten soll man erkennen, ob einer den fehlenden Bruder aus Mitleid zurechtweist?«[27], oder: »Wie stellt man fest, ob einer seinen Bruder nach dem Gebot des Herrn liebt, und wie wird der erkannt, der nicht so liebt?«[28]. So wird nicht nur die hohe Kunst der *Selbstbeobachtung* und der Fixierung seelischer Zustände systematisch eingeübt. Vor allem soll so auch jedes denkbare Hindernis für die heilsame Wirkung des tadelnden Wortes aus dem Weg geräumt werden.

Ist der Schaden erkannt, so muss er behoben werden. Oftmals reicht es dazu aus, dass der irrende Bruder zur Erkenntnis seines Zustandes gebracht, ihm das Gericht Gottes vor Augen gestellt[29] und in ihm die Begierde nach dem Schlechten durch das Verlangen nach dem Guten ersetzt wird[30]. Dann ist das *ermahnende und belehrende Wort*[31] in der Hand des Seelenarztes das geeignete Heilmittel. Meist aber muss zu kräftigeren Mitteln gegriffen, die verfestigte schlechte Gewohnheit durch das Messer der Strafe ausgemerzt und der Sünder zu den der Busse angemessenen Früchten angehalten werden. Solche »der Busse würdige Früchte« bestehen in »den der Sünde entgegengesetzten Werken der Gerechtigkeit«[32]. Was Basilius damit meint, zeigen die in RF 51 und 15,2 (AscM) gegebenen Beispiele[33]. So soll etwa Prahlerei durch Werke der Demut, Geschwätzigkeit durch Schweigen, masslose Schlafsucht durch Nachtwachen im Gebet, Fresslust durch Nahrungsentzug oder Murren über die zugewiesene Arbeit durch gesonderten Arbeitsplatz geheilt werden. Allein die *therapeutische*

[25] RF 50 (AscM): Τὸ γὰρ μετὰ θυμοῦ καὶ ὀργῆς ἐλέγχειν τὸν ἀδελφὸν οὐχὶ ἐκεῖνόν ἐστιν ἁμαρτίας ἐλευθερῶσαι, ἀλλ' ἑαυτὸν περιβαλεῖν πλημμελήμασι. Beharrt er bei seinem ungerechten Tadel, muss er selbst ausgeschlossen werden: RB 82 (AscP).
[26] RB 165 (AscP).
[27] RB 182 (AscP).
[28] RB 175 (AscP). Weiter: RB 185 (AscP); 184f (AscM); RF 50f (AscM).
[29] RB 35.22.29.34.37 (AscP).
[30] RB 30 (AscP).
[31] RF 44,2 (AscM).
[32] RB 287 (AscP).
[33] S. auch RB 5.287.289 (AscP).

Zielsetzung soll also die Auswahl *der Strafen* bestimmen, die darum nicht schematisch festgesetzt, sondern von den Seelenärzten entsprechend den individuellen Voraussetzungen des Delinquenten festzulegen und entsprechend dem Therapiezweck zu dosieren sind[34]. Drei Faktoren sind dabei zu berücksichtigen: Alter des Delinquenten, seine Gesinnung, die Art des Vergehens[35]; nur im Zusammenwirken dieser Kriterien kann die notwendige Bussleistung des einzelnen sachgemäss festgelegt werden. Aufsässigkeit und verwegenes Gebahren beispielsweise ist eher für die Jugend und Säumigkeit eher für das Alter kennzeichnend; letzteres ist darum bei einem Jungen strenger zu ahnden als bei einem Alten[36]. So ist es allgemein: dasselbe Vergehen erfordert bei verschiedenen Personen unterschiedliche Behandlung[37].

c. Mit den bislang erörterten Elementen der Rügepflicht, der Verpflichtung zur Annahme des heilsamen Tadels, der Therapie durch individuell zugemessene Bussleistung sowie der bereits an früherer Stelle diskutierten Exkommunikationspflicht gegenüber dem unbussfertigen Sünder bleibt die Busspraxis der basilianischen Könobien noch innerhalb des Rahmens, den die Moralia mit ihren programmatischen Forderungen an die ganze Christenheit abgesteckt hatten. Mit der Einführung der *Beichtpflicht* hingegen wird dieser Rahmen überschritten. Basilius gilt als Begründer des Beichtinstituts; dass er mit diesem Schritt epochemachend gewirkt und auf dem Umweg über die iroschottische Mönchskirche auch das abendländisch-mittelalterliche Busssystem massgeblich mitgeprägt hat, ist eine regelmässig erteilte Auskunft[38]. Angesichts der enormen Bedeutung, die der Neuerung des Basilius im Licht der späteren Entwicklung zukommt, ist es darum notwendig, zwei Dinge festzuhalten. 1. Die Einführung der Beichtverpflichtung *ergibt sich organisch aus der Zielsetzung* der basilianischen Könobien (bzw. der Weisung der Moralia), dem einzelnen die heilenden Kräfte der Gemeinschaft zuzuwenden und ihm

[34] RB 288.106 (AscP).
[35] RB 106 (AscP); RB 81f (AscM); cf. RB 14 (AscM).
[36] RB 82 (AscM).
[37] RB 81.82 (AscM). Zu den Klosterstrafen s. auch oben p. 165,48.
[38] HOLL Enthusiasmus 261ff.308.267: »Begründung des Beichtinstituts«; ders. GA II,279f; CLARKE Basil 96f; ders. Works 51f; LAGARDE RHLR.NS 8 (1922) 544; MÜLLER Kirchengeschichte I,311ff; AMAND DE MENDIETA RHR 152 (1957) 58ff; MOELLER Geschichte 94.134; DÖRRIES Symeon 436: »durch die Beichtbuße der basilianischen Klöster Gemeingut auch des mittelalterlichen Abendlandes«; HAUSCHILD TRE V,312.

Schutz und Therapie gerade auch gegenüber den sündigen Regungen des Herzens zu geben. 2. Die Beichte – mit HOLL als »pflichtmässiges und regelmässiges Bekenntnis der Gedanken des Herzens« verstanden[39] – ist nicht von Anfang an Bestandteil der klösterlichen Bussordnung; vielmehr hat sie sich, was m.W. bisher noch nicht gesehen worden ist, erst im Lauf der Entwicklung herausgebildet und ist darum *erst für die spätere Redaktionsstufe* des Asceticon Magnum nachweisbar. – Auszugehen ist von dem Ziel, das die Einschärfung der Rügepflicht und die beständige Ermahnung zur gegenseitigen Beobachtung verfolgen, nämlich wie alle Sünden so auch die krankhaften Regungen des Herzens aufzudecken und damit der Heilung zugänglich zu machen. Dies Ziel beruht auf der optimistischen Voraussetzung, dass wie die versteckten körperlichen Leiden so auch die κεκρυμμένα πάθη τῆς ψυχῆς an ihren Symptomen bzw. »Früchten« erkannt und damit auch geheilt werden können[40]. Denn nichts – so die biblische Stütze dieser Überzeugung – »ist verborgen, was nicht erkannt werden wird« (Mt 10,36). Nur so ist jedenfalls die beständige Einübung in die Diagnose seelischer Verfehlungen verständlich: »Woran erkennt man den Gefallsüchtigen?«[41]; »Wie erkennt man den Hochmütigen und wie wird er geheilt?«[42]; »Wenn einer im Verlauf eines Gespräches freudig bemerkt, dass die Zuhörer seinen Worten zustimmen – wie kann er sich prüfen, ob er sich aus rechter Gesinnung freut oder aus Eigenliebe?«[43], sind Beispiele solcher vom therapeutischen Interesse geleiteten Erkenntnisbemühungen. Bereits diese wenigen Beispiele lassen erkennen, dass dabei sowohl der um Selbsterkenntnis bemühte Sünder wie auch die mit ihm zusammenlebenden Brüder angesprochen sind, was andernorts ausdrücklich festgestellt wird[44]. Von dieser Hilfe zur Selbsterkenntnis bis hin zu Verpflichtung, im vertrauten Kreis gleichgesinnter Brüder die Gedanken und Irrungen des Herzens auszusprechen und so das eigene Gewissen zu schärfen und zu entlasten, ist nur ein kleiner Schritt, zumal die Idee eines solchen Bekenntnisses vor dem Seelenarzt bei dem alexandrinischen Lehrmeister des Basilius längst ausgesprochen (und auch sonst in der asketischen Tradition in mancherlei Hinsicht vorbereitet) worden

[39] HOLL GA II,279.
[40] RB 28 (AscP); RB 301 (AscM).
[41] RB 33 (AscP).
[42] RB 35 (AscP).
[43] RB 185 (AscM).
[44] RB 301 (AscM); RF 46 (AscM); etc.

war. So erfolgt die Einführung der Beichtverpflichtung in den monastischen Kommunitäten des Basilius gleichsam mit innerer Notwendigkeit.

Diese Stufe der Enwicklung ist, wie bereits vermerkt, erst in der späteren Redaktionsstufe, dem Asceticon Magnum, eindeutig nachweisbar. Auch hier trägt diese Massnahme *zunächst* noch den *Charakter des Ausserordentlichen*. So sind es von der Reise heimkehrende Brüder[45] oder Novizen[46], die ihre Gedanken bekennen müssen; es soll also verhindert werden, dass der Virus weltlicher Gesinnung von aussen in das Kloster hereingeschleppt wird. Oder diese Regelung wird, wie im Fall der Klosterschüler, von der besonderen Eignung der kindlichen Psyche her begründet[47], wobei diese Forderung übrigens in der früheren Fassung dieser Regel (RF 15) im Asceticon Parvum noch völlig fehlt[48]. Als allgemeine Übung ist die Beichte greifbar in RB 227 (AscM): Εἰ χρὴ ἕκαστον ἀνατίθεσθαι καὶ ἑτέροις ἃ φρονεῖ und RF 26 (AscM): Περὶ τοῦ πάντα καὶ τὰ κρυπτὰ τῆς καρδίας ἀνατίθεσθαι τῷ προεστῶτι, wobei diese Überschrift mit der alleinigen Nennung des Vorstehers sekundär ist[49] und im Widerspruch zur Antwort steht, wo es heisst: Δεῖ ... ἕκαστον ... μηδὲν μὲν ψυχῆς κίνημα ἀπὸκρυφον φυλάσσειν παρ' ἑαυτῷ ..., ἀλλ' ἀπογυμνοῦν τὰ κρυπτὰ τῆς καρδίας τοῖς πεπιστευομένοις τῶν ἀδελφῶν εὐσπλάγχως καὶ συμπαθῶς ἐπιμελεῖσθαι τῶν ἀσθενούντων. Nur in den Texten des Asceticon Magnum wird das pflichtmässige und regelmässige Bekennen der Herzensgedanken und damit die Beichte verlangt, während das Sündenbekenntnis, von dem die (dem Asceticon Parvum zuzurechenden) Fragen RB 229 und 288 handeln, anderen Charakter hat, da hier ein freiwilliges bzw. ein Bekennen verbotener Taten thematisiert wird[50]. Immerhin werden hier die Vorstufen

45 RF 44,1 (AscM/31,1029c-1031a).
46 RF 10,2 (AscM/31,945b).
47 RF 15,3 (AscM/31,956a).
48 interr. 7 (CSEL 86,38-40).
49 Darauf macht CLARKE Works 49f aufmerksam.
50 RB 229 (31,1236a = interr. 200 CSEL 86,217): Εἰ χρὴ τὰς ἀπηγορευμένας πράξεις ἀνεπαισχυντότερον ἐξαγορεύειν πᾶσιν, ἢ τισί καὶ ποίοις τούτοις; RB 288 (31,1284c = interr. 21 CSEL 86,69): Ὁ θέλων ἐξομολογήσασθαι τὰς ἁμαρτίας ἑαυτοῦ εἰ πᾶσιν ἐξομολογεῖσθαι ὀφείλει, καὶ τοῖς τυχοῦσιν ἤ τίσιν. – CLARKE Works 49ff stellt die relevanten Texte zusammen und unterscheidet – unter Zustimmung durch AMAND DE MENDIETA RHR 152 (1957) 58f u.a. – zwischen einem Bekenntnis im Rahmen der Klosterdisziplin und einem Bekenntnis zur Erleichterung des bedrängten Herzens; HOLL Enthusiasmus 263f differenziert ganz ähnlich zwischen einem regelmässigen Bekenntnis der Herzensgedanken vor

greifbar. Auch die beiden Fassungen der Aufnahmeregel RF 10 lassen diese *Entwicklung* erkennen: denn wird im Asceticon Parvum vom Novizen das Bekennen früherer (T a t -)Sünden auf Befragung hin verlangt, so fordert die Fassung des Grossen Asceticon, τὰ κρυπτὰ τῆς αἰσχύνης freizulegen und zum Selbstankläger zu werden[51]. Bei alledem muss man im Auge behalten, dass die Verpflichtung zum Aussprechen der H e r z e n s gedanken nicht nur die sündigen Regungen bereits im Keim ersticken, sondern zugleich auch die guten befestigen und so zur Vollkommenheit führen will: »Denn so wird, was lobenswert ist, befestigt und was falsch ist, mit der angemessenen Therapie behandelt; und durch solche gemeinschaftliche Übung gelangen wir nach und nach zur Vollkommenheit«[52]. Durch das Instrument der Beichte wird so jene Heilung und Vervollkommnung vermittelt, die Basilius an anderer Stelle als Grundbestimmungen der Kirche benennt.

d. Wer sind nun die *Seelenärzte*, die das Bekenntnis der Sünde entgegennehmen, vor denen die Gedanken des Herzens auszusprechen sind und die die der Therapie entsprechenden Bussleistungen festlegen? Die alte (und lange Zeit konfessionell befrachtete) Streitfrage, ob und in welchem Umfang Priester an der Verwaltung der klösterlichen Bussdisziplin beteiligt waren, ist negativ zu beantworten, da zweifelsfrei von Priestern im Kloster nur an drei Stellen (und dazu in ganz anderem Zusammenhang) die Rede ist[53] und auch die einzige hier ernsthaft zu prüfende Stelle RB 288 kaum von Priestern und jedenfalls nicht vom Bekenntnis der B e i c h t e handelt[54]. Basilius fasst vielmehr in erster

älteren und erfahrenen Brüdern und einem Bekenntnis der gröberen Sünden vor dem Vorsteher oder einem Beauftragten. In jedem Fall gehören die das Bekenntnis der Herzensgedanken bezeugenden Texte (RF 26; 44,1; 15,3; 10,2; RB 227; wohl auch RB 79) dem Asceticon Magnum an; auch der von HOLL herangezogene sermo asceticus (sermo XIII,5 [31,881ab]) dürfte, falls überhaupt echt (cf. GRIBOMONT Histoire 313), einer späteren Phase angehören.

51 AscP: Interr. 6,6 (CSEL 86,37): vel si etiam d e l i c t u m aliquod suum cum i n t e r r o g a t u s fuerit nequaquam pronuntiare confunditur; AscM: RF 10,2 (31,945b): Δοκιμάζειν δὲ χρὴ καὶ εἴ τις, ἐν ἁμαρτήμασι προληφθείς, ἀνεπαισχύνθως ἐξαγορεύει τὰ κρυπτὰ τῆς αἰσχύνης καὶ κατήγορος ἑαυτοῦ γίνεται.

52 RF 26 (AscM/31,986a). Ähnlich RB 227 (AscM): ἵνα ἢ τὸ πεπλανημένον διορθωθῇ ἢ τὸ ἠκριβωμένον βεβαιωθῇ; RF 44,2 (AscM); 54 (AscM).

53 RB 64.231.265; cf. unten p. 232,17f.

54 RB 288 (AscM/interr. 21): ἀναγκαῖον τοῖς πεπιστοιμένοις τὴν οἰκονομίαν τῶν μυστηρίων τοῦ θεοῦ ἐξομολογεῖσθαι τὰ ἁμαρτήματα. Die confessio, von der hier die Rede ist, dürfte wie etwa in RB 229 und den sonstigen Texten des Asceticon Parvum das Bekenntnis fehlbarer (und der Klosterdisziplin unterstehender) T a t e n be-

Linie jene weiteren (den Vorsteher einschliessenden) Kreis erfahrener und *charismatisch qualifizierter Brüder* ins Auge, die »befähigt sind zu heilen«[55] und nach Art der Ärzte dem einzelnen unbewusste Krankheiten zu diagnostizieren imstande sind[56]. Sie spielen bereits bei der Aufrechterhaltung der Klosterdisziplin eine hervorgehobene Rolle[57] und erscheinen natürlich auch prädestiniert, mit »Einsicht« die Beichtbusse zu handhaben und im vertrauensvollen Gespräch die geheimen Regungen des Herzens offenzulegen und »was falsch ist, zu bessern, und was gut ist, zu festigen«[58]. – Es erscheint in diesem Zusammenhang bemerkenswert, dass jener unübersehbare Vorgang institutioneller Verfestigung, der sich über die Redaktionsstufen des Asceticon beobachten lässt und zur Stärkung der Position des Vorstehers auf Kosten der Rechte der Gemeinschaft führt, für den Bereich der Buss- und Beichtpraxis nicht in gleicher Weise zu gelten scheint. Denn als das Forum, vor dem das Beichtbekenntnis abzulegen ist, bezeichnen die Bestimmungen des Asceticon Magnum ja gerade jenen weiteren Kreis derer, »die damit beauftragt sind, voller Erbarmen und Mitleid für die Schwachen Sorge zu tragen«[59], bzw. noch allgemeiner der »Gleichgesinnten«[60]; und was die Klosterdisziplin angeht, so wird ebenfalls deutlich, dass die hervorgehobene Verantwortung des Vorstehers eingebunden bleibt in die Pflicht der ganzen Gemeinschaft zur Wiedergewinnung des fehlenden Bruders. RF 46, dem Asceticon Magnum zugehörig, ist hier besonders aufschlussreich, da hier einerseits die besondere Stellung des Vorstehers deutlich herausgestellt wird – ihm ist »jedes Vergehen« zur Kenntnis zu bringen, und zwar entweder vom Sünder selbst oder denen, die um seinen Fehler wissen –, aber gleichsam nur als letzter Instanz: dann nämlich, »wenn sie« – die Mitwisser also – »den Schaden nicht selbst heilen können«. An der Pflicht eines jeden Könobiten, helfend einzugreifen, wo er bei seinem Bruder einen Fehler bemerkt, werden keinerlei Abstriche gemacht.

zeichnen; und bei denen, »denen 'die Verwaltung der Geheimnisse Gottes' anvertraut ist«, dürfte es sich nicht – so zuletzt FRANK Mönchsregeln 398,158 – um Priester handeln. Vielmehr verwendet Basilius sonst 1Kor 4,1 zur Charakterisierung der klösterlichen Leitungsfunktion (cf. RB 98.184; sowie CLARKE Works 41. 50. 340,3; HOLL Enthusiasmus 264).

[55] RB 229 (AscP); RB 177 (AscP).

[56] RB 301 (AscM).

[57] Das ist der Entwicklungsstand auf der Ebene des Asceticon Parvum.

[58] Z.B. RB 227 (AscM).

[59] RF 26 (AscM).

[60] RB 227 (AscM).

e. So stellt die klösterliche Gemeinschaft ein *breitgefächertes therapeutisches Instrumentarium* bereit: liebevolle Rüge, wechselseitige Belehrung, die Einrichtung der Beichte; genau und individuell dosierte Bussleistungen; Stärkung durch das persönliche Vorbild; Ausschaltung äusserer Störungen; sowie die Atmosphäre vertrauensvollen Zusammenlebens, die das Herz öffnet und die verschütteten Kräfte zum Guten freizulegen, zur Entfaltung zu bringen und zu festigen geeignet ist. Damit will die Kommunität zugleich zu jener vollkommenen Gebotserfüllung befähigen, die das Evangelium als Bedingung des Heils nennt. Dass diese vom Evangelium gebotene *Vollkommenheit* auch tatsächlich *erreichbar* ist, ist die feste – »pelagianische«[61] – Überzeugung des Basilius und zugleich der Grund dafür, dass nach seiner bestimmten Meinung der einzelne nie ohne die Hilfe der ihn tragenden Gemeinschaft auskommt. Denn dass der einzelne, alleine auf sich gestellt, unmöglich die vollkommene Gerechtigkeit des Evangeliums erlangen kann, steht ihm als Erfahrungsdatum ebenso fest wie der umgekehrte Satz, dass diese Gerechtigkeit nicht nur zwingend vorgeschrieben, sondern zugleich auch – im Kreis und mit der Hilfe gleichgesinnter Christen – positiv erreichbar ist. Hat uns doch der gute und barmherzige Gott nichts befohlen, »wozu er uns nicht auch die Befähigung geschenkt hätte«[62]. Da Gott also dem Menschen die Kraft zur Erfüllung all seiner Gebote verliehen[63] und uns bei der Erschaffung die Liebe zum Guten keimhaft ins Herz gesenkt hat[64], bleibt dem Christen nichts anderes zu tun, als in der Gemeinschaft der durch das gleiche Ziel verbundenen Brüder (bzw. Schwestern) diese verschütteten Antriebskräfte freizulegen, die zur Kruste verhärtete sündige Gewohnheit abzuschütteln und sich gemeinschaftlich in das dem Evangelium entsprechende Leben einzuüben. So gelangt er zu jenem Punkt, wo er in Wahrheit mit den Worten des Psalmisten sagen kann: »Ich habe die Ungerechtigkeit gehasst und verabscheut« (Ps 118,163)[65]. Dann ist die Sünde getilgt und der Heilungsprozess zu seinem Ziel gekommen.

[61] S. oben pp. 92f.87ff.
[62] RB 176 (AscP/31,1200c).
[63] RF 2,1 (AscP/31,909a).
[64] RF 2,1 (31/,909b–912a). – Cf. oben pp. 89ff.
[65] RB 12 (AscP); RB 296 (AscP). LORENZ ZKG 77 (1966) 37 weist auf die Nähe zu dem »berüchtigten Gebet ... des Pelagius« hin. Cf. auch HOLL Enthusiasmus 266f zSt. – Zur Frage des irrenden Gewissens in diesem Zusammenhang cf. RB 28 (AscP); 301 (AscM).

3. *Gemeindedisziplin (Kanones).* Stellt sich die Busspraxis des Klosters in ihren wesentlichen Momenten als Realisierung und Weiterentwicklung der programmatischen Vorgaben der Moralia dar, so ist auf der anderen Seite der *Abstand zum traditionellen System der öffentlichen Kirchenbusse* gerade unter therapeutischem Aspekt unverkennbar. Diese Diskrepanz beruht v.a. auf dem unterschiedlichen zugrundeliegenden Sündenbegriff – die Gemeindedisziplin sucht offenkundig unwürdige Mitglieder aus ihren Reihen auszuschliessen, die Beichttherapie des Klosters hingegen auch die krankhaften Regungen des Herzens der Heilung zugänglich zu machen - und ist in doppelter Weise formuliert worden: 1. Gemeindedisziplin und das im Kloster eingeführte Beichtinstitut stehen unvermittelt nebeneinander: »There is no attempt to connect the two« (CLARKE)[66]. 2. Das Heiligkeitsideal des Klosters und die beschränkten erzieherischen Möglichkeiten der Gemeindedisziplin klaffen auseinander: so »ist Basilius recht eigentlich der Prediger der doppelten Moral geworden, die das neu erstandene mönchische Ideal der Kirche aufzwang« (SCHWARTZ)[67]. Nun ist aber der Begriff der doppelten Moral mit Sicherheit denkbar ungeeignet, um die unzweifelhaften (und von Basilius auch bewusst wahrgenommenen) Differenzen zwischen Kloster- und Gemeindedisziplin zu beschreiben, da Basilius selbst ja nie unterschiedliche Standards für die Christen in Kloster und Gemeinde anerkannt hat. Und die Beobachtung, dass Basilius keinen Versuch unternommen hat, das Beichtinstitut aus dem Lebensraum der monastischen Kommunität in den Bereich der Gemeindedisziplin zu übertragen, verliert erheblich an Gewicht, wenn man die oben getroffene Feststellung berücksichtigt, dass das Beichtinstitut erst in der späteren Redaktion des Asceticon nachweisbar ist, also nicht von Anfang Bestandteil der klösterlichen Bussdisziplin war, sondern sich erst im Lauf der Entwicklung ausgebildet hat und darum nicht als feste Grösse in den Vergleich von Kloster- und Gemeindedisziplin eingebracht werden darf. Damit aber verändern sich die Ausgangsbedingungen eines solchen Vergleichs, der in der Tat zu einer engeren Zusam-

[66] CLARKE Works 49: »The importance of Basil in the history of confession lies in this, that as bishop he administered the official penitencial system in its highly developed Asia Minor form ..., and simultanelously he inculcated in his coenobia regular confession as a means of grace and an outward expression of the spirit of community life. There is no attempt to connect the two«. Ähnlich: HOLL Enthusiasmus 268ff; SCHWARTZ GS V,349f; LAGARDE RHLR.NS 8 (1922) 544.548; SEEBERG DG II,305,1.

[67] SCHWARTZ GS V,349.

menschau beider ihrer Entstehungsvoraussetzungen nach so unterschiedlicher Busssysteme führt. Dazu die folgenden Bemerkungen.

a. Im Kloster werden für bestimmte Verstösse *keine standartisierten Bussleistungen* angegeben. Diese sind vielmehr individuell, je nach Art des Vergehens, der psychischen Disposition des Delinquenten, des Eifers seiner Busse und andere Umstände zu bestimmen; auch dasselbe Vergehen kann unterschiedlicher Behandlung und Strafe unterworfen werden[68]. Das Strafmass der öffentlichen Bussdisziplin ist die Zeit des Ausschlusses, die für jedes Vergehen festgelegt und – entsprechend dem für Kappadozien charakteristischen System der Bussstufen – auf die verschiedenen Bussstufen resp. Grade der Ausschliessung hin differenziert ist. Angesichts des von Basilius beklagten Zerfalls der öffentlichen Busse war damit gegen willkürliche und beliebige Handhabung der Kirchenzucht durch den einzelnen Bischof eine Sicherung gegeben. Andererseits ist damit keineswegs ein mechanisches Strafmass festgesetzt, wie bereits die schwankenden und im einzelnen widersprüchlichen Angaben der kanonischen Briefe erkennen lassen. Vielmehr betont Basilius gerade in den resümierenden Passagen, dass die Bussdauer nicht nur nach der festgesetzten Zeit, sondern auch nach den καρποὶ τῆς μετανοίας zu bestimmen sei[69]. So stellen die Zeitangaben der Kanones, innerhalb einer bestimmten Bandbreite, nur Anhaltspunkte für den Bischof dar, in dessen Händen das Bussverfahren liegt; er hat die Möglichkeit, im Blick auf die »Früchte der Busse« resp. die Einstellung und das Verhalten des Pönitenten ein ganz anderes Urteil zu fällen und die Busszeiten individuell festzulegen. Damit ist zumindest in der Theorie (bzw. unter geeigneten Bedingungen) die Möglichkeit gegeben, das überkommene System fixierter Busszeiten analog zu den Grundsätzen zu handhaben, wie sie sich in der Busstherapie des Klosters ausgeprägt und entwickelt haben.

b. Unter diesem Aspekt ist nun *can. 3* besonders aufschlussreich. Hier wird der Fall eines Diakons verhandelt, der Unzucht getrieben hat; er soll – so gibt Basilius die gängige kirchliche Praxis wieder – seines Amtes enthoben und in den Laienstand versetzt werden. Nachdem Basilius soweit die den

[68] RB 288.106 (AscP); RB 81f.14; RF 51.15,2 (AscM); s.oben pp. 186f.
[69] can. 84:1–4; 74; 54; 2:10f; 3:13–18; 4:16f; 5:4f; 7:11–13; 75:14f; 77:7f. Diese Freiheit war von Anfang an mit dem System der Bussstufen verbunden; cf. zB can.Neocaes. 3 (JOANNOU I/2,76).

Kanones entsprechende Handhabung des Falls referiert hat (ταῦτα μὲν οὖν τὰ ἐκ τῶν τύπων)[70], kommt er auf die wirklichere Heilung (ἀληθέστερον ἴαμα) zu sprechen, die in einer vollständigen Lösung von der Sünde bestehe: »Wer also durch Fleischeslust die Gnade verloren hat, dann aber – durch Abtötung des Fleisches und vollständige Unterwerfung unter die Enthaltsamkeit – von den Begierden frei geworden ist, von denen er gefesselt war, wird also den volkommenen Erweis seiner Heilung erbringen«. Die vollkommene Heilung besteht also darin, dass die Sünde durch die entgegengesetzten Werke der Gerechtigkeit ausgemerzt wird; das ist, wie wir sahen, der Grundsatz, auf dem auch die Busstherapie des Klosters beruht[71]. Abschliessend resümiert Basilius: der Bischof müsse beide Behandlungsweisen kennen, καὶ τὰ τῆς ἀκριβείας καὶ τὰ τῆς συνηθείας, ἕπεσθαι δὲ ἐπὶ τῶν μὴ καταδεξαμένων τὴν ἀκρότητα τῷ παραδοθέντι τύπῳ.

HAUSCHILD übersetzt hier folgendermassen: »Beides müssen wir also kennen, die Erfordernisse der fixierten Regelung und die der Lebensart, aber in Fällen, wo die rigorosere Lösung nicht akzeptiert wird, müssen wir der überlieferten Vorschrift folgen«[72]. Ähnlich PAVERD, der die Stelle so wiedergibt: »Wir müssen nun beides kennen, sowohl die Strenge der Gesetze als die Gewohnheit. Man soll jedoch für jene, die die volle Strenge nicht hinnehmen wollen, dem überlieferten Typos folgen«. Er kommentiert folgendermassen: »Die Gewohnheit scheint also in gewissen Fällen das Gesetz abgeschwächt zu haben«[73]. Beide verstehen die Stelle nicht richtig, da sie den Begriff ἀκρίβεια falsch deuten. Die κανόνων ἀκρίβεια ist ja eines der charakteristischen Schlagworte des Reformprogramms des Basilius. Damit ist aber nicht nur die genaue Beachtung des geltenden kirchlichen Rechts gemeint[74], sondern mehr noch bzw. in erster Linie die ἀκριβὴς τήρησις jener κανόνες, die in der Schrift zu finden sind[75]; und diese ἀκρίβεια τῶν κανόνων kann auch unab-

[70] τύπος als Äquivalent für κανών zB can. 76. 78. 1:80f.
[71] Cf. RB 287 (AscP); RF 51. 15,2 (AscM); RB 287.289 (AscP); sowie pp. 186f.
[72] HAUSCHILD Briefe II,103.
[73] PAVERD OrChrP 38 (1972) 58.
[74] So zB ep. 92,2:17; 127:17; 54:2.
[75] Κανών zur Bezeichnung biblischer Weisungen zB RB 1 (AscP/31,1081b); RF 14 (31,925a); 25,1 (31,984d); RB 238 (AscM); ep. 288:3. Das ganze Mönchsleben kann unter den Begriff der ἀκρίβεια (ἀκρίβεια πολιτείας, ἀκριβῆς τήρησις τῶν ἐντολῶν etc.) gefasst werden, zB ep. 295:16f.24; RF 6,1 (AscP/31,925a); 25,1

hängig vom positiven kirchlichen Recht beschrieben bzw. in unmittelbaren Gegensatz dazu gestellt werden. So stellt Basilius beispielsweise in den kanonischen Briefen im Blick auf die kirchliche Regelung der Ehescheidung sowie des Ehebruchs durch Männer einen Widerspruch zwischen der kirchlichen συνήθεια bzw. der »kanonischen« Überlieferung der Väter auf der einen und den Worten Christi – deren genaue Befolgung (ἀκρίβεια τῶν τοῦ κυρίου ῥημάτων) die Moralia den Kirchenvorstehern zur Pflicht machen[76] – andererseits fest[77]. Ein gleichartiger Gegensatz liegt nun auch in can. 3 vor, wo ganz unzweideutig zwischen der gängigen kirchenrechtlichen Handhabung des Falls (συνήθεια, παραδοθεὶς τύπος, τὰ ἐκ τῶν τύπων) und einer »genau« dem Willen des Herrn entsprechenden Regelung unterschieden wird, die in der »vollständigen« Beseitigung der Fleischeslust besteht und eben aus diesem Grund anders als jene »wahrhaftige Heilung« bringt. Der bischöfliche Seelenarzt muss also beide Methoden kennen und nach Möglichkeit die »vollkommenere« Therapie (wie sie in den Klöstern praktiziert wird) zur Anwendung zu bringen versuchen; bei denen aber, die sich dieser Radikalkur zu unterziehen nicht bereit sind, ist er auf das traditionelle disziplinarische Instrumentarium (in diesem Fall also kanonische Degradierung) angewiesen. Vielleicht ist es kein Zufall, dass es ein Kleriker ist, bei dem eine solche – der Klosterbusse entsprechende – »wahrhaftige Heilung« vorgeschlagen wird; unterliegt doch der Klerus sehr viel stärker den Einwirkungsmöglichkeiten des bischöflichen Seelenarztes als die normalen Gemeindeglieder.

Für die Wertung des überkommenen Systems der kanonischen Gemeindebusse ist diese Stelle in gegenläufiger Hinsicht aufschlussreich. Einmal: es entspricht nicht dem Standard und Therapiemöglichkeiten, die die Bussdisziplin des Klosters bietet, es vermag nur eine weniger vollkommene Heilung zu bieten. Andererseits: es ist der Ausgangspunkt, um – wo die Umstände dies erlauben – zu einem ἀληθέστερον ἴαμα vorzustossen.

(AscM/31,984c); prol. IV,1 (31,892b). Die Pflichterfüllung eines κελλάριος kann als ἀκρίβεια τοῦ κανόνος bezeichnet werden (RB 156 AscM).

[76] RM 70,36.

[77] can. 77: Κατὰ τὴν τοῦ Κυρίου ἀπόφασιν ist die Stafe für μοιχεία (= 15 Jahre) fällig; κεκανόνισται δὲ παρὰ τῶν Πατέρων eine 7jährige Bussfrist; can. 9:1.4. 10(19f): Ἡ τοῦ Κυρίου ἀπόφασις – ἡ συνήθεια (ἡ ἐκκλησιαστική); can. 21:12f bezeichnet die kirchliche συνήθεια als unverständlich. Cf. auch die Kritik von Iudic. 7 (31,669ab) an der κακίστη συνήθεια in Sachen Bussdisziplin.

c. Die *doppelte Linie*, die can. 3 zieht – die des als ungenügend kritisierten kirchlichen Brauchs und die der evangelischen ἀκρίβεια, die nach Möglichkeit zu verwirklichen ist –, liefert ein Modell, das sowohl zum Vergleich von Gemeinde- und Klosterdisziplin hilfreich wie auch zum Verständnis der Kritik des Basilius am positiven kirchlichen Recht vonnutzen ist. Letzteres ist etwa in den eben angesprochenen can. 9.77.21 der Fall, wo Basilius die kirchliche συνήθεια, welche dem Mann (anders als der Frau) bei Scheidung und Ehebruch (relativ) grosszügig entgegenkommt, zwar als im Widerspruch zur Weisung des Herrn kritisiert, aber doch in Geltung lässt; oder – in ganz anderer Weise – in der Frage der Ketzertaufe, wo Basilius zwar sehr bestimmt auf die ἀκρίβεια κανόνων pocht– worunter er eine rigorose Praxis der Wiedertaufe von Häretikern (und im Grunde auch von Schismatikern) versteht[78] –, aber (zunächst noch) der οἰκονομία, der Rücksicht auf die konkreten Gegebenheiten[79], das letzte Wort zugesteht (can. 1), um dann in can. 47 doch dem für ihn einzig möglichen Standpunkt, der Praxis der Wiedertaufe bzw. eben dieser ἀκρίβεια κανόνων, durch synodalen Rechtsbeschluss zum Sieg verhelfen zu wollen. Hier wie dort kommt der kirchliche Brauch und die gegebene kirchliche Rechtsordnung im *Spannungsfeld des Prinzips der ἀκρίβεια und des Grundsatzes der οἰκονομία* zu stehen; und es ist eine Frage der Einschätzung der realen Durchsetzungsmöglichkeiten, wo der συνήθεια das Feld überlassen oder dem Standpunkt der ἀκρίβεια κανόνων zur kirchenrechtlichen Geltung verholfen wird (wobei beide Positionen auf einem ziemlich hohen Niveau angesiedelt sind). In diesem Zusammenhang seien can. 50 und can. 18 als gegensätzliche Beispiele genannt. Can. 50 behandelt den Fall der »Trigamie«, der dreimaligen (sukzessiven) Verheiratung also, den Basilius als »Schandfleck der Kirche« und als so ungeheuerlich beurteilt[80], dass er in der kanonischen Tradition gar nicht erwähnt sei. Dennoch verzichtet er auf öffentliche Disziplinierung, da solche Trigamie immer noch besser sei als offene »Unzucht«[81]. Anders can. 18, der den Bruch des Virginitätsgelübdes zum Gegenstand hat, wo Basilius eine gegenüber der traditionellen Regelung strengere Behandlung anordnet und sich dabei sowohl auf die veränderten Verhältnisse (und insbesondere das Erstarken des kirchlichen Standes der Jungfrauen) beruft wie v.a. auf die von ihm als

[78] can. 1:80.46ff.
[79] οἰκονομία: can. 1:63-65.72-75; 47:6f.
[80] Cf. KÖTTING OrChr 48 (1964) 145ff.
[81] Anders freilich die Regelung in can. 4.

Meinung der Hl. Schrift verstandene Regelung[82], der er so Rechtskraft zu verleihen sucht. So kommt für Basilius die traditionelle kirchliche Rechtsordnung zwischen die Pole der οἰκονομία und der κανόνων ἀκρίβεια zu stehen. Gegenüber den Zerfallserscheinungen der Zeit ist es oftmals schon Gewinn genug, die Linie kirchlicher συνήθεια halten zu können; im Blick auf das Hochziel des Wandels gemäss der Norm des Evangeliums aber ist eine möglichst weitgehende Annäherung an die in der Schrift niedergelegte Norm der vollständigen Gebotserfüllung angezeigt. Dies Hochziel eines Lebens in Übereinstimmung mit den Grundsätzen des Evangeliums aber hält die kirchliche Bussordnung für die ganze Christenheit fest; sie will, so sagt es Basilius zum Abschluss der Kanones, zur Annahme der κατὰ τὸ Εὐαγγέλιον ζωή führen[83].

d. Ein Beispiel, wie Basilius ganz massiv und unmittelbar seine Vorstellungen von idealer Busspraxis in kirchenrechtliche Formen umsetzt, stellt *can. 71* dar. Er lautet: »Wer von irgendeiner der vorher genannten Verfehlungen weiss und dies nicht bekennt, sondern dessen (= seiner *Mitwisserschaft*) überführt wird, soll ebenso lange Zeit bestraft werden, wie sie für den Übeltäter selbst bestimmt ist«. WATKINS kommentiert: »Such a provision is on the face of it so grossly unfair, that it must needs have been a dead letter from the first. To take the case of a man who has come to know of a friend's fall from purity, and does not choose to give information about it; such an one by Basil's rule incurs seven years' exclusion from communion, passed in various grades of penance. Is it conceivable that such a discipline could ever have been enforced?«[84]. In der Tat ist die rigoristische Handschrift des Basilius unverkennbar. PAVERD führt als Parallele can.Caesar. 9 an, wo aber nur von der Strafe für Mitwisserschaft in einem konkreten Fall (Schändung der Schwester der eigenen Verlobten) die Rede ist[85], während die Bestimmung des Basilius allgemeingültig formuliert ist. Wie dieser can. 71 in der Praxis gehandhabt wor-

[82] can. 18:7ff.11ff.
[83] can. 84:6.
[84] WATKINS Penance 324.
[85] PAVERD OrChrP 38 (1972) 53; can.Caesar. 9 (25) (= can.Ancyr. 25). Auch auf der Basis der SCHWARTZschen These, der die Abhängigkeit des Basilius von den Kanones der Synode zu Antiochia 324/25 annimmt, sähe der entsprechende antiochenische Kanon (can. 16) nur die »Hälfte« der Strafzeit des Delinquenten selbst vor. Cf. SCHWARTZ GS V,319,2.

den ist, entzieht sich unserer Kenntnis. Sicher hingegen ist, dass er präzise den Grundsätzen entspricht, die Basilius in den Moralia sowie im Asceticon formuliert hat: dass j e d e r , der seinen Bruder ungewarnt ins Verderben straucheln lässt, des Gerichtes schuldig ist und darum mit allen Mitteln dazu angehalten werden muss, seiner Rügepflicht zu genügen.

e. Eine terminologische Unterscheidung zwischen den »Christen« in Gemeinde und Kloster hat Basilius, wie mehrfach erörtert, nicht getroffen; und es findet sich bei ihm auch keine direkte Äusserung zu der im vorliegenden Zusammenhang interessierenden Frage, ob und ggf. wie er die Unterschiede von Kloster- und Gemeindedisziplin in Beziehung gesetzt hat zum unterschiedlichen Kreis der hier wie dort Betroffenen. Wohl aber findet sich im Asceticon ein Text, der indirekt erkennen lässt, wie Basilius in dieser Frage gedacht hat. Es handelt sich um *RB 81* (AscM), wo Basilius auf die Frage antwortet, ob dasselbe Vergehen bei gefestigten (εὐλαβής) und bei sittlich indifferenten (ἀδιάφορος) Missetätern in gleicher Weise zu behandeln sei, was er verneint. Dabei beschreibt er diese ἀδιάφοροι in einer Weise, die sich mit seiner kritischen Schilderung der Namenschristen der grossen Gemeinde deckt. Denn während sich der εὐλαβής grundsätzlich auf dem richtigen Weg des Tugendkampfes befindet und nur »wegen ungünstiger Umstände und vielleicht ohne es zu wollen zu Fall gekommen ist«, sitzt das Übel des ἀδιάφορος ungleich tiefer: er leidet unter gänzlicher Orientierungslosigkeit, vermag nicht Gutes und Böses zu unterscheiden und ist, wie sein Verhalten erkennen lässt, »am ersten und schlimmsten Übel erkrankt: entweder er verachtet Gott oder er glaubt nicht, dass Gott ist«. Denselben Grundfehler hatte De Iudicio Dei bei der Masse des verrotteten Christenvolkes ausgemacht, und hier wie dort wird solch praktischer Atheismus mit dem Psalmwort: »Der Tor denkt in seinem Herzen: Es gibt keinen Gott« wiedergegeben[86]. Unterschiedlich wie die Voraussetzungen muss nach dem Urteil des Basilius darum auch die Therapie sein. Beim εὐλαβής reicht eine gleichsam lokale Behandlungsmethode (οἱονεὶ τοπικοῦ τινος χρήζει τοῦ βοηθήματος): der Seelenarzt kann einen gezielten Eingriff vornehmen und sich darauf beschränken, für genau jenes Gebrechen, an dem der Delinquent leidet, die Bussmedizin zu reichen. Fragen wir, was damit konkret gemeint ist, so erkennen wir unschwer jene im Kloster vorzugsweise

[86] Ps LXX 13,1: Iudic. 3 (31,656c)/RB 81 (31,1140b).

angewandte (und etwa in RF 51 oder RF 15,2 beschriebene) Therapie wieder, die eine Fehldisposition durch Einüben der entgegengesetzten Verhaltensweise zu korrigieren sucht, also etwa Prahlerei durch Übungen der Demut, Geschwätzigkeit durch Schweigen etc. Beim ἀδιάφορος hingegen wäre eine derart punktuelle Behandlungsweise wirkungslos. Er muss erst durch strenge Zurechtweisung und Bestrafung zu dem Punkt geführt werden, an dem wirkliche Besserung einsetzen kann, d.h. er muss zur Einsicht gebracht werden, »entweder dass Gott ein gerechter Richter ist, damit er sich fürchtet, oder dass es überhaupt Gott gibt, damit er erschrecke«. Beim ἀδιάφορος ist also eine gröbere Behandlungsmethode angezeigt, damit er – zunächst durch Furcht und Schrecken vor dem Gericht – die verlorengegangene Orientierung zurückgewinnt und »zwischen Sünde und Tugend« zu unterscheiden lernt; und es ist sicherlich angemessen zu sagen, dass in den Augen des Basilius damit zugleich die wesentliche – für individuell abgestimmte »Früchte der Busse« naturgemäss weniger Raum lassende – Funktion der Kirchenzucht genannt ist[87]. Analog der unterschiedlichen Behandlung, die der εὐλαβής und der ἀδιάφορος benötigen, dürfte sich so im Sinn des Basilius sicherlich auch die *Zuordnung der traditionellen Gemeindedisziplin zu dem verfeinerten therapeutischen Instrumentarium* beschreiben lassen, welche die *Klosterdisziplin* bereitstellt. Zugleich impliziert diese Analogie die Durchlässigkeit der Gemeindebusse auf eine intensivere Form der Therapie hin.

4. *Bussleben des einzelnen (Homilien).* Gerade auch unter dem Aspekt der Therapie ist es notwendig, bei der Darstellung der Busspraxis des Basilius gesondert auf die Homilien einzugehen. Denn hier ist es ein sehr viel weiteres Publikum, dem der Prediger das Gewissen zu schärfen und das er zur Selbstzucht und einer *Selbstbeobachtung* anzuhalten sucht ähnlich der, die im Kloster eingeübt wird. Predigten wie πρόσεχε σεαυτῷ! zeigen das schon in ihrem Titel (hom. 3). Denn auch hier geht es darum, τὰς κατὰ διάνοιαν ἁμαρτίας bewusst zu machen, an denen viele infolge mangelnder Selbstbeobachtung »unheilbar erkrankt sind, und sie wissen noch nicht einmal, dass sie krank

[87] In ep. 286 kann Basilius staatliche und kirchliche Strafgerichtsbarkeit so vergleichen, dass er der einen Prügelstrafe und der anderen die Furcht vor dem Gericht Gottes als charakteristischem Erziehungsmittel zuordnet. In der Erweckung von Furcht vor den »schrecklichen Gerichten Gottes« besteht also ein wesentlicher pädagogischer Effekt der Gemeindedisziplin.

sind«[88]. »Gross« ist darum der »Nutzen« des Gebotes Dt 15,9 für jedermann, für Fortgeschrittene wie Anfänger in gleicher Weise, denn »es heilt die Kranken und vervollkommnet die Gesunden«[89]; und dass es hilfreich ist, nicht nur auf die sündigen Regungen des eigenen Herzens achtzugeben, sondern sie auch »einander zu offenbaren«, macht der Prediger gleich eingangs deutlich[90]. – Die therapeutische Funktion, die Basilius dabei der Predigt der Kirche zuweist, lässt sich etwa an hom. 11 studieren. Schritt für Schritt sucht hier der Prediger die Hörer gegen das Gebrechen des »Neides« zu immunisieren. Nachdem er zunächst dies Übel eindrücklich beschrieben, seine Erkennungsmerkmale benannt und auf die zahreichen schlimmen Folgen hingewiesen hat, hält er ein und fragt:

> »Was nun? Sollen wir die Rede mit der Anklage des Übels abschliessen? Aber das wäre gleichsam nur halbe Heilung. Denn dem Kranken die Grösse seiner Krankheit zu zeigen, damit er sich mit entsprechender Dringlichkeit um das Übel kümmere, ist zwar nicht unnütz. Ihn aber an diesem Punkt zu verlassen, ohne ihn zur Gesundheit zu führen, heisst nichts anderes als den Kranken der Krankheit ausgeliefert lassen. Wie sollen wir also der Krankheit entweder von Anfang an vorbeugen oder ihm im Fall der Erkrankung entkommen?«[91]

Der »Anklage des Übels« als erstem Schritt folgt dann als zweiter die Benennung des Heilmittels, das den erkannten Schaden dauerhaft zu heilen geeignet ist. Es besteht darin, die *rechte Einstellung* zu den Dingen der Welt zu gewinnen, »nichts unter den menschlichen Dingen für gross und nichts für ausserordentlich zu halten« und das »Gute« nur im Bereich der ewigen Güter zu suchen. Wenn einer eine solche Einstellung gewonnenn hat, »ist es unmöglich, dass er vom Neid befallen wird«. So wird dem Hörer der Weg zur »Heilung« und zugleich zur »Vervollkommnung« gewiesen. – Zugleich fordert der Prediger zu Werken der Busse und *Übungen der Frömmigkeit* auf, die die neugewonnene rechte Einstellung zu festigen und den Heilungsprozess zu sichern bestimmt

[88] hom. 3,4 (31,205b).
[89] hom. 3,4 (31,205b).
[90] hom. 3,1 (31,187c).
[91] hom. 11,5 (31,381bc).

sind. Bittere Tränen, andauernde Nachtwachen, unablässiges Fasten nennt etwa hom. 3[92]; nächtliches Gebet, Fasten im Haus, Psalmengesang im Kreis der Familie empfiehlt hom. 13[93], wobei der Prediger – entsprechend der in den Klöstern geübten Praxis – darauf achtet, solche Werke der Busse zu empfehlen, die der jeweiligen Krankheit entgegengesetzt sind. So rät er nach den skandalösen Vorfällen an den Märtyrergräbern den Rausch mit Fasten zu »heilen«, das schändliche Gegröhle durch Psalmengesang, mit Tränen das aufreizende Gelächter und durch Beugen der Knie den stampfenden Tanz[94]. Und hom.ps. 32 beschreibt die wahre ἐξομολόγησις so, dass nun Teilen an die Stelle der Raffgier trete, Fasten an die der Trunksucht, Hochmut durch Übungen der Demut geheilt werde etc[95]. Der Schärfung des Gewissens, die sich der Prediger zum Ziel gesetzt hat, entspricht so die Förderung des Busslebens eines jeden einzelnen. Aber für Basilius ist doch charakteristisch, dass er – wie gerade die letztgenannte Homilie verdeutlicht – diese private Busse in die *Gemeinde* zurückgenommen wissen will: der Sünder soll sich der Fürbitte der Mitchristen anvertrauen und »ohne Scheu öffentlich bekennen, was im Verborgenen geschah«[96]. Auch in der grossen Gemeinde sucht der wahre Büsser die Hilfe der Gemeinschaft.

C. BUSSPRAXIS UND KIRCHENBEGRIFF

Auseinandersetzungen um die Busse fielen in der alten Kirche stets zusammen mit Gegensätzen auch im Kirchenbegriff[1], so wie sich umgekehrt das spezifische Profil des Kirchenbildes einer Gruppe oder eines bestimmten Autors zumeist an der korrespondierenden Busspraxis ablesen lässt. Was besagt die Weiterentwicklung der traditionellen Bussdisziplin durch Basilius im Blick auf seinen Kirchenbegriff?

[92] hom. 3,4 (31,205ab).
[93] hom. 13,7 (31,440d).
[94] hom. 14,8 (31,461c).
[95] hom.ps. 32,2 (29,325cd).
[96] hom.ps. 32,3 (29,332ab).
[1] Verwiesen sei nur auf die Polemik des Montanisten Tertullian (De pudicitia) gegen die katholischen »Psychiker«, die Kontoverse Hippolyt – Kallist oder die Auseinandersetzung mit novatianischer Busspraxis im dritten (Cyprian) und vierten Jh. (Ambrosius, De Paenitentia).

1. *Heilbarkeit, nicht Heiligkeit als Kriterium.* Die rigorose Handhabung der Exkommunikationspflicht, die Basilius sowohl im Blick auf die Gemeinde- wie die Klosterdisziplin einschärft, erinnert nicht nur moderne Beobachter an novatianische Strenge. Auch antike Referenten ziehen diesen Vergleich. So der Kirchenhistoriker Sokrates, der noch im 5. Jahrhundert über die von Basilius geprägte Praxis zu berichten weiss: »Im kappadozischen Caesarea stösst man die, die nach der Taufe sündigen, aus der Gemeinschaft aus, wie die Novatianer«[2]. So sehr auch in wichtigen Momenten Übereinstimmung zwischen Basilius und den Anschauungen der Novatianer (und anderer rigoristischer Gruppen) besteht – wie etwa in der Sorge vor Befleckung durch »fremde« Sünde und der resultierenden Schutzpflicht für die Gemeinschaft[3] –, der zugrundeliegende Sündenbegriff ist ein anderer, entsprechend auch die Wertung der kirchlichen Busse. Denn während die novatianische Praxis[4] die Kirche als coetus sanctorum zumindest im Fall kapitaler Verbrechen von unwürdigen Gliedern freizuhalten suchte, ist Basilius nicht müde geworden, die Gleichheit aller Sünden zu betonen. Wie ihm darum aber eine jede Sünde (da Bekundung des Ungehorsams) als Todsünde gilt, so ist für ihn umgekehrt aber auch jede Sünde vergebbar und zugleich therapiefähig. De facto ist es ja v.a. in der monastischen Disziplin keineswegs die Schwere eines Vergehens, die den Ausschluss nach sich zieht, sondern die beharrliche Weigerung des Delinquenten, die »Medizin« der Busse anzunehmen und so sein Gebrechen zu »heilen«[5]. Nicht das Kriterium persönlicher Heiligkeit, sondern die Bereitschaft, sich den heilenden Kräften der Gemeinschaft zu öffnen, begründet die Zugehörigkeit zur Kirche.

[2] Socr.h.e. V,22,59 (HUSSEY II,635), cf. V,22,61 (ibid. 636); zSt cf. DÖLGER Taufe 435; GEPPERT Socrates 128.

[3] Cf. etwa die Wiedergabe der Position Novatians bei Cypr. ep. 55,27 (CSEL 3/2,645,14–16): peccato alterius inquinari alterum dicunt et idolatriam delinquentis ad non delinquentem transire sua adseveratione contendunt. Derartige Berührungspunkte mit Novatian (oder den Donatisten) beruhen auf dem gemeinsamen Rekurs auf die Busstradition (cf. can. 84 sowie oben pp. 159ff). Den überindividuellen Aspekt der Gefährdung durch fremde Sünde hat Basilius von der Gefährdung durch das schlechte Beispiel her begreiflich zu machen gesucht.

[4] Im Unterschied zu Novatian hat seine Kirche später die (kirchliche) Unvergebbarkeit aller sog. Todsünden behauptet. – Zu den Novatianern des Orients im 4. und 5. Jh. cf. VOGT Coetus 183ff.200ff.236–266.282ff; JANIN EOr 28 (1929) 384ff; VORGRIMLER Buße 53–55; im Westen: VOGT Coetus 267ff; FITZGERALD Penance 13–52; ders. Conversion 36ff. – Zu Basilius über die Novatianer cf. can. 1.47.

[5] »Unheilbarkeit« als Kriterium des Ausschlusses: s. oben p. 165,48.

2. *Unterschiedliche Intensität der Therapie.* Bei Basilius begegnen wir sehr unterschiedlichen Formen der Busspraxis: dem traditionellen System der öffentlichen Kirchenbusse wie der Bussdisziplin des Klosters, den überkommenen Formen privater Bussfrömmigkeit wie der in den basilianischen Bruderschaften sich entwickelnden Praxis der Beichte. Ihr Nebeneinander kann nicht – gegen E. SCHWARTZ – so verstanden werden, dass Basilius damit unterschiedliche sittliche Standards habe gelten lassen. Vielmehr ergab die Analyse, dass Basilius diese schon von ihren Entstehungsbedingungen her sehr unterschiedlichen Formen der Bussdisziplin, wo möglich, nach analogen Grundsätzen zu handhaben sucht. – Ebenso offensichtlich aber ist auch, dass die *Zielvorstellug der Kirche als heilender Gemeinschaft* hier wie dort in unterschiedlichem Masse verwirklicht ist. Denn gerade angesichts des reich entwickelten therapeutischen Instrumentariums der monastischen Kommunität werden die beschränkten Hilfsmöglichkeiten des traditionellen Gemeindelebens sichtbar. Denn der Prediger Basilius, der seinen Hörern den Weg zur Selbsterkenntnis, Sündentherapie, Schutz vor Ansteckung und zur evangelischen Vollkommenheit weisen will, wird wohl kaum den (in RF 7,4 oder ep. 150,4 ausgesprochenen) Grundsatz vergessen haben, dass es nicht so sehr der Belehrung durch das Wort als vielmehr der Unterstützung durch das tägliche positive Beispiel und der Einübung im Kreise Gleichgesinnter bedarf. Und seine Argumentation gegen die anachoretische Lebensweise – sie ist gefährlich, da sich der einzelne damit von den diagnostischen und therapeutischen Möglichkeit des Könobiums ausschliesst –, trifft analog ja auch auf die Gemeindechristen zu, die ungleich stärkeren Gefährdungen und Irritationen ausgesetzt sind als die im Schutzraum einer asketischen Gemeinschaft lebenden Christen und dabei ohne die vielfachen Hilfen und Stützen auskommen müssen, die das kommunitäre Leben jenen bereitstellt. Gerade unter dem Aspekt ihrer therapeutischen Leistungsfähigkeit tritt der Unterschied zwischen der monastischen und kirchlichen Gemeinde deutlich zutage.

3. *Ecclesia sine macula et ruga.* Ist diese Voraussetzung – Therapiebedürftigkeit eines jeden Gliedes der Gemeinschaft wie Therapiefähigkeit eines jeden Vergehens – sichergestellt, so ist sofort das positive Ziel des Busslebens ins Auge zu fassen: ein Leben in Entsprechung zum Evangelium und »frei 'von jeglicher Runzel und jeglichem Makel'« (Eph 5,27) der Sünde. Dies Ziel

weiss Basilius dem einzelnen Christen wie der ganzen Kirche aufgetragen[6]; und es entspricht seiner tiefen Überzeugung, dass dies Ziel positiv erreichbar und zugleich bereits für die Jetzt-Zeit verbindlich ist. In der Sache geht es für ihn dabei um nichts anderes als die kämpferische Bewahrung jenes Siegels der Reinheit, das dem Christen in der Taufe verliehen worden ist[7]. Diese Anschauung – wegen der Pelagius später auf der Synode zu Diospolis verklagt worden ist[8] – ist *von der corpus-permixtum-Ekklesiologie* der westlichen Tradition charakteristisch *unterschieden*. Die dort für dieses Modell beigebrachten biblischen Belege (wie das Gleichnis vom Unkraut im Acker oder das Wort vom Spreu und Weizen) werden bei Basilius, wenn überhaupt herangezogen, in einem entgegengesetzten Sinn verstanden[9]; und ein augustinisches »Ertragen« des offenkundigen Sünders in der Kirche um des »Friedens« willen[10] wäre ihm als völlig unerträglich und ein derartiger Frieden als »falscher Frieden« erschienen. Und wenn beispielsweise Augustin gegenüber donatistischer Berufung auf Eph 5,27 auf die occulti mali in der Kirche verweist, die allein Gott bekannt seien und die für ihn darum eine Gleichsetzung von sichtbarer Kirche und der ecclesia sine macula et ruga ausschliessen[11], so hätte Basilius dem wohl soweit zustimmen können, dass Gott nicht auf das äussere Verhalten, sondern auf die Beschaffenheit der Seele achtet[12]. Zugleich aber war er von der

[6] RM 80,22 (31,869b); ep. 292:18ff; ep. 265,2:54f; DSS VIII,18:2f; hom.ps. 115,4 (30,112a); hom.ps. 44,10 (29,409b); RF 6,1 (31,925b). – Zur Auslegungsgeschichte von Eph 5,27 in der alten Kirche cf. RIEDLINGER Makellosigkeit 18–62; JOURNET RThom 49 (1949) 206–221; ZUMKELLER Aug. 16 (1976) 457ff.

[7] ep. 292.

[8] So der 19. Vorwurf auf der Synode zu Diospolis: »Ecclesiam hic esse sine macula et ruga« (August.gest.Pel. XII,27 ALG II,244). Zu der von Pelagius gegebenen Interpretation dieses Satzes (»Dictum est«, inquit, »a nobis, sed ita, quoniam lavacro ab omni macula et ruga purgatur Ecclesia, quam velit ita Dominus permanere«: August.gest.Pel. XII,28 ALG II,246) cf. Basilius an einen Neophyten: παρακαλοῦμέν σε ... ἵνα ἄσυλον τὴν σφραγῖδα διασωσάμενος παραστῇς τῷ Κυρίῳ ἐκλάμπων ἐν τῇ λαμπρότητι τῶν ἁγίων, μηδένα σπῖλον ἢ ῥυτίδα ἐπιβάλλων τῷ καθαρῷ τῆς ἀφθαρσίας ἐνδύματι (ep. 292:13-19).

[9] Unkraut im Weizen (Mt 13,24–30.36–43): cf. ep. 114:35f: gegenwärtig Reinheit vom Unkraut notwendig; cEunom. I,1 (29,500a); RM 9,3; Spreu und Weizen (Mt 3,12): hom. 23,4 (29,596c): »sofort«; RB 257 (AscM); RB 267 (AscM/31, 1265b); das Gleichnis der guten und schlechten Fische im Netz (Mt 3,47–50) wird bei Basilius überhaupt nicht erwähnt; etc.

[10] Aug.brev.coll. III,9,16 (CSEL 53,65,13ff).

[11] Cf. HOFMANN Augustinus 232ff.237ff.

[12] Z.B. hom.ps. 28,3.7 (29,288.301b–d); hom. 3,1 (29,200cd); hom.ps. 29,3 (29,312c).

Überzeugung durchdrungen, dass eine jede διάθεσις der Seele unfehlbar an ihren »Früchten« erkannt[13] und darum auch, wo nötig, im Kreis gleichgesinnter Mitchristen der Heilung zugänglich gemacht werden kann. Darum bezeichnet für ihn die vom Apostel Eph 5,27 beschriebene Vollkommenheit kein in der Gegenwart unerreichbares Fernziel, sondern erfahrbare und erfahrene Wirklichkeit.

4. *Bussdisziplin und die Grenzen der Kirche*. Damit stellt sich die Frage nach dem Verhältnis von Kirche und Mönchtum in neuer Weise, da die Bussdisziplin des Klosters und der grossen Gemeinde in ganz unterschiedlicher Weise diesem Grundsatz Rechung tragen, dass auch die verborgenen Gebrechen des Herzens an ihren Äusserungen erkannt werden können. Basilius hat sich dieser Frage nicht explizit gestellt; aber es scheint, dass er sie im Sinn *abgestufter Verantwortlichkeit* des Leiters (bzw. der Verantwortlichen) der Disziplin in monastischer und kirchlicher Gemeinde beantwortet hat – bei gleichem Ziel, das beide im Auge haben. Can. 10 ist in diesem Zusammenhang von Interesse. Basilius verhandelt hier den Fall eines gewissen Severus, der bei der Ordination eines Presbyters unkanonisch vorgegegangen war und zu seiner Entschuldigung nun Vergesslichkeit vorschützt. »Dem Severus aber, der seine Vergesslichkeit vorschützt, werden wir verzeihen, weil wir uns sagen: der, der das Verborgene kennt, wird nicht darüber hinwegsehen, dass seine Kirche von einem solchen Mann schimpflich behandelt wird, der von Anfang an unkanonisch handelt, jemand im Widerspruch zum Evangelium mit einem Eid bindet und dann durch die von ihm vorgenommene Umbesetzung eidbrüchig werden lässt und nun auch noch lügt, indem er Vergesslichkeit vorschützt. Da wir aber nicht Richter des Herzens sind, sondern unser Urteil nach dem fällen, was wir hören, so stellen wir dem Herrn die Bestrafung anheim und nehmen ihn ungeprüft an, indem wir seiner Vergesslichkeit als einem menschlichen Gebrechen nachsehen«[14]. Bemerkenswert ist hier der Unterschied von Beurteilung und faktischer Handhabung dieses Falls. Basilius ist sich seines Urteils sicher: Severus hat unkanonisch gehandelt und Schande über die Kirche gebracht, seine anderslautenden Auskünfte sind Lüge. Aber das Vorgehen des Basilius entspricht nicht

[13] Z.B. hom.ps. 45,2 (29,417b–d).

[14] can. 10:23–32. – In einem ganz anders gearteten Fall – der Frage des rechten Bekenntnisses – trifft eine analoge Abgrenzung der Verantwortung des kirchlichen Leiters ep. 125(,1:2ff.9–16).

diesem seinem Urteil. Er orientiert sich vielmehr an dem, »was wir hören«, an den Worten des Severus also; auf diese Worte hin überlässt er ihn »ohne Prüfung« in der Kirche in seiner bisherigen Funktion. Das endgültige Urteil wird Gott, dem Herzenskenner, überlassen; von diesem Urteil weiss Basilius, dass es im Widerspruch zu der von ihm getroffenen Regelung steht. – Eine derartige Grenzziehung hat Basilius im Blick auf die klösterliche Bussdisziplin nicht anerkannt; da weist er den Vorsteher der Kommunität an, einem jeden Verdacht gegen einen der Brüder nachzugehen, »auch wenn die Tat nicht zutage liegt«[15]. – Erinnert sei in diesem Zusammenhang an die Diskussion der Eigentumsfrage bei Basilius[16]. Sie ist hier insofern von Belang, als Basilius im Blick auf kirchliche Gemeinde wie monastische Kommunität denselben Grundsatz geltend macht – »wer etwas sein eigen nennt, hat sich selbst ausserhalb der Kirche Gottes gestellt«[17] –, dennoch aber unterschiedliche Regelungen zulässt: im Kloster ist der Verzicht auf den eigenen Besitz zugunsten der Armen obligatorisch und Bedingung des Eintritts, im bürgerlichen Leben bleibt solche zweckgebundene »Verwaltung« des eigenen Besitzes zugunsten der Armen Sache des einzelnen. Entzieht er sich dieser Aufgabe, wird er in der Predigt des Basilius mit dem Gericht G o t t e s konfrontiert, im Kloster hingegen wird dieser Ausschluss aus der »Kirche Gottes« auch ä u s s e r l i c h sichtbar gemacht. – Bei identischer Zielsetzung unterscheidet sich die Praxis in monastischer und kirchlicher Gemeinde also im *Grad der Annäherung* von sichtbarer und wirklicher[18] Kirche.

[15] Z.B. RB 1 (AscM). Denn »'nichts ist verborgen, was nicht offenbar wird'« (Mt 16,26): auch die verborgene Sünde kann identifiziert und muss behandelt werden (zB RB 300). S. oben pp. 187ff.190ff.

[16] S. oben pp. 77-84.

[17] RB 85 (AscP).

[18] Darunter ist jene »Kirche« wahrer Gottesanbeter »hier unten« (hom.ps. 45,5 29,424b) verstanden, die Basilius sowohl von der »sichtbaren Kirchenversammlung« (hom.ps. 28,3 29,288c) wie vom himmlischen Jerusalem des Eschaton unterscheidet. Cf. oben pp. 16f (+ Anm. 2).

VII. AMT

A. GRUNDSÄTZE

Vielleicht lässt sich der tiefgreifende Umbruch, den die Kirche seit der Anerkennung und Förderung durch Konstantin erfahren hat, an keiner Stelle so deutlich ablesen wie an der *Krise des kirchlichen Amtes im 4. Jahrhundert;* und diese Krise wiederum bildet den unmittelbaren Hintergrund der verschiedenen pastoral-theologischen Programmschriften, die die Reichskirche des Ostens im 4. (und 5.) Jahrhundert hervorgebracht hat. Als Konstantin im Jahr 313 daran ging, die traditionellen Vorrechte des heidnischen Priesterstandes auch auf den christlichen Klerus auszudehnen[1], leitete er damit eine Entwicklung ein, die zwar nicht - wie KLAUSER u.a. meinten – zur »Nobilitierung« des reichskirchlichen Episkopats (und damit zu seiner unmittelbaren Inkorporation in die Beamtenschaft des römischen Reiches) führte[2]. Wohl aber hatte sie eine in vielem privilegierte Position der christlichen Bischöfe und v.a. ein deutlich gestiegenes Sozialprestige des Bischofsamtes zur Folge[3], was dessen Attraktivität ganz offensichtlich erhöhte und zu einem Ansturm keineswegs nur geeigneter Bewerber führte. Schon recht bald tauchen Klagen über Korruption und Cliquenwirtschaft bei der Besetzung kirchlicher Ämter auf, die – zusammen mit den äusserst robusten Methoden, mit denen beispielsweise in der ausgehenden Konstantiusära innerkirchliche Streitigkeiten ausgefochten wurden[4] –

[1] Const.ep. 3 (adAnullin.; ap.Eus.h.e. X,7,1-2); cf. Cod.Theod. XVI,2,1; 2,2; 2,6; 5,1; 5,2. S. KRAFT Entwicklung 164f; FREND Christianity 484ff.

[2] So KLAUSER Ehrenrechte; s. die Kritik bei CHRYSOS Hist. 18 (1969) 119ff.

[3] Zur Auswirkung der konstantinischen Wende auf Stellung und Entwicklung des christlichen Klerikerstandes s. HERRMANN Ecclesia 290-348 (»Die Stellung der Bischöfe in der römischen Lokal- und Zentralverwaltung«); ECK Chiron 8 (1978) 561-585 (»Der Einfluß der konstantinischen Wende auf die Auswahl der Bischöfe im 4. und 5. Jh.«); DUPONT RHE 62 (1967) 729-52 (»Les privilèges des clercs sous Constantin«); NOETHLICHS JAC 16 (1973) 28-59 (»Materialien zum Bischofsbild aus den spätantiken Rechtsquellen«); ders. JAC 15 (1972) 136-153 (»Zur Einflußnahme des Staates auf die Entwicklung eines christlichen Klerikerstandes«); ROUSELLE MÉFRA 83 (1977) 333-370 (»Aspects sociaux du recrutement ecclésiastique au IVe siècle«); dort jeweils auch die ältere Literatur verzeichnet.

[4] Besonders drastisch – und zugleich Basilius mittelbar betreffend – die homöische Nachsynode von Konstantinopel im Januar 360, auf der die führenden Köpfe und Anhänger der unterlegenen homöusianischen Partei abgesetzt wurden, unter dem Vorwand disziplinarischer Vergehen. Die Liste der Anklagepunkte (Sozom.h.e. IV,24f; Socr.h.e. II,42; cf. Philost.h.e. V,1-3; Theodor.h.e. II,27,21; GUMMERUS Homöusianische Partei 153ff) – die von Mord und Meineid über Geiz und

in der ausserkirchlichen Öffentlichkeit mitunter den Eindruck erweckten, »dass keine Bestien den Menschen so gefährliche Feinde sind wie die Christen«[5], und den christlichen Priester zur Witzfigur im Theater verkommen liessen[6]. Ähnlich äussern sich auch kirchliche Stimmen. Die zwischen 381 und 386 verfassten Bücher des *Johannes Chrysostomus* »Über das Priestertum« zählen zu den Schriften der griechischen Kirche mit der stärksten Nachwirkung überhaupt; sie kennzeichnen die gegenwärtige Situation so, dass Unwürdige in grosser Anzahl zum geistlichen Amt drängen, die Würdigen dort jedoch keine Aufnahme finden. Darum ist Chrysostomus bemüht , den hohen Rang und die überlegene Würde des Priestertums als einer wahrhaft himmlischen Einrichtung zu schildern; und da dies so ist, muss auch der zum Priester Geweihte so rein sein, als ob er im Himmel selbst inmitten der Engelmächte stünde[7]. So sucht Chrysostomus die Unwürdigen abzuschrecken und die Hinzutretenden zu strenger Selbstprüfung zu nötigen. – Zu den literarischen Vorbildern des Chrysostomus zählt die zweite Rede des *Gregor von Nazianz* (Apologia pro fuga sua), die dieser 362 nach der Rückkehr von seiner »Flucht« vom priesterlichen Amt gehalten und später in erweiterter Form herausgegeben hat. Auch Gregor von Nazianz sieht das Kernübel darin, dass unwürdige Elemente – sittlich ungefestigt, schlimmer als die Masse, ohne Vorbildung, in keiner Weise zum theologischen Lehrer geeignet – zum kirchlichen Amt streben. Zwar mag es auch früher schon vereinzelt schlimme Zustände gegeben haben. »Doch nie erreichte dies schimpfliche und sündige Streben unter den Christen ein derartiges Ausmass wie jetzt«[8]. Darum der Rat des Gregor von Nazianz zum Warten: zum Warten, bis man sich den Anforderungen des Amtes wirklich gewachsen wisse. – Fast zeitgleich zur oratio secunda des Gregor von Nazianz formulierte

Gewinnsucht bis hin zu völliger Unkenntnis der Bibel sowie erwiesener Amtsunfähigkeit fast keinen denkbaren Vorwurf auslässt – lässt zumindest dies erkennen, was damals in Kreisen des reichskirchlichen Klerus als möglich (bzw. dem Publikum an gegenseitigen Unterstellungen als zumutbar) galt.

[5] So das berühmte Julian-Diktum (ap.Ammian.Marc. XXII,5,4).

[6] Greg.Naz.orat. II,84; cf. II,83: »So kommt es natürlich, dass uns die Heiden hassen. Und, was das schlimmere ist, wir können nicht einmal behaupten, dass sie unrecht haben«.

[7] Chrys.sacerd. III,4,175 (NAIRN 51). – Zum Programm von De sacerdotio s. DÖRRIES Erneuerung 1-26 (ff); MALINGREY (SC 272,1ff); NAEGLE HJ 37 (1916) 1-48; cf. RITTER Charisma 98-124; angekündigt ist eine Untersuchung von M. LOCHBRUNNER (»Über das Priestertum«, Bonn 1991). Zur pastoralen Realität in Antiochien cf. RENTINCK Cura Pastorale; KACZYNSKI Chrysostomus.

[8] Greg.Naz.orat. 2,8 (35,416a).

Basilius den *Pflichtenkatalog* für Kleriker *in RM 70f.* Auch er ist nur auf dem Hintergrund der Krise recht verständlich, welche De Iudicio Dei schildert: gerade in den Rivalitäten und Streitigkeiten der kirchlichen Führer – die »erbarmungslos die Kirche Gottes zerreissen« – tritt das ganze Elend der Christenheit offen zutage[9].

Auf diesen Amtsspiegel sind wir bereits verschiedentlich eingegangen, im Zusammenhang der öffentlichen *Verkündigung* des Basilius und der – dem »Vorsteher des Wortes« auferlegten – *Rügepflicht*; das sind die beiden Hauptaufgaben, die Basilius nennt und von deren getreulicher Erfüllung für ihn Wohl und Wehe der Kirche abhängt. Als weitere Kernforderung tritt die nach *vorbildlicher Lebensführung* hinzu. Basilius erhebt sie nicht nur angesichts ihrer enormen Bedeutung für die Glaubwürdigkeit der kirchlichen Verkündigung sowie angesichts des faktischen Gewichts des Bischofsamts zum Programmpunkt; »wie die Vorsteher sind, so pflegen in der Regel auch die Sitten der Regierten zu werden«, bemerkt er in einem die Reorganisation der isaurischen Kirche betreffenden Schreiben[10]. Er lässt sie zugleich als die einzige Begrenzung des Verkündigungs- und Rügeauftrags gelten, an dessen ungeschmälerten Erfüllung für ihn ansonsten das eigene Seelenheil der verantwortlichen Leiter der Kirche hängt[11]: »Man darf anderen keine Lasten auferlegen, die man selber nicht erfüllt hat«[12]. – Was in dem Pflichtenkatalog von RM 70f gänzlich fehlt, sind die kultisch-sazerdotalen Funktionen[13]. Dieser Tatbestand verdient eigens hervorgehoben zu werden. Diese Aufgaben sind Basilius natürlich keineswegs gleichgültig, an anderer Stelle – v.a. in den kanonischen Briefen oder sonst in Zusammenhängen der Kirchendisziplin, wo die Zulassung zur Eucharistie als Kriterium kirchlicher Gemeinschaft und die Zulassung zum eucharistischen Dienst als Zeichen der Amtswürdigkeit in den Vordergrund tritt – kommen sie ausführlicher zur Sprache. Und man mag auch – mit KNORR – zu bedenken

[9] Iudic. 1 (31,653b).

[10] ep. 190:13-15.

[11] RM 70,7.

[12] RM 70,9.10; 80,12.13; 51; cf. RF 43,1. RB 164 (AscP) bringt beide Momente – die unbedingte Forderung, Gottes Willen auszurichten, und deren Begrenzung durch eigenes Ungenügen – besonders deutlich zum Ausdruck.

[13] Die theologischen Aufgaben werden zwar nicht eigens entfaltet, aber doch genannt. RM 70,5: Warnung vor Irrlehre; RM 70,6: Ausrichtung der Verkündigung auf Evangelium und Apostellehre »und was diesen entspricht«: Theologie ist Schriftauslegung.

geben, dass bei der Beschreibung der Anforderungen an den Priester naturgemäss der Verkündigungsauftrag gegenüber der Sakramentsverwaltung in den Vordergrund tritt: »Der Priester hat die Sakramente zu verwalten; er kann aber zu ihrer Wirksamkeit, wenn er sie nur recht verwaltet, nichts beitragen. Das kann er dagegen bei der Verkündigung ... «[14]. Aber auch wenn man diese und ähnliche Überlegungen gelten lässt, bleibt es doch auffällig (bzw. entspricht es dem mehrfach beobachteten *Zurücktreten des kultisch-sakramentalen Faktors* bei Basilius), dass Basilius hier bei der Beschreibung der priesterlichen Pflichten die kultischen Funktionen hat ganz übergehen können. Dies ist umso auffälliger, wenn man die Reformschrift des Gregor von Nazianz oder gar des Chrysostomus zum Vergleich heranzieht, welcher gerade vom schauerlichen Mysterium der Eucharistie her die Würde des priesterlichen Standes eindringlich zu beschreiben sucht: »Denn wenn du siehst, wie der Herr geopfert daliegt und der Priester beim Opfer steht und betet und alle durch jenes kostbare Blut gerötet werden, glaubst du da etwa noch, unter Menschen zu weilen und auf der Erde zu stehen?«[15] Dieser Gedanke fehlt bei Basilius vollständig – Taufe und Eucharistie werden in den Moralia dort genannt, wo das neue Leben der Christen zur Sprache kommt[16] –, wie er auch sonst das Amt nicht von der Eucharistie aus definiert[17]; nicht ohne Grund übergeht etwa BLUM in seiner Studie über den Zusammenhang von Eucharistie, Amt und Opfer in der Alten Kirche Basilius[18]. Und die zahlreichen umschreibenden Bezeichnungen für Bischof und Priester – wie »Vorsteher des Wortes«[19], »dem die Verkündigung des Evangeliums anvertraut ist«[20] oder »die mit der

[14] KNORR Basilius I,156.

[15] Chrys.sacerd. III,4,177 (NAIRN 52). Für Gregor von Nazianz s. orat. 2,111. 95. 73 (35,509a.497ab.481ab) sowie ep. 171 (GCS 53,123); auch orat. 8,17f (35, 809a-812a).

[16] S. oben pp. 116ff.

[17] S. etwa die Entfaltung seines Amtsideals im Nachruf oder Schreiben an Amtskollegen: epp. 28.29.197.161.200.

[18] BLUM Oec. 1 (1966) 46ff. – ep. 93 zeigt, wie unbefangen Basilius sowohl der täglichen Kommunion zuhause wie auch – im Notfall oder bei Fehlen eines Priesters – der Verwaltung durch Laien gegenübersteht (cf. HOFMEISTER SMGB 65, 1953/54, 212; GAIN Correspondance 207-213 [zu ep. 93]; DÖLGER AuC 5, 232-247 [»Die Eucharistie in den Händen der Laien«]); anders zB Hieron.ep. 49,15 (CSEL 54,377,6ff). In der Klostergesetzgebung unterbindet er – schon angesichts der spezifischen Erfordernisse des eustathianischen Milieus – eucharistische Sondergemeinschaften; cf. RB 310 und FEDWICK Church 66.

[19] Z.B. RM 70,10f.20.22.24.

[20] Z.B. RM 70,28.

Seelsorge Betrauten«[21] – belegen ebenfalls die Dominanz der kerygmatisch-seelsorgerlichen Funktionen.

Auf die Konsequenzen, die sich aus dieser *Konzentration auf Verkündigungsauftrag, Rügepflicht und Vorbildgebung* ergeben – einerseits im Blick auf das Gegenüber von Amt und Gemeinde und andererseits im Vergleich des »Vorstehers« von kirchlicher und des »Vorstehers« der Mönchsgemeinde –, werden wir später zu sprechen kommen. An dieser Stelle wollen wir der Beobachtung nachgehen, dass für Basilius die Erfüllung dieser Aufgaben an bestimmte Bestimmungen geknüpft ist. Dazu zählen Freimut und Leidensbereitschaft, bis hin zum Tod:

> »Dass (der Prediger) alle zum Gehorsam gegen das Evangelium zu rufen hat und mit allem Freimut (παρρησία) das Wort verkündigen und die Wahrheit bezeugen muss, auch wenn dies einige zu hindern suchen und ihn auf jegliche Art bis hin zum Tod verfolgen« (RM 70,13).

Diese Bedingungen aber sind in der Gegenwart nicht geben. Denn so sieht es in Wirklichkeit aus:

> »Verdunkelt ist die genaue Beachtung der Kanones, Gelegenheit zum Sündigen gibt es viel. Denn die (Bischöfe), die durch menschliche Machenschaften (bei der Wahl) die Herrschaft erlangt haben, zeigen sich eben dadurch erkenntlich, dass sie den Sündern alles erlauben, was diesen Lust bereitet. Geschwunden ist gerechtes Gericht; ein jeder wandelt nach dem Gutdünken seines Herzens. Die Schlechtigkeit ist ohne jedes Mass; das Volk wird nicht zurechtgewiesen; die Vorsteher sind ohne Freimut (ἀπαρρησίαστοι). Denn da sie durch Menschenhilfe die Herrschaft erlangt haben, sind sie nun Sklaven derer, die ihnen das Amt verschafft haben«[22].

Diese Schilderung ist ep. 92 entnommen, wo Basilius gegenüber den westlichen Bischöfen ein düsteres Bild der kirchlichen Situation im Osten und

[21] Z.B. ep. 222:38f.
[22] ep. 92,2:17-25.

insbesondere auch vom Zustand des Klerus zeichnet. Warum er letzteres in einem auf kirchliche Einheit abzielenden Schreiben tut, ergibt sich aus der abschliessenden Bemerkung, dass den korrupten Kirchenführern gar nicht am Frieden gelegen sei, da bei geordneten kirchlichen Verhältnissen ja ihre Untaten offen zutagetreten würden[23]. Diese Bemerkung entspricht ganz dem für Basilius so typischen – und dem Reformprogramm der Moralia als ganzem zugrundeliegenden – Gedanken, dass die Wiedergewinnung kirchlicher Einheit und Integrität nicht primär von vereinzelten diplomatischen Vorstössen und reformerischen Aktivitäten als vielmehr von einer moralischen Kräftigung des Gesamtorganismus Kirche zu erwarten ist; unter diesem Aspekt wollen auch die Einzelanweisungen für den Klerus verstanden werden. – Wichtiger wohl noch ist die Beobachtung, dass Basilius hier ganz offenkundig das Versagen des Klerus nicht einfach als moralisches Defizit einzelner konstatiert, sondern in *ursächliche Beziehung* setzt *zu den Abhängigkeiten,* Wahlabsprachen und Interessenverflechtungen, in die das Bischofsamt vielerorts geraten ist und welche der vom Prediger geforderten παρρησία und damit der getreulichen Erfüllung seines Auftrages entgegenstehen. Unter diesem Aspekt nun gewinnen die einzelnen Bestimmungen des Klerikerspiegels in RM 70f eine kritische Schärfe, die beim ersten Hinsehen vielleicht unbeachtet bleibt.

Dies trifft zunächst offenkundig auf die eröffnenden Bestimmungen über die *Ordination* zu. Sie zielen darauf ab, am Eingangstor zum Amt den Schaden abzustellen. Während etwa der Chrysostomus von De sacerdotio zu diesem Zweck auf die kritische S e l b s t prüfung der zum Amt Hinzutretenden setzt, rufen die Moralia den Grundsatz in Erinnerung, dass man bei der Ordination »nicht leichtfertig« verfahren dürfe, vielmehr die Kandidaten sorgfältig zu prüfen habe (RM 70,1f)[24]. Diese wiederum haben dem an sie ergangenen Ruf zu folgen, dürfen also nicht »von sich aus« das Predigtamt wahrnehmen und sind nur zu denen zu gehen befugt, »zu denen sie gesandt sind« (RM 70,3) (die Negativfolie liefert, abgesehen von der Zeitgeschichte[25], die Situations-

[23] ep. 92,2:31-34.

[24] Zur Prüfung der charakterlich-moralischen Eignung des Kandidaten in der kanonischen Tradition cf. LAFONTAINE Conditions 354-393; GRYSON Prêtre 227ff; BAUS/EWIG Reichskirche 283.

[25] Cf. HERRMANN Ecclesia 293.

beschreibung im Schlusskapitel von De Spiritu Sancto)[26]. Und wenn RM 70,2 die Warnung vor leichtfertiger Ordination mit der Erinnerung an die Rügepflicht verbindet, so ist dies zwar zunächst durch die folgenden Schriftworte bedingt, gewinnt seine kritische Kraft aber wohl erst auf dem Hintergrund der in ep. 92 geschilderten Lage: die durch Händel bei der Wahl geschaffenen Abhängigkeiten verunmöglichen das vom Prediger geforderte freie und offene Wort.

Eine andere Forderung ist die nach *Besitzlosigkeit* des Klerus (RM 70,28). Das Verbot eines über den notwendigen Eigenbedarf hinausgehenden Besitzes ist zunächst rein biblisch begründet, eine Zweckangabe fehlt. Gleichwohl ist es bemerkenswert, dass es diese Forderung ist – und nicht, wie man angesichts der allgemeinen Entwicklung zum Zölibat und speziell angesichts der in eustathianischen Kreisen verbreiteten Kritik an verheirateten Priestern hätte erwarten können, die (bei Basilius vollständig fehlende) Forderung der Ehelosigkeit –, die Aufnahme in den Priesterspiegel findet. Welche f a k t i s c h e Funktion sie zur Wahrung der Verkündigungsfreiheit gewinnen konnte, zeigt die berühmte (und von Gregor von Nazianz sorgfältig stilisierte) Schilderung der Begegnung zwischen Basilius und dem Präfekten Modestus: Modestus fordert Basilius ultimativ und unter Androhung von Verbannung und Güterkonfiszierung auf, auf die Linie der staatlichen homöischen Religionspolitik einzuschwenken; Basilius, der keinerlei Besitz zu verlieren hat, gibt nicht nach und setzt sich durch[27]. Und dass in der Tat Besitzlosigkeit die Standfestigkeit der Kleriker gegen äussere Pressionen zu erhöhen geeignet war, zeigt der Umstand, dass der Staat gerade an dieser Stelle Druck auf unliebsame und widerborstige Kirchenleute auszuüben suchte (und oft genug damit Erfolg hatte). So verurteilt zB der vicarius Demosthenes im Zuge seiner antinizänischen Massnahmen den gesamten Klerus von Caesarea zum Eintritt in die Kurie und tat Gleiches in Sebaste mit den dortigen Parteigängern des Basilius unter den Priestern und Laien[28]; die gleiche Strafe war dem Klerus von Caesarea bereits unter Julian auferlegt worden[29]; und als Einzelbeispiel sei auf Eleusius von Kyzikos verwiesen, der sich dem kaiserlichen Druck zur Annahme des homöi-

[26] DSS XXX,77:55f: Τοιγαροῦν αὐτοχειροτόνητοι καὶ σπουδαρχίδαι τῶν ἐκκλησιῶν τὰς προστασίας διαλαγχάνουσι.
[27] Greg.Naz.orat. 43,47ff (BOULENGER 154ff).
[28] ep. 237,2:14ff; cf. TREUCKER Studien 86ff.
[29] Sozom.h.e. V,4,4 (GCS 50,247).

schen Bekenntnisses erst widersetzte, dann aber unter der Drohung von Exil und Gütereinziehung nachgab, was er später bitter bereute[30]. So waren mit dem Besitz der Kleriker ständige Pressionsmöglichkeiten gegeben, denen die Armutsforderung ebenso den Boden zu entziehen geeignet war wie der Verlockung, das Bischofsamt als Gelegenheit zur Vermögensmehrung anzustreben[31]. Das mönchische Priesterideal ist an diesem Punkt geeignet, die παρρησία der Verkündigung zu sichern. – Die gleiche Stossrichtung lassen die verschiedenen Warnungen erkennen, das Wort der Botschaft aus falscher oder eigennütziger Rücksichtnahme auf die Hörer in irgendeiner Form abzuschwächen[32]; darum die Mahnung, »das Wort der Lehre nicht in Schmeichelei der Hörer zur Befriedigung eigener ... Bedürfnisse zu verschachern«[33]. Unabhängigkeit selbst in Fällen elementarer Not fordert RM 70,34; und auch hier ist der Bezug zur Situation der Verkündigung evident. Denn mit denen, die wissentlich die Annahme des Evangeliums verweigern, gebe es keine Gemeinschaft mehr; und »man darf es auch nicht zulassen, von ihnen Hilfe zur Stillung leiblicher Bedürfnisse anzunehmen«.

Konzentration auf die eigentliche Aufgabe ist ein weiterer leitender Gesichtspunkt des Priesterspiegels; er wird in verschiedenen Richtungen hin geltend gemacht. RM 70,22 fordert, dass der »Vorsteher des Wortes« über der Tätigkeit in den »geringeren Dingen« nicht »den geschuldeten Eifer gegen das

[30] Sozom.h.e. VI,8,5f (GCS 50,247).

[31] ep. 92,2:15f: οἰκονομίας πτωχῶν εἰς ἰδίας ἀπολαύσεις καὶ δώρων διανομὰς παραναλισκόντων; ähnlich die Klage des Ambrosius (zB exp.ps. I,23 CSEL 64,17, 21-25; cf. GRYSON Prêtre 303ff) oder bereits des Origenes (s. das bei HARNACK Ertrag zusammengestellte Material). Ebenfalls längst bei Origenes das Ideal der priesterlichen Besitzlosigkeit, das im 4. Jh. v.a. von Repräsentanten vertreten wird, die der asketischen Bewegung nahestehen, etwa Hieronymus (zB ep. 52,5; 130,7,2; cf. KÖNIG Amt 46ff) oder Ambrosius (cf. GRYSON Prêtre 301ff). – Über die faktischen Einkommensverhältnisse informieren: WINKLER Einkommensverhältnisse passim; HERRMANN Ecclesia 303f; HERMAN OrChrP 8 (1942) 378ff (»Einkünfte des byzant. Niederklerus«); THRAEDE Kirchenfinanzen 567ff; DREXHAGE RAC XIII,548ff (Klerus und Handel); ECK Handelstätigkeit 127ff; cf. JONES JThS.NS 11 (1960) 84ff. Zur fehlenden Verpflichtung zum Zölibat s. die bei GAIN Correspondance 101,169 angegebene Literatur. Obwohl es im Gesichtskreis des Basilius eine ganze Reihe verheirateter Priester und Bischöfe gab – Gregor von Nazianz d.Ä. etwa, Elpidius, Adressat von ep. 206, oder der Bischof Poimenius (ep. 229,2:21) –, bleibt es für sein Reformprogramm charakteristisch, dass er die Besitz- (und nicht die Ehe-)losigkeit zum Programmpunkt erhebt.

[32] RM 70,23. 30. 36.

[33] RM 70,28; cf. ep. 103:3f.

Grössere« vernachlässigen darf; und das folgende Schriftwort (Act 6,2.4) deutet an, was unter diesen »geringeren Dingen« zu verstehen ist: diakonisch-karitative Tätigkeiten. Aus dem Munde eines Mannes, der die kirchliche Sozialarbeit in einem zuvor unbekannten Ausmass auf institutioneller Basis ausbauen und das Land mit einem Netz von Hospitälern und Armenhäusern überziehen wird, ist das eine bemerkenswerte Mahnung: unbedingt am Primat der Wortverkündigung festzuhalten. Konkret denkt Basilius offensichtlich an eine klare Kompetenzabgrenzung, wie sie dann in seinen Klöstern – wo Verwaltungsaufgaben und Armenfürsorge Sache allein des Ökonomen waren[34] –, weniger hingegen in den Gemeinden[35] verwirklicht worden ist. Die kirchliche Sozialarbeit, zu der ja auch die Verwaltung des »Gutes der Armen«, also die Verteilung von der Kirche zufallenden Erbschaften an Bedürftige bzw. die Umwandlung immobilen Besitzes in Geldmittel gehörte, stellte je länger je mehr vor immer grössere Probleme. Chrysostomus wird später sehr kritisch über diese wirtschaftlichen Verpflichtungen reden, die die Priester von ihren eigentlichen Aufgaben und die Kirche von einem offenen Wort abhalten[36]. Auch Basilius als Bischof klagt über diese »vielköpfige Hydra«: »denn so steht es mit dem Besitz der Armen, dass wir immer einen Käufer suchen, da er die Kirche mehr belastet als dass sie aus dem Besitz Gewinn zöge«[37]. Es ist sehr wohl denkbar, dass derartige Probleme schon in der Optik von RM 70,22 lagen[38].

Auch die Anweisung, sich *nicht mit weltlichen Händeln zu befassen,* ist auf dem Hintergrund der Sorge um die Freiheit der Verkündigung zu sehen. RM 70,29 (»Es ist nicht statthaft, sich zur Sorge um weltliche Dinge denen zur Verfügung zu stellen, die diesen Geschäften verhaftet sind«) wird durch das folgende Schriftzitat (Lk 12,13f, bei Basilius nur an dieser Stelle) erläutert: wie

[34] ep. 150,3:20ff.

[35] RB 187 (AscP) setzt voraus, dass der jeweilige lokale Kirchenvorsteher auch für die ökonomischen Angelegenheiten zuständig war, im städtearmen Kappadozien wohl verständlich; arbeitsteilige Organisation setzt grössere Gemeinden voraus. Cf. auch JONES Empire II,902.

[36] S. BRÄNDLE Chrysostomos 108ff.

[37] ep. 285.

[38] Das Beispiel des Eustathiusschülers Aerius (Epiph.pan. 75,1f GCS 37,333f) zeigt, dass sich diese Fragen schon früh stellten; anders als Aerius, der sein Amt als Leiter des Hospizes niederlegte, sucht Basilius das Problem durch Aufgabenteilung zu lösen. – Zum Vermögen der Kirche von Caesarea zu Beginn der Julianzeit cf. die Bemerkungen Sozom.h.e. V,4,4 (GCS 50,197); zu kirchlichem Grundbesitz in Kappadozien s. TEJA Organización 40ff; GAIN Correspondance 67ff.

Christus es ablehnte, sich zum Schiedsrichter in Erbangelegenheiten machen zu lassen, sollen sich auch die Bischöfe nicht als Richter denen zur Verfügung stellen, denen es nur um »weltliche Dinge« geht[39]. Es ist die Frage, welche Form *bischöflicher Gerichtsbarkeit* Basilius hier ins Auge fasst, die innergemeindliche Schiedsgerichtsbarkeit, die seit jeher Streitfälle zwischen Christen gemeindeintern zu regeln suchte[40], oder das Institut der audientia episcopalis, welche bischöflichem Schiedsspruch – selbst wenn von nur von einer Partei angerufen – Rechtskraft auch vor weltlichen Gerichten zumass und zu den charakteristischen Symptomen der veränderten Stellung der Kirche in der Öffentlichkeit seit Konstantin zählt. Im letzteren Fall läge in RM 70,29 die wohl erste kritische Stimme aus dem kirchlichen Raum vor; andere derartige Beispiele liefern Hilarius[41] und Chrysostomus[42]. Nun sind die Grenzen im Einzelfall doch fliessend und die Angaben auch zu ungenau, um dieser speziellen Frage im einzelnen nachzugehen[43]. Unverkennbar ist in jedem Fall das Bemühen des Basilius, hier – wie auch andernorts[44] – einer Vermischung geistlicher und weltlicher Funktionen entgegenzuwirken. Dazu steht keineswegs in Widerspruch, dass er betont innerkirchliche Konflikte auch innerkirchlich geregelt wissen will und darum sowohl Eingriffen der staatlichen Rechtssprechung in den binnenkirchlichen Raum wie umgekehrt dem Appell

[39] RM 70,29: Ὅτι οὐ δεῖ κιχρᾶν ἑαυτὸν εἰς τὴν περὶ τῶν βιωτικῶν φροντίδα τοῖς κατὰ προσπάθειαν περὶ ταῦτα ἀσχολουμένοις. CLARKE (Works 123) übersetzt: »That as regards care for wordly things a man must not put himself at the disposal of those who pay undue attention to them«.

[40] Cf. zB Syr.Didasc. 2,47-53 (FUNK I,142ff) sowie: VISCHER Auslegungsgeschichte 21ff.

[41] Hilar.tract.ps. 1,10 (CSEL 22,25f); dazu: KLAUSER JAC 5 (1962) 172-174; ANDRESEN Kirchen 399.

[42] Cf. DÖRRIES (Erneuerung 9f) zu Chrys.sacerd. III,18,320ff (NAIRN 93ff).

[43] Zwei Fragen sind zu unterscheiden: die nach Umfang und Vollstreckbarkeit der audientia episcopalis in der staatlichen Gesetzgebung: hier legt W. SELB (ZSRG.R 84, 1967, 162-217) eine sehr restriktive Interpretation der Rechtstexte und insbesondere von Const.Sirm. 1 aus dem Jahr 333 vor; und die nach den von Basilius vorausgesetzten Gegebenheiten: hier spricht beispielsweise ep. 307 deutlich gegen säkulare Vollstreckbarkeit des bischöflichen Urteils. – Zur audientia episcopalis allgemein cf.: SELB aaO ; HERRMANN Ecclesia 207ff; VISMARA Episcopalis Audientia; WALDSTEIN Stellung 533-556; ANDRESEN Kirchen 398ff; GAUDEMET Église 214.230-246; NOETHLICHS JAC 16 (1973) 45ff; ders. Gesellschaft 272f; bei Basilius: GIET Basile 398ff; VISCHER Basilius 145-155; TREUCKER Studien 97ff.

[44] RM 30; ep. 291.

von Christen an staatliche Gerichte aufs bestimmteste entgegentritt[45]. Auch der ganze Bereich episkopaler προστασία, der uns aus seinen Briefen so deutlich entgegentritt und erkennen lässt, wie sehr der Bischof zur Verbindungsinstanz zwischen dem kleinen Mann auf der Strasse und den staatlichen Behörden geworden ist[46], widerspricht diesem Grundsatz nicht. Basilius hat wohl eher Verhältnisse im Auge, wie wir sie von Augustin kennen, der von Christen, Heiden und Häretikern um seinen Schiedsspruch in vielfachen Vermögens- und Erbschaftsangelegenheiten angegangen wird und der über diese Belastung zwar klagt, ihr aber dennoch nachkommt[47]. Basilius hingegen sieht in solcher schiedsrichterlichen Tätigkeit »Sorge um weltliche Dinge«, die im Gegensatz zu den eigentlichen Aufgaben des Bischofsamtes steht.

In eine andere Richtung kritisch wirkt die Forderung, dass »der, der zur Verkündigung des Evangeliums berufen ist, *sofort zu gehorchen* hat und nicht zögern darf« (RM 70,4). Zwar entspricht diese Weisung einem traditionellen Topos. Aber man stelle – ganz abgesehen von den sonstigen zahlreichen Zeugnissen der »Flucht« vor dem kirchlichen Amt im 4. und 5. Jahrhundert[48] – nur die fast zeitgleiche oratio secunda des Gregor von Nazianz daneben, die mehr seine Flucht vor dem kirchlichen Amt begreifbar zu machen als die anschliessende Rückkehr zu begründen sucht (und darin vielen aus dem Herzen sprach), um die kritische Aktualität der Forderung RM 70,4 zu verstehen. Sie illustriert auch, dass gerade am Prüfstein kirchlichen Handelns (und damit auch des Kirchenverständnisses) die Unterschiede zwischen Basilius und Gregor von Nazianz (sowie generell zwischen den drei Kappadoziern) am deutlichsten zu fassen sind. Das zeigte sich ja auch in der Biographie: den »tyrannischen« Akt des Basilius, ihn zum Bischof des unbedeutenden (und seinen Fähigkeiten so keineswegs entsprechenden) »Nestes« Sasima zu ernennen[49], hat Gregor zeitlebens nicht verwunden (weshalb er dies Amt wohl auch erst gar nicht antrat). Für Basilius ist jeder Christ zum Gehorsam bis zum Tod verpflichtet,

[45] epp. 227.225.73.286.289.307; RF 9,2.

[46] TREUCKER Studien passim.

[47] VAN DER MEER Augustinus 307ff; MARTROYE Augustin 1-78.

[48] S. das bei HERRMANN Ecclesia 292f zusammengestellte Material. Cf. auch Bas.ep. 161,1:4ff.

[49] Zu Sasima s. die kleine Studie von GIET Sasimes; zu den verschiedenen Fluchtunternehmungen des Gregor FLEURY Grégoire 127-133.233-244; FELLECHNER Askese II,149,170.

ein jeder »an seinem Ort«; das gilt für Laien und Kleriker gleichermassen. Sich dem einmal ergangenen Ruf zu entziehen und den sofortigen Gehorsam zu verweigern, gilt ihm als Zeichen jener Eigenmächtigkeit, an der die Kirche krankt.

So zeichnen die Moralia ein klar konturiertes Profil des Priesters, das sich von dem Bild des verweltlichten Klerus der Reichskirche, wie es sich in den Schriften des Basilius widerspiegelt[50], auf das bestimmteste abhebt. Nur ihrem Herrn verpflichtet, frei von allen Bindungen und Abhängigkeiten, die eine unerschrockene Ausrichtung des Gotteswillens behindern könnten, sollen die Prediger des Evangeliums sein wie »Apostel und Diener Christi und treue Verwalter der Geheimnisse Gottes, die allein den Auftrag des Herrn erfüllen, ohne Unterlass, in Tat und in Wort« (RM 80,12).

B. REFORM DES KLERUS

1. *Kappadozien* Wie weit hat Basilius die in den Moralia niedergelegten Grundsätze in die Tat umzusetzen vermocht? Gregor von Nazianz zählt Reform des Klerus (εὐκοσμία τοῦ βήματος) zu den hervorstechenden Merkmalen bereits der Presbyterzeit des Basilius[1]. Bestimmtere Nachrichten liegen jedoch erst für die Bischofszeit vor.

a. Sehr energische Massnahmen wohl gleich zu Beginn seines Episkopats bezeugt *ep. 54*, ein Rundschreiben an die Landbischöfe Kappadoziens. Es handelt von Missständen, die bei der Aufnahme in den niederen Klerus eingerissen sind. Dies ist die Situation: bei der Ordination von Klerikern der unteren Weihestufen (ὑπερητοῦντες)[2] sind die kanonischen Vorschriften gröblich verletzt worden. Weder ist Basilius als der zuständige Bischof (bzw. Metropolit) informiert noch die zwingend vorgeschriebene Prüfung von Lebenswandel und sittlicher Eignung der Bewerber vorgenommen worden. Weniger die Eignung der Kandidaten ist ausschlaggebend, vielmehr kommt es

[50] ep. 92,2; hom. 23,3; DSS XXX,76f; cf. can. 3.6.12.14.32.
[1] Greg.Naz.orat. 43,34,2 (BOULENGER 130).
[2] Zu den ordines minores im Kappadozien des Basilius s. GAIN Correspondance 109-112.

darauf an, ob sie Freunde oder Verwandte der Chorbischöfe bzw. der örtlichen Priester und Diakone sind. Darum haben in grosser Anzahl »unwürdige« Elemente Aufnahme in den Klerus gefunden, die meisten unter ihnen solche, die nur dem Militärdienst entgehen wollen. Das ist jedenfalls das Resümee: »deshalb werden zwar in jedem Dorf viele Diener gezählt, aber keiner ist des Dienstes am Altar würdig«. Angesichts solcher Missstände greift Basilius entschieden durch. Er ordnet die Neuregistrierung der Kleriker »eines jeden Dorfes« an (wobei Ordinator und Lebensführung eines jeden einzeln zu vermerken sind); nur wer auf diesem – bei Basilius einzureichenden – Verzeichnis aufgeführt ist, behält sein Amt. Darüber hinaus verfügt er die vorläufige Suspendierung aller nach einem bestimmten Datum eingesetzter Subdiakone, die bis zur erneuten Prüfung in den Laienstand versetzt werden, und stellt darüber hinaus fest, dass in Zukunft keine Weihe durch einen Landbischof ohne seine vorherige Zustimmung erfolgen darf. So sollen die »Unwürdigen aus der Kirche entfernt« werden. – 1. Um die Bedeutung dieses Vorgehens recht einzuschätzen, muss man sich zunächst in Erinnerung rufen, dass Kappadozien ein städtearmes Land war[3]. Die Neuregistrierung des Landklerus auch nur der unteren Weihegrade erfasste also einen erheblichen Teil, vielleicht sogar die Mehrheit des gesamten Klerus[4]. 2. Diese Massnahme liegt ganz auf der von RM 70,1f vorgezeichneten (und in der kanonischen Tradition fixierten) Linie: unwürdige Kandidaten durch sorgfältige Prüfung von Lebensführung und Eignung vom kirchlichen Dienst fernzuhalten. Basilius sucht diesem Grundsatz sogar rückwirkend Geltung zu verschaffen durch Überprüfung früherer Ordinationen bis hin zur »1. Indiktion«, d.h. wohl bis zum Jahr 357; da der Brief 370 oder 371 verfasst sein dürfte[5], sollen also die Aufnahmen eines Zeitraums von etwa 14 Jahren Gegenstand erneuter Prüfung sein. 3. Im konkreten Fall sind es Bauern, die dem Militärdienst durch Aufnahme in den Klerus zu entgehen

[3] JONES City 41; ders. Provinces 174ff.183ff; KIRSTEN RAC II,871.

[4] Falls ep. 54 erst nach der Teilung Kappadoziens 371/372 verfasst sein sollte, würde dies sogar noch in weitaus stärkerem Masse gelten, da Basilius mit Cappaocia secunda den (relativ) städtereichen Teil verlor. Cf. JONES Provinces 182f.

[5] So die übliche Datierung (MARAN Vita 15,6 29,LXV: »initio episcopatus«; COURTONNE Lettres I,139; DEFERRARI Letters I,342; FEDWICK Church 142: »370« [ders. Chronology 12 allerdings unspezifisch »370-378«]; TREUCKER Studien 90: »Anfang von Basilius' Episkopat«; POUCHET OrChrP 54, 1988, 16,25); anders jetzt HAUSCHILD (Briefe I,198,269): »wahrscheinlich 374«. – Die erste Indiktion wäre das Jahr 357 oder allenfalls 372: TREUCKER Studien 90; cf. SEECK RECA IX,1328; FOX Times 156f; LAFONTAINE Conditions 104ff.

suchen. Die Stellung von Rekruten war ja eine Form der Steuerleistung, die die Landbewohner betraf; umgekehrt schützten die kirchlichen Weihen vor der militia[6]; und so liessen sich die Bauern in die unterste Stufe des Klerus aufnehmen. Wir können hier also im konkreten Einzelfall beobachten, wie Basilius den Zustrom zum Amt wegen der damit verbundenen Privilegien unterbindet – und dies, obwohl er im gleichen Zusammenhang über den Mangel an geeigneten Klerikern klagt. 4. Basilius sucht die geschilderten Missstände dadurch zu beheben, dass er den Landklerus stärker als bisher seiner direkten Kontrolle unterstellt. In beiden Momenten — Stärkung der Stellung des Metropoliten, Beschneidung der Kompetenzen der Landbischöfe – ordnet sich die aus evangelischen Motiven gespeiste Reformpolitk des Basilius ein in die allgemeinen Tendenzen der kirchlichen Verfassungsgeschichte des 4. Jahrhunderts[7].

b. Auf dieselben Vorgänge wie ep. 54 bezieht sich *ep. 53*, ebenfalls ein Rundschreiben an die Landbischöfe Kappadoziens. Mit dem Vorwurf der *Simonie* an die Adresse der Chorepiskopen jedoch erweitert sie das Bild um ein wichtiges Detail, das in ep. 54 – wo nur Vetternwirtschaft und persönliche Beziehungen als Motive bei ungerechtfertigter Aufnahme in den Klerus genannt werden – fehlt. Einige der Chorbischöfe haben Geld von den Kandidaten genommen; und wenn dies auch erst nach und nicht vor der Weihe geschehen ist, so ist dies doch eine Entschuldigung, die Basilius keineswegs gelten lässt. Vielmehr wertet er sie – da das Unrecht unter dem Deckmantel einer frommen Spende geschieht – als schuldverschärfend. Jedenfalls beseitigt Basilius durch förmlichen Entscheid jede Rechtsunsicherheit und kündigt im Wiederholungsfall unverzügliche Amtsenthebung an. »Simony does not seem to have become a crying scandal until the middle of the fifth century«, bemerkt A. H. M. JONES[8]; für das 4. Jh. jedenfalls sind die Belege noch relativ selten und

[6] Cf. Cod.Theod. VII,20,12 §2 (400): Verbot des Eintritts in den Klerus zur Vermeidung des Militärdienstes. Sorgfältige Analyse von ep. 53f bei TREUCKER Studien 88-90; cf. GILLMANN Chorbischöfe 99-105; LAFONTAINE Conditions 104ff.

[7] Seit Beginn des 4. Jh.s ist die Tendenz zur Begrenzung der Rechte der Landbischöfe in der synodalen Gesetzgebung unverkennbar: cf. can.Ancyr. 13; can. Neocaes. 13f; can.Nicaen. 8; sowie: GILLMANN Chorbischöfe; HESS Canons 100ff; JONES Provinces 184-186; KNORR Basilius I,14; KIRSTEN RAC II,1105ff; HOLL GA II,264,4.

[8] JONES Empire II,909. 1380,91f (Belege). HESS Canons 80 bemerkt zu can. Serdic. 2: »there are only two other fourth-century enactments which are concerned

beziehen sich eher – wie die Vorwürfe gegen Silvanus von Cirta und Majorinus von Karthago oder die später von Chrysostomus angeprangerten Missstände – auf Bischofswahlen. Basilius hingegen bekämpft sie – und zwar als eine der ersten Massnahmen seiner Tätigkeit als Bischof – beim niederen Klerus im Zusammenhang des Bemühens, die mit dem Klerikerstand verbundene Immunität zu erreichen[9].

c. In anderer Hinsicht hatte Basilius es mit den steuerlichen Privilegien der Kleriker dort zu tun, wo diese ungerechtfertigter Weise entzogen wurden. Das war der Fall im Zusammenhang kirchenpolitisch motivierter Pressionen (wie wiederholt unter Julian und Valens[10]), begegnet aber ebenso im Rahmen der normalen προστασία des Basilus, wo er im Verkehr mit staatlichen Behörden als Anwalt der Interessen seiner Schutzbefohlenen – und darunter dann auch seiner eigenen Untergebenen – auftrat[11]. Es stellt sich die Frage, wie sich die Verteidigung der Interessen seiner Kleriker zu dem in den Moralia ausgesprochenen Postulat der Besitzlosigkeit der Priester verhält. Sie widersprechen einander nicht, aber die Details sind von Interesse. *Epp. 86f* handeln vom Fall des Priesters Dorotheus, bei dem Steuereintreiber gewaltsam die annona – die Naturalsteuer also – eingetrieben und ihn seines Getreides beraubt haben, »welches er allein zur Deckung seines notwendigen Bedarfs hatte«[12]. Dagegen protestiert Basilius und interveniert an hoher Stelle. Basilius setzt also als völlig normal voraus, dass Dorotheus Grundbesitz hat (auf den die annona erhoben wurde). Aber er hebt – natürlich auch advokatorisch – hervor, dass Dorotheus nicht mehr besitze als zur Deckung des eigenen Bedarfs erforderlich, was sowohl der Weisung RM 70,28 wie seinen sonstigen Aussagen über den rechten «Gebrauch« von Besitz entspricht. – Instruktiver noch ist *ep. 104*, wo Basilius gegen die steuerliche Veranlagung von Klerikern interveniert und im

with the practice of simony«, und verweist auf can.apost. 30f. Cf. Chrys.sacerd. III, 10f; HERRMANN Ecclesia 293; SCHÄFER Priesterbild 121.

9 Wohl nicht zufällig stehen auch bei Chrysostomus zu Beginn seiner (unfreiwillig kurzen) Konstantinopler Zeit Massnahmen gegen Simonie: BAUR Chrysostomus II,119ff.

10 S. etwa die Massnahmen des Julian gegen den Klerus von Caesarea (Sozom. h.e. V,4,4 GCS 50,197) oder des Demosthenes gegen die dem Basilius verbundenen Kleriker in Sebaste (ep. 237,2:15ff).

11 Zur prostasia des Basilius s. unten pp. 311ff.

12 ep. 86:10f. Zur Analyse von epp. 86f s. TREUCKER Studien 58f.

Sinn der bisherigen Praxis Immunität verlangt[13]. Freilich keine uneingeschränkte Immunität, und die von ihm getroffenen Ausnahmen sind bezeichnend. 1. Die Immunität soll nicht ad personam ausgesprochen werden (dann bestehe die Gefahr der Vererbung dieses Privilegs auch dann, wenn die Erben nicht in den kirchlichen Dienst treten), sondern auf die Stelle bzw. die Bezeichnung durch den Bischof hin, womit wohl ein Zweifaches erreicht werden soll: die Stelle für »Steuerflüchtlinge« unattraktiv zu machen und die Aufsicht des Bischofs zu stärken. 2. Basilius fordert die Immunität »nicht pauschal für die Kleriker, sondern (nur) für die stets Bedrängten (unter ihnen)«. Wieweit Basilius mit dieser Selbstbeschränkung nur den Gegebenheiten entsprach bzw. sich am maximal Erreichbaren orientierte, lässt sich wohl nicht mehr feststellen[14]. Der tatsächlich eintretende Effekt aber weist in die gleiche Richtung: die kirchlichen Positionen werden unattraktiv für solche, die sie nur wegen der damit verbundenen Privilegien anstreben.

d. Zu den Verfallserscheinungen der Zeit zählt Basilius die unselige *Rolle einflussreicher Kreise bei Bischofswahlen.* Sein eigenes Verhalten beleuchtet Brief 290[15], der an einen gewissen Nektarius gerichtet ist, einen vornehmen Laien in hoher Funktion. Dieser hatte bei Basilius im Blick auf die bevorstehende Wahl eines[16] Landbischofs zu intervenieren gesucht, was Basilius ebenso freundlich wie bestimmt abweist. In dieser Frage, so erklärt er, sei menschliches Zeugnis über die Kandidaten wohl wichtig. Ausschlaggebend aber bleibe allein das Urteil Gottes, des Herzenserforschers, das sich (dem Bischof) im Gebet erschliesse. Würde Basilius anders handeln und sich bei der Besetzung des Vorsteheramtes von Furcht bzw. den an ihn herangetragenen Wünschen leiten lassen, so würde er sich »nicht als Verwalter, sondern als Krämer« erweisen, der »die Gabe Gottes gegen menschliche Freundschaft eintauscht«. Diese Worte sind an einen Mann gerichtet, dem sich Basilius von Jugend an verbunden weiss und der wahrscheinlich mit dem gleichnamigen Empfänger der sehr persönlich gehaltenen Briefe 5 und 6 zu identifizieren ist; umso bemerkenswerter die bestimmte Haltung des Basilius. – Was die rechtliche Seite der Angelegenheit angeht, so hebt Basilius seine alleinige

[13] Zu ep. 104 s. TREUCKER Studien 74ff.
[14] Cf. die Überlegungen TREUCKERs.
[15] Dazu cf. ALLARD Basile 103.
[16] Anders GAIN (Correspondance 94,144), der den Plural προστησόμενοι (ep. 290:9f) real versteht.

Kompetenz als Bischof (resp. Metropolit) bei der Besetzung der Landbischofsstellen hervor. Anders als bei der Wahl der Stadtbischöfe mit ihrer traditionell starken – und auch im 4. Jh. keineswegs ausgeschalteten[17] – Beteiligung des Kirchenvolkes wurde die Ernennung der Landbischöfe zunehmend Sache des zuständigen Stadtbischofs[18], insofern folgt Basilius üblicher Praxis. Aber auch wenn die Beteiligung von Laien bei der Wahl der Chorepiskopen weit weniger in Übung war als bei der von Stadtbischöfen, so ist doch auch hier die – aus dem reformerischen Interesse entspringende – zentralistische Tendenz im Votum des Basilius unverkennbar[19].

e. Gehen wir die Reihe dieser Beispiele durch, die sich leicht vermehren lassen, so gewinnen wir den Eindurck eines ungemein *energischen Vorgehens* des Basilius, der in seinem Jurisdiktionsbereich seinen Vorstellungen sehr gezielt Geltung zu verschaffen suchte und durch disziplinarische Massnahmen »unwürdige« Elemente aus dem Klerus auszuscheiden und insbesondere auch jene fernzuhalten bemüht war, die das Amt v.a. wegen der damit verbundenen Vorrechte anstrebten. Zusammen mit den positiven Förderungsmassnahmen – wie der Durchführung von Visitationen, die ihm sehr am Herzen lagen[20], der Versammlung der ihm unterstellten Kleriker bei Synoden und Festen[21], der Einschärfung kanonischer Normen speziell gegenüber dem Landklerus[22] oder auch der Einbindung der Chorepiskopen in das Netz ländlicher Hospize[23] – hat er zweifellos erhebliche Anstrengungen zur Besserung der Situation unternommen. Über den Erfolg seiner Anstrengungen lässt sich wenig sagen, zumal er sich selbst zumeist in gewohnt skeptischer Weise äussert. Zumindest aber scheint der offene Widerstand gegen seine Reformmassnahmen – die ihm wie bei seiner Förderung »evangelischer« Lebensweise gerade auch vonseiten kon-

[17] Cf. HERRMANN Ecclesia 298f. Basilius beispielsweise mahnt in ep. 28,3 die Gemeinde zur Wahrnehmung ihres Wahlrechts.
[18] can.Antioch. 10 (JOANNOU I/2,112).
[19] Greg.Naz.orat. 18,35 möchte – um den Einfluss »der reichsten und mächtigsten Leute« auszuschalten – die Wahl Mönchen übertragen; Basilius stärkt die Rechte des Bischofs.
[20] Darunter ist zu verstehen sowohl die Einschärfung der Pflicht, die anvertrauten Gemeindeglieder in Stadt und Land zu »besuchen« (RM 70,12.18), wie die »apostolische« Bereisung des eigenen Sprengels (cf. ep. 200:21ff). Cf. KNORR Basilius I,15; FOX Times 47ff; HOLL Amphilochius 23.
[21] Z.B. ep. 142.
[22] ep. 270.
[23] Cf. epp. 142-144.

servativ-kirchlicher Kreise und darunter insbesondere auch aus Kreisen der Kleriker und seiner Amtskollegen entgegenschlug[24] – still geworden zu sein. Seine ausserordentliche Befähigung, auch aus kritischen Situationen das Beste zu machen, wird etwa im Zusammenhang der Provinzteilung 371/372 und des folgenden Streites um die Diözesangrenzen Caesareas deutlich. Denn der drohenden Minderung seines Kirchengebietes suchte Basilius durch Einsetzung neuer Chorbischöfe und der Erhebung »jämmerlichster Nester« wie Sasima oder des bescheidenen Städtchens Nyssa zu Bischofssitzen zu begegnen. Und wenngleich diese primär kirchenpolitisch motivierte Massnahme ihren Zweck nur sehr bedingt erfüllte – die Provinz wurde auch kirchlich geteilt, Gregor von Nazianz etwa trat die ihm zugewiesene Stelle in Sasima wohl erst gar nicht an –, so führte die Vermehrung der Bischofsstühle doch zugleich auch zu einer stärkeren flächendeckenden pastoralen Betreuung, wie Gregor von Nazianz vermerkt: »er gab dem Vaterland mehrere Bischöfe ..., mit der Seelsorge waren mehrere betraut ...«[25].

2. *Ausserkappadozische Aktivitäten.* Mit dem gleichen Eifer, mit dem sich Basilius um die Reform des kappadozischen Klerus mühte, wirkte er auch ausserhalb Kappadoziens für die Erneuerung des Priesterstandes und die Besetzung von Bischofssitzen mit geeigneten Persönlichkeiten; der Kampf um die Konsolidierung der nizänischen Orthodoxie fällt auf weite Strecken zusammen mit dem Streit um die Besetzung der Bischofsstühle. Dies kirchenpolitisch motivierte (und nicht mit rechtlicher Zuständigkeit zu verwechselnde[26]) Einwirken

[24] S. v.a. ep. 48 und dazu SCHÄFER Beziehungen 74f.

[25] Greg.Naz.orat. 43,59,1 (BOULENGER 180). Zur Vermehrung der Bischofssitze cf. FELLECHNER Askese I,21f.

[26] Dies ist die Interpretation, die etwa LÜBECK Reichseinteilung (pp. 189f: »Obermetropolitangewalt des Bischofs von Cäsarea bereits vor dem Konzile zu Konstantinopel«) und noch GIET (Basile 269,2) den ausserkappadozischen Aktivitäten des Basilius gegeben haben. Sie ist schon darum hinfällig, da Basilius selbst um die rechtliche Bedenklichkeit solcher ὑπερόριοι χειροτονίαι weiss, wie sein Brief 138(,2:27) an Euseb von Samosata unter Bezug auf eine entsprechende Anfrage aus dem kleinarmenischen Sebaste sowie im Blick auf die Vakanz im lykaonischen Ikonium nach dem Tod des Faustinus zeigt. Freilich hat er solchen Bedenken nicht nachgegeben, wie seine Rolle bei der Besetzung der Bischofsstühle in Ikonium (durch Amphilochius) und Nikopolis (durch Translation des Euphronius von Kolonia: epp. 227-230) oder bei der Bestimmung des Nachfolgers des Innocenz (ep. 81, s.u.) zeigt. – Zur Begründung eines solchen formal unkanonischen Vorgehens (cf. auch den kritischen Selbsteinwand in ep. 141,2:13f sowie die Bemerkung in ep. 126:3f) hat Basilius nicht in Richtung eines kirchlichen Notrechts argumentiert

des Basilius auf ausserkappadozische Bischofswahlen soll uns an dieser Stelle nicht beschäftigen, es unterstreicht einmal mehr die hohe Bedeutung, die er dem Bischofsamt beimass. Hier soll vielmehr nach seinem Beitrag zum Ausbau der kirchlichen Organisation ausserhalb seines Jurisdiktionsgebietes gefragt werden. Die Korrespondenz mit Amphilochius, Bischof der Nachbarprovinz Lykaonien, den Basilius nicht nur in theologischen und kirchenrechtlichen Problemen der Personal- und Strukturpolitik beraten hat, ist in diesem Zusammenhang besonders aufschlussreich[27].

Auf die besondere Bedeutung von *ep. 190* hat bereits HOLL aufmerksam gemacht; KNORR hat sie einer eingehenden Analyse unterzogen[28]. Es geht hier um die Besetzung vakanter Bischofssitze im Gebiet um die Stadt Isaura im Süden Lykaoniens, wobei der Brief das Bild einer fast zerfallenen Kirche erkennen lässt: »grössere und kleinere Orte, die von alters her Bischofssitze waren, sind ohne Hirten; auch der Stuhl von Isaura ist frei ... – ein recht kräftiges Zeugnis gegen das Vorurteil, dem man unwillkürlich sich hingibt, als ob die Kirche Posten, die sie einmal besetzt hatte, auch stets ununterbrochen hätte behaupten können«[29]. Um diesem Missstand abzuhelfen, hatte der erst vor kurzem zum Metropoliten von Ikonium gewählte Amphilochius die sofortige Besetzung der vakanten Stellen geplant, wogegen Basilius Bedenken anmeldet. Zum einen sei es schwierig, in so grosser Anzahl »würdige Männer« zu finden, und wenn man nur auf die Zahl der Amtsträger achte, bestehe die Gefahr, dass »wegen der Unwürdigkeit der Berufenen die Verkündigung zur billigen Sache herabgesetzt und bei Laien der Hang zur Gleichgültigkeit erregt« werde. Ausserdem müsse man damit rechnen, dass der neueingesetzte Stadtbischof von Isaura eigene Ansprüche auf die Besetzung der Landbischofssitze im Hinterland

bzw. – wie es etwa ein Athanasius gegenüber den Massnahmen des Demosthenes (cf. epp. 225.237.239) getan hätte – die Gegenseite klipp und klar als Häretiker verdammt, denen darum keine kirchlichen Befugnisse zustünden. Eher hätte er sich der Figur der oikonomia bedient – wie in can. 1.47, wo das von ihm für kanonisch gehaltene procedere in der Praxis (noch) nicht durchsetzbar ist. V.a. aber hätte er (und hat er) verwiesen auf die Pflicht zu einem 'ökumenischen Interventionismus' (ἐπίσκεψις), die sich für ihn aus der Struktur der Kirche als Leib Christi ergibt und allem positiven kirchlichen Recht übergeordnet ist. Cf. unten pp. 263ff.266ff.

[27] Cf. v.a. epp. 188.199.217; 230-236; 190; auch: 161.200-202.248.

[28] HOLL Amphilochius 18f; KNORR Basilius I,167ff.

[29] HOLL Amphilochius 18.

geltend machen[30] und damit der Bestallung qualifizierter Leute im Wege stehen könnte. Basilius entwickelt darum verschiedene Vorschläge: sich zunächst auf eine guten Mann zu beschränken und ihm den Thron in Isaura zu geben; oder als erstes die Posten der Landbischöfe und erst dann den des Stadtbischofs zu besetzen; oder den Machtbereich des Bischofs von Isaura von vornherein zu begrenzen und sich selbst für alle übrigen Orte das Bestallungsrecht zu reservieren. Und wenn wir auch über den Fortgang der Angelenheit nicht unterrichtet sind, so ist doch anzunehmen, dass die von Amphilochius zur Klärung der isaurischen Frage einberufene Synode – auf der Basilius persönlich zugegen war, seinetwegen wurde sie sogar einige Tage verschoben[31] – ganz in seinem Sinn entschied[32]. ep. 190 lässt die gleichen Grundsätze erkennen, die auch der Reform des kappadozischen Landklerus zugrundliegen: der Grundsatz sorgfältiger Eignungsprüfung der Kandidaten (weshalb Basilius lieber Vakanzen andauern lassen will als um des Prinzips des flächendeckenden Ausbaus der kirchlichen Organisation willen ungeeignete Amtsträger in Kauf zu nehmen) sowie – zur Durchsetzung dieser Eignungsprüfung[33] – die Stärkung der Metropolitangewalt aufkosten der angestammten Rechte zwischengeordneter Instanzen, hier des Stadtbischofs.

Bei der Neuordnung der isaurischen Kirche hatte Amphilochius mit einem Problem zu kämpfen, mit dem er auch sonst konfrontiert war: dem *Priestermangel*[34]. Das kirchlich besser organisierte Kappadozien kannte dies Problem nicht; denn klagt Basilius gelegentlich auch drastisch über den Mangel an g e e i g n e t e n Klerikern[35], so war doch der ihm unterstellte Klerus

[30] Das hätte seinen traditionellen Rechten entsprochen; cf. can.Antioch. 10 (JOANNOU I/2,112).

[31] ep. 216:2-4; 202:8ff.

[32] HAUSCHILD (Briefe II,176,241) vermutet, dass der in den Konzilslisten von Konstantinopel 381 als Bischof von Isaura erwähnte Ilyrius (EOMIA II,454f) damals von Amphilochius eingesetzt wurde.

[33] Das ist der springende Punkt in der Argumentation (ep. 190,1:36ff); SCHWARTZ GS III,149 geht daran vorbei.

[34] S. ep. 217:17ff. – HOLL Amphilochius 19f verweist noch auf die in can. 10 (aus Rücksicht auf die Person eines Prebyters wird eine Parochie von einer Diözese zur andern verschoben) und can. 17 (Sonderregelung für den Prebyter Bianor in Ikonium; zur Sache cf. MARAN Vita 29,CXXX) verhandelten Fälle; sie zeigen, dass an Priestern kein Überfluss bestand. BAUS/EWIG Reichskirche 282 macht auf Klagen über fehlenden Priesternachwuchs in Afrika zur Zeit des Donatistenstreites und im Italien der Völkerwanderung aufmerksam.

[35] ep. 54:24f.

»zahlreich« (πολυάνθρωπον)[36], was durch die Mitteilung des Gregor von Nazianz bestätigt wird, dass Basilius über die grosse Anzahl von fünfzig Chorepiskopen haben gebieten können[37]. So äussert sich nachbarschaftliche Hilfe des Basilius auch in der *Entsendung von Klerikern.* Wir erfahren das beispielsweise aus ep. 217, wo Basilius dem Amphilochius allerdings mitteilen mus, dass der vorgesehene Mann durch Krankheit ausfällt und Amphilochius deshalb wohl oder übel – und regelwidrig – auf einen Neophyten zurückgreifen müsse[38]. Mit Kledonius ist uns der Name eines in Ikonium zeitweilig Dienst versehenden Presbyters aus Kappadozien bekannt[39]. Der kleinarmenischen Kirche gibt er – nach dem Bruch mit Eustathius – auf Bitten der Bürger einen Bischof und zwar den Poimenius, der ihm von Jugend an vertraut ist und sich als Presbyter oder Chorbischof bewährt hat[40]. Das instruktivste Beispiel liefert *ep. 81,* und dies Dokument ist nun in der Tat gleich aus verschiedenen Gründen bemerkenswert. Es ist an einen leider nicht näher identifizierbaren (in der handschriftlichen Überlieferung als »Innocenz« bezeichneten) Adressaten[41] gerichtet, der – Bischof einer «grossen« und »berühmten« und weit entfernten Kirche – angesichts seines fortgeschrittenen Alters einen Nachfolger bestellen

[36] ep. 198,1:21f.

[37] Greg.Naz.carm.vit. sua 447f (JUNGCK 76). JONES Provinces 185 hält diese Zahl für übertrieben; JUNGCK (Kommentar p. 171, dort ausführliche Diskussion) bezieht diese Angabe im Anschluss an die Mauriner allgemein auf die dem Basilius untergeordneten Bischöfe. Cf. auch TREUCKER Studien 111f; FELLECHNER Askese I,21f; KNORR Basilius II,117,53.

[38] ep. 217:17-32; Kommentar bei KNORR Basilius II,128,56. Zu beachten der Hinweis des Basilius, dass er keinen Ersatzmann habe.

[39] HAUSER-MEURY Prosopographie 55 (Cledonius IV). Es war Presbyter bei Gregor von Nazianz und ohne Vermittlung des Basilius zu Amphilochius geschickt.

[40] ep. 102. 122. 229(:13ff); cf. HAUSCHILD Briefe II,157,31; auch: KNORR Basilius I,166.

[41] WITTIG (ThQ 84, 1902, 388-439) hatte versucht, als Adressaten Papst Innocenz I und als Vf. Chrysostomus zu erweisen. Dagegen: GRIBOMONT In tomum 32,8. – Der jüngste Versuch einer Identifizierung ist der von J.-R. POUCHET (OrChrP 54, 1988, 9-46): der Adressat sei Faustinus, Bischof von Ikonium und Vorgänger des Amphilochius; als den von Basilius empfohlenen Presbyter zieht er den (in epp. 205:1; 226,1:11 erwähnten) Meletius in Betracht. Zustimmung bei HAUSCHILD Briefe I,210,358; 195,248. Eine der Schwierigkeiten dieser Hypothese liegt natürlich in der Konsequenz, dass Basilius dann später in Ikonium mit Amphilochius einem andern Kandidaten ins Amt verholfen haben müsste (cf. epp. 138,2; 161) als dem von ihm selbst in ep. 81 vorgeschlagenen. POUCHET hat jedoch zweifellos darin recht, dass die Bezeichnung des Adressaten als Innocenz durch die handschriftliche Überlieferung nicht ursprünglich sein kann - schon weil dieser Name in der Liste ep. 92,1 fehlt.

will und der Basilius aus diesem Grund um die Entsendung eines bestimmten Klerikers bittet; offensichtlich erfreuten sich kappadozische Amtsträger eines guten Rufs. Das Ansinnen des »Innocenz« steht zwar im Widerspruch zu can. 23 der antiochenischen Synode (328 ?), dessen Kennntnis bei Basilius aber nicht unbedingt vorauszusetzen ist[42]. Jedenfalls nimmt Basilius keinen Anstoss, sondern lobt den Eifer seines Kollegen mit warmen Worten. Keine Übereinstimmung besteht jedoch in der Frage des Kandidaten,wo Basilius nicht den gewünschten Mann schickt, sondern einen andern empfiehlt, der sich durch vielfältige Vorzüge auszeichnet. Die Liste dieser Vorzüge ist nun äusserst aufschlussreich: aus guter christlicher Familie (nämlich Enkel jenes seligen Hermogenes, der zu Nicaea «das grosse und unzerstörbare Bekenntnis geschrieben« hatte[43]), seit vielen Jahren Presbyter der Kirche von Caesarea, untadelig im Wandel, in den Kanones beschlagen, streng im Glauben, er lebt in Enthaltsamkeit und Askese. Er ist »arm und hat auf dieser Welt keinen Besitz, so dass er nicht einmal einen Vorrat an Brot hat, sondern sich zusammen mit den Brüdern, welche mit ihm zusammenleben, durch seiner Hände Arbeit den Unterhalt beschafft«, er ist also Mönch. Denen, mit denen er zusammenkommt, flösst er Achtung ein, Gegner weiss er in Sanftmut zu belehren. Kurz: er verkörpert das Priesterbild der Moralia. Das ist der Mann, den Basilius ausgesucht hat.

C. KLERUS UND MÖNCHTUM

Das Beispiel des dem »Innocenz« empfohlenen Presbyters gibt Anlass, genauer nach dem Verhältnis von Klerus und Mönchtum zu fragen. Es stellt sich die Frage, wieweit das durch ep. 81 bezeugte Verfahren – Bevorzugung eines Kandidaten aus dem asketischen Milieu – verallgemeinerbar ist und einer

[42] Bekanntlich hat Augustin später im Blick auf seine eigene – nicht ganz reguläre – Weihe durch seinen Amtsvorgänger Valerius Unkenntnis der entsprechenden nizänischen Kanones eingeräumt: ep. 213 (CSEL 57,732-739); cf. KÖTTING Bischofswahl 405ff.

[43] ep. 81:24-26: Strittig ist, ob Hermogenes damit als einer der führenden Köpfe bei der Abfassung des nizänischen Bekenntnisses (so etwa KELLY Glaubensbekenntnis 229) bezeichnet oder nur gesagt werden soll, er habe dies Bekenntnis »unterzeichnet« (so POUCHET OrChrP 54, 1988, 15). Cf. epp. 244,9:9ff; 263,3:7f.

gängigen Praxis des Basilius entspricht. Angesichts seines vom asketischen Ideal bestimmten Priesterbildes und schon im Blick auf seine eigene Entscheidung, das Amt des Bischofs mit monastischer Lebensweise zu verbinden, erscheint die Annahme naheliegend, dass er den Klerikernachwuchs nach Möglichkeit aus dem Kreis des Mönchtums zu rekrutieren suchte. Im Umfeld des Basilius entpräche dem die Forderung des Gregor von Nazianz, Mönche in den kirchlichen Dienst zu übernehmen[1].

Freilich lässt sich eine derartige Annahme aus den zur Verfügung stehenden Quellen nicht verifizieren. Diese vermitteln eher den Eindruck, dass *Basilius Mönche nicht stärker zum priesterlichen Dienst heranzog, als* dies auch *andernorts* bereits üblich war[2]. Die meisten der ihm unterstellten Kleriker, so erfahren wir aus ep. 198, sind Handwerker (und können deshalb nicht zu Botenaufträgen herangezogen werden)[3]; dass sich der Landklerus vorwiegend aus Kreisen der Freibauern rekrutiert, wurde bereits oben vermerkt[4]. Wenn Basilius selbst für seine Person die Verbindung von kirchlichem Dienst und mönchischer Berufung vollzogen hat, so gab er damit zwar ein Beispiel, auf das »die Folgezeit immer wieder zurückweist«[5]. Aber er stand damit bereits in einer Tradition, die – bleibend spannungsvolle – Verbindung von Mönchsstand und Priesterwürde war längst vollzogen[6]. – In seinem Gesichtskreis wird diese

[1] Greg.Naz.orat. 2,5 (35,412b); zSt cf. PORTMANN Paidagogia 29f: »Wie Platon zur Errichtung eines idealen Staates vorschlägt, daß Philosophen regieren sollen, hält Gregor es für nützlich, daß die in göttlichen Dingen geschulten 'Philosophen' oder Mönche Kirchenämter übernehmen«. – Zum Ideal des »moine-évêque« bei Gregor von Nyssa cf. etwa HARL (REG 80, 1967, 407ff).

[2] Für den Westen ist der Problemkreis Priesteramt und Mönchtum im 4. Jh. mustergültig abgehandelt bei KÖNIG Amt (Lit.!); für den Osten s. das zusammengestellte Material und die Hinweise bei: HOFMEISTER SMBG 65 (1953/54) 215ff; DALMAIS VS 79 (1948) 37-49; AUF DER MAUR Mönchtum 118ff; RITTER Charisma 95f; VEILLEUX Liturgie 226-229; SCHIWIETZ Mönchtum I,303ff; BACHT Rolle 299ff.

[3] ep. 198,1:21ff. Cf. GAIN Correspondance 66; auch: WINKLER Einkommensverhältnisse 174.

[4] epp. 53f (s. oben pp. 219ff).

[5] CAMPENHAUSEN GKV 92.

[6] »Im Jahr 354 kann Athanasius eine Reihe befreundeter Mönche bzw. Klostervorsteher aufzählen, die Bischöfe geworden waren (ep. ad Drac. 7). Vielleicht ist er überhaupt der erste gewesen, der in der Reichskirche Mönche ordiniert hat« (TETZ TRE IV,340). – GRIBOMONT RHE 54 (1959) 123 hält für den möglicherweise wesentlichen Ertrag der Ägyptenreise des Basilius das Kennenlernen eines Asketentums, das sich in den Dienst der Kirche stellt.– Zu pachomianischen Bischöfen bereits zu Lebzeiten des Pachomius cf. BACHT Mönchtum und Kirche 121,45; 116.

Verbindung repräsentiert etwa durch Eustathius, bis zum Bruch im Jahre 373 väterlicher Freund und verehrtes Vorbild des Basilius, oder durch Euseb von Vercelli, einer jener »abendländischen Bischöfe«, die 362 mit dem Friedensprogramm der antiochenischen Synode nach Caesarea kamen und zu dem der junge Basilius in enge Beziehung trat[7]; ihm rühmt Ambrosius nach, das er »als erster im Abendland« die »Lebensweise der Mönche« mit dem Bischofsamt verband[8]. Weitere Beispiele sind der aus Kappadozien stammende Ascholius, Bischof von Thessaloniki und Adressat der epp. 154.164 des Basilius[9]; Epiphanius von Salamis, mit dem Basilius brieflich verkehrte (ep. 258); oder Alexander, ἀπὸ μοναζόντων ἐπίσκοπος, als orthodoxe Kontaktperson im lykischen Korydales in ep. 218 erwähnt. Auch die meisten uns bekannten Beispiele mönchischer Kleriker aus dem kappadozischen Raum – wie etwa der Chorepiskop Timotheus, Adressat von ep. 291 und von Basilius als Asket »von Kindesbeinen an« bezeichnet[10], oder die von Gregor von Nazianz in seinem Testament berücksichtigten Mönchsdiakone und -priester aus Nazianz[11] – sind dies nicht unter dem Einfluss des Basilius geworden[12]. Asketen, die sich zum Priesteramt drängen, erwähnt Gregor von Nyssa in De vita Moysis[13]; vor derartigen Erscheinungen warnt auch der spätere (ps.-basilianische) Sermo De renuntiatione saeculi[14]. – Auch die basilianischen *Klöster* sind in diesem Zusammenhang nicht heranzuziehen, wo wohl in einzelnen Fällen – wie im Beispiel des Sakerdos, zugleich Priester, Abt und Hospizvorsteher[15] –, keineswegs aber im Regelfall die Funktion des Vorstehers mit der des Priesters

[7] Greg.Naz.orat. 43,28,4 (BOULENGER 120), cf. unten pp. 243f sowie: HAUSER-MEURY Prosopographie 75; SCHÄFER Beziehungen 50.

[8] Ambros.ep. 63 (PL 16,1189-1220). Zum Klerikerkloster des Euseb zuletzt: KÖNIG Amt 124ff.

[9] Cf. GAIN Correspondance 77f.

[10] Zu Timotheus cf. auch Pall.hist.laus. 48.

[11] Greg.Naz.testam. (37,389ab); cf. BERNARDI Prédication 134. Cf. auch HAUSER-MEURY Prosopographie 45 (Bassus, Carterius).

[12] Auch eine Persönlichkeit wie Amphilochius von Ikonium, vertrauter Freund und jüngerer Kollege des Basilius, wurde durch Gregor von Nazianz »Gott zugeführt« (carm. 1550 37,102f); seine Wahl zum Bischof freilich empfand Gregor als persönlichen Verlust (ep. 63). Cf. HAUSER-MEURY Prosopographie 31.

[13] Greg.Nyss.vit.Mos. II (GNO VII/1,128,21ff); zSt cf. STAATS ZKG 84 (1973) 158,20.

[14] ps.Bas.serm. XI (31,648ab).

[15] S. Greg.Naz.epp. 219f.99; sowie HAUSER-MEURY Prosopographie 152; WITTIG Briefe 250,249; 248,229. Da von Helladius abgesetzt, wird Sakerdos von dessen Vorgänger Basilius eingesetzt worden sein.

zusammenfiel. Jedenfalls ist die Behauptung von VILLER/RAHNER: »Der Obere eines Basiliusklosters ist in der Regel Priester« offenkundig unzutreffend[16]. Ganz im Gegenteil: wo zweifelsfrei von der Anwesenheit von Priestern (ἱερεύς) im Kloster die Rede ist[17], geschieht dies in einer Weise, die auf latente Spannungen schliessen lässt[18]. Nicht-Identität von Abt und lokalem Bischof (oder Priester) beweist für den Regelfall RB 187 (AscP). – V.a. ist es nicht möglich, in diesem Zusammenhang die *Klosterschulen* des Basilius heranzuziehen, die mit der Schulung des Klerikernachwuchses nichts zu tun haben, auch nicht in jener offeneren Gestalt, wie dies im Asceterion des Diodor von Tarsus oder dem monasterium clericorum des Augustin der Fall war. Überhaupt finden sich bei ihm keine Ansätze institutioneller Klerikerausbildung[19]. Basilius hätte sehr wohl auch sagen können, was später Chrysostomus im 6. Buch von De sacerdotio ausführen wird: dass es der Mönch, der ein Leben voller Heiligkeit leben will, leichter hat als der Priester,

[16] VILLER/RAHNER Aszese 132, unter Verweis auf ep. 256, welche jedoch nach Beröa gerichtet ist (cf. ep. 220 und DEFERRARI zSt). Gleiches gilt auch im Blick auf GAIN Correspondance 132,38. Dass es sich bei den πρεσβύτεροι, die im Zusammenhang der klösterlichen Beichtpraxis erwähnt werden, nicht um Priester handelt, hat bereits CLARKE (Works 39ff) gezeigt.

[17] Das ist nur an drei Stellen der Fall: RB 64.231.265, die alle der späteren Redaktion (AscM) angehören. – Es lässt sich nicht sicher angeben, ob hier dauernde (oder nur besuchsweise) Präsenz von Priestern im Kloster vorausgesetzt wird. Ebenfalls kontrovers beantwortet wird die Frage, ob sie dort priesterliche Funktionen wahrzunehmen hatten. CLARKE (Basil 88) bejaht diese Frage: er verweist auf die in den Regeln vorausgesetzte regelmässige eucharistische Praxis sowie das Verbot der Kommunion in nicht geweihten Häusern und nimmt entsprechend (externen) priesterlichen Dienst und eigenen Gottesdienstraum für jede Bruderschaft an: »As a general rule therefore each monastery had its own church«. Demgegenüber hält etwa K. S. FRANK (Reform 48) Teilnahme am Gottesdienst in den jeweiligen Gemeindekirchen für die Regel; das entspräche verbreiteter monastischer Übung im 4. und 5. Jh. (UEDING Chalkedon 573). – Es scheint freilich fraglich, ob man hier mit einheitlichen Verhältnissen rechnen kann.

[18] RB 64 handelt vom notwendigen und vom vermeidbaren σκάνδαλον und rechnet zu letzterem das durch einen Priester (ἐν βαθμῷ ἱερατικῷ) bereitete (31,1128d). RB 231 beantwortet die Frage, ob das Gebot der Feindesliebe auch dann gelte, ἐὰν ἀδελφὸς πονηρεύηται εἰς ἐμὲ ... ἢ ἐνίοτε καὶ ἱερεύς.

[19] Cf. dazu: STOCKMEIER MThZ 27 (1976) 217-232; NELZ Schulen; BAUS/EWIG Reichskirche 282ff; LEBEL Formation 102ff; HERRMANN Ecclesia 291ff; RUHBACH WuD 15 (1979) 107-114; KÖTTING Klerikerbildung 395ff; LIEBESCHUETZ RAC XV,905ff. – Basilius sieht Kleriker in einem Schülerverhältnis zum Bischof (cf. ep. 127:18.5f; 133:11f); und so wie er dem Amphilochius Hilfestellung zur Amtsführung gibt, so setzt er auch voraus, dass Amphilochius frisch berufene Kandidaten eingehend instruiert: ep. 217:30.

der das gleiche Ziel im bürgerlichen Leben zu erreichen sucht. Und auch der in ep. 81 empfohlene Kandidat hat ja neben seiner asketischen Lebensführung noch eine Reihe anderer gewichtiger Vorzüge – wie langjährige praktische Erfahrung – vorzuweisen. Nicht der Mönch, der Priester wird, sondern der Priester, der zugleich asketisch lebt, ist für Basilius von Bedeutung.

Als Zwischenergebnis ist also festzuhalten, dass Basilius – von CAMPENHAUSEN als »der erste große Vertreter des mönchischen Priester- und Bischofsideals« charakterisiert[20] – selbst keineswegs Mönche in aussergewöhnlichem Umfang zum priesterlichen Dienst herangezogen hat. Und es lässt sich auch nicht nachweisen, dass die unter seiner Leitung stehenden monastischen Kommunitäten in besonderer Weise als Reservoir zur Rekrutierung des klerischen Nachwuchses gedient hätten, so wie Basilius ja auch sonst das Mönchtum nicht – als Hilfstruppe etwa bei kirchenpolitschen Auseinandersetzungen oder als Dienstpersonal beim Aufbau karitativer Einrichtungen – im Interesse seiner episkopalen Leistungstätigkeit instrumentalisiert hat[21]. Die Bedeutung des Mönchtums bei der Frage nach dem Amtsverständnis des Basilius liegt vielmehr darin, dass er das *Bild des »Vorstehers« in der grossen wie in der kleinen Gemeinde kongruent* gezeichnet hat. Was RF 24-50 über Funktion und Aufgabe des Klostervorstehers sagt, gilt mutatis mutandis für einen jeden Kirchenführer[22]. Dies mag zwar zunächst überraschen, ergibt sich aber ganz von selbst aus der wiederholt gemachten Beobachtung, dass sich die Bestimmungen der Mönchsregeln ja aus den entsprechenden Weisungen der Moralia entwickelt haben. Umgekehrt aber heisst dies: die historisch gewachsenen Strukturen des kirchlichen Amtes, wie sie in der Reichskirche des 4. Jahrhunderts anzutreffen sind, werden bei Basilius durch die Brille eines Amtsideals gesehen, das sich für ihn zwar zwingend aus den Weisungen des Evangeliums ergibt, de facto aber v.a. im Lebensbereich der monastischen Kommunität Verwirklichung findet; und damit werden sie zugleich einem kritischen Massstab unterstellt, der nicht ohne Auswirkungen auf die traditionellen Amts- und Gemeindestrukturen bleibt. Dies gilt etwa für das *Gegenüber von Amt und*

[20] CAMPENHAUSEN GKV 92.

[21] Darin liegt ein charakteristischer Unterschied etwa zu Kyrill von Alexandrien. – Zur andersgearteten Funktion der monastischen Hospize des Basilius s. pp. 310f.

[22] Zutreffend FEDWICK Church 41,22. »The treatment of the prostasia in chapters 24 and following can be applied therefore to any Christian leader, but especially to an ecclesiastical one«.

Gemeinde. Denn gegenüber der gerade für das 4. Jahrhundert charakteristischen Tendenz, immer stärker den Unterschied von Klerus und Kirchenvolk herauszustellen – die schliesslich als »duo genera Christianorum« einander gegenübergestellt werden können[23] – betont Basilius den *grundsätzlich gleichartigen Auftrag aller »Christen«,* von «Verkündigern« wie »Hörern« des Wortes in gleicher Weise. Das Mönchtum als Laienbewegung, das unter den Bedingungen der Reichskirche des 4. Jahrhunderts urgemeindliche Gemeindestrukturen zu repristinieren sucht, führt zu einer Aufwertung des Laienelementes in der Kirche. Es ist ja bereits auffällig, dass jene Funktionen, die der Amtsspiegel der Moralia als die Pflichten der kirchlichen Vorsteher, in den Vordergrund stellt – Rügepflicht, Vorbildgabe, Ausrichtung des Wortes Gottes –, zugleich Aufgaben bezeichnen, die ein j e d e r Christ zu erfüllen hat. Denn nicht allein der »Vorsteher des Wortes«, nicht allein der Obere der Bruderschaft, sondern ein jeder Christ hat seinem Mitchristen als »Vorbild« einer evangeliumsgemässen Lebensführung zu dienen, als τύπος τῶν καλῶν und sichtbare Veranschaulichung der Erfüllbarkeit »aller« Gebote des Herrn – freilich »ein jeder in dem ihm eigenen Mass«[24]. Und in gleicher Weise richtet sich die Weisung, gegenüber dem fehlenden Bruder nicht Schweigen zu bewahren, sondern ihm das Heilmittel der liebevollen und sündentilgenden Vermahnung zu reichen, keineswegs nur an den Bischof als verantwortlichen Leiter der kirchlichen Bussdisziplin oder im Kloster an »die mit der Seelsorge der Vielen Beauftragten«. Sondern dies ist Pflicht auch jedes einzelnen Christen, der nicht »ruhen« darf, bis er seinen Bruder zur Umkehr geführt hat[25]. Und was schliesslich die Ausrichtung des Wortes Gottes angeht, so ist dies zweifellos zunächst und vor allen andern Sache der bestallten Prediger, eben jener, denen – sei es in der Kirche, sei es im Kloster – »die Verkündigung des Evangeliums anvertraut ist«. Aber wenn von ihnen in Wahrnehmung dieses Auftrags Freimut und Leidensbereitschaft »bis hin zum Tod« verlangt wird, so ist dies eine Forderung, die für die Gemeindechristen wie die einfachen Könobiten in gleicher Weise gilt. Dass uns nicht nur in der Weisung der Vorgesetzten, sondern im Wort

[23] So das dem Hieronymus zugeschriebene Diktum: s. GAUDEMET Église 98. – Zur Verhärtung des Gegensatzes Laien – Klerus im 4. Jh. cf. BAUS/EWIG Reichskirche 344ff.

[24] RM 70,10; RF 43,1; RM 34,1; RF 7,4; ep. 150,4.

[25] Rüge als Pflicht des »Vorstehers«: zB RM 70,2; RF 25; als Pflicht eines jeden »Christen«: zB RM 51f. 80,9; RB 164f.46f.

eines jeden Mitchristen Gottes Wille – sei es gebietend, sei es tröstend – entgegentritt, machen gerade die Mönchsregeln sehr deutlich[26].

Und wie so, bei aller Unterscheidung der verschiedenen τάγματα in grosser und kleiner Gemeinde – derer, die »mit der Leitung betraut« und derer, die »zum Gehorsam bestimmt sind«[27] –, das Gegenüber von Amt und Gemeinde eingebunden bleibt in einen grundsätzlich gleichartigen Auftrag, so wird umgekehrt der den »Vorstehern« in Kirche und Kloster geschuldete Gehorsam zugleich begrenzt durch die *Pflicht kritischer Prüfung und das Gebot wechselseitiger Vermahnung* der Glieder des Leibes Christi. Denn wohl ist die Predigt der »mit der Verkündigung des Wortes Beauftragten« als Wort Gottes aufzunehmen, sind die Prediger wie der Herr selbst zu empfangen, wird ihre Ablehnung mit schlimmerem Gericht bedroht, als es einst Sodom und Gomorrha traf[28]. Und dass den Weisungen der Verantwortlichen im Kloster Gehorsam »bis in den Tod« gebührt, schärfen die Klosterregeln ein für das andere Mal ein[29]. Aber diese Forderung steht noch immer unter dem ausdrücklichen Vorbehalt, dass die Predigt tatsächlich dem Wort Gottes entspricht und die Weisung der Vorgesetzten wirklich dem Gebot des Evangeliums gemäss ist[30]. Wenn nicht, dann ist dem Gebot der Vorgesetzten der Gehorsam zu verweigern, dann gilt die Weisung des Evangeliums, lieber Gott als den Menschen zu gehorchen (Act 5,29)[31]. Und dies zu überprüfen, ist Aufgabe der Gemeinde, die mit dem χάρισμα διακρίσεως ausgestattet ist[32] und die »das von den Lehrern Gesagte zu prüfen und es, sofern es mit den Schriften übereinstimmt, anzunehmen, andernfalls aber abzulehnen« hat[33]. Dass einer solchen

26 Gehorsam »bis hin zum Tod«: RM 70,13; 6; RF 25; 28,2; RB 103.116.119. 152.199.206.317. – Wechselseitiger Gehorsam: AscP: RB 1.114.115; AscM: RB 303. – »Die Beschaffenheit der Befehlenden darf den Gehorsam der Gehorchenden nicht weiter berühren«. Wer aber «das vom Herrn Gebotene verhindern oder das von ihm Verbotene befehlen will«, den müssen wir fliehen, »auch wenn er noch so nah verwandt oder hoch angesehen ist« (RB 114 AscP).

27 RB 235 (AscM).

28 RM 72,3f.

29 S.o. Anm. 26.

30 RM 72,1; RB 114 (AscP); RB 303 (AscP).

31 RM 72,1f. 40,1; RB 114.303.

32 1Th 5,20-22 (»Alles prüft, das Gute behaltet«): RM 72,1; 69,2; RB 114; 303. Cf. RF 47; hom. 4,2 (31,224a); ep. 204,5:25; sowie RITTER Basileios 432.

33 RM 72,1. Analog die Bestimmung der Mönchsregeln: »Wenn uns also etwa aufgetragen wird, was dem Gebot des Herrn entspricht oder auf das Gebot des Herrn hin ausgerichtet ist, dann müssen wir gehorchen, sogar bis zum Tod. Wenn es aber

Aufforderung an die Gemeinden angesichts des permanenten – offenen oder latenten – Kirchenkampfes unter Konstantius und Valens höchste Aktualität zukam, versteht sich von selbst[34]. Und wenn auch, wie mehrfach erwähnt, im Verlauf der institutionellen Entwicklung der basilianischen Kommunitäten die Rechte der einfachen Mitglieder zunehmend abgeschwächt und statt dessen die Prärogativen des (oder der) Vorsteher immer deutlicher herausgestellt werden, so bleiben diese Vorrechte doch eingebettet in ein Verhältnis, das durch die mutua correptio fratrum und das Gebot wechselseitigen Gehorsams gekennzeichnet ist. Auch der Vorsteher, so wird eingeschärft, darf sich dem Tadel seiner Mitbrüder keineswegs entziehen[35], auch die Gemeinschaft als ganze muss sich, wenn sie auf dem falschen Weg ist, von einem einfachen Mitglied zur Ordnung führen lassen. Nur wenn sie sich einem solchen Aufruf entzieht, darf – und muss – der einzelne das Kloster verlassen[36]. Und wenn der junge Basilius – weder Priester noch Bischof, also in keiner amtlich legitimierten Position – der verrotteten Christenheit in den Moralia den Spiegel des authentischen Gotteswillens vorhält, so übt er damit nur die einem *jeden* Christen aufgetragene Rügepflicht aus, nur eben nicht gegenüber einzelnen, sondern gegenüber der »ganzen Kirche«.

Dass sich schliesslich angesichts einer solchen – auf die Verpflichtung eines jeden Christen abhebenden – Konzeption die Begründung *amtlicher Autorität* bei Basilius anders darstellt als in sonstigen amtstheologischen Modellen des 4. Jahrhunderts, dürfte ebenfalls evident sein. Denn Basilius argumentiert nicht von der Gegebenheit kirchlicher Ordnung aus, sondern von der charismatischen Qualifikation dessen, dem ein bestimmtes Amt übertragen ist. Das ist an sich keineswegs neu, eher eines der bestimmenden Kennzeichen der origeneischen Tradition, die stets den Amtsinhaber zugleich als Geistesmann hat porträtieren wollen. Neu ist nur die Art und Weise, wie Basilius mit dieser Überzeugung als organisierendem Prinzip kirchlichen Handelns ernst macht;

gegen das Gebot steht oder es verletzt, dann darf man keineswegs folgen, selbst wenn es ein Engel vom Himmel oder ein Apostel befehlen würde ... (folgt Gal 1,8)« (RB 303 AscP).

[34] Dementsprechend versteht sich die Predigt des Basilius: sie hat – auch wo sie »theologische« Themen behandelt – »kirchliche Lebensfrage(n)« zum Gegenstand, »die noch jedes Gemeindeglied angeh(en)« (so DÖRRIES DSS 101 zu hom. 29).

[35] RF 27 (AscM).

[36] RF 36 (AscM).

neu ist aber auch, wie bei Basilius diese Begründung amtlicher Autorität eingebettet wird in ein *charismatologisches Konzept*, das bei einem jeden Christen den bei der Taufe verliehenen Geist wirksam in vielfältigen Charismen weiss. So sind bei Basilius zwei unterschiedliche Tendenzen zu beobachten. Einmal: die Betonung des *gleichen Auftrags* an alle Christen, das Wissen darum, dass «einem j e d e m von Gott Charismen gegeben sind« (RM 58,2) und »n i e m a n d o h n e A n t e i l an der Freundlichkeit Gottes ist« (RB 263). Dies gilt auch wenn sich dieser Geist Gottes in unterschiedlichem Masse mitteilt und darum dem einen grössere, dem andern geringere Charismen gebeben sind, so dass der zu einer leitenden Funktion bestimmt erscheint, der »reichlicher mit Charismen begabt ist« (RM 60,1). – Daneben das Kriterium der *Beauftragung* durch die Gemeinschaft: nicht ein jeder, der ein Charisma hat, sondern nur wer dazu berufen worden ist, ist auch befugt, dieses in der Kirche Gottes auszuüben. Konkret wirksam wird dieser Gundsatz etwa – für den Bereich der monastischen Kommunität – bei der Diskussion der Frage, wem gegenüber fremden Besuchern im Kloster das Wort gestattet ist. Das ist nicht einfach der, dem τὸ τοῦ λόγου χάρισμα verliehen, sondern der dazu bestimmt worden ist (RF 32,2). Ähnlich die Diskussion um die Vertretung des Vorstehers bei Abwesenheit – die nicht einfach »die des Charismas der Lehre Gewürdigten« wahrnehmen können, sondern der vom Abt bezeichnete Bruder – oder (in RF 35) die Erörterung der Frage, ob an einem Ort mehrere Bruderschaften nebeneinander bestehen können. Das lehnt Basilius schon darum ab, da es nur selten für das Amt des Vorstehers genügend qualifizierte Persönlichkeiten gebe. Sollten aber an einem Ort mehrere sein, die »gleich sind an geistigen Charismen«, so soll der amten, der dazu »berufen« wird, und den andern zugleich Gelegenheit zur Bekundung ihrer Demut gegeben werden. Darum kann Basilius auch vom »Anvertrauen« eines Charisma sprechen[37]. In solcher Terminologie drückt sich die Überzeugung aus, dass b e i d e Momente – äussere Berufung wie innere Begabung – für legitimes amtliches Handeln unabdingbar sind; und was hier im Blick auf die monastische Kommunität gezeigt wurde, gilt in gleicher Weise für die kirchliche Gemeinde. FEDWICK hat darauf hingewiesen, dass Basilius weniger in der Kategorie der »Wahl« zu einem bestimmten Amt als vielmehr der »Anerkennung«

[37] Z.B. RF 32,2 (31,996c): τῶν πεπιστευμένων τὸ τοῦ λόγου χάρισμα.

des dem Kandidaten von Gott verliehenen Charisma denkt[38]. Im gleichen Sinn stellt RITTER fest, »daß bei Basileios Charisma und Funktion innerhalb der Mönchs- oder Kirchengemeinde aufs engste zusammengehören«[39]. So ordnet sich die Begründung amtlicher Autorität bei Basilius ein in einen Zusammenhang, der bestimmt ist vom Wissen um die in einem jeden Christen wirksamen Bekundungen des Geistes.

[38] FEDWICK Church 47,48: »Rather than a concept of 'election' there is in Basil a concept of 'recognition', 'acknowlegdment' (ἔγκρισις). It is not because a person has been chosen as leader that he may exercise his ministry, but on the contrary, because God has given him the charisma, the possibility is given to him, through the church, of exercising it«.

[39] RITTER Basileios 434.

VIII. EINHEIT DER KIRCHE

A. VORAUSSETZUNGEN

1. Wenn wir das Wirken des Basilius für die Einheit der Kirche ins Auge fassen, so ist zunächst die *Situation* in Erinnerung zu rufen, der er sich dabei konfrontiert sah. Basilius selbst hat immer wieder das Bild einer vielfach in sich zerrissenen Kirche gezeichnet[1]; und wenngleich dabei seiner Rhetorik zweifelsfrei in manchem eine produktive Rolle zukommt, so ist doch unverkennbar, dass er einer ungleich komplizierteren Situation gegenüberstand als andere führende Köpfe der nizänischen Bewegung im 4. Jahrhundert, Athanasius von Alexandrien beispielsweise oder Ambrosius von Mailand. Denn in Kleinasien (und den benachbarten Regionen) hatte Basilius es mit einem kirchlich zerklüfteten Gebiet zu tun, mit unterschiedlichen (und teils wechselnden) Mehrheitsverhältnissen in den einzelnen Provinzen sowie unscharfen Konturen der kirchenpolitischen Auseinandersetzung. *Klare Fronten* bestanden von Anfang an eigentlich nur gegenüber den Vertretern eines *intransingenten Arianismus,* Aetius v.a. und Eunomius, deren öffentliches Auftreten – und kurzfristiger kirchenpolitischer Höhenflug – seit 357 allgemeines Entsetzen auslöste, im Gegenzug 358 zur Formierung der homöusianischen Partei (deren führenden Sprechern Basilius eng verbunden war) führte[2] und dem bis dahin ahnungslosen jungen Basilius die Augen für den Ernst der Lage öffnete. Gegen Eunomius disputierte er auf dem Reichskonzil Dezember 359 in Konstantinopel[3]; gegen

[1] Z.B. ep. 92,3:24f: τὸ δοκοῦν ὑγιαίνειν ἐφ' ἑαυτὸ ἐμερίσθη; ep. 258,3:6f; etc.

[2] Entscheidendes Datum ist die Synode zu Ankyra 358, deren Synodalbrief (ap. Epiph.pan. 73,2-11 GCS 37,268-284) als Gründungsdokument der homöusianischen Partei zu gelten hat (analysiert bei GUMMERUS Homöusianische Partei 65-89; DINSEN Homoousios 136ff; cf. RITTER Dogma 188ff; BRENNECKE Hilarius 336,5 [Lit.]; LÖHR Kirchenparteien 63ff.69ff). Zu ihren führenden Köpfen zählten Basilius von Ankyra, Georg von Laodizea, Eustathius von Sebaste und Silvanus von Tarsus.

[3] Philost.h.e. IV,12 (GCS p. 64); Greg.Nyss.cEunom. I,78-82 (GNO I,49f); Bas.cEunom. I,2 (p. 154). Cf. GIET JThS 6 (1955) 94-99; HAUSCHILD TRE V,303; KOPECEK Neo-Arianism II,299ff.361ff; s. oben pp. 45ff.286f. – Basilius war in Konstantinopel als Glied der homöusianischen Delegation, um in den Auseinandersetzungen mit den Aetius-Leuten zu sekundieren. Dass er dabei in die Diskussionen nicht eingegriffen habe, vermutet BRENNECKE (Homöer 51,64) im Anschluss an eine polemische Bemerkung des Philostorgius (h.e. IV,12 GCS p. 64:5-7), die dann aber wenig Sinn ergeben würde (HAUSCHILD Briefe I,12,24). Damals geriet Basilius auch direkt mit Eunomius aneinander, wie dessen Apologie zu entnehmen ist: »Eunomius is claiming that he expounded his doctrines at the

ihn ist sein dogmatisches Erstlingswerk – die tres libri adversus Eunomium – von 364 gerichtet; gegen seine Anschauungen (und Einfluss)[4] richtet sich auch später immer wieder seine Polemik. Und es ist das Aufkommen der »Anhomöer«, das für den Verfasser von De Iudicio Dei allererst den Ernst der aktuellen Situation beleuchtet[5]. – Komplizierter bereits die Situation derjenigen östlichen Kirchenführer, die teils freiwillig, teils unter massivem Druck das auf der Doppelsynode Seleukia/Rimini 359 verkündete, in leicht veränderter Form am 31.12.359 in Konstantinopel bestätigte – und bis zum Konstantinopler Konzil von 381 gültige, zu Lebzeiten des Basilius im Osten also offiziell nie aufgehobene – *homöische Bekenntnis* unterzeichnet hatten[6]. Das war immerhin die Mehrheit des östlichen Episkopats gewesen, darunter auch die von Basilius hochverehrten Häupter der homöusianischen Partei (wie Eustathius von Sebaste oder Gregor von Nazianz d.Ä.). Auch wenn Basilius persönlich hier von Anfang an eine konsequente Linie vertreten hatte – bis hin zum zeitweiligen Bruch mit seinem Taufvater Dianius, Bischof im kappadozischen Caesarea[7] –, so blieb es dennoch eine im einzelnen schwierige Frage, wie mit jenen Kirchenführern umzugehen sei, die es unterlassen hatten, sich formell von der Formel des Reichskonzils Konstantinopel 359 (/360) zu distanzieren. – Kompliziert blieben auch die Beziehungen zu den *konservativen Nizänern* Kleinasiens und des Orients. Zwar verband Basilius, trotz aller Schwierigkeiten, mit d e m führenden Repräsentanten dieser Kreise – Athanasius von Alexandrien – ein von wechselseitigem Respekt bestimmtes Verhältnis (was freilich nicht verhindern sollte, dass sich Athanasius in wesentlichen

Council, attacking Basil's view and defending his own« (WICKHAM JThS.NS 20, 1969, 237).

[4] Eunomius war Kappadozier, in Kleinasien der Einfluss seiner Bewegung am stärksten (Sozom.h.e. VI,27,9 GCS 50,278; cf. ALBERTZ ThStKr 82, 1909, 232); in Kappadozien sorgte er weiter für Unruhe (cf. Philost.h.e. X,6 sowie ALBERTZ aaO 259.269.271). Zum nachhaltigen theologischen Eindruck des Eunomius cf. RITTER TRE X,527f. Basilius – Eunomius: cf. ANASTOS Basil passim (p. 70,6f: Lit.); SCHINDLER Kontroverse 26-85; KOPECEK Neo-Arianism II,361-440; TROIANO VetChr 24 (1987) 337ff; dies. VetChr 17 (1980) 313ff; HÜBNER Gott 16ff; VAGGIONE (Eunomius Works 5ff).

[5] Iudic. 1 (31,653b).

[6] Sozom.h.e. IV,23,8 26,1; VI,11,3; Socr.h.e. II,43,9; Philost.h.e. V,1; Bas. ep. 51,2; Greg.Naz.orat. 21,23 18,18; cf. GUMMERUS Homöusianische Partei 151ff. 160ff; LIETZMANN GAK III,230ff. – Ein wenig zu dezent wird die »sanfte Nachhilfe des staatlichen Armes« beschrieben bei BRENNECKE Homöer 53 (ff).59f.

[7] S. ep. 51,2 und unten pp. 258-260.

Punkten dem Einigungsprogramm des Basilius verschloss)[8]. Aber schon das Beispiel des Atarbius, Bischof im pontischen Neocaesarea und naher Verwandter des Basilius, der ihm dennoch beharrlich die kirchliche Gemeinschaft verweigerte, lässt uns »den wirklich religiösen Abscheu« spüren, den innerhalb des nizänischen Lagers »die Vertreter der Ein-Hypostasen-Theologie und der Drei-Hypostasen-Theologie für die jeweils andere Seite« empfinden[9] konnten und der ein kirchliches Zusammengehen enorm erschwerte bis verunmöglichte; und zu einem Mann wie Theodot von Nikopolis, der durch von weither besuchte Synoden das kleinarmenische Nikopolis zu einem Zentrum der kleinasiatischen Nizäner zu machen suchte, konnte Basilius in engere Beziehung erst treten, nachdem es zum Bruch mit Eustathius gekommen war. – Mit diesem Beispiel ist zugleich der *Übergang der homöusianischen Partei zur neunizänischen Bewegung* angesprochen, den Basilius – wie andere - vollzogen hat, den aber nicht alle seiner ehemaligen Weggefährten mitzugehen bereit waren. Zu denen, mit denen es an einem ganz bestimmten Punkt dieser Entwicklung zum Bruch kam, zählt bekanntlich Eustathius von Sebaste, der sich über die von ihm vertretene »mittlere« Position hinaus nicht weiter in die von Basilius eingeschlagene Richtung hatte drängen lassen wollen[10]. Menschlich bedeutete dieser Bruch für Basilius eine Katastrophe, kirchenpolitisch einen massiven Rückschlag, da die Propaganda der »Pneumatomachen« nun ganze Provinzen erfüllte[11] und Eustathius darüber hinaus nun das Zusammengehen mit den zuvor befehdeten homöischen Bischöfen suchte[12]. – Nehmen wir noch die weiteren im *Verlauf der Einigungsbemühungen* des Basilius eingetretenen Spaltungen hinzu – wie der Bruch mit Apollinaris von Laodicea, dessen formelle Verurteilung durch die Kirchen des Westens Basilius in ep. 263 ver-

[8] Für Basilius siehe epp. 61.66f.69.80.82, für Athanasius die Epistula ad Ioannem et Antiochum (CPG 2130) und Epistula ad Palladium (CPG 2121), deren Echtheit freilich Zweifeln unterliegt (s. TETZ TRE IV,344), sowie die bei Bas.ep. 61. 204,6 erwähnte Korrespondenz. Cf. SCHÄFER Beziehungen 67ff; RITTER Konstantinopel 282,2; TETZ ZNW 64 (1973) 121; PEKAR AOSBM 10 (1979) 25-38; sowie unten Teil pp. 270ff.

[9] ABRAMOWSKI ZKG 87 (1976) 153 zu epp. 204.207.210; ähnlich p. 160: diese Briefe des Basilius »geben uns eine Vorstellung davon, wie schwer die Gegensätze zwischen den Origenisten und Antiorigenisten unter den Nicänern zu überwinden waren«. – Zu Theodot von Nikopolis cf. HAUSCHILD Pneumatomachen 195,1.

[10] Cf. RITTER Dogma 196f. S. unten pp. 254ff.

[11] So v.a. im Helespont und Bithynien, auch Asien und Karien; cf. Socr.h.e. II,45; Sozom.h.e. IV,27 V,8; sowie Bas.ep. 130,1; 244,2.5; 251,3; 226,2; 237,2.

[12] ep. 244,8.

langt, der früher aber ausweislich seiner Korrespondenz mit Apollinaris zu den gesuchten Gesprächspartnern des Basilius gehörte[13] und zugleich zu seinen theologischen Vorbildern[14] –, so ist die von Basilius in De spiritu Sancto (c. 30) geäusserte Klage wohl verständlich, in der Gegenwart seien »Freund und Feind« kaum mehr zu unterscheiden, zumal diese Sicht der Dinge keineswegs Basilius vorbehalten blieb. Äusserten sich doch auch externe Besucher – wie der aus den überschaubaren Verhältnissen Roms in die Wirren des Orients geworfene Hieronymus (ep. 15) oder die ähnlich orientierungslosen exilierten Bischöfe Ägyptens, an die sich ep. 265 des Basilius richtet – in ähnlichem Sinn.

2. Soviel zur Ausgangslage beim Einigungswerk des Basilius. Fragen wir nun nach seinem *Beitrag* zur Überwindung der Gegensätze, so sind zunächst zwei Feststellungen zu treffen.

a. Die Sorge um die Einheit der Kirche charakterisiert *von Anfang an* – und nicht erst seit seiner Wahl zum Bischof von Caesarea und Metropoliten von Kappadozien – das Wirken des Basilius. Bereits seine erste kirchenpolitische Proklamation – die Moralia – sind dem Erschrecken über die unvergleichliche Zerrissenheit der Kirche Gottes entsprungen, welche eine grundlegende Kurskorrektur erforderlich mache. Und seitdem Basilius Presbyter geworden war, liess er es sich angelegen sein, nicht nur durch die von ihm geforderte moralische Erneuerung der Kirche, sondern zugleich auch durch weitausgreifende kirchenpolitische Aktivitäten für die Einigung der Kirchen zu sorgen. In seinem Kondolenzschreiben an die verwaiste Gemeinde von Neocaesarea schreibt Basilius im Jahre 368[15], dass der verstorbene Musonius zwar nicht mit

[13] epp. 361-364. Die *Echtheit* dieser Korrespondenz, von LIETZMANN (Apollinaris 21) und SCHWARTZ (GS IV,62,3) bestritten, ist von PRESTIGE (Basil 6ff) und RIEDMATTEN (JThS 7, 1956, 199ff; 8, 1957, 53ff) verteidigt worden; ihr Votum hat sich – trotz der etwa bei FEDWICK (Chronology 6,23) erneuerten Einwände – durchgesetzt (MÜHLENBERG Apollinaris 38ff; KOPECEK Neo-Arianism II,362,1; zuletzt energisch HÜBNER Apolinarius 198,8 237; HAUSCHILD Briefe I,13,25). Kontrovers freilich die genauere *Datierung*: 359-362 für epp. 361-364 (PRESTIGE), 360/361 oder 360/362 für ep. 361 (RIEDMATTEN, MÜHLENBERG, KOPECEK, HÜBNER); 355 für ep. 363 (MÜHLENBERG).

[14] Dazu jetzt HÜBNER Apolinarius passim; ders. VigChr 41 (1987) 386ff.

[15] ep. 28,3:20ff. An dieser Datierung der Mauriner ist mit SCHÄFER Beziehungen 33; CAMPENHAUSEN GKV 99; ABRAMOWSKI ZKG 87 (1976) 153; gegen die Spätdatierung (371) bei LOOFS Eustathius 50,2; FEDWICK Church 143; HAUSCHILD Briefe

ihm »im Blick auf den Frieden der Kirchen kooperiert« habe, ansonsten aber untadelig und in jeder Hinsicht vorbildlich gewesen sei. Nicht erst als Bischof, *bereits* lange vorher *als Presbyter* hat sich Basilius also tatkräftig um den »Frieden der Kirchen« gemüht.

b. Dies Engagement aber fasst von vornherein die *Kirche des ganzen Reiches* (und nicht nur des Ostens) in den Blick. Dass Basilius die abendländische Kirche in seine kirchenpolitische Strategie einbezieht, gilt zu Recht als Charakteristikum seines Einigungswerkes; er unterscheidet sich darin von anderen ostkirchlichen Kirchenmännern wie beispielsweise Meletius von Antiochien oder seinem Bruder Gregor von Nyssa[16]. Kaum beachtet wird hingegen, dass diese *gesamtkirchliche Perspektive* schon von Anfang an das Handeln des Basilius auszeichnet. Unmittelbare Berührung mit der grossen Kirchenpolitik hatte Basilius Dezember 359 auf der Reichssynode von Konstantinopel – sowie wahrscheinlich bereits auch zuvor auf der von Seleukia[17] –, an der Basilius im Gefolge der homöusianischen Synodaldelegation von Seleukia teilgenommen hatte. Im einzelnen wissen wir freilich relativ wenig über die Erfahrungen, die Basilius dort sammelte. Immerhin sei darauf hingewiesen, dass er in Konstantinopel im Dezember 359 zwangsläufig die Bekanntschaft des Hilarius von Poitiers gemacht haben muss, welcher in den Osten verbannt war, ebenfalls zusammen mit den homöusianischen Delegierten an Seleukia und Konstantinopel teilnahm und welcher in seiner Schrift De synodis seu de fide Orientalium für ein gegenseitiges Verständnis der Homöusianer des Ostens und der Nizäner des Westens geworben hatte. Doch bleibt der Kontakt des Basilius mit diesem wichtigen Vermittler zwischen den Kirchen des Ostens und des Westens hypothetisch. Auf sicherem Boden stehen wir jedoch im Jahre 362, dem Jahr seiner Ordination durch Euseb von Caesarea (Kappadozien) und zugleich seines Bruches mit diesem[18]. Denn bei diesem Streit spielte neben den

I,178,153 festzuhalten, schon um für die lange Zeit des Schweigens gemäss ep. 65 und 204,1 genügend Raum zu schaffen.

[16] Zu Gregor von Nyssa als Kirchenpolitiker cf. die resümierenden Bemerkungen bei MAY JöBC 15 (1966) 113: »daß Gregor für eine großzügige, das Abendland einbeziehende kirchenpolitische Strategie, wie sie Baileios vertreten hatte, wenig Verständnis besaß«.

[17] S. oben pp. 45f (+ Anm. 28).

[18] Greg.Naz.orat. 43,28 (BOULENGER 118-120); ep. 16,4. Dass (mit SCHÄFER Beziehungen 50; GALLAY GCS 53, XIV; HAUSER-MEURY Prosopographie 76; FEDWICK Chronology 7) 362 und nicht 364 (so MARAN Vita 9,2 [29,XXXVIII];

Mönchen, welche Basilius gegen Euseb unterstützten, auch die Anwesenheit von δυτικοὶ ἀρχιερεῖς eine Rolle, welche sich auf die Seite des Basilius stellten und in denen man seit TILLEMONT einen Hinweis auf *Euseb von Vercelli* sieht[19]. Von Euseb von Vercelli wissen wir nun zweierlei: einmal, dass er an der alexandrinischen Synode von 362 teilnahm und als Glied einer nach Antiochien gesandten Bischofskommission die Beschlüsse dieser Synode zur kirchlichen Befriedigung Antiochiens zu realisieren suchte[20]; von ihm dürfte die Kenntnis des Basilius vom Einigungsprogramm des Tomus ad Antiochenos stammen; und zum andern, dass er »in der Art eines guten Arztes den Osten durchwanderte, indem er die Schwachen im Glauben aufnahm und die Beschlüsse« der alexandrinischen Synode »verkündete«[21] und so dem in Alexandria beschlossenen Versöhnungswerk weite Geltung zu verschaffen suchte. Wenn sich nun dieser Mann, dessen Basilius später rühmend gedenkt[22], in dem Konflikt eines Bischofs mit seinem Presbyter auf die Seite des letzteren stellt, so lässt dies auf eine tiefe Verbindung zwischen beiden schliessen. V.a. aber belegt diese Episode, dass Basilius schon früh »in Beziehung getreten ist zu abendländischen Bischöfen, die nach dem in Alexandrien aufgestellten Programm für das Werk der Einigung arbeiteten«[23].

HAUSCHILD TRE V,304) oder 365 (HAUSCHILD Briefe I,16) das Jahr der Presbyterweihe des Basilius ist, ergibt sich aus der Identifizierung der δυτικοὶ ἀρχιερεῖς in Greg.Naz.orat. 43,28,4; s.u.

[19] Cf. HAUSER-MEURY Prosopographie 75.

[20] Tom.adAnt. (PG 26,796a); Rufin.h.e. X,29-31 (GCS 9/2,991-994); Socr. h.e. III,9 (HUSSEY 411-413); Sozom.h.e. V,12 (GCS 50,210-212). Bekanntlich ist diese Mission durch Lucifer von Cagliari, welcher den Paulinus zum Bischof weihte, torpediert worden. Aus diesem Grund wie angesichts der späteren Bemerkungen des Basilius über die Ordination des Paulinus (ep. 263,5:1f) ist es nicht möglich, unter den westlichen Bischöfen auch den Lucifer eingeschlossen zu sehen (so die Mauriner, ad not. 70: PG 36,535d); vielmehr ist der Plural rhetorisch.

[21] Socr.h.e. III,9,9 (HUSSEY I,413); Rufin.h.e. X,31 (GCS 9/2,994).

[22] ep. 138,2.

[23] SCHÄFER Beziehungen 51. Über die Gründe für den Streit mit Euseb (von C.), die Greg.Naz.orat. 43,28,1 verdunkelnd umschreibt (τι παθόντι πρὸς ἐκεῖνον ἀνθρώπινον), ist viel gerätselt worden. ULLMANN Gregorius 107 nennt des Basilius' »Überlegenheit im Denken und Reden«; CAMPENHAUSEN GKV 91 seinen »asketischen Eifer«, der ihn dem Euseb verdächtig gemacht habe; BERNARDI Prédication 58f vermutet in einigen Bemerkungen der Homilie 11 »Über den Neid« das auslösende Moment; HAUSCHILD (Briefe I,14f) denkt an Spannungen infolge der zurückliegenden Bischofswahl oder (unter Verweis auf ep. 94) das antimonastische Ressentiment der städtischen Nobilität. SCHÄFER Beziehungen 51 sieht einen Zusammenhang zwischen der Unterstützung des Euseb von Vercelli und seines Programms durch Basilius (Basilius »scheint ihnen seine größte Sympathie

In die Presbyterzeit des Basilius (362 bzw. 365[24]-370) fällt die Neuformierung der antiarianischen Kräfte des Ostens bzw. die *Entwicklung* weiter Teile der *homöusianischen zur jungnizänischen Partei*, ein Vorgang, an dem Basilius nicht unbeteiligt war. Drei Stationen dieses Weges sind hier insbesondere ins Auge zu fassen: die Synoden zu Antiochia 363, Lampsakus 364 und Tyana 367. Auf der *antiochenischen Synode* von 363 sprach der Kreis um Meletius und Euseb von Samosata die Anerkennung des Nicaenums aus, wobei sie das »ὁμοούσιος« »im Sinn der Väter« als »ὅμοιος κατ' οὐσίαν« interpretierten[25]. Das ist die eine Bewegung, die später in einen umfassenderen Zusammenschluss der nizänisch Gesinnten im Osten einmünden sollte. 363 hatte Basilius zu diesem Kreis noch keine erkennbare Beziehung, doch trat er zu einem seiner führenden Repräsentanten – Euseb von Samosata – noch als Presbyter in eine enge Verbindung[26]. – Der andere markante Orientierungspunkt ist *Lampsakus*, wo sich 364, zu Beginn der Valens-Ära, die Homöusianer versammelten[27]. Zwar tat man hier noch nicht den Schritt zum Nicaenum, sondern hielt am »ὅμοιος κατ' οὐσίαν« fest und bekräftigte das Symbol der antiochenischen Kirchweihsynode 341, welches sich die einstige Majorität von Seleukia 359 zueigen gemacht hatte. Doch bezog man scharf Front gegen Arianer und Homöer, verwarf die aufgezwungene Formel von Nike-Rimini, kassierte die in Konstantinopel 360 verfügten Absetzungen und suchte beim Kaiser die Anerkenung dieser Beschlüsse zu erreichen. Dies freilich erfolglos;

kundgetan zu haben, mehr als es Eusebius, Bischof von Caesarea, recht war«); dies hat soweit Anhalt an den konkreten Fakten.

[24] 365 ist das Jahr, in dem sich Basilius angesichts des Herannahens des Valens mit Euseb versöhnte, von Annisi nach Caesarea zurückkehrte und von nun an – »wenn auch an Rang Zweiter« – so doch de facto »die Leitung der Kirche übernahm« (Greg.Naz.orat. 43,33,4 31,1-5 [BOULENGER 130.124-126]; cf. ders. ep. 19).

[25] Socr.h.e. III,25,7-18 (HUSSEY I,462-465); Sozom.h.e. VI,4,6-11 (GCS 50, 241f). Die Bedeutung dieses Schrittes ist unterschiedlich gewertet worden. Während LOOFS (DG 201; RE³ XII,555f) den Meletius unter Verweis auf dies Synodalschreiben als »ersten Jungnizäner« bezeichnet und RITTER (Konstantinopel 69f; 292,5) ihn mit dieser Interpretation ganz im Gefolge von Athanasius' De synodis sieht, hebt etwa LIETZMANN (GAK IV,3) die Distanz zu Athanasius hervor, die dieser auch schmerzlich empfunden habe: Bas.ep. 89,2. Zur Meletianersynode zuletzt: BRENNECKE Neunizänismus 247ff.

[26] epp. 27.30.34. Durch persönliches Erscheinen in Caesarea förderte er die Erhebung des Basilius zum Bischof: Greg.Naz.epp. 42.44. Cf. LOOFS RE³ V,620-622; POUCHET BLE 85 (1984) 179ff.

[27] Sozom.h.e. VI,7,3-9 (GCS 50,245f); Socr.h.e. IV,2-4 (HUSSEY II,473-477). Zur Datierung (364, nicht 365) s. GWATKIN Arianism 275f; LOOFS RE³ II,40,53; FEDWICK Chronology 10,57; BRENNECKE Homöer 206ff.

denn Valens schlug den gleichen religionspolitischen Kurs ein wie Konstantius, schickte die i.J. 360 verbannten (und unter Julian zurückgekehrten) Bischöfe erneut ins Exil und leitetete damit eine Politik der Konfrontation mit den antiarianischen Kräften des Ostens ein, die für das weitere Lebenswerk des Basilius bestimmend blieb. Als einer der führenden Homöusianer nahm des Basilius Freund Eustathius von Sebaste an den Beratungen von Lampsakus teil[28]. Ob Basilius ebenfalls zugegen war, ist nicht sicher, aber doch wahrscheinlich[29]. Gesichert jedoch ist seine Teilnahme an der Vorbesprechung in Eusinoe, wo er »die Bücher gegen die Häresie« – die libri tres adversus Eunomium also – diktierte und damit wesentlichen Anteil an der theologischen Vorbereitung der Synode zu Lampsakus hatte, welche der Reorganisation der homöusianischen Partei diente[30]. – Den dritten Meilenstein stellt die Synode im kappadozischen *Tyana* 367 dar, mit der sich der Übergang der Homöusianer Kleinasiens zum Nicaenum vollzog[31]. Präsidiert wurde diese Synode von Euseb von Caesarea. Aber HAUSCHILD dürfte zuzustimmen sein, dass dieser kirchenpolitisch unerfahrene Mann »zur Leitung einer derartigen Aktion kaum fähig gewesen« sein und Basilius darum bei diesen Verhandlungen eine massgebliche Rolle gespielt haben dürfte[32]. Der Synode vorangegangen war im Vorjahr die Reise einer homöusianischen Delegation – bestehend aus Eustathius von Sebaste, Silvanus von Tarsus und Theophilus von Kastabala – nach Rom, um Kaiser Valentinian zum Eingreifen im Osten zu bewegen, den sie jedoch nicht mehr antraf. Statt dessen traten die Delegierten in Verbindung mit dem römischen Bischof und kehrten – nachdem sie ein Bekenntnis zum nizänischen Glauben abgelegt hatten – mit einem Brief des Liberius heim, der den östlichen Bischöfen Rechtgläubigkeit und Gemeinschaft mit Rom bescheinigte[33]. Auf diesen

[28] epp. 223,5:6; 244,9:19; 251,4:5.

[29] Wegen der engen Verbindung mit Eusinoe: ep. 223,5:5ff. Teilnahme des Basilius in Lampsakus nehmen an: HAUSCHILD TRE V,304; sowie – fragend – SCHÄFER Beziehungen 52.

[30] ep. 223,5:5ff. Dementsprechend ist cEunom. mit FEDWICK Church 140; HAUSCHILD TRE V,304; ANASTOS Eunomius 70,8; GRIBOMONT SE 22 (1974) 31 (der Lampsakus allerdings auf 365 ansetzt) auf 364 zu datieren.

[31] Sozom.h.e. VI,12,1-3 (GCS 50,251f); Socr.h.e. IV,12,39-41 (HUSSEY II, 501f); cf. LOOFS RE[3] V,629.

[32] HAUSCHILD TRE V,304; cf. die Bemerkung bei Greg.Naz.orat. 43,33,4 (BOULENGER 130). Auch LOOFS Eustathius 61 und SCHÄFER Beziehungen 57 setzen die Teilnahme des Basilius in Tyana voraus.

[33] Socr.h.e. IV,12,1-38 (HUSSEY II,490-501); Sozom.h.e. VI,10,3-12,1 (GCS 50,249-251). Cf. WOYTOWYTSCH Papsttum 128ff.

Erfolg wurde nun in Tyana beschlossen, in *Tarsus* eine grössere Synode zusammentreten zu lassen, die die umfassende Einigung der Kirchen des Ostens im Zeichen des nizänischen Bekenntnisses vollziehen sollte. Aber aus diesem Plan wurde nichts. Denn zum einen kam im karischen Antiochia eine Synode von 34 arianischen Bischöfen zusammen, welche zwar »den auf die Eintracht der Kirchen gerichteten Eifer« der Männer von Tyana lobten, aber die alten Vorbehalte gegen das Nicaenum und insbesondere das »ὁμοούσιος« nicht fallen lassen konnten und statt dessen am Bekenntnis der antiochenischen Kirchweihsynode festhielten. Vor allem aber untersagte Valens – auf Betreiben seines homöischen Hofbischofs Eudoxius – das für Tarsus verabredete Treffen[34].

3. Dies Scheitern der geplanten Unionssynode von Tarsus markiert zugleich die *Ausgangsbedingungen für das Einigungswerk des Basilius*, als dieser *370* Bischof von Caesarea und damit Metropolit von Kappadozien geworden war und sich damit nun in ganz anderer Position an den Zusammenschluss der antiarianischen Kräfte des Orients machen konnte. Drei Dinge waren notwendig, um eine Änderung der Verhältnisse zu erreichen: es musste gelingen, durch eine möglichst eindrucksvolle Demonstration der Einheit zwischen den nizänischen Kräften des Ostens (wo sie schwach waren) und des Westens (wo sie sich in einer unangefochtenen Position befanden), wie sie am besten durch die Entsendung einer zahlenstarken und autoritativen abendländischen Delegation in den Orient zu bewerkstelligen war, 1. Valens zur Aufgabe seiner antinizänischen, einseitig die homöische Minderheit bevorzugenden Kirchenpolitik zu bewegen suchen; 2. jenen Teil der orientalischen Bischöfe, die zwar antiarianisch gesonnen waren, aber den Schritt zum nizänischen Bekenntnis zu tun sich scheuten, zu gewinnen; sowie schliesslich 3. das Kirchenvolk durch die Demonstration ökumenischer Verbundenheit auf die eigene Seite zu ziehen. Dies sind die Grundzüge des »längst gehegten« Planes, welchen Basilius im Jahr 371 dem Athanasius von Alexandrien zur Kenntnis bringt und womit er den ersten von vier (insgesamt erfolglosen) Vorstössen einleitet, die Kirchen des Abendlandes und vorab Roms zu einem energischen Eingreifen im Osten zu bewegen[35]. Festzuhalten sind hier vorweg folgende Beobachtungen: 1. Die Zielrichtung dieses Vorstosses ist eine andere als bei der Romreise der homöusianischen Gesandtschaft von 366; denn nicht – wie damals – der weströmische

[34] Sozom.h.e. VI,12,4f (GCS 50,252); Socr.h.e. IV,12,39-41 (HUSSEY II, 501f).
[35] epp. 66; 69.67.

Kaiser, sondern die Kirchen des Abendlandes sollten zum Einwirken aufgefordert werden; 2. mit dieser Aufforderung soll Rom nicht der Entscheid über die verworrene Lage im Osten übertragen, sondern zur Bekundung brüderlicher Hilfe und Erweis kirchlicher Solidarität eingeladen werden; 3. Zielsetzung der ganzen Aktion ist es, die östlichen Kirchen in die Lage zu versetzen, sich zu einigen und so *selbst* der Bedrohung durch die Häresie und der diese begünstigenden staatlichen Kirchenpolitik zu widerstehen. So fügt sich der wiederholte Appell des Basilius an die Hilfsbereitschaft der westlichen Kirchen ein als e i n Moment seines Bemühens um Einigung der Kirchen des Orients, welche er mit grosser Energie und parallel zueinander in *unterschiedlichen Wirkungskreisen* voranzutreiben sucht:

a. *Kappadozien*. Hier gelang es Basilius rasch, wie wir von Gregor von Nazianz erfahren, das Land kirchlich zu befrieden und die Widerstände, die sich gegen seine Wahl zum Metropoliten erhoben hatten, auszuräumen, indem er seine Gegner »durch Wohlwollen gewann und sie nicht durch Gebrauch seiner Machtstellung, sondern ... durch Schonung an sich zog«[36]. Freilich lassen spätere Nachrichten die Stellung des Basilius keineswegs als unangefochten erscheinen[37]. Erhebliche Komplikationen brachte die politische Provinzteilung Kappadoziens im Jahre 371/372, der die kirchliche bald folgte und so die Stellung des Basilius als eines der wenigen von Valens im Amt belassenen nizänischen Bischöfe erheblich schwächte[38]. Nach heftigem Streit hat Basilius später mit Anthimus von Tyana, dem neuen Metropoliten von Cappadocia secunda, »Frieden geschlossen« und mit ihm bei der Verteidigung der nizänischen Sache zusammengewirkt[39]. Was blieb, war freilich die empfindliche Amputation seines Metropolitansprengels.

b. Beziehungen zu den andern *Kirchen Kleinasiens* (und der benachbarten Provinzen), die Basilius systematisch auf- und auszubauen sich mühte. Diesem

[36] Greg.Naz.orat. 43,40 (BOULENGER 142/44). Diese Widerstände sind ganz erheblich gewesen; s. Greg.Naz.orat. 43,37,1 39,2 40,1 58,2 (BOULENGER 138.142.176); 18,35 (35,1032); ep. 41,10 (GCS 53,37). In ep. 48(:24), zu Beginn seines Epikopats, spricht Basilius gar von einem »Schisma«.

[37] Z.B. ep. 141,2:7ff.

[38] Epp. 74-76; 98,2:1ff; Greg.Naz.orat. 43,58f (BOULENGER 176/180); cf. JONES Provinces 182-185; TEJA Organización 196-201; GIET Basile 275ff; HAUSER-MEURY Prosopographie 32f.

[39] ep. 122:6f; 210,5:8f; cf. ep. 92,1:4.

Zweck diente: eine weitreichende Korrespondenz, die zum Teil keinem andern Ziel als der Herstellung und Aufrechterhaltung kirchlicher Gemeinschaft diente (Beispiel: epp. 191.181-185); eine ausgedehnte Reisetätigkeit u.a. nach Syrien, Lykaonien, Pisidien, Pontus, Armenien, eine Reise nach Mesopotamien war geplant[40]; Einflussnahme auf die Besetzung wichtiger Bischofsstühle (wie etwa in Ikonium, wo mit Amphilochius eine profilierte und für die Förderung der nizänischen Sache herausragende Persönlichkeit plaziert werden konnte); Einwirkung auf lokale Spaltungen wie in Tarsus (epp. 113f) oder das drohende Schisma in Samosata (ep. 219); die in kaiserlichem Auftrag angetretene Armenienmission[41]. – Wichtig ist an dieser Stelle die Erinnerung daran, dass derartige ausserkappadozische Aktivitäten keineswes – wie etwa GIET meinte – als Beleg für obermetropolitane Rechte des Basilius herangezogen werden können. Sie ergeben sich für ihn vielmehr aus der Leib-Christi-Struktur der Kirche, auch wenn sie ihn eingestandenermassen in Konflikt mit der kanonischen Ordnung brachten[42].

c. Kontakte zu den *Kirchen in* Ost und *West*, von denen ein Ausschnitt – die Verhandlungen in der antiochenischen Frage – unten näher diskutiert wird, zu denen Verbindung herzustellen für Basilius aber auch sonst von grosser Bedeutung war[43].

B. MERKMALE

1. *Sammlung um das nizänische Bekenntnis*

Soviel zu Voraussetzungen und Etappen der Unionspolitik des Basilius. Als nächstes ist nun die Frage nach den zugrundeliegenden Kriterien und Normen kirchlicher Einheit zu diskutieren. Basilius geht bei seinem Einigungswerk aus vom Grundsatz der Suffizienz des antipneumatomachisch qualifizier-

[40] Überblick über die Reisen des Basilius bei GAIN Correspondance 393ff.
[41] S. pp. 301ff.
[42] So ep. 138,2:27; cf. oben p. 225,26.
[43] Beispiele: Ambrosius von Mailand (ep. 197); Ascholius von Thessaloniki (ep. 154); Valerian von Aquileia (ep. 91). Cf. VISCHER Basilius 61; GRIBOMONT S. Basile 125,128.

ten Nicaenums, und zwar auf der Basis des Tomus ad Antiochenos, den Basilius seit 362 kennt[1] und auf dessen Regelung er sich ausdrücklich beruft[2]. Freilich hat er diesen Grundsatz in einer Weise geltend gemacht, die sowohl die gegenüber dem Tomus unterschiedlichen Ausgangsbedingungen wie das andersgeartete Konzept von Einheit bei Basilius erkennen lässt.

a. Dies ist besonders offenkundig bei den Verhandlungen um die Einigung des chronisch gespalteten *Antiochien*, um dessen kirchliche Befriedung es dem Tomus ad Antiochenos gegangen war. Dies Vorhaben ist bekanntlich gescheitert, da a. Lucifer von Cagliari der Synodaldelegation, die mit dem Friedensvorschlag der alexandrinischen Synode unterwegs war, vorauseilte und durch Ordination des Paulinus in Antiochien vollendete Tatsachen schuf; b. 363 zwar eine Verständigung zwischen Athanasius und dem antiochenischen Meletius erreicht worden war, Meletius es jedoch »bis heute an der Erfüllung der damals gemachten Versprechungen« fehlen liess[3]. Damit waren die in Bewegung geratenen Fronten wieder erstarrt, Paulinus gewann die Unterstützung Alexandriens und damit später auch die Roms.

Die Politik des Basilius besteht zunächst darin, dass er auf die *Situation von 362* zurückgeht, als sich beide Parteien untereinander (und seitens der Delegierten der alexandrinischen Synode) im Prinzip als orthodox anerkannt hatten. Diesem Rückgang auf 362 entspricht es, dass Basilius – wie 362 – das Einigungswerk in die Hände des Athanasius legt, an den sich die antiochenischen Parteien auch 362 zwecks Schlichtung gewandt hatten – ein Schritt, diktiert natürlich auch von dem Bemühen, über Athanasius ein Zusammengehen mit dem Westen zu erreichen, und zugleich bedingt durch die Einsicht, dass »die gute Ordnung der antiochenischen Kirche offenkundig an Deiner Frömmigkeit hängt«[4]. Damit stimmt zugleich überein, dass Basilius den Meletius energisch an die Erfüllung der 363 dem Athanasius gegebenen »Versprechen«

[1] Seit 362 durch Euseb von Vercelli, s.oben pp. 243f. – Text des Tomus: immer noch PG 26,796a-809c; zu seinem Programm s. TETZ ZNW 66 (1976) 194-222; STUDER Erlösung 173f; HANSON Controversy 639ff.

[2] ep. 204,6:25ff; zSt cf.: TETZ ZNW 64 (1973) 100; SCHÄFER Beziehungen 89; GRIBOMONT Seminarium 27 (1975) 338; HAUSCHILD Briefe II,181,295; LOOFS Eustathius 68,2.

[3] ep. 89,2:8f.

[4] ep. 66,2:3f.

erinnert, welche »bis heute unerfüllt« geblieben sind (ep. 89,2). *Anders* freilich gegenüber dem Tomus sind die *Modalitäten* der geplanten Vereinigung. Denn während es der Tomus ad Antiochenos formal zwar offenlässt, wer in Antiochien Bischof sein soll, aber zweifelsohne von der Erwartung ausgeht, dass sich die »Altstadt«-Gemeinde (des Meletius) dem Paulinus anzuschliessen habe[5], so votiert Basilius entschieden für die entgegengesetzte Lösung (ep. 67); und er ist überzeugt, dass eine abendländische Delegation, die unbefangen die Verhältnisse vor Ort prüft, zum gleichen Ergebnis gelangen müsse. Wieso? Neben verschiedenen mehr in der Person des Meletius begründeten Gesichtspunkten – wie seiner untadeligen Orthodoxie, dem heiligen Lebenswandel[6], seinem Konfessorenruhm[7] sowie last not least dem Umstand, dass er vor dem unter zweifelhaften Umständen zum Bischof geweihten Paulinus mit der Bischofswürde geschmückt worden ist[8] –, die er zugunsten des Meletius anzuführen weiss, sind es Argumente, die sich unmittelbar aus dem Ziel der angestrebten Einheit ableiten. Denn

1. stellen die Meletianer die *Mehrheit vor Ort* dar: sie verhalten sich zur σύνταξις des Paulinus wie das Ganze zum Teil; wie die kleinen Flüsse in die grossen münden, so versteht sich für Basilius von selbst, dass »sich die andern diesem Mann anzuschliessen« und »die in mehrere Teile zerfallene Kirche« hinter dem »gottgeliebtesten Bischof Meletius zusammenzufinden habe«[9];
2. sind allein sie *im Osten mehrheitsfähig*, wie Basilius nicht nur aus der behaupteten Anerkennung des Meletius durch den »ganzen Orient« ableitet[10], sondern mehr noch mit der realistischen Einschätzung begründet, dass eine Vereinigung unter Paulinus »denen, die einen Anstoss suchen« – dem konservativen Flügel der orientalischen Homöusianer also, die sich bislang noch nicht zur Anerkennung des Nicaenums durchgerungen haben – den gesuchten »Anstoss« bieten würde, einem Zusammenschluss unter nizänischem Vorzeichen fernzubleiben (ep. 69,2);
3. Denn – drittens – blieb trotz der grundsätzlichen Einigung in Alexandrien 362 der *Verdacht des Sabellianismus*, der sich im Osten gegen jeden Vertreter

[5] Cf. TETZ ZNW 66 (1975) 199.
[6] ep. 214,4; 258,3.
[7] ep. 258,3:8f.
[8] ep. 263,5; 258,3.
[9] ep. 214,2; 67.
[10] ep. 67:9f, cf. 258,3: καὶ ἔσχεν αὐτὸν τῇ ἐμῇ Ἐκκλησίᾳ κοινωνικόν.

einer Ein-Hypostasen-Theologie erhob, gerade auch gegenüber Paulinus virulent; und als Paulinus später daranging, den Anhängern des Markell unterschiedslos die Kirchengemeinschaft zu gewähren (ep. 263,5), sollte sich in den Augen des Basilius solcher Verdacht aufs schmerzlichste bestätigen. Denn im Urteil des Basilius (und weiter antiarianischer Kreise im Orient) ist die Lehre des Markell eine Häresie, der arianischen zwar genau entgegengesetzt, aber nicht minder gefährlich, so dass es im Interesse des geplanten Zusammenschlusses lebensnotwendig erscheint, sich von Markell und seiner Interpretation des nizänischen ὁμοούσιος deutlich abzugrenzen. Diesen Punkt erläutert Basilius bereits in ep. 69 dem Athanasius, wo er von den Kirchen des Westens formelle Distanzierung nicht nur von Arius, sondern auch von Markell fordert, um den Gegnern des geplanten Einigungswerkes keine Handhabe zu geben[11]; und speziell im Blick auf die antiochenischen Verhältnisse wird er in ep. 214 breit ausgeführt. Denn dort teilt Basilius dem Comes Terentius, den die Paulinianer auf ihre Seite zu ziehen suchten, mit, »dass die Verfälscher der Wahrheit, die das arianische Schisma im gesunden Glauben der Väter einführen, keinen anderen Grund vorschieben, um nicht die fromme Lehre der Väter anzunehmen« als die Behauptung, wir legten das ὁμοούσιος so aus, »dass wir den Sohn κατὰ τὴν ὑπόστασιν ὁμοούσιος bezeichnen«[12]. So zwingt allein schon die Rücksichtnahme auf das ins Auge gefasste Einigungswerk, die Akzente anders zu setzen als im Tomus ad Antiochenos. Denn während dort – sofern nur die Drei-Hypostasen-Lehre nicht tritheistisch missverstanden wird – die Rede von einer oder drei Hypostasen freigegeben wird[13], hat Basilius tendenziell diese Gleichstellung aufgegeben; und in ep. 258 wird er es dann gegenüber Epiphanius und seinen Einmischungen in die antiochenische Frage ausdrücklich für »notwendig« erklären, »drei Hypostasen zu bekennen«[14].

b. *Tarsus.* In Antiochien hatte Basilius den Grundsatz, dass sich die Minorität der Majorität anschliessen solle, zugunsten des Meletius geltend gemacht, dem er sich ohnehin eng verbunden fühlte. Dass er dies *Mehrheitsargument aber keineswegs nur taktisch* gebraucht, sondern dass es vielmehr der

[11] ep. 69,2:1ff; cf. SCHÄFER Beziehungen 96.
[12] ep. 214,3:1ff.
[13] Cf. TETZ ZNW 66 (1975) 208. Athanasius selbst hat zeitlebens nur von »einer« Hypostase geredet (scheinbare Gegenbeispiele diskutiert bei TETZ TRE IV,341).
[14] ep. 258,3:36f; cf. ep. 214,3 sowie DÖRRIES DSS 168.

allgemeinen Linie seiner Friedenspolitik entspricht, zeigen seine Briefe an die rivalisierenden Gemeinden in Tarsus (*epp. 113f*). Hier stehen sich gegenüber eine nizänische Minderheit, die er in ep. 113 anspricht, sowie die noch unentschiedene Majorität unter dem Bischof Kyriakus, an welche ep. 114 gerichtet ist. Letztere ermahnt Basilius, das Bekenntnis der 318 Väter von Nicaea ohne Abstriche – also einschliesslich des ὁμοούσιος – anzunehmen und sich von denen fernzuhalten, welche den Hl. Geist ein Geschöpf nennen. Die nizänische Minorität aber fordert er auf, gegenüber ihren »schwächeren« Brüdern keine weitergehenden Forderungen zu erheben und sich dem Kyriakus zu unterstellen, sofern die genannten Bedingungen erfüllt seien.

Diese Skizze der Verhältnisse in Tarsus ist freilich nicht unbestritten. In zwei Punkten gibt es eine abweichende Situationsbeschreibung. 1. DÖRRIES (und ähnlich jüngst HAYKIN) nimmt an, dass die Spaltung in Tarsus bevorstand, nicht, dass sie bereits vollzogen war[15]. Doch spricht ep. 113 eindeutig von bereits vollzogenem Bruch (τὰ τέως διεσπασμένα), und zwar dürfte dieser Bruch bei der Erhebung des Kyriakus zum Bischof eingetreten sein. 2. Damit ist bereits der zweite kontroverse Punkt bezeichnet: die Frage nach der Ausgangsposition des Kyriakus. Denn GRIBOMONT, der in Tarsus eine rechtsnizänische, eine arianische sowie die Mehrheitsfraktion des Kyriakus unterscheidet, nimmt an, dass »the majority, guided by Cyriacus, held on to the 'moderate' line of the deceased bishop«[16], eine Feststellung, die alle Wahrscheinlichkeit gegen sich hat. Denn der Vorgänger des Kyriakus war Silvanus von Tarsus, einer der führenden Köpfe der homöusianischen Partei, einer der drei Delegierten der Romreise des Jahres 366 und Gesinnungsgenosse des Basilius[17]; auf seinen Tod und die Bestallung seines Nachfolgers hatte Basilius mit den Worten: »οἴχεται ἡμῖν καὶ ἡ Τάρσος« reagiert[18]. Die Besetzung des

[15] DÖRRIES DSS (19-21) 20. Ebenso HAYKIN VigChr 41 (1987) 277ff, v.a. 377: »Letters 113 and 114, both of which were written ... to members of t h e Christian community at Tarsus« (Hervorhebung vom Vf.).

[16] GRIBOMONT Word and Spirit 1 (1979) (116-119) 116. SCHWARTZ GS (III,160) bezeichnet den Nachfolger des Silvanus als »Anhomöer«, HAUSCHILD (Briefe II,160,56; cf. ders. Pneumatomachen 191,1) als »Homöusianer«, der aber »darüber hinaus ... mit dem Pneumatomachentum (sympathisierte)«. Doch kann man sich die Pneumatomachen in Tarsus als eigene Gruppe denken; und Homöusianer im Sinn des Silvanus war Kyriakus zumindest nicht bei Amtsübernahme: s. ep. 34.

[17] ep. 223,5; 244,3; 67.

[18] ep. 34(:5) aus dem Jahr 369.

vakanten Bischofstuhls – allem Anschein nach eben mit Kyriakus – war also ganz offensichtlich nicht im Sinn des Basilius verlaufen, und aus dem gleichen Grund dürften sich die aufrechten Nizäner von seiner Gemeinde getrennt haben. Aber Kyriakus war wohl der nizänischen Sache gegenüber offener, als es zunächst den Anschein gehabt hatte, oder seine anfängliche Position änderte sich: jedenfalls empfiehlt Basilius nun den Nizänern den Anschluss an seine Gemeinde, sofern die Gegenseite nur das antipneumatomachisch qualifizierte Nicaenum anerkenne.

Für diesen Rat sind drei Gründe ausschlaggebend. Da ist einmal die pragmatische Erwägung, durch eine derartige breite Koalition die Zahl derer, »deren Mund gegen den Hl. Geist geöffnet ist«, möglichst klein zu halten; so werden dann die Lästerer des Hl. Geistes »allein gelassen und entweder beschämt zur Wahrheit zurückkehren oder, wenn sie in der Sünde beharren, wegen ihrer geringen Anzahl unglaubwürdig erscheinen«. Damit verbindet sich die grundsätzliche Überlegung, dass ein Nachgeben bzw. eine Anpassung an die Schwächeren in den Dingen als möglich und geboten erscheint, »in denen wir den Seelen nicht schaden«; solcher Schaden ist ausgeschlossen, wenn die Kyriakus-Leute das nizänische Bekenntnis annehmen. So gewinnt – drittens – der schon wiederholt hervorgehobene und für Basilius so charakteristische Gesichtspunkt sein Recht, dass allein beim Zusammenleben der stärkeren und schwächeren Glieder sich die heilenden und vervollkommnenden Kräfte der Gemeinschaft auswirken können: »Denn ich bin überzeugt«, schliesst Basilius seinen Brief an die nizänisch Gesonnenen, »dass bei längerem gemeinschaftlichem Zusammenleben und gemeinsamer Übung frei von Rivalität, auch wenn noch etwas zur Verdeutlichung hinzugesetzt werden sollte, der Herr ... denen alles zum Guten geben wird, die ihn lieben«. Nicht einer Politik des kleinsten gemeinsamen Nenners entspringt also die Beschränkung auf das nizänische Bekenntnis. Vielmehr ist es die Überzeugung, dass infolge des Zusammenlebens und kraft des Geistes sich die »deutlichere« Glaubenseinsicht durchsetzen wird.

c. *ep. 125*. Das nächste zu besprechende Dokument – die ep. 125 – nimmt in der Biographie des Basilius einen besonderen Platz ein, da es unmittelbar den Bruch mit seinem verehrten Lehrer und langjährigen Freund Eustathius auslöste. Dies ganz entgegen seiner Absicht; denn konzipiert war ep. 125 als Friedensurkunde, die den Ausgleich zwischen zwei kirchenpolitischen Gruppierungen bewerkstelligen sollte, an deren Zusammengehen Basilius sehr viel gelegen war. Die eine ist Eustathius und sein Kreis, welche zwar den Schritt zur Anerkenung des Nicaenums getan hatte, sich aber – wie viele andere Homöusianer auch[19] – weigerten, daraus auch die Konsequenz der Homousie des Geistes zu ziehen, und eben deswegen den entschiedenen Nizänern verdächtig erschienen. Auf der anderen Seite stand die Gruppe um Theodot von Nikopolis, der Nikopolis zu einem Zentrum der kleinasiatischen Nizäner zu machen und durch von weither besuchte Synoden[20] überregionale Bedeutung zu geben sich mühte; er stand dabei in enger Verbindung mit dem (im armenischen Exil weilenden) Meletius von Antiochien. Zu einer derartigen Synode in Phargamos bei Nikopolis war auch Basilius eingeladen worden[21]. Dann aber hatte ihm Theodot wegen seiner Verbindung zu Eustathius die Gemeinschaft verweigert[22], so dass erneut die Klärung der gegen Eustathius erhobenen Vorwürfe dringlich wurde. Dies hatte bereits ein Gespräch des Basilius mit Eustathius in Sebaste bezweckt, welches nach harten Verhandlungen mit der Feststellung völliger Übereinstimmung endete[23]. Doch da auch so die Vorbehalte des Theodot gegen Eustathius nicht hatten ausgeräumt werden können[24], suchte Basilius sie durch ein von Eustathius unterzeichnetes Glaubensbekenntnis aus der Welt zu schaffen. Dieses liegt, von Eustathius unterschrieben, in ep. 125 vor. Doch widerrief Eustathius später diese Unterschrift, der Bruch mit Basilius war die Folge[25].

Ep. 125 – die anders als die Tarsusbriefe nicht den persönlichen Rat des Basilius wiedergeben, sondern eine allgemeingültige Regel fixieren will – setzt ein mit der Feststellung, dass von den »von einem anderen Glaubensbekenntnis Übertretenden« sowie von Katechumenen nicht mehr als der nizänische Glauben abzuverlangen sei. Dies gilt auch – so der konkrete Anlass – für die,

[19] Cf. zB Epiph.pan. 74,14,4 (GCS 37,332).

[20] Eingeladen (bzw. anwesend) waren beispielsweise Atarbius von Neocaesarea und Euseb von Samosata.

[21] ep. 95:11f; 99,2:1f.

[22] ep. 98,2:4ff; 99,3:7f; 99,1:9ff.

[23] ep. 99,2. Dies Gespräch hat seinen Niederschlag in DSS c. X-XXVII gefunden; so die allgemein rezipierte These von DÖRRIES DSS 81ff.

[24] ep. 99,3:7ff.

[25] ep. 244,2f; 128,2. Zu den Einzelheiten cf. LOOFS Eustathius 24ff; DÖRRIES DSS 28ff; HAUSCHILD Pneumatomachen 39ff.57f.

»die im Verdacht stehen, im Widerspruch zur 'gesunden Lehre' zu stehen«. »Denn auch für solche ist das unten zitierte Bekenntnis ausreichend (αὐτάρκης). Denn entweder heilen sie so ihre verborgene Krankheit oder sie werden, wenn sie diese in der Tiefe verbergen, wegen Betruges verurteilt werden, uns aber am Tag des Gerichtes die Verteidigung leicht machen, wenn 'der Herr die verborgene Finsternis aufdecken und die Gedanken des Herzens offenbaren wird'«. – Diese Begründung für die Suffizienz des Nicaenum ist bemerkenswert. Denn zum einen findet hier die Überzeugung von der heilenden Kraft des nizänischen Bekenntnisses Ausdruck, welches bei dem, der es annimmt, »vergangenen Schaden heilt« und »vor künftigem Schaden bewahrt«[26], und zwar – so hatten es die Tarsusbriefe ausgeführt – durch die integrierende Kraft einer Gemeinschaft, die im Zeichen des Nicaenums zusammengefunden hat[27]. Zum andern aber wird die Verantwortung der Kirchenführer abgegrenzt: nur bei offenem Verstoss gegen die Norm des nizänischen Bekenntnisses werden sie bei Gewährung von Kirchengemeinschaft zur Rechenschaft gezogen werden. Das heisst aber nicht, dass der nizänische Glaube nur »den Worten nach« (κατὰ τὰ ῥήματα) zu bekennen sei, er muss vielmehr auch »in seinem gesunden Sinn« (κατὰ τὴν ὑγιῶς ... ἐμφαινομένην διάνοιαν) angenommen werden. Soweit besteht Übereinstimmung mit dem Tomus ad Antiochenos, der ebenfalls das rechte Bekenntnis sowohl nach den »Worten« (λέξεις) wie seiner »Auslegung« (διερμηνεύειν) nach gefordert hatte. Anders aber als dieser grenzt sich ep. 125 – und darin spiegelt sich die Gesprächslage zwischen Basilius und Eustathius wider – nur in einer Richtung von Fehlinterpretationen der nizänischen Glaubens ab, nämlich der des Markell und Sabellius. In diesem Zusammenhang nun gibt Basilius[28] eine Auslegung des Nicaenums, wonach dort nicht – wie manche behaupten – οὐσία und ὑπόστασις im gleichen Sinn gebraucht seien, da vielmehr mit jedem Begriff jeweils ein anderes Missverständnis abgewehrt werde. Darum sei es im Sinn der nizänischen Väter unumgänglich, sowohl den Vater wie den Sohn wie den Hl. Geist jeweils »in einer eigenen Hypostase« zu bekennen.

[26] ep. 125,3:1ff.

[27] ep. 113:10ff (in Verbindung mit 113:32).

[28] Sowohl LOOFS (Eustathius 28) wie DÖRRIES (DSS 35.38.88) betrachten ep. 125 als Tomus der Synode von Nikopolis. Mit HAUSCHILD (Briefe II,162,79) ist jedoch an Basilius als Vf. festzuhalten.

Soweit hatte Eustathius keine Probleme zuzustimmen, die Differenzen lagen im dritten Artikel. Hier hält ep. 125 zunächst präzise die Linie des Tomus ad Antiochenos ein, nur negativ die Verurteilung derer zu verlangen, »die den Hl. Geist ein Geschöpf nennen«[29], und soweit konnte Eustathius auch ohne Bedenken unterschreiben; entsprach dies doch seiner Linie, den Geist weder »Gott« noch »Geschöpf« zu nennen[30]. Doch bereits die erläuternde Bestimmung, es seien die zu verurteilen, »die ihn von der göttlichen und seligen Natur entfremden«, weist in eine Richtung, in die zu gehen dem Eustathius des Gespräches von Sebaste äusserst schwer fallen mußte[31]. Dies gilt insbesondere für die dafür gegebene Begründung: »Es ist aber Beweis rechten Denkens, ihn nicht von Vater und Sohn zu trennen (denn wir müssen getauft werden, wie uns überliefert wurde, so glauben, wie wir getauft werden, und die Doxologie sprechen, wie wir zum Glauben gekommen sind: auf Vater, Sohn und Hl. Geist)«. Sie ist – in ihrem Einsatz beim Taufbefehl und der daraus gezogenen Konsequenz der Homotimie von Vater, Sohn und Hl. Geist – ebenso unverwechselbar basilianisch wie dem Denken des Eustathius fremd, wie wir es aus dem Sebasteprotokoll rekonstruieren können. Denn in Sebaste war es dem Eustathius ja gerade darum gegangen, den Rückschluss von der Taufformel auf die gleiche gottesdienstliche Würde des Geistes, wie Basilius ihn vorgetragen hatte, zu verhindern: »Gewiss muss man ihn ehren, aber nicht m i t (μετά) Vater und Sohn«[32].

Mit der Unterschrift unter ep. 125 war Eustathius also über seine bisherige Linie hinausgegangen, so dass es nicht verwundert, dass er später seine Unterschrift zurückzog. Zweierlei lässt ep. 125, Dokument einer gescheiterten Union, somit erkennen: einerseits die Zurückhaltung, die Basilius – darin von vielen kritisiert – zeit seines Lebens davon abhielt, den Geist offen als »Gott« zu bezeichnen (und, mehr noch, ein derartiges Bekenntnis von andern zu verlangen). Auf der andern Seite aber ist er über eine rein negative Linie – blosse Distanzierung von denen, die den Geist als Geschöpf bezeichnen, welche auch dem Eustathius möglich gewesen wäre – deutlich hinausgegangen, da er die

[29] ep. 125,3:16ff.

[30] Socr.h.e. II,45,6 (HUSSEY I,367); cf. DSS XX,51:1.

[31] S. den ersten Einwand im »Protokoll von Sebaste«: »Man darf den Hl. Geist nicht mit Vater und Sohn zusammenstellen διά τε τὸ τῆς φύσεως ἀλλότριον« (DSS X,24:1ff).

[32] DSS XXIV,55:20; XIII,29:1-7; XIV,31:1-9; XIX,49:1-3; XIX,50:1-3.

Merkmale »rechter Gesinnung« anzugeben sich genötigt sah, die sich für ihn unmittelbar aus der Besinnung auf den Taufbefehl ergaben.

d. Auf den Abbruch der Gemeinschaft durch Eustathius antwortet Basilius nicht mit bitterer Polemik, sondern mit einem – fast drei Jahre anhaltenden – *»Schweigen«*[33]. In dieser Zeit hat Basilius sich nicht nur von jeder öffentlichen Auseinandersetzung mit dem ehemaligen Freund zurückgehalten, sondern die Vorfälle auch in seiner sonstigen Korrespondenz so gut wie nicht erwähnt[34]. Das Schweigen des Basilius ist wiederholt aus den besonderen Umständen des Bruches begreiflich zu machen versucht worden. So wird es von HAUSCHILD als Zeichen der »gänzlichen Isolierung« verstanden, in die Basilius nach dem Scheitern des Unionsversuches zwischen Eustathianern und Nikopoliten – wodurch er sich zwischen zwei Stühle gesetzt habe – geraten sei[35], während SCHWARTZ es als Bekundung »hochmütiger Verachtung« des Basilius gegenüber seinen Gegnern wertet[36]. Und DÖRRIES, der der basilianischen Konzeption des Schweigens in seiner grossen Monographie über De Spiritu Sancto gebührende Beachtung schenkt, sucht diese doch insofern zeitlich einzugrenzen, als er sie von jener früheren Phase seines Wirkens abhebt, in der »er sich noch ohne Vorbehalte zur christlichen Pflicht bekannt (hatte), die Wahrheit öffentlich zu bezeugen«[37]. Derartige Erklärungen mögen im einzelnen zutreffend sein, bleiben jedoch einseitig, solange das *»Schweigen«* nicht auch *als ekklesiologische Kategorie* begriffen wird, welche nicht nur auf die Situation der Auseinandersetzung, sondern zugleich auch auf die Art und Weise, wie diese geführt wird, ein Licht wirft. Denn der Streit mit Eustathius ist nicht der erste Konflikt, auf den Basilius mit schweigendem Rückzug antwortet.

1. Der erste derartige Fall ist der Streit mit *Dianius* von Caesarea, der 360 die der Kirche aufoktroyierte homöische Formel von Nike-Rimini unterschrieben hatte[38]. Damit war eine schwierige Situation gegeben, in der zwei

[33] ep. 223,1; 226,1.
[34] Cf. DÖRRIES DSS 42f.103-109.
[35] HAUSCHILD Pneumatomachen 201.204.
[36] SCHWARTZ GS IV,61.
[37] DÖRRIES DSS 181f.
[38] ep. 51,2:3-5: Dianius unterschrieb im Rahmen einer von Georg (von Alexandrien) organisierten Unterschriftsaktion. BRENNECKE (Homöer 60f) unter-

Reaktionen denkbar waren: Missbilligung durch offenes Schisma (so die Mönche von Nazianz gegenüber Gregor von Nazianz d.Ä., der ebenfalls unterschrieben hatte)[39] oder eine bedauernde Haltung, die gleichwohl – unter Verweis auf die grosse Zahl derer, die versagt hätten – Verständnis bekundet[40]. Basilius wählte einen dritten Weg: »von unerträglichem Schmerz erfüllt«, zog er sich von Caesarea nach Annisi zurück, kehrte aber zu Dianius zurück, sobald dieser ihn rief und praktische Reue bekundete. Damit bewies Basilius einerseits mehr Gradlinigkeit als die Mehrheit der östlichen Kirchenführer (und seiner homöusianischen Parteifreunde), welche dem Druck nachgaben und unterschrieben hatten[41]; andererseits vermied er das offene Schisma und hielt den Weg zu erneuter Gemeinschaft offen. Dies freilich erst nach Distanzierung von der Unterschrift, weshalb er mit Dianius (und seinen homöusianischen Parteifreunden) die Gemeinschaft wiederaufnahm, nicht jedoch mit einem durch lange Freundschaft verbundenen Mann wie Euhippius, der an der homöischen Linie festhielt[42]. – Zu einem späteren Zeitpunkt hätte Basilius gegenüber homöischen Parteigängern sofort mit definitivem Abbruch der Beziehungen reagiert. Da hatte sich aber auch die Situation gegenüber 360 insofern grundle-

streicht das Fehlen unmittelbaren Zwangs. Immerhin hatte allein schon die homöisch dominierte Konstantinopler Januarsynode (mit ihrer reihenweisen Absetzung homöusianischer Bischöfe) drastisch klargemacht, wie die Machtverhältnisse lagen. Cf. ep. 69,1:42f über Rimini (und die folgenden Ereignisse): τῶν κατ' ἀνάγκην ἐκεῖ γενομένων.

39 Schisma der Mönche zu Nazianz: Greg.Naz.orat. 18,18; 6; 4,10; cf. 21,23 (26,1005-8; 722-752; 540; 1108). Cf. GALLAY Grégoire 80f; ULLMANN Gregorius 61ff; HAUSER-MEURY Prosopographie 88; WITTIG (BGrL 13,17ff); BRENNECKE Homöer 59f. Die neuerlich von BERNARDI (SC 309,25ff; cf. auch KURMANN Kommentar 6ff) vorgeschlagene Spätdatierung dieses Schismas ist nicht überzeugend.

40 So Gregor von Nazianz in Verteidigung seines Vaters; cf. orat. 21,23 (26,1108).

41 Darunter Eustathius von Sebaste. Wenn Basilius ihm später die Unterschrift unter die Konstantinopler Formel vorhält (epp. 251,4; 244,5; 263,3), so ist das zwar, wie LOOFS Eustathius 56f zurecht hervorhebt, »nicht fein«, da Eustathius sehr rasch Front gegen die Konstantinopler Synode bezog und Basilius gegen andere homöusianische Führer (wie Silvanus von Tarsus), die – wie Eustathius – ihre Unterschrift rückgängig machten, keinerlei Vorwürfe erhoben hatte. Aber darin hat LOOFS unrecht, dass Basilius, »wenn er damals schon Bischof gewesen wäre, sicherlich anders gehandelt haben« würde (p. 56): das eben beweist ep. 51,2. – Ähnliches gilt gegenüber BRENNECKE (Homöer 59,22; 60). Dass Basilius in ep. 51 den Konflikt aus späterer Perspektive schildert, ist unbestreitbar; dass er 360 gegenüber Dianius im Anschluss an dessen Unterschrift den Bruch vollzog, ebenso.

42 ep. 128,2:27ff.

gend verändert, als die Konstantinopler Beschlüsse auf (homöusianischen und anderen) Synoden kassiert und damit zwar nicht der erhoffte Umschwung der staatlichen Kirchenpolitik, wohl aber eine innerkirchliche Konsensbildung herbeigeführt worden war.

2. Das nächste Beispiel ist der bereits erwähnte Konflikt mit *Eusebius* von Caesarea, welcher 362 – im Jahr seiner eigenen Erhebung zum Bischof – den Basilius zum Presbyter weihte, sich jedoch kurz darauf mit ihm entzweite. Die recht unbestimmte Ausdrucksweise unseres Gewährsmannes Gregor von Nazianz lässt den Hintergrund dieses Konfliktes nicht mehr mit hinreichender Sicherheit erkennen[43]. Fest steht jedoch, dass es kein unbedeutender Anlass gewesen sein kann, da sich zwei kirchenpolitisch gewichtige Gruppen auf die Seite des Basilius stellten und den Presbyter gegen seinen Bischof unterstützten: einmal die Asketen, mit denen Basilius ohnehin eng verbunden war, zum andern – und symptomatischer noch - die zu Besuch in Caesarea weilenden »abendländischen Bischöfe«, also Euseb von Vercelli (und Gefolge). Im vorliegenden Zusammenhang sind drei Beobachtungen von Bedeutung: 1. Die asketischen Gefolgsleute des Basilius drängen auf offenen Bruch mit Euseb und sind bereit, dabei ein Schisma in Caesarea in Kauf zu nehmen; 2. diesem Ansinnen verschliesst sich Basilius, der vielmehr das Feld räumt und sich wieder nach Annisi begibt; wie im Streit mit Dianius tritt also der asketische Rückzug an die Stelle offener Konfrontation; 3. auf die Versöhnungsbereitschaft des Euseb reagiert Basilius positiv; er leistet der Einladung des Euseb – ausgeprochen angesichts des herannahenden Valens – Folge und kehrt nach Caesarea zurück[44].

3. Auch das dreijährige Schweigen gegenüber *Eustathius* ist von der Erwartung bestimmt, der Bruch mit dem langjährigen Freund möge sich als nicht irreversibel erweisen. Dies zumindest ist die Auskunft, die Basilius in ep. 223 – dem offenen Brief an den ehemaligen Weggefährten, der die Zeit des Schweigens beendet – gibt. Er habe, so Basilius, geglaubt, den ihm zugefügten Schmerz »in Schweigen ertragen zu müssen«, da er noch eine »Besserung« in den Beziehungen zu den Sebastenern »erwartete«[45]. »Denn ich glaubte, dass

[43] Greg.Naz.orat. 43,28 (BOULENGER 118-120); cf. dazu oben pp. 243-245.
[44] Greg.Naz.orat. 43,29 (BOULENGER 120-122); epp. 16-19.
[45] ἐκδεχόμενός τινα δι' αὐτῶν τῶν ἔργων ἐπανόρθωσιν (ep. 223,1:27). Das αὐτῶν ist – gegen COURTONNE – personal zu fassen.

nicht aus Bosheit, sondern in Unkenntnis des wahren Sachverhalts jene Verleumdungen gegen mich ausgesprochen worden waren«. Diese Erwartung erfüllte sich freilich nicht, im Gegenteil. »Da ich aber sehe, dass ihre Feindschaft mit der Zeit zunimmt, dass sie nicht bereuen, was sie anfangs gesagt haben und keinerlei Anstrengung unternehmen, das Vergangene wieder gutzumachen, sondern sich erneut zusammenzurotten, um ihren ursprünglichen Zweck zu erreichen ... da schien mir weiteres Schweigen nicht mehr angebracht«. Der erneute Anschlag, den Basilius hier beklagt, ist die Propagandakampagne des Eustathius gegen Basilius im Jahr 375. Hier hatte Eustathius – in einem der Form nach an einen gewissen Dazizas gerichteten, in Wirklichkeit aber öffentlichen Brief – den Basilius der Gemeinschaft mit Apollinaris und damit zugleich sabellianischer Irrlehren beschuldigt – unter Verwendung eines anonymen Traktates mit apollinarischen Zitaten, die den Eindruck erwecken mussten, sie stammten von Basilius[46]. Damit war der Bruch unheilbar geworden[47], und damit entfiel der Grund zum Schweigen. Das Schweigen des Basilius erweist sich somit als eine Form der Distanzierung, welche die Hoffnung auf Wiederherstellung gestörter Gemeinschaft noch offenlässt[48].

[46] epp. 244,5:1f; 131,1:11f; 129.130.212.224.226; cf. LOOFS Eustathius 71ff; SCHWARTZ GS IV,61ff; PRESTIGE Basil 26ff.47ff; DÖRRIES DSS 102ff; MÜHLENBERG Apollinaris 26ff.

[47] Es war ein Dritter, der Presbyter Genethlios, der die eustathianische Denkschrift als »Scheidebrief« (βιβλίον ἀποστασίου) bezeichnete (ep. 224,1:1-3).

[48] Eine etwas anders akzentuierte Erklärung für sein Schweigen gibt Basilius im Schlusskapitel von DSS: die gegenwärtige Zeit ist nicht so, dass sich die Stimme der Wahrheit Gehör verschaffen könnte; »deswegen hielt ich das Schweigen für nützlicher als das Reden, da keine menschliche Stimme durch einen derartigen Lärm hindurchzudringen vermag« (DSS XXX,78:1-3). – Mit dieser Erklärung verbindet sich die Unterscheidung von *Kerygma und Dogma*, von »öffentlich verkündeter« Wahrheit und »in Schweigen bewahrter« Lehre, welche – in Verbindung mit einer zweiten Unterscheidung, der von ἔγγραφος διδασκαλία und ἄγραφος παράδοσις – die Argumentation von DSS bestimmt. So grundlegend diese Konzeption für das Denken des Basilius (und weitreichend im Blick auf die Frage nach den Kriterien kirchlicher Einheit) auch ist, sie ist zunächst strikt aus der konkreten Gesprächssituation von DSS zu begreifen. Diese ist durch den Gegensatz zu denen bestimmt, die die gottheitliche Würde des Geistes als ἄγραφος – in der Schrift nicht bezeugt – bestreiten. Das sind einmal Eustathius (und seine Anhänger), die die Diskussion ausschliesslich mit Schriftbeweisen führen möchten und darum »das ungeschriebene Zeugnis Väter« als wertlos zurückweisen (DSS X,25:13-15: τὴν ἄγραφον τῶν πατέρων μαρτυρίαν ὡς οὐδενὸς ἀξίαν ἀποπεμπόμενοι), und zum andern jene Kritiker der von Basilius in Caesarea erstmals beim Eupsychiusfest 374 verwendeten (DSS I,3) doxologischen Formel, die »nicht aufhören, überall im Land herumzuschreien, der Lobpreis 'mit dem Geist' sei ἀμάρτυρον καὶ ἄγραφον (DSS XXVII,68:23-25; XXIX,71:1f). Ihnen gegenüber beruft sich Basilius auf den

2. *Synodale Verständigung*

Basilius vertritt also – das wäre als Ergebnis dieses ersten Durchgangs festzuhalten – ein Konzept kirchlicher Einheit, das auf der einen Seite strikt (und mit zunehmender Ausschliesslichkeit) das nizänische Bekenntnis zur unerlässlichen Voraussetzung kirchlicher Einheit erklärt, auf dieser Basis aber zugleich offen ist für unterschiedliche Positionen und Formen eines Zusammen-

Taufbefehl (und die darin mitgesetzte Bestimmung der Stellung des Geistes). Denn indem er die Taufe auf den Namen des Vaters, des Sohnes und des Geistes befahl, hat uns der Herr selbst »als notwendiges und heilvolles Dogma die Gleichstellung (σύνταξις) des Hl. Geistes mit dem Vater überliefert« (DSS X,25:17-19). Die Lehre von der gottheitlichen Würde des Geistes ist somit als ἀναγκαῖον καὶ σωτήριον δόγμα im Taufbefehl unmittelbar enthalten. Dogma bezeichnet also nichts, was als zweite Erkenntnisquelle *neben* die Schrift treten oder als Gegenstand pneumatischer Forschung einem Kreis von Elitechristen vorbehalten sein könnte, sondern den *in* der Schrift implizierten Sinn, welcher im Kerygma expliziert wird. – *Eine derartige 'kerygmatische' Explikation* ist (die von Basilius in Caesarea eingeführte) *Doxologie* (»Ehre sei dem Vater samt [μετά] dem Sohn mit [σύν] dem Hl. Geist«), Auslöser des Streites am Eupsychiusfest 374 (DSS I,3), die Basilius in DSS als in Einklang mit der Schrift wie der ἄγραφος μαρτυρία τῶν πατέρων zu erweisen sucht. *Eine andere* ist das *nizänische Bekenntnis*, τὸ ἀγαθὸν ἐκεῖνο κήρυγμα τῶν πατέρων (ep. 90,2:19f), das μέγα τῆς εὐσεβείας κήρυγμα (ep. 52,1:19f), welches die »Manifestation (φανέρωσις) des heilbringenden Dogmas enthält« (ep. 125,1:41f). Von den 318 Vätern nicht ohne Einwirkung des Hl. Geistes verkündet (ep. 114:30-32), ist es allen späteren Bekenntnissen vorzuziehen (ep. 159,1:10ff) und – sofern antipneumatomachisch qualifiziert – hinreichende Norm der Kirchengemeinschaft (epp. 125; 113f; etc.). Und v.a. nach Ausbruch der pneumatomachischen Kontroverse hat sich Basilius ja strikt geweigert, andere Bekenntnisse anstelle des nizänischen zu akzeptieren, »damit wir nicht Menschliches zu Worten des rechten Glaubens machen« (ep. 140,2:1ff). *Aber eine absolute Grösse bezeichnet das Nicaenum keineswegs*. Darauf verweist bereits der Umstand, dass das entscheidende Stichwort ὁμοούσιος nicht nur im Frühwerk gegen Eunomius, sondern auch in der Spätschrift DSS fehlt (s. DÖRRIES DSS 169). Und wo Basilius in Abwehr der pneumatomachischen Häresie über den Wortlaut des Nicaenums hinausgehen muss, fordert er nicht eine erweiternde Neufassung dieses Bekenntnisses – dem ja, mit Ausnahme der Doxologie auf den Hl. Geist, »auch nicht das Geringste hinzuzusetzen ist« (ep. 258,2:15f) –, sondern rekurriert auf den Taufbefehl, welcher die »von den Alten« (übergangene und insofern) »ungelöste« Frage (nach der Gottheit des Geistes) definitiv entscheidet (ep. 159,2:1ff). – So nimmt das Nicaenum eine Art Mittelstellung ein gegenüber allen früheren Bekenntnissen (im Vergleich zu denen es als vollkommen und abgeschlossen erscheint) und künftigen (sowie notwendigen) »Manifestationen des heilbringenden Dogmas« (denen gegenüber es ergänzungsbedürftig ist). In der Gegenwart markiert es den unverzichtbaren Schutzwall gegen alle arianische Häresie, Voraussetzung jeglichen spirituellen Wachstums (epp. 113f). – Wichtige Hinweise u.a. bei: BLUM Offenbarung 110ff; GRIBOMONT Mélanges II,446ff; AMAND DE MENDIETA Traditions. – Cf. oben p. 76,15; sowie p. 345,102.

schlusses. Denn überzeugt von der heilenden und vervollkommnenden Kraft des nizänischen Glaubens, erwartet er das allmähliche Zusammenwachsen und spirituelle Reifen jener Gemeinden, die sich hinter der schützenden Mauer dieses Bekenntnisses zusammengefunden haben. – Als nächstes ist die Frage nach den Gemeinschaftsformen zu stellen, die solches Zusammenwachsen ermöglichen und fördern. Damit werden wir auf die *synodalen Strukturen* der Kirche geführt. In der Geschichte der kleinasiatischen Kirchen seit dem 2. Jahrhundert fest verankert, spielen sie zugleich im Kirchenbild des Basilius eine bestimmende Rolle.

a. Seine *Analyse der aktuellen Lage* hat Basilius wiederholt auf den Punkt gebracht, dass es weniger die Stärke der Gegenseite als vielmehr die innere Schwäche des rechtgläubigen Lagers ist, die für den desolaten Zustand der Kirche verantwortlich sei; und dabei fasst er nicht nur die innere Zersplitterung der nizänisch orientierten Kräfte des Orients ins Auge[49], sondern ebenso ihren *fehlenden Zusammenhalt* und mangelnde Kooperationsbereitschaft. Nicht nur der Hass der Feinde macht uns zu schaffen – heisst es beispielsweise in hom. 29 –, mehr noch setzt uns zu unsere eigene Zerstrittenheit. »Ein jeder von uns« beklagt zwar die gegenwärtige traurige Lage, »aber wir kommen nicht zusammen ... Wir sind einander geworden wie Sandkörner, ohne Zusammenhang untereinander, ein jeder abgesondert vom anderen«[50]. Diese Zustandsbeschreibung hat Basilius in vielfachen Varianten wiederholt und abgewandelt. Kaum einer blickt mehr über den Tellerrand der eigenen Kirche hinaus; »wir schliessen uns ein in unseren Städten«[51]; ein jeder ist nur noch mit den eigenen Problemen befasst; geschwisterliche Gesinnung und Anteilnahme am Leiden und am Geschick der Nachbarkirche ist in der Gegenwart rar geworden. Eine ökumenische Gesinnung wie die des Athanasius, dem nicht nur das Wohl der eigenen Kirche am Herzen lag, sondern zugleich »die Sorge um a l l e Kirchen«, ist momentan zur Ausnahme geworden[52]. Im Urteil des Basilius ist eine derart partikularistische, sich vom Leiden der anderen Kirchen abschottende Einstellung nicht nur verantwortlich für das Vordringen des häretischen Arianismus (der von sich aus seiner Meinung nach in den Kirchen des Ostens

[49] ep. 258,3:6f: καὶ τέτμηται μὲν ἡ αἵρεσις πρὸς τὴν ὀρθοδοξίαν, τέτμηται δὲ καὶ πρὸς ἑαυτὴν ἡ ὀρθότης; ep. 92,3; etc.
[50] hom. 29,1 (31,1488c-1489a).
[51] ep. 191.
[52] ep. 69,1:4ff.

kaum mehrheitsfähig wäre). Vor allem aber widerspricht eine solche Selbstgenügsamkeit (μόνωσις)[53] der Bestimmung der Kirche als Leib Christi. Denn dadurch, dass »sich unser Herr Jesus Christus dazu herbeigelassen hat, die g a n z e Kirche Gottes seinen Leib zu nennen«[54], hat er die Glieder dieses Leibes – die Kirchen der Ökumene, die Christen in einem jedem Teil der bewohnten Welt – zueinander ins Verhältnis der συμπάθεια und συμφωνία gesetzt: sie nehmen Anteil, wenn ein Glied leidet; sie freuen sich mit, wo es einer Gemeinde wohlergeht. Kein Teil der Christenheit kann sich deshalb vom Leiden anderer Kirchen – wo auch immer diese sich befinden – für nicht betroffen erklären. Und dieser Grundsatz gilt nicht nur im Verhältnis der Kirchen einer Region oder unterschiedlicher Provinzen, sondern in gleicher Weise der Christenheit des Ostens wie des Westens. Darum ist es nicht möglich – so Basilius etwa in ep. 203, gerichtet an »die Bischöfe der (pontischen) Küstenregion«, die sich bisher dem Hilfsappell wie dem Einigungswerk des Basilius bislang verschlossen haben – zu sagen: »'Wir Küstenbewohner haben mit den Leiden der Vielen nichts zu schaffen und bedürfen keiner Hilfe von anderen' ... Der Herr hat zwar die Inseln vom Festland durch das Meer abgetrennt, aber die Inselbewohner mit denen auf dem Festland durch die Liebe zusammengebunden. Wenn ihr euch für das Haupt der ganzen Kirche haltet, so kann doch nicht das Haupt zu den Füssen sagen: 'Ich bedarf euer nicht'. Und auch wenn ihr euch selbst in einer anderen Klasse der kirchlichen Glieder einordnet, so könnt ihr doch nicht zu uns als den Gliedern am selben Leib sagen: 'Wir bedürfen eurer nicht'. Denn die Hände bedürfen einander und die Füsse stützen sich gegenseitig und die Augen haben erst zusammen den klaren Blick«[55].

b. Konkret leiten sich aus diesem Verständnis der Kirche als Leib Christi ab die Forderung nach *zwischenkirchlicher Solidarität und wechselseitiger Hilfeleistung*. Derartige Solidarität – die einzufordern jedes Glied der weltweiten Christenheit ebenso berechtigt wie verpflichtet ist – wird bei Basilius mit vielfältigen Stichworten – wie ἀντίληψις[56], βοήθεια[57], συνέργεια[58],

[53] μόνωσις in kirchenpolitischem Kontext: zB ep. 203,3:31; 69,1:4-6.
[54] ep. 243,1:4ff.
[55] ep. 203,3:1ff.
[56] Etwa ep. 90,2:17; 92,1:17; 243,1:17.
[57] ep. 92,3:33.
[58] ep. 90,2:27.

ἐπικουρία[59], συμπάθεια[60], συμφωνία[61], ὁμόνοια[62], σύμπνοια[63], ἀδελφικὰ σπλάγχνα[64] – bezeichnet. Ein für Basilius besonders charakteristischer Terminus sei besonders hervorgehoben: die (ἀγαπητική) *ἐπίσκεψις*[65]. Damit werden sehr unterschiedliche »Besuchs«-Tätigkeiten bezeichnet: der Besuch beim Kranken[66] oder dem in Not geratenen Bruder[67], Verkehr der Christen untereinander[68], Visitation von Nachbargemeinden oder brieflicher Verkehr[69]; eben jene vielfältigen Bekundungen wechselseitiger Teilhabe, wie sie unter Gliedern des Leibes Christi üblich sein sollten und früher einer praktizierten Realität entsprach. »Denn dies war«, bemerkt etwa ep. 191, »einst der Ruhm der Kirche, dass von einem Ende der bewohnten Welt (οἰκουμένη) bis zum andern die Brüder aus einer jeden Kirche, ausgerüstet mit kleinen Erkennungszeichen, überall Väter und Brüder fanden«[70]. Und ep. 204 erinnert die neocaesarensische Gemeinde an jene Zeit, als »die Provinzen, wenngleich räumlich getrennt, so doch in der Gesinnung eins waren … Häufig war der Verkehr der Laien untereinander, häufig die Besuche der Kleriker, und auch die Hirten liebten einander so sehr, dass jeder von ihnen den anderen als Lehrer und Führer in den geistlichen Dingen gebrauchte«[71]. Und wenngleich im letzteren Beispiel (anders als im zuvor genannten[72]) historische Zweifel wohl eher angebracht sein mögen, so bestimmen derartige Reminiszenzen doch Kirchenbild und praktische Politik des Basilius. Denn möglichst viel Gelegenheiten zum *Zusammentreffen von Christen* aus unterschiedlichen Gebieten zu schaffen, war erklärtes Ziel seiner Politik. Unter diesem Aspekt hat er beispielsweise die Einrichtung von Märtyrerfesten gefördert, die durch Zusammenführung

59 ep. 203,3:3.
60 ep. 90,1:28; 92,1:25; 92,3:8; 243,1:17; 263,1:5.
61 ep. 243,1:8.
62 Iudic. 3 (31,660a).
63 ep. 66,1:18.
64 ep. 92,3:8.
65 So ep. 203,2:5.
66 RF 7,2 (31,929c); cf. 263,1:14f.
67 Cf. ep. 203,1:37; 242,2:2.
68 Cf. ep. 242,2:2; 252:11; 203,1:24.
69 ep. 139,3:10; 70:40.
70 ep. 191:23ff; ähnlich 203,3:26ff.
71 ep. 204,7:30ff.
72 Cf. KRETSCHMAR Aberkios 75f: »Solche Entdeckung der Katholizität auf Reisen (sc. wie durch Aberkios) war in der 2. Hälfte des 2. Jh.s ein entscheidendes Element der Neusammlung der Kirche als 'ecclesia catholica' selbst«; sowie ZAHN Weltverkehr passim.

von Christen aus unterschiedlichen Regionen der durch die lang andauernde räumliche »Trennung« bewirkten «Entfremdung« entgegenwirken sollten[73], und damit für den Ausbau der Märtyrerfeste eine Begründung gegeben, die sich vom Verständnis dieser Einrichtung etwa bei Gregor von Nyssa – der eher auf die erzieherische Funktion und die Ablösung heidnischer Feste abhebt – markant unterscheidet.

Neben derartigen Formen innerchristlicher »Besuchs«-Praxis, die das Kirchenvolk in seiner ganzen Breite einschliessen, stehen die eher technisch-administrativen Varianten solcher wechselseitigen ἐπίσκεψις, wie sie den Bischöfen (als den verantwortlichen Leitern der Kirche) zur Aufgabe gemacht sind. Sie schliessen ein:

- Visitationen des eigenen Sprengels sowie benachbarter Kirchen[74];
- Besuch von Synoden (innerhalb und ausserhalb der eigenen Kirchenprovinz)[75];
- Bekundung kirchlicher Gemeinschaft durch brieflichen Verkehr[76];
- Austausch kirchlicher Delegationen[77].

Insgesamt bezeichnen sie eine Fülle von Aktivitäten, die auf die Festigung zwischenkirchlicher Beziehungen abzielen und zum Verständnis kirchlichen Handelns bei Basilius unverzichtbar sind. Sie bestimmen sein *Wirken als Bischof*, wie etwa seine zahlreichen ausserkappadozischen Unternehmungen beweisen, die fasch verstanden sind, wenn sie in Kategorien kirchenrechtlicher Zuständigkeit interpretiert werden. Basilius selbst hat sie verstanden als Bekundung zwischenkirchlicher Solidarität, die der vorherrschenden Gleichgültigkeit und Selbstisolierung (μόνωσις) vieler Kirchen entgegengesetzt ist. Ein derartiger ökumenischer Interventionismus ergab sich für ihn (auch wenn im

[73] hom. 29,2 (31,1489a-c).
[74] RM 70,18.12; ep. 200:23; 206:9; 238,2:25; cf. GAIN Correspondance 87; KNORR Basilius I,15; FOX Times 47ff.
[75] ep. 252:11; 203,1:24. 2:5.
[76] ep. 139,3:10; 258,1:8.
[77] ep. 243,1:23; 138,2:18.

Einzelfall kirchenrechtlich bedenklich[78]) unmittelbar aus der Beschreibung der Kirche als Leib Christi.

c. Unter den verschiedenen Zusammenkünften, die Christen aus unterschiedlichen Gebieten zusammenführen und so der durch die »räumliche Trennung« entstehenden »Entfremdung« entgegenwirken sollen, kommt naturgemäss der Einrichtung von *Synoden* eine besondere Bedeutung zu. Kleinasien ist ja ein Land mit ausgeprägter synodaler Tradition[79], wie bereits der von Basilius so ausserordentlich geschätzte Firmilian von Caesarea für das 3. Jahrhundert bezeugt[80]; und trotz aller Behinderung durch das Kirchenregiment des Valens[81] belegt gerade die Korrespondenz des Basilius eine *lebhafte Synodalpraxis* sowohl für Kappadozien wie die benachbarten kleinasiatischen Kirchen.

– So erfahren wir wiederholt von Synoden in Kappadozien, v.a. im Zusammenhang des dem Märtyrer Eupsychius gewidmeten Festes, zu dem nicht nur die kappadozischen Kleriker, sondern zugleich auch die Bischöfe der benachbarten Provinzen geladen wurden[82];
– wir wissen, dass Basilius selbst vielfach anwesend war bei (oder eingeladen zum Besuch von) auswärtigen Synoden etwa in Syrien, Armenien oder Lykaonien; und die Bedeutung, die seiner Teilnahme beigemessen wurde, ist schon daran ersichtlich, dass man ihm zuliebe deren Termin zu verschieben bereit war[83];
– wir hören von Synoden, die mit vielfältigen Fragen der kirchlichen Disziplin[84] und Verwaltung[85] befasst und keineswegs nur zum ausführenden Organ des Metropoliten herabgesunken sind.

[78] So seine kritische Selbsteinschätzung in ep. 138,2:27; 141,2:13f; cf. ep. 126:3f. Cf. oben p. 225,26.
[79] KRETSCHMAR Konzile 21: »das klassische Land der Konzile«.
[80] S. Firmilian (ap.Cypr.ep. 75,4.7 CSEL 3/2,812.814f); cf. FISCHER AHC 6 (1974) 267ff.
[81] Erinnert sei nur an das Verbot der Unionssynode zu Tarsus (s.oben pp. 246f) oder die Aktivitäten des Demosthenes (LOOFS Eustathius 8f).
[82] epp. 100.142.176.200.252.282.
[83] epp. 202.216; cf. HOLL Amphilochius 19.
[84] Z.B. can. 47 (Ketzertaufe) oder ep. 85 (Eidesfrage).
[85] Z.B. epp. 100.201.227.229. – Zu Synoden bei Basilius cf. auch FEDWICK Church 122-125. Leider behandelt SIEBEN (Konzilsidee) Basilius nicht.

Weit über rein administrative Zwecke hinaus dienten derartige Treffen für Basilius stets zugleich der *Demonstration kirchlicher Verbundenheit*. Dies ist bereits am Beispiel der Synoden anlässlich des Eupsychiusfestes offensichtlich, zu denen er Gäste von weither einlud und die er zur Heerschau seiner Gesinnungsgenossen umzugestalten suchte. Im Blick auf Freunde wie Amphilochius von Ikonium (epp. 176.200) oder Euseb von Samosata (ep. 100) versteht sich dies von selbst. Besonders sprechend ist der Versuch, die Bischöfe der pontischen Diözese – die Basilius bei seiner Pontosreise wohl mehrheitlich den Empfang verweigert hatten – zur Teilnahme und so zur »Wiederaufnahme des alten Gebrauchs uns zu besuchen (ἐπίσκεψις)« zu bewegen (ep. 252); wir hören nirgends, dass ihm hier Erfolg beschieden war. Ähnlich die Einladung an einen namentlich nicht genannten Bischof, der sich bereits früher gesträubt hatte und den Basilius nun wenigstens unter Hinweis auf die den Märtyrern geschuldete Verehrung zum Kommen zu bewegen sucht (ep. 285). Hier wie dort kommt den Einladungen bzw. dem Besuch der mit dem Eupsychiusfest verbundenen Synoden hohe Bedeutung zu bei dem Bemühen des Basilius, die Sammlung der nizänischen Kräfte Kleinasiens zu organisieren. Und was sich hier paradigmatisch am Eupsychiusfest zeigen lässt, gilt natürlich erst recht für die anderen Synoden und Bischofszusammenkünfte, die unmittelbar im Zusammenhang des Unionsprogramms des Basilius stehen.

Wichtiger noch in diesem Zusammenhang ist der Rückgriff auf Modelle *synodaler Konfliktlösung*, der v.a in solchen Fällen beeindruckt, die ausserhalb ihres traditionellen Kompetenzbereiches liegen. So in ep. 204 an die Gemeinde in Neocaesarea, wo sich Basilius gegenüber den gegen ihn erhobenen «Verleumdungen« verteidigt und sich bereit erklärt, sich zu diesem Zweck dem Urteil der Gemeinde[86] bzw. der Bischöfe und des Klerus der Gegend[87] – dem Urteil einer Synode also – zu stellen. Folgende Momente dieses ausserordentlich aufschlussreichen Textes sind hier von Bedeutung: 1. Basilius erklärt hier (zumindest verbal) seine Bereitschaft, sich dem Urteil einer solchen Synode zu unterwerfen, wozu er ja in keiner Weise verpflichtet war. Sein Ziel ist das Ausräumen der gegen ihn erhobenen Vorwürfe und die dadurch wieder ermöglichte kirchliche Gemeinschaft. 2. Voraussetzung dieses Verfahrens ist, dass die ἔλεγξις in der vom Apostel angeordneen Art geschehe: nach Art eines Arztes,

[86] ep. 204,5:38f.
[87] ep. 204,4:28ff.

der heilen, nicht nach Art des Verleumders, der ungeprüft richten will. »Mit mir soll (der Ankläger) den Arzt suchen und nicht vor der Zeit richten ... Überhaupt, Brüder, wenn meine Vergehen heilbar sind, warum folgt er dann nicht dem Lehrer der Kirche, der sagt: 'Weise zurecht, bedrohe, ermahne!'? Wenn aber unser Fehler unheilbar ist, warum widersteht er uns dann nicht ins Angesicht und macht unsere Vergehen offenbar und befreit so die Kirche von dem von uns ausgehenden Schaden?« Zielsetzung und Vorgehen des Synodalprozesses wird hier in genau der gleichen Weise beschrieben wie die brüderliche Vermahnung gegenüber dem fehlenden Bruder im Kloster – die die Pflicht, das heilbare Glied der Gemeinschaft wieder zuzuführen, das unheilbare aber zum Schutz der Gemeinschaft auszuschliessen, ebenso betont wie sie nur ein solches »Richten« zulässt, das von der Sorge um den Bruder bestimmt ist. 3. Das aber hat zur Voraussetzung, dass die richtenden Bischöfe und Kleriker mit dem χάρισμα διακρίσεως begabt sind[88], andernfalls ist ihr Urteil hinfällig. Was hier einschränkend-vorbeugend gegenüber einem möglichen Fehlurteil vorgebracht wird, entspricht durchaus der positiven Überzeugung des Basilius: Synoden sind als Einrichtungen der Kirche zugleich Organe des Heilens und Ort der correptio fratrum.

d. So ist das Kirchenbild des Basilius bestimmt durch die *überragende Bedeutung synodaler Strukturen,* weit über ihren institutionellen Rahmen hinaus. Als ἔνδειγμα τῆς ἀγάπης[89] – Foren der Bekundung kirchlicher Einheit also –, als Ort des Zusammentreffens und wechselseitigen Charismenaustauschs[90], Organ der Verwaltung der Kirche wie als Instrument zwischenkirchlicher Konfliktlösung weist Basilius den Synoden bei der Wiedergewinnung kirchlicher Einheit zentrale Bedeutung zu. In seiner Darstellung der Geschichte der altkirchlichen Konzile hat G. KRETSCHMAR die Feststellung getroffen, dass »die verschiedenen Typen der Synode im 3. Jahrhundert ... genau dem jeweiligen Typus der Ekklesiologie überhaupt (entsprechen)«[91]. Analoge Aussagen

[88] ep. 204,5:27ff.

[89] ep. 95:12f. So hat ja Basilius v.a. auch die Eupsychiussynoden verstanden wissen wollen, zB ep. 252.282.

[90] Z.B. ep. 176:16-18: ὥστε ἐπὶ σχολῆς ἡμᾶς ἀλλήλοις συγγενέσθαι καὶ συμπαρακληθῆναι διὰ τῆς κοινωνίας τῶν πνευματικῶν χαρισμάτων; ep. 100. Cf. auch: O'CONNOR Communio 21ff; GRIBOMONT Histoire 323.

[91] KRETSCHMAR Konzil 29: »Die verschiedenen Typen der Synode im 3. Jh. entsprechen also genau dem jeweiligen Typ der Ekklesiologie überhaupt. Sie können das Vertrauen auf das gottgesetzte Amt widerspiegeln, aber auch nicht weniger

lassen sich auch im Blick auf Basilius treffen, dessen Bild von der Kirche als heilender und vervollkommnender Gemeinschaft sich unmittelbar widerspiegelt in Praxis und Theorie der Synoden. Darin liegt übrigens ein wichtiger Unterschied etwa zu Gregor von Nazianz, der sich über die kirchlichen Synoden zumeist in höchst abfälliger Weise äussert[92] und dabei nicht nur von persönlichen bitteren Erfahrungen, sondern auch von einem eher individualistisch geprägten Kirchenbild bestimmt ist. Anders Basilius, für den sich synodale Organisationsformen der Kirche unmittelbar aus ihrer Leib-Christi-Struktur ergeben. Und wenn Basilius im Zusammenhang seiner Unionspolitik den Gedanken einer *staatsfreien* »ökumenischen« *Synode* entwickelt, die – beschickt von ranghohen Repräsentanten der Kirchen aus Ost und West – den nizänischen Glauben erneuern und die Kirchen des Orients einen soll[93], so ist dies eine Forderung, die auf dem Hintergrund der von Konstantin eingeleiteten Entwicklung wohl revolutionär erscheinen mag, sich für Basilius aber unmittelbar aus der synodalen Verfasstheit der Kirche ergibt.

3. *Die Verhandlungen mit dem Westen*

Auf dem Hintergrund dieser Konzeption sind nun die Verhandlungen des Basilius mit den Kirchen des Westens zu diskutieren. Diese Verhandlungen sind im wesentlichen gescheitert; zu der von Basilius in wiederholten Vorstössen geforderten Hilfe für den bedrängten Osten hat sich der Westen – und vorab die römische Kirche unter Papst Damasus (366-384) – nicht bereit-

auf die gottgegebene geistlich pädagogische Vollmacht vertrauen, und sie können sogar zum Werkzeug eines ebenfalls auf die Einsetzung Christi zurückgeführten innerkichlichen Absolutheitsanspruches werden«. Cf. auch die Konzilstypologie bei SIEBEN Konzilsidee 466-510.

[92] So bekennt er etwa in ep. 130, dass er »jede Versammlung von Bischöfen« fliehe, »weil ich noch nie gesehen habe, dass eine Synode ein gutes Ende genommen hätte oder dass die Übel durch sie entfernt worden wären, vielmehr wurden sie immer nur vermehrt« (GCS 53,95; cf. dazu die Einleitung p. XXIII). Hinter einem solchen Urteil stehen nicht nur bestimmte (und zumeist selbstproduzierte) Erfahrungen (cf. etwa die Diskussion seines Abgangs vom Konstantinopler Konzil bei RITTER Konstantinopel 97-111). Hier spricht sich auch eine andere – an einem individualistischen Vollkommenheitsideal orientierte – Ekklesiologie aus, wie ein solches – vom Votum des Basilius markant unterschiedenes – Urteil über Synoden bestätigt.

[93] ep. 92,3:15ff; s.unten pp. 274f. Cf. auch CORNEANU VC 23 (1969) 43ff.

gefunden. Für das Scheitern dieser Verhandlungen – das den Vorgang der wachsenden Entfremdung zwischen den Kirchen der östlichen und westlichen Reichshälfte ebenso beleuchtet wie es ihn auch beschleunigt hat - sind vielfältige Gründe ausschlaggebend[94]. Einen sehr gewichtigen Aspekt stellen aber zweifellos die unterschiedlichen ekklesiologischen Prämissen der Kontrahenten dar. Denn während Damasus, sehr viel deutlicher als seine Vorgänger, auf spezifischen Vorrechten des römischen Stuhls als der »sedes apostolica« insistiert und diese gerade auch im Verkehr mit den östlichen Kirchen geltend zu machen sucht[95], tritt umgekehrt das basilianische Konzept kirchlicher Einheit – das auf dem Postulat zwischenkirchlicher Solidarität und der Kollegialität der Bischöfe beruht – in seiner Westkorrespondenz besonders deutlich hervor.

a. Der *erste Vorstoss* des Basilius fällt in das Jahr 371. Eingeleitet wurde er durch die Korrespondenz mit Athanasius, den Basilius – angesichts seiner Reputation im Abendland sowie der speziellen Beziehungen zwischen Alexandrien und Rom – als Vermittler in die Verhandlungen mit dem Westen einzuschalten suchte. Wichtige Dokumente sind hier die Briefe 66.69.67 sowie v.a. *ep. 70,* unter allen (erhaltenen) Briefen der Westkorrespondenz der einzige, der direkt an den römischen Bischof gerichtet ist[96].

ep. 70 setzt ein mit Erinnerung an die »alten Gesetze der Liebe«, die einst die Kirchen des Ostens und Westens – obwohl »durch eine so grosse Anzahl von Ländern getrennt« – verbanden und die es nun zu erneuern gelte; und schildert anschliessend dramatisch die Lage im Osten, der »fast vollständig«

[94] Eine Diskussion der vielfältigen »causes de l'échec de leur négociations« etwa bei AMAND DE MENDIETA Négociations 122-166. – Zu den Verhandlungen des Basilius mit den Westkirchen cf.: WOYTOWYTSCH Papsttum 150ff.432f; FEDWICK Church 107ff; AMAND DE MENDIETA Négociations 122ff; ders. Damase 261ff; MANNA Nicolaus 8 (1980) 127ff; RICHARD Confidimus 323ff; ders. AnBoll 67 (1949) 178ff; SCHÄFER Beziehungen passim; VISCHER Basilius 61ff; TAYLOR DR 91 (1973) 186ff; GRIBOMONT S. Basile 120ff (»Obéissance de charité et liberté envers l'Église de Rome«); ders. Seminarium 27 (1975) 336ff; VRIES OrChrP 47 (1981) 55ff; LANNE Nicolaus 9 (1981) 303ff; CASPAR Papsttum 196-295; PIETRI Roma Christiana I,791ff. Cf. auch BATTIFOL EOr 21 (1922) 9-30; GRUMEL EOr 21 (1922) 280-292; GIET Basile 311ff.

[95] WOYTOWYTSCH Papsttum 138ff.

[96] Der Titel von ep. 70 ist sekundär. Im übrigen bezeugt dies Schreiben schon »durch seinen unfertigen Zustand, daß es niemals ... ans Ziel gelangt ist«: CASPAR Papsttum 222.

von der arianischen Häresie verschlungen zu werden drohe. Τούτων μίαν προσεδοκήσαμεν λύσιν, τὴν τῆς ὑμετέρας εὐσπλαγχνίας ἐπίσκεψιν. »So setzten wir unsere Hoffnung in der vergangenen Zeit immer auf das Wunder eurer Liebe, und für kurze Zeit richtete uns ein frohes Gerücht auf, es werde uns von euch eine ἐπίσκεψις zuteil werden. Da diese Hoffnung aber trog, und wir keinen Halt mehr haben, sind wir darauf gekommen, einen brieflichen Hilferuf an euch zu richten, ihr möchtet uns einige Gesinnungsgenossen senden, die die Streitenden versöhnen, die Kirchen Gottes zur Liebe zurückführen und euch die Schuldigen an den Wirren offenbar machen, damit auch ihr wisst, mit wem man Kirchengemeinschaft zu halten habe«[97]. Ausserdem soll diese Delegation die »Akten der nach Rimini (abgehaltenen) Verhandlungen« mitbringen, »um das aufzuheben, was dort unter Zwang geschah«. Sie soll im Osten also bekanntmachen, dass Rom das in Rimini 359 aufoktroyierte Bekenntnis von Nike – auf das sich die homöischen Gegenspieler des Basilius beriefen – als ungültig betrachtet[98].

Das entscheidende Stichwort lautet auch hier ἐπίσκεψις, die Einforderung zwischenkirchlicher Solidarität, sowohl in ep. 70 selbst[99] wie in der vorbereitenden Korrespondenz[100]. So bezeichnet etwa ep. 68 kurz und bündig als Zweck der erbetenen abendländischen Delegation, sie solle kommen πρὸς τὴν ἐπίσκεψιν ἡμῶν[101]. Die Erwartung des Basilius ist also die, dass die westlichen Gesandten vor Ort die Lage unbefangen prüfen und sich zur notwendigen Hilfe für ihre bedrängten Glaubensgenossen bereit finden werden. Trotz solcher weitgehender Kompetenzzuweisung an die erbetene römische Delegation überschreitet dieser Auftrag nicht die Grenzen solidarischer Hilfe, wie sie im Urteil des Basilius zwischen Gliedern des Leibes Christi üblich ein sollte. Das illustriert Basilius in ep. 70 durch Verweis auf das Paradigma zwischenkirchlicher Hilfe unter dem römischen Bischof Dionysius (†268), der in einer Zeit akuter – durch die Germaneneinfälle in Kleinasien hervorgerufener – Not »unserer Kirche in Caesarea brieflich Gemeinschaft bekundete (ἐπισκεπτόμενος) und

[97] ep. 70:19ff.

[98] ep. 69,1:33ff.41ff. Basilius denkt hier etwa an den Brief des Liberius an die Orientalen von 366 (s. WOYTOWYTSCH Papsttum 125ff).

[99] ep. 70:20.24.40.

[100] ep. 68:14f; 69:34f.

[101] ep. 68:14f.

unsere Väter durch Briefe tröstete und Männer schickte, die die Brüder aus der Gefangenschaft freikauften«[102].

Ep. 70 ist nie in Rom angekommen; da Athanasius den als Boten vorgesehenen meletianischen Diakon Dorotheus nicht weitersandte, blieb dieser erste Vorstoss des Basilius bereits in Alexandria stecken[103]. Dennoch erhielt Basilius eine indirekte Antwort aus Rom, und zwar in Gestalt des Synodalschreibens *Confidimus quidem*, welches eine römische Synode wohl des Jahres 371[104] verabschiedet und von Damasus den episcopis catholicis per orientem constitutis zugestellt worden war[105]. Basilius zählte ursprünglich wohl nicht zu den Adressaten dieses Schreibens; doch liess ihm Athanasius – wie M. RICHARD gezeigt hat – eine Abschrift zugehen[106]. Der Sache nach kommt Confidimus quidem dem Vorstoss des Basilius insofern entgegen, als dort der nizänische Glaube bekräftigt (»hanc solam fidem ... perpetua firmitate esse retinendam«) und insbesondere auch die Beschlüsse von Rimini – um deren Beseitigung es dem Basilius gegangen war, um der homöischen Gegenseite die Berufung auf dieses Bekenntnis zu verunmöglichen – förmlich kassiert werden. Bemerkenswert freilich die dafür gegebene Begründung: die Beschlüsse von Rimini seien ungültig, da der römische Bischof, cuius a n t e o m n e s fuit expectanda sententia, nicht zugestimmt habe[107]. Fehlende römische Zustimmung – und nicht, wie Basilius es begründet hatte, der häretische Charakter des aufgezwungenen Bekenntnisses – ist also in erster Linie für dessen Ungültigkeit ausschlaggebend.

b. Der *nächste Vorstoss* des Basilius richtet sich nicht mehr allein an den römischen Bischof, sondern an den abendländischen Episkopat in seiner Gesamtheit. Dem Mailänder Diakon Sabinus – Überbringer des Synodalschrei-

[102] ep. 70:35ff; cf. HARNACK Literatur I/2,659. CASPAR Papsttum bemerkt zSt: »Aber waren die Zeiten und die Verhältnisse (sc. zZ. des Dionysius und Damasus) wirklich vergleichbar?« Eben dies war die Meinung des Basilius. – Cf. auch THRAEDE Kirchenfinanzen 569ff.

[103] Cf. FEDWICK Church 129.

[104] Cf. WOYTOWYTSCH Papsttum 145.431.

[105] Ediert bei SCHWARTZ ZNW 35 (1936) 19f.

[106] Diese Vorgänge sind erhellt worden durch: RICHARD AnBoll 67 (1949) 178ff; ders. Confidimus 323ff; andere Interpretation etwa bei SCHWARTZ ZNW 35 (1936) 18.

[107] SCHWARTZ ZNW 35 (1936) 20:4ff.

bens Confidimus quidem – gab er bei dessen Rückkehr in den Westen (372) ein ganzes Konvolut von Briefen mit. Zunächst – in eigenem Namen – ein Schreiben an die »allerheiligsten Brüder und Bischöfe im Westen« (ep. 90) sowie Briefe an einzelne westliche Bischöfe (von denen ep. 91 an Valerian von Aquileia erhalten ist), sodann ein Schreiben an die Bischöfe Italiens und Galliens, welches von Basilius verfasst ist und – ὡς ἀπὸ κοινοῦ τῆς συνόδου – den Namen von 32 orientalischen Bischöfen trägt (ep. 92)[108]. Allen gemeinsam ist die dramatische Schilderung der Verhältnisse im Osten, die einmündet in einen dringlichen Appell um Hilfe, »welche wir längst von euch erwartet ..., aber nicht erhalten haben«. Denn so sieht es aus: Fast im gesamten Orient herrscht die Häresie vor[109]. Dazu ist der gesunde Teil der Christenheit in sich gespalten[110]. Zum offenen Krieg der Häretiker kommen noch die Anschläge derer hinzu, die mit uns in Übereinstimmung zu stehen scheinen[111]. Unerlässlich ist darum eine ταχεῖα ἐπισκοπή seitens der westlichen Kirchen. »Denn wie wir uns eure Eintracht und gegenseitige Einheit zueigen machen, so ermahnen wir euch, dass ihr an unseren Spaltungen mitleidet und euch nicht, da unsere Länder voneinander getrennt sind, von uns fernhaltet ...«[112]. Konkret schlägt Basilius eine gesamtkirchliche Synode vor, die – beschickt von den Kirchen des Ostens wie des Westens – durch die Zahl ihrer Teilnehmer und das Gewicht der entsendenden Kirchen die Autorität besitzt, den nizänischen Glauben im Osten zu erneuern und die gespaltenen Kirchen zur Einheit zu führen[113]. Basilius erwartet sich also vom Zusammengehen der nizänischen Kräfte im Osten mit den abendländischen Kirchen eine Verbesserung der Lage.

[108] Cf. ep. 89,1. Die Aufteilung der dort erwähnten Briefe auf die erhaltenen epp. 90-92 (.242) wird in der Forschung unterschiedlich gehandhabt; ich schliesse mich hier i.w. an: LOOFS Eustathius 42,3; SCHÄFER Beziehungen 118ff; AMAND DE MENDIETA Basile 127ff; GRIBOMONT S. Basile 134; FEDWICK Church 109. Andere Aufteilung etwa bei: SCHWARTZ GS IV,68; RICHARD AnBoll 67 (1949) 190. – M. RICHARD vermutet, dass Basilius – um die Verbreitung von ep. 90 sicherzustellen – »en avait fait exécuter a p a r i plusieurs exemplaires«. In jedem Fall richtet sich dies Schreiben an den gesamten abendländischen Episkopat, nicht nur an den römischen Bischof.

[109] ep. 92,2.

[110] ep. 92,3:24f.

[111] ep. 92,3:27ff.

[112] ep. 90,1:24ff.

[113] ep. 92,3:15ff. Cf. SCHÄFER Beziehungen 125.127. FEDWICK Church 123.XIV; GRIBOMONT S. Basile 134f. WOYTOWYTSCH Papsttum 153: »Worum man bat, war also alles weniger als eine von römischer Autorität getragene Kundgebung«.

Von besonderen Vorrechten der westlichen Kirchen oder Roms bei diesem Unternehmen ist nicht die Rede.

Dieser zweite Vorstoss des Basilius endete in offenem Misserfolg. Aus Rom erhielt Basilius keine Antwort auf sein Schreiben. Statt dessen wurden ihm im folgenden Jahr (373) alle Briefe, die Sabinus mit auf den Weg bekommen hatte (also 90 und 92), zurückgeschickt. »L'évêque de Rome refusait donc de donner une réponse officielle«[114]. Basilius schreibt darüber an Euseb von Samosata: »Der Presbyter Euagrius ... ist nun von Rom zurückgekehrt und verlangt von uns einen Brief, welcher den von jenen vorgeschriebenen Text wortgetreu enthalten soll: unsere Briefe aber brachte er wieder zurück, weil sie den Penibleren (ἀκριβέστεροι) dort nicht gefallen hätten«. Ausserdem, so verlangt der römische Emissär, »solle eiligst eine Gesandtschaft angesehener Männer abgeschickt werden, damit die Abendländer einen guten Anlass hätten, helfend in unsere Verhältnisse einzugreifen (ἐπίσκεψις)«; das werde dann ein anständiger Anlass zu einem Gegenbesuch sein können[115]. Die Zumutung, eine von Rom vorgelegte Glaubensformel diskussionslos zu unterschreiben, lehnte Basilius rundweg ab. »Weder nehmen wir ein anderes Bekenntnis an, das uns von anderen vorgesetzt wird, noch unterstehen wir uns, selbst die Ergebnisse unseres eigenen Nachdenkens zu überliefern ..., sondern wir verkündigen denen, die uns fragen, was wir von den Vätern gelehrt worden sind«, das nizänische Bekenntnis also[116]. An fehlender dogmatischer Übereinstimmung kann es nicht gelegen haben, wenn Rom die Briefe des Basilius zurückschickt, da Basilius dort ausdrücklich – wenngleich mit betonter Zurückhaltung – dem Synodalschreiben Confidimus quidem zugestimmt hatte (»indem wir ... allen Lehren beipflichten, die in dem Synodalbrief entspechend der kanonischen Ordnung und rechtmässig festgelegt worden sind«)[117]. »Si paradoxal que cela puisse paraître, c'est justement parce qu'il n'avait rien à leur reprocher que Damase s'est cru obligé de les retourner. Si elles avaient contenu quelque chose de choquant, la solution normale aurait été l'envoi d'une lettre de reproches ...

[114] AMAND DE MENDIETA Basile 128.
[115] ep. 138,2:10ff. Cf. SCHÄFER Beziehungen 130.
[116] ep. 140,2:1ff.
[117] ep. 92,3:45ff; 90,2:29ff. – Dennoch ist die Reserve gegenüber »Confidimus quidem« unverkennbar; die Bezeichnung von Vater, Sohn und Geist als »unius deitatis, unius figurae, unius substantiae« konnte nur einem 'sabellianischen' Missverständnis Vorschub leisten.

Cependant il estimait ne pouvoir leur répondre favorablement. Dès lors il n'avait d'autre solution que de les considérer comme nulles et non avenues, et d'autre moyen de la faire savoir aux expéditeurs que de leur retourner le paquet infligeant à ces malheureux le pire des affronts«[118].

c. Auf die brüskierende Antwort Roms reagierte Basilius mit lang andauernder Verstimmung. Gegenüber Euagrius lehnte er es strikt ab, die von Rom als Vorbedingung eigenen Handelns geforderte orientalische Delegation ins Abendland zu entsenden. Dazu fehlten ihm – in einer Zeit, wo die nizänischen Christen des Ostens um ihr Leben fürchten müssten – die Leute; und i.ü. bäte er sehr darum, »zu den 'Siebentausend' gezählt zu werden, 'die das Knie nicht vor Baal gebeugt haben'« (will wohl sagen: auch ohne die Verbindung zu Rom weiss er sich auf der richtigen Seite)[119]. Überhaupt scheint Basilius zwischenzeitlich den Gedanken aufgegeben zu haben, sich nochmals an das Abendland zu wenden[120]. Was könne man schon vom Hochmut der Westler an Hilfe erwarten, da offenkundig das Gericht Gottes über der Kirche stehe[121] und die Römer »weder die Wahrheit über die hiesigen Verhältnisse kennen noch den Weg akzeptieren, durch den sie sie erfahren könnten«[122]. Dass Basilius dennoch – wenngleich wohl erst 375 oder 376[123] – einen *dritten Vorstoss* unternimmt, ist wohl wesentlich dem beharrlichen Drängen des Euseb von Samosata zuzuschreiben, dem Basilius schliesslich nachgibt (schon weil die bisherigen Kontakte über ihn liefen und Rom 373 von ihm eine Antwort verlangt hatte). Das Schreiben *(ep. 243)* freilich, mit dem er den Dorotheus und Sanctissimus in den Westen schickte, ist gerichtet an »die italischen und gallischen Bischöfe«. Es beginnt mit einer Erinnerung daran, dass sich »unser Herr Jesus Christus« dazu bereitgefunden hat, »die g a n z e Kirche« (und also nicht nur den scheinbar intakten Westen) »seinen Leib zu nennen« und damit zugleich

118 RICHARD AnBoll 67 (1949) 199f; zustimmend GRIBOMONT S. Basile 135.
119 ep. 156,3.
120 Cf. ep. 120; 129,3; SCHÄFER Beziehungen 136ff.138ff.
121 ep. 239,2:14ff; ganz analog ep. 243,1.
122 ep. 239,2:22f.
123 Als Datum von ep. 243 wird genannt: 374 (SCHWARTZ GS III,43; AMAND DE MENDIETA Négociations 12; LIETZMANN GAK IV,15; CASPAR Papsttum 225); 376 (LOOFS Eustathius 41; FEDWICK Church 109; SCHÄFER Beziehungen 166ff; COURTONNE Lettres III,68); 375 (FEDWICK Chronology 16). – Das Datum 374 basiert v.a. auf der Annahme, dass mit dem in ep. 243,1:20 erwähnten »Herrscher« (der 375 verstorbene) Valentinian I. gemeint sein müsse. Das ist keineswegs zwingend.

ein jedes Glied gewiesen hat, »gegenüber a l l e n« (und also nicht nur gegenüber den abendländischen Partnerkirchen) »die Zusammengehörigkeit zu beweisen, wie sie zwischen Gliedern herrscht«[124], und erinnert im folgenden sowohl an frühere vergebliche Appelle des Ostens wie an die Weisung des Apostels, dass die Glieder des e i n e n Leibes untereinander συμπάθεια zu beweisen haben. Konkret regt Basilius – darin von der früheren Linie abweichend – an, die westlichen Bischöfe sollten gleichsam als ultima ratio beim »Herrscher eures Landes« zugunsten der bedrängten Glaubensgenossen im Osten intervenieren (damit dieser seinen Einfluss bei Valens geltend mache) oder zumindest, »wenn dies schwierig ist«, eine Delegation in den Osten senden, »welche die Bedrängten besuchen (εἰς ἐπίσκεψιν), sie trösten und die Leiden des Orients mit eigenen Augen betrachten; denn es ist unmöglich, sie vom Hörensagen zu schildern; es lassen sich auch keine Worte finden, die euch unsere Verhältnisse eingehend schildern könnten«[125].

Auch die Ergebnisse dieser Mission waren unbefriedigend. Die erwartete Delegation aus dem Westen blieb aus. Dorotheus brachte zwar aus Rom einen Brief zurück – das Schreiben *»Ea gratia«*[126] –, in dem der Eifer des Basilius begrüsst und Hilfe versprochen wurde. Zugleich aber wird der wahre Glaube, ohne Erwähnung der Hypostasen[127], definiert als Bekenntnis »unius virtutis, unius maiestatis, unius divinitatis, unius usiae« und zum diskussionslos zu übernehmenden Massstab für die Gewährung kirchlicher Gemeinschaft mit Rom erklärt: »haec est, fratres dilectissimi, fides nostra, quam quisque sequitur, noster est particeps; discolor corpus membrum deformat. his nos communionem damus, quoniam in omnibus sententiam probant; absit ut fides pura variis coloribus adsuatur«. Damit verbindet sich – in dunklen Anspielungen an den canonicus ordo, den es in sacerdotum vel clericorum ordinationibus allenthalben zu beachten gelte – ein spezifischer Affront gegen Meletius, den Verbündeten des Basilius. Basilius hatte also nichts erreicht als eine ziemlich unverbindliche Erklärung, dass die Okzidentalen bereit seien, den rechtgläubigen Kräften im Orient beizustehen.

124 ep. 243,1:4ff.
125 ep. 243,1:19ff.
126 Ediert bei SCHWARTZ ZNW 35 (1936) 20f.
127 Zu beachten dazu die Bemerkungen des Basilius in ep. 214,4:1ff; cf. zSt LIETZMANN GAK IV,15f; HÜBNER Verfasser 481f.

d. Der *letzte Vorstoss* des Basilius fällt in das Jahr 377 und ist greifbar in *ep. 263*. Basilius begrüsst die – äusserst vage gehaltenen – Hilfeversprechungen der Westbischöfe, erneuert die Forderung nach brüderlicher ἐπίσκεψις, die bislang unerfüllt sei, will sich schon mit einem Brief vonseiten der Okzidentalen zufrieden geben, wenn denn eine Gesandtschaft abendländischer Bischöfe unmöglich sei. Konkret wird – v.a. im Blick auf die antiochenischen Verhältnisse – die »namentliche« Verurteilung dreier Störenfriede im Osten verlangt, des Eustathius (mittlerweile offenes Haupt der »Häresie der Pneumatomachen«), des Apollinaris (seit der Bischofsweihe des Vitalis[128] Kopf einer schismatischen Kirche) sowie des (von Rom mittlerweile anerkannten) Paulinus, der den Anhängern des Markell unterschiedslos Gemeinschaft gewähre. Eine solche öffentliche Erklärung der δυτικοί könne im Orient nicht ohne Eindruck bleiben und zur Klärung der Verhältnisse beitragen. Doch solle ein derartiger Schritt Gegenstand »gemeinsamer Beratung« (κοινῇ σκέψις) sein[129].

Die Antwort des Damasus dürfte v.a. in dem Fragment *»Non nobis quidem«* vorliegen. Auf die Forderungen des Basilius tritt er zwar nicht ein. Statt dessen folgende erfreuliche Mitteilung: »Einen grossen Trost, Seligste, könnt ihr daraus entnehmen, wenn Ihr die Unversehrtheit u n s e r e s Glaubens anerkennt und Euch rühmt, mit uns eines Sinnes zu sein. Seid auch in jeder Weise versichert, dass wir, wie es sich ziemt, für die Glieder des Leibes Sorge tragen«. Was hier völlig fehlt, ist die Idee gleichberechtigter Verhandlungen mit den orientalischen Kollegen[130].

C. KATHOLIZITÄT DER KIRCHE

Die Unionsbemühungen des Basilius sind weitgehend gescheitert. Die Verhandlungen mit dem Westen endeten in offenem Misserfolg; und wenn man auch nicht so weit gehen kann wie E. SCHWARTZ und ep. 263 zur offenen

[128] Überzeugend sieht MÜHLENBERG Apollinaris 48ff darin den eigentlichen Anstoss für die Forderung des Basilius.

[129] ep. 263,5:17.

[130] Cf. AMAND DE MENDIETA Basile 132.

Kriegserklärung an den römischen Bischof[1] oder mit AMAND DE MENDIETA als Dokument der Aufkündigung kirchlicher Gemeinschaft mit Damasus[2] erklären kann, so ist doch die von Basilius in wiederholten Vorstössen erbetene Hilfe ausgeblieben und die hochgespannten Erwartungen des Basilius enttäuscht worden. Was statt dessen blieb, war das tiefsitzende Misstrauen des Basilius gegenüber der ὕβρις der Römer (und insbesondere ihres »Hauptes« Damasus), »die die Wahrheit weder kennen noch erfahren wollen«[3] (sowie der Römer gegen die Unbotmässigkeit [»superbia«] des Basilius[4]). Erfolglos auch sein Bemühen, das antiochenische Schisma – von ihm als Haupthindernis zur kirchlichen Einigung des »ganzen Orients« eingeschätzt – zu beseitigen; nicht nur zwei, sondern – seit der Gründung einer apollinaristischen Sondergemeinde unter Vitalis – drei nizänisch gesonnene Bischöfe residierten schliesslich in der syrischen Metropole. Erfolgslos auch zahlreiche seiner Vorstösse im kleinasiatischen Raum; seine wiederholten Versuche einer Kontaktaufnahme mit Neocaesarea blieben ohne erkennbare Resonanz, seine Einladung an die παραλιῶται unbeantwortet[5]. Zwar ist es seinem unermüdlichen Einsatz zu danken, dass sich in Kleinasien »die neunizänische Orthodoxie ... festigen und die Gegner zurückdrängen« konnte und sich »der schwer bedrängte Osten selber aus der Gefahr geholfen« hat[6]. Aber schon ein Blick auf die Teilnehmerliste des Konzils von Konstantinopel 381 zeigt, wie dünn gesät die Nizäner in Kleinasien blieben[7].

Dementsprechend deprimierend fällt das abschliessende Urteil des Basilius im Schlusskapitel von De Spiritu Sancto aus: Wie in einem »Nachtgefecht« sind gegenwärtig Freund und Feind nicht zu unterscheiden, Gleichgesinnte

[1] SCHWARTZ GS III,49: »... ein Schreiben des Basilius, das ... der Sache nach den Krieg erklärte (ep. 263) ... (Basilius wollte) es auf den Bruch mit der okzidentalischen und alexandrinischen Orthodoxie ankommen lassen ...; der Hochmut des Damasus und Petrus war ihm unerträglich geworden«.

[2] AMAND DE MENDIETA Damase 274; cf. GRIBOMONT Seminarium 27 (1975) 338ff.

[3] ep. 239,2:14ff; 215:17ff.

[4] Das Urteil der Römer spiegelt sich in der Bemerkung über Basilius wider, die Hieronymus seiner Chronik (ad a.Abr. 2392) eingefügt hat: »qui multa continentiae et ingenii bona uno superbiae malo perdidit«.

[5] epp. 204.207.210; 203.

[6] HAUSCHILD TRE V,306f.

[7] MAY JÖBC 15 (1966) 111; cf. RITTER Konstantinopel 38f.

fallen übereinander her[8]. Der »halbe Erdkreis« ist von der Häresie verschlungen[9], »fast kein Teil der οἰκουμένη« vom arianischen Brand verschont[10]. Die Anhänger der gesunden Lehre sind untereinander zerstritten; isoliert voneinander verschanzt sich ein jeder in seiner Stadt[11]. Vorbei sind die Zeiten, als es den Ruhmestitel einer jeden Kirche bildete, »dass von einem Ende der Erde bis zum andern die Brüder aus jeglicher Gemeinde, mit kurzen Erkennungsschreiben versehen, überall Väter und Brüder fanden«[12]; ausser Kraft gesetzt die Gesetze der Väter, welche festlegten, »die Kennzeichen der Gemeinschaft von einem Ende der Erde bis zum andern zu tragen und alle für alle Mitbürger und Freunde zu sein«[13]. *Weltweite Gemeinschaft der Christen*, konstitutives Merkmal des Leibes Christi, zählt für Basilius wohl zu den bestimmenden Realitäten der Vergangenheit (und darum zugleich auch zu den programmatischen Zielvorgaben seines eigenen kirchlichen Handelns), *nicht* aber zu den *Erfahrungen der Gegenwart*. Allenfalls in »Spuren«, in vereinzelten Bekundungen kirchlicher Solidarität kann sie auch jetzt noch erfahren werden[14]. Das Kriterium extensiver Katholizität – eines der bestimmenden antidonatistischen Argumente etwa bei Augustin – ist darum für Basilius nur sehr beschränkt verwendbar. Denn dass die wahre katholische Kirche nur jene sein kann, in der sich die biblischen Verheissungen sichtbar erfüllen, »quae, sicut promissa est, toto terrarum orbe diffunditur et extenditur usque ad fines terrae« und mit dem »totus orbis christianus in transmarinis et longe remotis terris« in Gemeinschaft steht[15], hat Augustin gegenüber der nur auf einen »Winkel Afrikas« begrenzten pars Donati ein fürs andere Mal geltend gemacht. Ganz ähnlich und mit gleicher Stossrichtung hatte zuvor Optatus von Mileve argumentiert, eam esse ecclesiam catholicam, quae sit in toto terrarum orbe diffusa[16], weshalb er es gegenüber der donatistischen Gegenseite zum Kriterium der Zugehörigkeit zur katholischen Kirche machte, mit den Kirchen aller Provinzen des römischen Reiches –

[8] DSS XXX,76-79.
[9] ep. 92,3:9.
[10] ep. 164,2:12.
[11] ep. 191:28f.
[12] ep. 191:23ff.
[13] ep. 203,3:26ff.
[14] ep. 191:2f.
[15] Aug.bapt. I,4,5 (CSEL 51,150); cParmen. I,3,5 (CSEL 51,24); cf. HOFMANN Kirchenbegriff 198ff; SIMONIS Ecclesia 75ff.
[16] Optat.cParmen. II,2 (CSEL 26,36:4f).

von Spanien bis Pannonien, von Griechenland bis Syrien und Ägypten – in Verbindung zu stehen[17].

Basilius hat nicht so reden können. V.a. hat er schon angesichts der unübersichtlichen Verhältnisse des Orients dies Kriterium extensiver Katholizität nicht zum »certum signum«[18] bei der Beantwortung der Frage machen können, wo denn nun in der verwirrenden Gegenwart die wahre Kirche zu finden sei. Eher sind es die Elemente einer »Rest«-Ekklesiologie, deren er sich zur Kennzeichnung der gegenwärtigen Situation bedient. Denn »nicht die Menge« der Bischöfe und Presbyter ist es, die zählt[19], sondern das wahre Bekenntnis, das wie bei den drei Männern im Feuerofen festzuhalten ist, auch wenn »die Menge die Wahrheit verachtet«[20]. Und dass der wahre Glaube im Osten – wo einst die Predigt des Evangeliums so machtvoll ihren Ausgang nahm – inzwischen fast erloschen ist, zählt zu den besonders traurigen Merkmalen der Gegenwart[21].

Das heisst nun keineswegs, dass das ökumenische Argument bei Basilius ohne Bedeutung wäre, ganz im Gegenteil. Dass etwa die in Kappadozien eingeführte Weise des Psalmodierens »in harmonischem Einklang steht mit allen Kirchen Gottes«, ist ihm gegenüber konservativen Einwänden ein wichtiges Argument[22], ebenso wie er sich gegenüber Kritikern der monastischen Bewegung darauf beruft, dass es auch in Ägypten und Palästina und Mesopotamien solche Menschen gebe, die »der Welt entsagt haben« und ein »Leben gemäss dem Evangelium führen«[23]. Und dass die von ihm in Caesarea neueingeführte Form der Doxologie – die den Hl. Geist »mit« Vater und Sohn zusammenstellt – verbreitet sei im Osten, auch in Mesopotamien, sowie »fast« im »ganzen Westen, von Illyrien bis zu den Grenzen des von uns bewohnten Landes«, wird

[17] Optat.c.Parmen. II,1 (CSEL 26,33).
[18] Aug.c.lit.Pet. II,104,239 (CSEL 52,154,11).
[19] ep. 257,2:10ff: wie zu Zeiten Jesu schliesst dieses nicht gerettete πλῆθος die Menge der ἀρχιερεῖς und πρεσβύτεροι ein.
[20] DSS XXX,79:7f. In ep. 156,3:12f ist es das Bild der 7000, die ihre Knie nicht vor Baal gebeugt haben.
[21] ep. 243,3:26ff: ἐπειδὴ τὸ Εὐαγγέλιον τῆς βασιλείας ἀπὸ τῶν ἡμετέρων τόπων ἀρξάμενον εἰς πᾶσαν ἐξῆλθε τὴν οἰκουμένην, διὰ τοῦτο ὁ κοινὸς τῶν ψυχῶν ἡμῶν ἐχθρὸς τὰ τῆς ἀποστασίας ῥήματα, ἀπὸ τῶν αὐτῶν τόπων τὴν ἀρχὴν λαβόντα, εἰς πᾶσαν τὴν οἰκουμένην διαδοθῆναι φιλονεικεῖ.
[22] ep. 207,3:1ff; cf. Theodoret.h.e. II,24,8f; KNORR Basilius I,124.
[23] ep. 207,2:5ff.14ff.

in De Spiritu Sancto neben dem Verweis auf ältere Autoritäten eigens angeführt[24]. Auch in kirchenpolitischen Auseinandersetzungen kann sich Basilius vereinzelt dieses Arguments bedienen. So in ep. 204, an die Adresse der Gemeinde von Neocaesarea, deren Bischof Atarbius beharrlich jeden Kontakt mit Basilius verweigert. Basilius weist sie hin auf die »Menge der Bischöfe, die uns durch die Gnade des Herrn in der Welt verbunden sind: man möge Pisidier befragen, Lykaonier, Isaurier, beide Phryger, Armenier, soweit sie euch benachbart sind, Makedoner, Achäer, Illyrier, Gallier, Spanier, ganz Italien, Sizilianer, Afrikaner, den gesunden Teil Äyptens, von Syrien, was übriggeblieben ist: Sie schicken uns Briefe und empfangen ihrerseits welche von uns ... Deswegen ... reisst sich von der ganzen Kirche los, wer sich aus der Gemeinschaft mit uns löst«[25]. Ähnlich äussert er sich in ep. 251 gegenüber den Bewohnern der in der Nähe Caesareas gelegenen Stadt Evaesae, die unter dem Eindruck der pneumatomachischen Propaganda Basilius die kirchliche Gemeinschaft aufzukündigen sich anschicken: »Stehet fest im Glauben, schauet umher auf dem Erdkreis und seht, dass dieser kranke Teil (sc. der Pneumatomachen) klein ist, die gesamte übrige Kirche aber, welche von einem Ende der Erde bis zum andern das Evangelium angenommen hat, bei der gesunden ... Lehre verharrt. Deren Gemeinschaft wünschen auch wir nicht zu verlieren«[26]. Aber derartige Hinweise sind doch nie prinzipiell gefasst, stets nur eines unter mehreren – und sich dabei »gegenseitig auf die Füsse treten(den)«[27] – Argumenten, wirkungsvoll allenfalls gegenüber den spezifischen Adressaten, die für regional begrenzte Gruppierungen stehen, und aufschlussreich auch in dem, was sie auslassen[28]. Und was beispielsweise den Verweis auf Rom angeht, dessen Gemeinschaft er sich in ep. 204 rühmt (und in ep. 251 voraussetzt), so sind gleichsam als Kommentar dazu die Bemerkungen in dem fast zeitgleichen

[24] DSS XXIX,74:42ff(.1ff).

[25] ep. 204,7:1ff. Z.St. cf.: HERTLING Communio; SCHÄFER Beziehungen 63; HOLL Amphilochius 28; FEDWICK Church 75,175; MONTICELLI Collegialità 11ff.

[26] ep. 251,4:22f.

[27] Cf. ABRAMOWSKI ZKG 87 (1976) 159 (zu ep. 210). In ep. 251 ist v.a. der Widerspruch zwischen c. 4(:22ff: »ökumenische« Geltung der »gesunden« – von Basilius vertretenen – Lehre) und der Aussage von c. 1 bemerkenswert, dass es »in der Tat schwierig und sehr selten ist, eine Kirche anzutreffen, die rein ist und keinen Schaden aus den schwierigen Zeitumständen davongetragen hat«.

[28] Cf. etwa SCHÄFER Beziehungen 63 zu ep. 204,7: »daraus, daß er Armenien und einzelne Provinzen anderer Diözesen erwähnt, z.B. Pisidien, Lykaonien, Isaurien, Phrygien, sieht man, dass er mit den anderen Provinzen der Diözese Pontus keine Gemeinschaft hatte«. Ähnlich HOLL Amphilochius 28.

Brief 214 an den Comes Terentius zu lesen, die sich auf die Verhältnisse in Antiochia und insbesondere auf die Anerkennung des Paulinus durch Damasus in dem Schreiben »Per filium« beziehen. Dies seien Worte von Menschen, so lässt sich Basilius dazu vernehmen, »die in völliger Unkenntnis der hiesigen Verhältnisse« handelten und an seinem – des Basilius – Festhalten an Meletius als dem rechtmässigen Bischof Antiochiens nichts ändern würden. Jedenfalls sei dieser »Brief aus Rom« wie jeder »Brief von Menschen« zu beurteilen: selbst wenn er vom Himmel käme (Gal 1,8!), könne es mit dem Empfänger – wenn dieser »nicht der gesunden Glaubenslehre entspricht« – keine Gemeinschaft geben[29]. Die ganze *Ambivalenz* der Gemeinschaft mit den »westlichen Brüdern« erweist sich in dieser Stellungsnahme des Basilius zu den »Brüdern« der »Paulinus-Fraktion«[30].

Diese Ambivalenz, wie sie gerade im Vermächtnis zu Rom deutlich zutage tritt, entspricht den *beiden Linien* des Redens von Kirche bei Basilius – der Betonung der institutionellen Seite und der Hervorhebung ihrer pneumatischen Dimension – und erklärt im übrigen auch sein Schwanken zwischen einer ganz in Schwarz gehaltenen Lagebeschreibung und einer solchen, die daneben Grautöne und vereinzelt auch Lichtblicke kennt. Denn die *formelle Gemeinschaft* mit anderen Kirchen – eine Argumentationslinie, auf die er sich gegenüber Kritikern seiner kirchenpolitischen Position zurückzog – galt ihm nur *als ein erster* (und als solcher allerdings schlichtweg unverzichtbarer) *Schritt* auf dem Weg zur Realisierung des weltweiten Liebesbundes der Christen. Unter diesem Aspekt waren ihm die mühsam erreichten (und aufrechterhaltenen) formellen Kontakte mit Rom ebenso wichtig wie in Tarsus der Zusammenschluss der getrennten Gemeinden als Voraussetzung eines auch spirituellen Zusammenwachsens oder in seinem eigenen Kirchengebiet die Gemeinschaft mit der Mehrheit seiner Amtskollegen, ohne die wirksame zwischenkirchliche Solidarität nicht möglich ist. Wo aber derartige Bekundungen des Leibes Christi ausblieben, da diagnostizierte er einen nur »scheinbaren« Frieden, nicht aber den vom Herrn gewiesenen Frieden »in Wahrheit«[31].

[29] ep. 214,2:7ff.30ff.
[30] ep. 214,4:2f. 2:4f.
[31] ep. 141,2:7ff.

IX. Kirche und Staat

A. Wechselnde kirchenpolitische Konstellationen

Basilius hat unter sehr unterschiedlichen kirchenpolitischen Konstellationen gewirkt. Auf das Regiment des Konstantius, der die privilegierte Position der Kirche weiter festigte, ihr aber zugleich das homöische Bekenntnis aufzwang, folgte Julians Versuch einer Restauration des Heidentums, nach dessen Scheitern Jovian – ein nizänischer Christ – Kaiser wurde. Valens wiederum – dessen Regierungszeit (364-378) im wesentlichen mit der Amtstätigkeit des Basilius erst als Presbyter und dann als Bischof zusammenfiel – lenkte zur Kirchenpolitik des Konstantius zurück und suchte die Kirche auf der Basis des homöischen Bekenntnisses zu einigen; und selbst den Umschwung zur Herrschaft des Theodosius, welcher den endgültigen Sieg der nizänischen Partei besiegeln sollte, hat Basilius in seinen ersten Vorboten noch miterlebt[1]. Fragt man nun, welche Resonanz dieser wiederholte Wechsel der kaiserlichen Religionspolitik im Werk des Basilius findet, so überrascht der Mangel an aktuellen Bezügen; sein Urteil über die Lage der Kirche ist offenkundig weitgehend unabhängig von der jeweils herrschenden kirchenpolitischen Konstellation.

1. Dies ist bemerkenswert zunächst im Blick auf *Konstantius* (9.9.337–3.11.361), in dessen letzte Jahre die ersten kirchlichen Aktivitäten des Basilius fallen. Denn diese Zeit ist durch wachsende kirchenpolitische Polarisierung und verschärften kaiserlichen Druck auf die innerkirchliche Opposition gekennzeichnet. Seit seinem Sieg über Magnentius Herr des ganzen Reiches und zugleich zuständig für die Kirche des Ostens wie des Westens, hatte Konstantius die Einheit der Kirche durch eine Politik sicherzustellen gesucht, die immer deutlicher unter antinizänischem Vorzeichen stand. Mit den Reichssynoden von Rimini-Seleukia und Konstantinopel (359/60) – auf denen die homöische Formel zur Norm der Rechtgläubigkeit erklärt und damit das nizänische Bekenntnis auch offiziell abgeschafft wurde – hatte er dies Ziel äusserlich auch erreicht[2]. Dies freilich um einen hohen Preis. Denn erreicht wurde dieses Ziel

[1] S. Greg.Naz.orat. 43,2,4 (Boulenger 62); cf. Ritter Konstantinopel 46; Schwartz GS IV,84.

[2] Cf. Lietzmann GAK III,224ff.230ff; Brennecke Homöer 40ff.

durch teils recht massiven Druck gegen zögernde und widerstrebende Bischöfe, die zur Unterschrift unter die homöische Formel genötigt oder – wie die Häupter der homöusianischen Partei in Konstantinopel Januar 360 – abgesetzt und ins Exil geschickt wurden, und dieser Druck löste heftige Gegenreaktionen aus. Überhaupt dürfte die ausgehende Konstantiuszeit gerade auch darum so bedeutsam sein, da sich hier das latente »Unbehagen«[3] an der durch Konstantin begründeten reichskirchlichen Ordnung schlagartig entlud, nun, da sich der Kaiser in den Augen vieler als »Häretiker« entlarvt hatte und sein kirchliches Regiment darum von wachsenden Protesten begleitet wurde. Literarisch greifbar sind uns derartige Proteste v.a. in der Publizistik des Athanasiuskreises. Dies gilt v.a. für Athanasius selbst, der seit seiner Historia Arianorum von 358 Konstantius stereotyp als »Haupt der (arianischen) Häresie« und »Antichristus« plakatiert und ihm die Verantwortung für die Übergriffe der »ariomanitischen« Partei – die allein auf sich gestellt, ohne kaiserliche Unterstützung, gar nicht lebensfähig wäre – zuweist[4]. Gleiches trifft zu auch auf die Polemik eines Hilarius gegen Konstantius als den persecutor fallens, hostis blandiens und antichristus[5] oder die Invektiven eines Lucifer gegen den kaiserlichen dux et praecursor Antichristi[6]. Und auch wenn eine derartige Polemik sicherlich nicht zum Wortwert genommen und im Sinne einer grundsätzlichen Bestreitung kaiserlicher Befugnisse in kirchlichen Angelegenheiten verstanden werden darf[7], so charakterisiert es doch die kirchenpolitische Szenerie, dass nun erstmals die Idee der Kirchenfreiheit auch gegen einen christlichen Herrscher verfochten worden ist. »Das bleibt« – so von CAMPENHAUSEN – »eine bedeutsame Tatsache auch dann, wenn man ihre taktischen Voraussetzungen

[3] SCHNEEMELCHER Kl. 6 (1974) 55.

[4] Z.B. Athan.hist.Arian. 76,1 74,1.3 (OPITZ II/1,225.224): Konstantius als ἀντίχριστος; ibid. 66,1 (OPITZ II/1,219): προστάτης τῆς αἱρέσεως. – Cf. TETZ TRE IV,340f; HAGE Athanasius 61ff.64ff; SIEBEN Konzilsidee 43ff; BARNARD Athanase 141ff; HALL TRE XIX,497.

[5] Z.B. Hilar.cConst.Imp. 5 (PL 10,581b): At nunc pugnamus contra persecutorem fallentem, contra hostem blandientem, contra Constantium antichristum. – Konstantin als antichristus: ibid. pp. 577b.570b.583b. u.ö.

[6] Z.B. Lucif.s.Athan. I,27.40; II,11 (CSEL 14,113,20; 138,10; 168,15). Konstantius als haeresis fundator, catholicorum acerbissimus et crudelissimus persecutor, apostatarum amicus, servus diaboli, hostis unici filii Dei etc: s. Index CSEL 14 s.v. Constantius (pp. 344ff); sowie die Aufstellungen bei TIETZE Lucifer 82-176.

[7] Selbst ein Lucifer kritisiert in erster Linie die falsche Entscheidung des Konstantius und »ist wie Eusebius von Caesarea bereit, einen 'episcopus episcoporum' auf dem Kaiserthron anzuerkennen«: GIRARDET Hist. 26 (1977) 119.

durchschaut«[8]. – Blicken wir nun auf Basilius – der auf der Synode von Konstantinopel (und wahrscheinlich bereits in Seleukia) selbst zugegen war, später zum Athanasiuskreis in engere Beziehung trat und einem Mann wie Hilarius in Konstantinopel im Dezember 359 zwangsläufig begegnet sein muss[9] –, so fehlt eine derartige Polemik. Sein Widerstand gegen die aufoktroyierte Einheitsformel war darum nicht weniger kompromisslos; mit Dianius von Caesarea – dem verehrten Bischof und Taufvater – hat er ja wegen dessen Unterschrift unter die Formel von Rimini-Seleukia gebrochen[10]. Die Erklärung häretischer Gefahr aus der kaiserlichen Kirchenpolitik freilich ist ihm fremd[11]. Seine Lageanalyse der Kirche in der ausgehenden Konstantiuszeit, wie sie in Iudic. 1 vorliegt, ist von einer anderen Perspektive bestimmt. Drei Momente sind für sie charakteristisch. 1. die fehlende Schuldzuweisung an die kaiserliche Religionspolitik, die weder hier noch an anderer Stelle für den bedauerlichen Zustand der Kirche verantwortlich gemacht wird; 2. nur beiläufige Erwähnung der häretischen Gefahr – die »Anhomöer« werden zwar genannt, doch nur als Symptom, nicht Ursache der gegenwärtigen Verwirrung[12]; 3. Ausrichtung auf die inneren Schäden der Kirche, deren Orientierungslosigkeit und

[8] CAMPENHAUSEN GKV 79; zustimmend zitiert bei TETZ TRE IV,341. – Mit diesem Votum sei zugleich Kritik angemeldet gegenüber verschiedenen Versuchen der jüngeren Zeit, die traditionelle Inanspruchnahme der Stimmen der Bischofs-Opposition unter Konstantius als »Kampf um die Freiheit in der konstantinischen Reichskirche« (so klassisch RAHNER Kirche 75ff; BERKHOF Kaiser passim) mehr oder minder einfach umzudrehen und statt dessen eine weitgehend ungebrochene – und allenfalls taktisch variierte – Kontinuität in der Beurteilung der kirchlichen Befugnisse eines Konstantin und Konstantius II zu behaupten; so v.a. KLEIN Constantius 116ff.143ff.270ff.286ff; ders. Glaubwürdigkeit 996ff; cf. BRENNECKE Hilarius 368ff. – Damit ist die Diskussionslage verkannt: die weitreichende Bedeutung und Eigendynamik solcher Kritik ist den meisten Vertretern der nizänischen Opposition wohl gar nicht bewusst gewesen. Zutreffend die Interpretation bei GIRARDET Hist. 26 (1977) 126: »daß die Opposition des Ossius, Lucifers und anderer Bischöfe gegen Konstantius im kirchlichen Denken einen *dialektischen Prozeß* in Gang gesetzt haben könnte. Allein die Tatsache, daß Widerstand geleistet wurde, mag er auch wie bei Lucifer der Verteidigung der konstantinisch-eusebianischen Tradition gedient haben, wirkte sich doch verändernd auf die Haltung der Kirche zum christlichen Kaisertum allgemein aus«. – Jüngste Voten zur Religionspolitik des Konstantius bei REVERDING/GRANGE Église (mit Beiträgen von W. H. C. FREND, Ch. PIETRI, L. C. RUGGINU, K.- L. NOETHLICHS und T. D. BARNES).

[9] Basilius in Konstantinopel: s. oben pp. 239f.45f.

[10] ep. 51; s.unten pp. 258ff.

[11] Nur vereinzelt, in Abwehr gegenteiliger gegnerischer Behauptung, klingt dies Motiv bei Basilius an: cEunom. I,2 (p. 154,62ff/29,505a).

[12] Iudic. 1 (31,653b).

Gehorsamsverweigerung gegenüber den Weisungen des Evangeliums für Basilius das gegenwärtige Desaster erklären.

2. Auf Konstantius folgte *Julian*. Religionspolitisch steuerte er den entgegengesetzten Kurs: er beseitigte die Vorrechte der Kirche, suchte statt dessen den Kult der alten Götter wiederherzustellen und schlug – nach anfänglicher Toleranz – gegenüber den Christen einen von Monat zu Monat verschärften Kurs ein. Die Zeit seiner Alleinherrschaft betrug nur 20 Monate (3.11.361–26.6.363). Aber kaum ein Ereignis der Kirchengeschichte hat nicht nur unter den zeitgenössischen Christen einen solchen Schock ausgelöst, sondern sich auch dem Gedächtnis späterer Generationen derart unvergesslich eingebrannt wie das julianische Unternehmen einer Restauration des Heidentums[13]. Ein Aufschrei des Entsetzens ging durch das christliche Lager, vielerorts entluden sich die Spannungen in Gewalttätigkeiten[14]. In Caesarea wurde der letzte verbliebene Tempel (das Heiligtum der Tyche) in Brand gesteckt[15]. Und unmittelbar nach dem Tod des Kaisers setzte eine wütende literarische Polemik der Christen ein, angeführt von Gregor von Nazianz, der mit seinen beiden Invektiven[16] auf Jahrhunderte hinaus das Bild Julians als des »Apostaten«[17] und schlimmsten aller »Christenverfolger«[18] entscheidend prägte.

Es wird nun weithin angenommen, dass das julianische Intermezzo wie bei anderen so auch im Wirken des Basilius tiefe Spuren hinterlassen hat. Bereits Gregor von Nazianz bemüht sich darum, die Autorität des Basilius als eines geistigen Urhebers seiner Invektiven gegen Julian in Anspruch zu

13 ENSSLIN Klio 18 (1922) 180. – Bibliographie bei KLEIN Julian; BROWNING Julian; BIRD Research 281ff; FREND Christianity 609f. Cf. KIENAST Kaisertabelle 318ff.

14 LIETZMANN GAK III,266ff.

15 Sozom.h.e. V,4,4f; 11,8 (GCS 50,197.210); Greg.Naz.orat. 4,92; 18,34 (35,625a.1029b).

16 Greg.Naz.orat. 4+5. Text: PG 35,531ff; SC 309 (ed. J. BERNARDI). Literatur verzeichnet im Kommentar von A. KURMANN; cf. BERNARDI Julien 282ff.

17 Nach KLEIN Julian 20,11 geht der Beiname »Apostata« auf Gregor zurück. Doch eventuell unabhängig davon Ephraem.Syr.hymn.adv.Julian. (ed. E. BECK, CSCO 175).

18 Greg.Naz.orat. IV,96 (35,629). – Zur Wirkungsgeschichte: BRAUN/RICHER Julien passim (»De l'histoire à la légende. 331–1715«); BÜTTNER-WOBST Tod 24ff; HAHN Klio 38 (1960) 225ff (»Ideologischer Kampf um den Tod Julians«).

nehmen[19]; und in der neueren Forschung ist vielfach die Bedeutung des julianischen Restaurationsversuches für das Schaffen des Basilius herausgestellt worden. HAUSCHILD beispielsweise begreift die Philokalie als »eine Apologie« »nicht nur des Origenes, sondern des Christentums überhaupt« und vermutet darum, sie »könnte als Reaktion auf die antichristliche Religionspolitik des Kaisers Julian entstanden sein (362?)«[20]. Eine gleichartige Annahme ist wiederholt im Blick auf die ja gerade in ihre Wirkungsgeschichte so bedeutsamen Schrift Ad adolescentes ausgesprochen worden, welche etwa von Ann MOFFAT energisch in den Zusammenhang der Auseinandersetzungen um Julians Schuledikt vom 29.7.362[21] gestellt worden ist[22]. Die Dissertation von Uwe KNORR ist am Beitrag des Basilius zur Überwindung des Heidentums innerhalb und ausserhalb der Kirche interessiert und misst dabei der julianischen Restauration eine ausschlaggebende Bedeutung zu. Sein Resümee: »Zur Kennzeichnung des kairos der basilianischen Reformen in Kappadozien gehört

[19] Greg.Naz.orat. V,39 (35,716ab); der Text lässt offen, ob Gregor von Nazianz für Basilius und sich gemeinsam literarische Gegnerschaft zu Julian reklamieren oder beiden einen Märtyrerkranz winden will. Zurecht notiert bereits ALLARD (Julien III,385), dass »la différence entre le style de Grégoire et celui du futur évêque de Césarée ne permet pas de croire qu'il avait collaboré. On n'a de Basile aucun écrit sur Julien«; ebenso ASMUS ZKG 33 (1910) 330.360; GEFFCKEN Streitschriften 185; oder jene Autoren, die (wie REGALI Invectivae 401ff) Basilius bei der Diskussion der Abfassungsverhältnisse ganz ausser acht lassen. Höher wird der Anteil des Basilius eingeschätzt bei GALLAY Vie 78 (»plus qu'une simple approbation«); JUNOD RHPhR 52 (1972) 150 (»lu, approuvé, peut-être retouché par Basile«); BERNARDI SC 309,36f (»assisté«), zu Unrecht wie mir scheint (s.u.). Mehr als das besonnene Urteil von KNORR (Basilius I,60), der »diese Worte als Beleg dafür« wertet, »daß Basilius nicht weniger als sein Freund den Gang der Ereignisse verfolgte und sich an exponierter Stelle in den Reihen der Opposition gegen Julian wusste«, lässt sich der Stelle nicht entnehmen.

[20] HAUSCHILD TRE V,303; ders. Briefe I,11f. – Bekanntlich ist die Verfasserschaft des Basilius und des Gregor von Nazianz an der *Philokalie* in Frage gestellt worden (JUNOD RHPhR 52, 1972, 149-156; HARL SC 302,19-41; Überblick über die Diskussion zuletzt bei JUNOD Compilateurs 349ff; cf. LIM VigChr 44, 1990, 365, 3). In der Tat ist das Hauptzeugnis der Zuordnung an die beiden Kappadozier – Greg. Naz.ep. 115 – nicht eindeutig. Dennoch erscheint mir die traditionelle Zuweisung an Basilius (und Gregor) wahrscheinlicher als das Gegenteil (im Sinn der von GRIBOMONT Origenisme 282ff vorgelegten Analyse) und die Philokalie als Gemeinschaftswerk am ehesten in die Frühzeit des Basilius zu datieren zu sein.

[21] Cod.Theod. XIII,3,5; Julian.ep. 55 WEIS (61c BIDEZ-CUMONT); cf. HARDY ChH 37 (1968) 131-143; ENSSLIN Klio 18 (1922) 187ff.

[22] MOFFAT Antichthon 6 (1972) 74-68; fragend HAUSCHILD TRE V,303; gleichgerichtete Voten aufgelistet (und zugunsten der traditionellen Datierung in die 70er Jahre abgewiesen) bei LAMBERTZ ZKG 90 (1979) 85 (+ Anm. 39). Überblick über weitere Datierungsvorschläge bei FEDWICK Chronology 18,100.

... die Reaktion des Kaisers Julian nicht unwesentlich hinzu« (pp. 195f). Im einzelnen verweist KNORR auf das Sozialwerk des Basilius (das als anstaltlich organisierte Liebestätigkeit bedingt sei durch das julianische Programm eines heidnischen Hospitalwesens)[23], die Errichtung von Klosterschulen (die »aus einer akuten Frontstellung gegen das Heidentum zu verstehen« sei)[24] sowie die Förderung der Kirchenmusik[25]. – Am weitesten in dieser Hinsicht dürfte FEDWICK gehen. Er leitet nicht nur – was bereits ausserordentlich viel wäre – weitgehend die könobitische Organisation des basilianischen Mönchtums[26], sondern darüber hinaus letztlich das gesamte Programm des Basilius zur Kirchenreform aus den Erfahrungen der Julianzeit ab; denn diese »must have made clear to Basil, as to anyone else, that in order to survive the Church needed a different kind of structure and arrangement that would make its well-being less dependent on the state«[27].

Nun kann es an dieser Stelle nicht darum gehen, im einzelnen der Frage nach positiven wie negativen Impulsen der julianischen »Wende« auf das Werk des Basilius nachzugehen. Es sei jedoch auf den einfachen Tatbestand hingewiesen, dass sich *im gesamten Œuvre des Basilius keine* mit Sicherheit identifizierbaren *Äusserungen über den »Apostaten«* finden. Der Name des Kaisers ist an keiner Stelle erwähnt; die unter dem Namen des Basilius und Julian stehende Korrespondenz ist entweder nicht authentisch[28] oder richtet sich an andere Adressaten[29]; und was die pseudoamphilochianische Vita Basilii über dasVerhältnis der beiden zu sagen weiss, gehört vollends ins Reich der

[23] KNORR Basilius I,106ff. KNORRs Analyse basiert auf der Annahme, »daß es Julian war, der als erster die institutionalisierte Form der Armen- und Fremdenfürsorge ins Leben rief«, um so der christlichen Liebestätigkeit paroli zu bieten (p. 107); ep 94 datiert er »in die 2. Hälfte der sechziger Jahre« (p. 112). Zu Einzelheiten s.u.

[24] KNORR Basilius I,90ff.

[25] KNORR Basilius I,129-131 (unter Verweis auf Julians Förderung paganer Sakralmusik).

[26] FEDWICK Church 12,63.

[27] FEDWICK Church 13f; XVf; cf. RITTER Basileios 425,64.

[28] epp. 40f.360: BESSIÈRES JTh 23 (1922) 348.345; GRIBOMONT In tomum 32,8; CPG II,161f. Zurückhaltend: HAUSCHILD Briefe I,189(f),211.218. – Sozomenus scheint epp. 40f (und neben anonymer auch deren Zuweisung an Basilius) gekannt zu haben: h.e. V,18,7f.

[29] ep. 39; so mit GRIBOMONT In tomum 32,8; CPG II,161f; LIETZMANN GAK III,266; KNORR Basilius I,56; PATRUCCO Lettere I,409f; gegen GEFFCKEN Julianus 161; WEIS Briefe 275; BOWERSOCK Julian 64.

Legende[30]. Von den sicher oder wahrscheinlich in der Zeit der julianischen Alleinherrschaft verfassten Schriften nehmen nur epp. 17 und 18 auf die politischen Verhältnisse Bezug[31]. Gerichtet sind sie nach gängiger Interpretation an einen christlichen Rhetor (ep. 17) bzw. zwei christliche Funktionäre am Kaiserhof (ep. 18), denen Basilius Trost und Mut zuspricht; aber was Basilius von ihnen an Standhaftigkeit verlangt, geht nicht über das hinaus, was er von einem jeden »Christen« erwartet, und lässt darüber hinaus in der sehr nüchternen Beurteilung der gegenwärtigen Gefahr erkennen, wie sehr Basilius von jeder Dramatisierung der julianischen »Verfolgung« entfernt ist. Ep. 364, ein Brief des Apollinaris an Basilius, nimmt zwar deutlich auf den »grossen Krieg gegen die Religion« – nach PRESTIGE: »Julians decree that Christians should not teach classics«[32] – Bezug, eine Antwort des Basilius aber ist nicht erhalten. Ebenso wenig erhalten sind die Predigten des Basilius zum Fest des Eupsychius, der unter Julian in Caesarea den Märtyrertod erlitt und dessen Fest Basilius zum Treffpunkt der Nizäner Kleinasiens machte[33]. In hom. 20,1 sieht BERNARDI eine Anspielung auf Julian[34]; falls dies zutrifft, so wäre Julian als Tyrann und Usurpator, nicht aber als Christenverfolger gekennzeichnet.

Angesichts der trümmerhaften Überlieferung lassen sich aus diesem negativen Befund zwar keine weiterreichenden Schlüse ziehen. Nicht beweisbar erscheint jedoch die These FEDWICKS, nach der es der Erfahrungen der Julianzeit bedurft hätte, um Basilius von der Reformbedürftigkeit der Kirche zu überzeugen. Dafür gibt es nicht nur positiv keinerlei Anhaltspunkte; diese These widerspricht auch unserem Wissen über die Entstehungsbedingungen der Moralia und von De Iudicio Dei[35]. Wie morsch die Fundamente eines blossen

[30] Vita S. Basilii apocrypha c. 2 (PG 29,CCCIIIff); zur Überlieferung vom Tod Julians durch die Gebete des Basilius s. auch PEETERS AnBoll 39 (1921) 65-88.

[31] Datierung in Julianzeit: MARAN Vita 8,7 (29,XXXVI); DEFERRARI Letters I,117.119; PATRUCCO Lettere I,323.325.; FEDWICK Chronology 8; HAUSCHILD Briefe I,173,115 (zu ep. 17). Ep. 18 gerichtet an »deux chrétiens fonctionnaires ou officiers«: so GRIBOMONT Iren. 31 (1958) 293; FEDWICK Church 13; cf. KNORR Basilius I,57f; anders: HAUSCHILD Briefe I,173,116.

[32] PRESTIGE Basil 13.

[33] S. epp. 100.142.176.200.252. Basilius dürfte das Eupsychiusfest nicht begründet, wohl aber ausgebaut und ihm v.a seine überregionale Bedeutung gegeben haben. Cf. KNORR Basilius I,49f; AUBERT DHGE XV,1419f; BRENNECKE Homöer 150; sowie unten p. 330,22.

[34] hom. 20,1 (31,528a); BERNARDI Prédication 67.

[35] S. oben pp. 43ff.

Konjunkturchristentums geworden waren, war Basilius längst klargeworden, bevor der Entzug staatlicher Förderung die Grundlagenkrise der Kirche blosslegte. – Auch das Schuledikt des Julian kann für Basilius nicht die gleiche Bedeutung gehabt haben wie etwa für Gregor von Nazianz[36]. Für ihn – der die weltliche Bildung zu den Dingen zählt, die mit der Taufe abgetan sind[37] – hat der Verzicht auf das Rhetorenamt[38] ungleich weniger bedeutet als für Gregor, der – subjektiv durchaus ehrlich – die christliche Tradition der Rhetorikkritik zwar vertritt[39], den eigenen Verzicht auf das Rhetorenamt aber nie hat verwinden können (ep. 10). So dürfte es nicht nur zufallsbedingt sein, dass sich bei Basilius kein Wort gegen das Rhetorenedikt findet.

3. Nach dem kurzen Zwischenspiel des Jovian[40] wurde am 29.3.364 *Valens* zum Augustus des Ostreiches erhoben. Er lenkte zurück zur Kirchenpolitik des Konstantius, erhob die Formel der Konstantinopler Reichssynode 359 (/360) wieder zur offiziellen Norm der Rechtgläubigkeit und schickte die von Konstantius abgesetzten Bischöfe, denen Julian die Rückkehr gestattet hatte, zurück ins Exil[41]. Seine Regierungszeit (364-378) fällt weitgehend zusammen

[36] Greg.Naz.orat. 4,100 (35,633/36); cf. orat. 6,5 (35,728).

[37] ep. 223,2:6ff; diese autobiographische Feststellung deckt sich – im Blick auf die zeitgenössische philosophische Diskussion - mit dem Ergebnis der Studie von RIST über den »Neuplatonismus« des Basilius (v.a. pp. 219f). – Basilius hat seine rhetorische Vergangenheit mit der Bekehrung natürlich keineswegs abgelegt. Im Gegenteil zählt die Befähigung, sich je nach Anlass und Zielgruppe auf sehr unterschiedlichen Sprach- und Argumentationsebenen bewegen zu können, zu den hervorstechenden Merkmalen seines Wirkens. Man beachte nur die – wahrscheinliche – Gleichzeitigkeit von Moralia und Philokalie (s.oben p. 288,20), die unterschiedlichen Redaktionen des Asceticon (dazu s. oben p. 88,4) oder das Hexaemeron als Produkt seiner letzten Jahre (dazu: KUSTAS Rhetorical Tradition 230ff). Allgemein cf.: STUDER Riflessione 121ff.143ff. Gerade im Verhältnis zu Gregor (etwa carm. 2,2,4,58ff) aber ist das ungleich distanziertere Verhältnis zur hellenischen Bildung unverkennbar.

[38] S. oben p. 120,6.

[39] Greg.Naz.ep. 11 (GCS 53,13f); cf. RUETHER Gregory 156-167; MAY Verhältnis 510f.

[40] Bei Basilius erwähnt nur ep. 214,2. – Zu Jovian cf. WIRTH Jovian 353ff; SCHWARTZ GS IV,49ff; LIETZMANN GAK IV,1ff; NOETHLICHS Massnahmen 76ff.

[41] Valens: KIENAST Kaisertabelle 325f. – Die Religionspolitik des Valens ist zumeist stiefmütterlich behandelt worden. Ganz unzureichend die Darstellung bei NAGL (PRE II,7/2,2132ff); wichtige Hinweise bei LIETZMANN GAK IV,4ff; MAY Basilios 48ff; WOYTOWYTSCH Papsttum 150ff.423; NOETHLICHS Massnahmen 92ff. Zu einem wichtigen Detail – Valens' Rückruf der exilierten Nizäner – s. SNEE (GRBS 26, 1985, 395-420). – Eine umfassende und souveräne Auswertung der relevanten Quellen jetzt bei BRENNECKE Homöer (pp. 181-242). Neben der Fülle des Materials

mit der kirchlichen Tätigkeit des Basilius zunächst als Presbyter und dann als Bischof. Zweimal – im Frühjahr 365 sowie im Winter 371/2 – kam Valens nach Caesarea, beide Besuche sind mit der Biographie des Basilius unmittelbar verknüpft. 365 führte die Nachricht vom Herannahen des Kaisers dazu, dass sich Basilius mit seinem Bischof Euseb aussöhnte, von Annisi nach Caesarea zurückkehrte und energisch den kirchlichen Widerstand gegen Valens organisierte[42]; und 371/2 scheiterten alle Versuche zur kirchlichen Gleichschaltung Kappadoziens ebenfalls am Widerstand des nun zum Bischof der Metropole erhobenen Basilius[43]. Zum Erstaunen der Zeitgenossen wurde Basilius anders als die sonstigen nizänisch orientierten Bischöfe im Amt belassen. Dennoch kam es in der Folgezeit wiederholt zu harten Pressionen; Basilius hatte zwischenzeitlich mit Verbannung zu rechnen[44], ja mit dem Tod[45]. In dem Brief an die westlichen Bischöfe bezeichnet er die gegenwärtige Kirchenverfolgung als die schlimmste, »seitdem das Evangelium Christi verkündet wird«[46].

Umso erstaunlicher auch hier wieder, wie rar bei Basilius kritische Äusserungen über den Kaiser und sein häretisches Kirchenregiment sind. Über die Umstände des dramatischen Zusammenstosses mit dem praefectus praetorio Modestus und dem praepositus sacri cubiculi Demosthenes etwa erfahren wir nichts von ihm, sondern aus anderer Quelle; wo er sich selbst äussert,

hat seine Darstellung u.a. den enormen Vorzug, dass die Kirchengeschichte der Valensära als einer Periode der homöischen Reichskirche (und nicht nur einer bestimmten Phase kaiserlicher Religionspolitik) gegenüber früheren Arbeiten ungleich genauer fassbar wird. Die Frage ist natürlich die, welche Konsequenzen sich bei der Beurteilung der Konflikte der Zeit aus dieser veränderten Perspektive ergeben. Dass Valens eine homöische Sozialisation durchlaufen hat und ihm die Beschlüsse von Konstantinopel 359 (/360) darum als rechtmässige Basis seiner kirchenpolitischen Massnahmen erschienen (pp. 202ff), dürfte ebenso unbestreitbar sein wie der Hinweis, dass in der späteren Überlieferung die Eingriffe in das kirchliche Leben durch Valens – als »Arianer und Ketzer« – eine ganz andere Beurteilung erfahren haben als vergleichbare Vorgänge unter Konstantin oder Konstantius (p. 203,157). Aber war nicht inzwischen die innerkirchliche Diskussionslage eine andere geworden, hat sich nicht gerade in dieser Zeit ein Sensorium für die Problematik kaiserlicher Eingriffe in kirchliche Belange entwickelt? Cf. oben p. 286,8.

[42] Greg.Naz.orat. 43,31-33.

[43] Greg.Naz.orat. 43,44-53; Greg.Nyss.cEunom. I,120-146 (GNO I,63ff); laud.Bas. 10.14 (STEIN 16/18.30/32; 46,796f.804).

[44] Greg.Naz.orat. 43,54.

[45] ep. 71:21-25; cf. MAY Basilios 56,36.

[46] ep. 242,2:3-6; cf. ep. 243,2:2: διωγμῶν ὁ βαρύτατος.

geschieht dies meist in sehr zurückhaltender Form[47]. Und selbst auf dem Höhepunkt des Konfliktes fehlen bei ihm gänzlich die schrillen Töne, welche für die lautstarke Polemik eines Athanasius oder seines Nachfolgers Petrus gegen die Allianz von Kaiser und »arianische« Häresie so charakteristisch ist.

Nun mag man einwenden, dass die von Basilius bewiesene Zurückhaltung aus seinen z.T. doch sehr andersgearteten Ausgangsvoraussetzungen zu erklären ist. In Kleinasien gab es eben, anders als in Ägypten, keinen festgefügten nizänischen Block. Hier stellte sich der Streit sehr viel stärker dar als interne Auseinandersetzung rivalisierender kirchlicher Gruppierungen, so dass die Staatsgewalt gar nicht derart massiv zugunsten der homöisch-arianischen Fraktion zu intervenieren brauchte und damit zur Zielscheibe nizänischer Kritik werden konnte, wie dies in Ägypten der Fall war. Man kann desweiteren mit G. MAY darauf verweisen, dass »die staatlichen Stellen Basilios ja keineswegs überall und dauernd feindlich gegenüberstanden«[48], es sehr auf die Haltung der lokalen Behörden und jeweiligen Beamten ankam und schliesslich viel davon abhing, ob am Hof jeweils die Fürsprecher oder Gegner des Basilius das Sagen hatten[49]. Und damit hängt schliesslich auch der Zickzackkurs in der Kirchenpolitik des Valens zusammen, der gerade im Verhältnis zu Basilius deutlich wird. Phasen massiver Bedrängung (etwa 371) wechseln mit solchen der Duldung und einer durchaus freundschaftlichen Kooperation (so 372), auf welche – wie 375/6 unter dem vicarius der pontischen Diözese Demosthenes – eine neue Welle scharfer Repressalien folgen konnte.

Gleichwohl ist es unverkennbar, dass es weniger die unterschiedlichen äusseren Voraussetzungen als vielmehr die ihm eigene Sichtweise ist, die das Urteil des Basilius über die Lage der Kirche bestimmt. Bereits die sehr nüchterne Art und Weise, wie er den Zusammenstoss mit Modestus – von Gregor von Nazianz (und darin gefolgt von der späteren Historiographie) zur Konfrontation von Kirche und Imperium hochstilisiert – erwähnt, lässt dies erkennen[50]. In die gleiche Richtung weisen seine Bemerkungen über die Ak-

[47] Cf. oben p. 292,43. Bei Basilius selbst nur die kurze Bemerkung in ep. 79:8-15 sowie (im Rückblick) in ep. 94:23-25.

[48] MAY Basilios 68.

[49] ep. 68:16f; 231:22f; 213,2.

[50] ep. 79:8-15. Von der Darstellung Gregors sind nicht nur die späteren Historiker (zB Theodor.h.e. IV,19 [GCS 44,242ff] sowie die dort im Apparat

tionen des pontischen vicarius Demosthenes. Dieser unternahm 375/6 einen erneuten Versuch zur kirchlichen Gleichschaltung Kappadoziens, setzte mithilfe willfähriger galatischer Bischöfe verschiedene nizänische Bischöfe (darunter Gregor von Nyssa) ab, zwang in Caesarea und im armenischen Sebaste die mit Basilius in Gemeinschaft stehenden Kleriker zum Eintritt in die Kurie und setzte in Nikopolis die Einsetzung eines homöischen Bischofs durch[51]. Aber bei der Schilderung dieser Übergriffe, gegen die Basilius auf das bestimmteste Protest einlegt[52] und zu deren Verurteilung er scharfe Worte verwendet – »Satansengel« und »erstes und grösstes unserer Übel« nennt er den Demosthenes[53], – ist sein Blick weniger auf die staatlichen Zwangsmassnahmen als auf innerkirchliche Misstände bzw. die »Herrschsucht« und moralische Insuffizienz der neueingesetzten Bischöfe gerichtet – eine Erklärung sowohl für die aktuelle Entwicklung (»denn je mehr sich der Zustand der Kirchen zum Schlechteren wendet, umso stärker blüht die Herrschsucht der Menschen«[54]) wie für das darin zutagetretende Gottesgericht[55] wie zugleich eine Konstante des Kirchenbildes des Basilius.

Die dem Basilius eigene Sichtweise ist am deutlichsten dort zu greifen, wo wir seine Stellungnahme mit den ihm vorliegenden Informationen vergleichen können. Das ist beispielsweise in *ep. 139* der Fall, ein Trostschreiben an die alexandrinische Kirche nach der Vertreibung ihres Bischofs Petrus im Herbst 373. HAUSCHILD hat die Vermutung ausgesprochen, dass Basilius hier auf das bei Theodoret (h.e. IV,22) erhaltene Rundschreiben des Petrus über die Umstände seiner Vertreibung und der gewaltsamen Einsetzung des Gegenbischofs Lukius reagiert[56]; angesichts der zahlreichen Übereinstimmungen im Detail ist dem zuzustimmen. Umso bemerkenswerter aber ist dann die unterschiedliche Perspektive beider Dokumente. Denn während Petrus bei der Schilderung der Gewaltszenen v.a. die Aktionen der staatlichen Repräsentanten,

verzeichneten Parallelen) abhängig, sondern auch die mittelalterliche Legendenbildung bis hin zur »Schöne(n) Historia von der standhafftigkeit des hl. Basilij« (Magdeburg 1549).

[51] S. epp. 231.232.237.239; cf. MAY Basilios 62f; SCHWARTZ GS IV,59f; TREUCKER Studien 103f.

[52] ep. 225.

[53] ep. 248:7; 237,2:1f.

[54] ep. 239,1:11f.

[55] ep. 239,2:14.

[56] HAUSCHILD Briefe II,166,124.

des Präfekten Palladius und des comes sacrarum largitionem Magnus herausstreicht[57], die arianischen Häretiker eher als Mitläufer und Nutzniesser erscheinen lässt[58] und v.a. auch die unmittelbare Verantwortung des Kaisers selbst – der durch Drohungen und Lockungen die Alexandriner zum Abfall vom ererbten Glauben zu nötigen sucht - in den Vordergrund stellt[59], wird der Kaiser bei Basilius überhaupt nicht erwähnt, seine Kommissare nicht genannt und als handelndes Subjekt allein die Häretiker hingestellt[60]. Hebt Petrus die Rolle des heidnischen Pöbels, der götzendienerischen Beamten und der Juden der Stadt bei den Gewalttätigkeiten hervor[61], so ist für Basilius der Streit ein innerchristlicher Vorgang und die Klage darum gross, dass die alexandrinischen Bekenner noch nicht einmal die Ehre des Konfessorentitels geniessen, »da auch die Verfolger den Christennamen tragen«. Und während das alexandrinische Zirkularschreiben detailliert die verübten Grausamkeiten ausmalt, tritt bei Basilius ein ganz andersgearteter Gedanke in den Vordergrund: »Zu diesem Gedanken aber kam noch folgende Überlegung hinzu: Hat etwa der Herr seine Kirchen vollständig verlassen? Ist jetzt nicht die letzte Stunde angebrochen und hat deshalb der Abfall Eingang gefunden«, die arianische Häresie überhandgenommen? So redet Basilius auch vom Antichristen, aber eben nicht unter Bezug auf das kaiserliche Kirchenregiment, sondern auf den – in der häretischen Vorherrschaft offenkundigen – Abfall: »damit demnach 'der Gesetzlose' offenbar werde, der Sohn des Verderbens, der Widersacher, der sich über alles erhebt, was Gott und Heiligtum heisst«[62]. So illustrieren die Vorgänge in Alexandria nicht

[57] Palladius als Urheber der Verfolgung: Theodor.h.e. IV,22,1ff.26ff (GCS 44, 249ff); Magnus: ibid. 10ff.26.34; ihre Machmittel sind die Soldateska (1ff.9.10), die Gerichte (29.34.13) und der »mit viel Geld erkaufte« heidnische und jüdische Mob (21.9).

[58] Die Arianer »freuen« sich über die Gewalttaten des Palladius, der schlimmer wütet als einst der Pharao (33.29ff); nur dadurch, dass »sich der Tyrann (= Lukius) gegen« die Kirche »erhob«, gewinnt der weltweit verurteilte Lukius »Gewalt über die Stadt, die ihm aus begreiflichen Gründen feindselig gegenüberstand« (10f); etc.

[59] Der Kaiser deckt nicht nur die einzelnen Repressalien (36), sondern fordert selbst Abfall von der wahren Religion (13ff); der Wille des Kaisers steht gegen »den väterlichen, von den Aposteln durch die Väter uns überlieferten Glauben« (13); wer die Lehre des Arius unterschreibt, erlangt »vom Kaiser Geld, Schätze und Ehren« (15); etc.

[60] Die Verfolger tragen »den Christennamen«: ep. 139,1:11; »die Häresie der euch Verfolgenden«: ep. 139,1:15.

[61] Theodor.h.e. IV,22,1.2.7.9.10.12. etc.

[62] ep. 139,1:22f.

die Kirchenpolitik des Valens[63], sondern das Bild einer Kirche unter dem Gericht Gottes, zu dessen vielfachen Symptomen auch – aber nicht in erster Linie – die brutale Unterstützung staatlicher Gewalt für häretische Usurpation gehört.

4. So zeigt sich, dass der *Wechsel der Regierung* des Konstantius, Julian, Jovian und Valens – der je mit einer schroffen Kehrtwendung der kaiserlichen Religionspolitik einherging – im Werk des Basilius *erstaunlich wenig Resonanz* findet. Und wenn Basilius am Ende der Valenszeit seiner Hypotyposis ascetica zur Beschreibung von »Ursache und Gefahr« der gegenwärtigen kirchlichen Lage unverändert seine Frühschrift De Iudicio Dei voranstellen kann[64], so unterstreicht dies erneut, wie wenig sein Urteil über den Zustand der Kirche vom Wechsel der kirchenpolitischen Konstellationen bestimmt ist. – Diese Beurteilung des Basilius unterscheidet sich charakteristisch von anderen Sichtweisen, beispielsweise der seines Freundes und Weggefährten Gregor von Nazianz. Dieser markiert nicht nur – wie bereits erwähnt – deutlich die Herrschaft des »göttlichsten und allerchristlichsten Kaisers« Konstantius, des »Apostaten« Julian sowie des Valens als des »Verfolgers nach dem Verfolger« und hebt sie scharf voneinander ab[65], sondern lässt zugleich darüber hinaus deutlich den geschichtstheologischen Rahmen erkennen, dem dieses Urteil entspringt. Denn eben dies ist der Kernvorwurf gegen Julian, dass er »als erster unter den christlichen Kaisern gegen Christus raste«[66], d.h.: aus der Loyalität zur konstantinischen Dynastie erklärt sich sowohl die Empörung über Julian, der mit der Politik Konstantins brach, wie die auffällige Schonung, deren sich der »Arianer« Konstantius bei Gregor von Nazianz erfreut, welcher ihn wiederholt zu entschuldigen sucht[67]. Und wenn Gregor von Nazianz hinzufügt, dass sich Konstantius im Unterschied zu Julian dessen bewusst war, dass »die

[63] So bei Gregor von Nazianz, der sich ebenfalls – und an exponierter Stelle – auf das Zirkularschreiben des Petrus stützt: orat. 33,3 (36,217); cf. die Mauriner zSt sowie BERNARDI Prédication 166f.

[64] prol. VI (ap. GRIBOMONT Histoire 280).

[65] Konstantius als θειότατος βασιλεὺς καὶ φιλοχριστότατος: Greg.Naz.orat. 4, 34 (35,560d); Valens als ὁ μετὰ τὸν διώκτην διώκτης orat. 43,30,1 (BOULENGER 122); cf. orat. 42,3 (36,461a-c); orat. 43,44,1 (BOULENGER 150).

[66] Greg.Naz.orat. 21,32 (35,1120b); ebenso 4,3 (35,533a): Ἄκουε, καὶ ἡ τοῦ μεγάλου Κωνσταντίου ψυχή ... ὅσαι τε πρὸ αὐτοῦ βασιλέων φιλόχριστοι ...

[67] Ausser in den Julian-Invektiven – wo er als Negativfolie zu Julian dient – etwa auch in den Reden auf Athanasius (orat. 21,32 35,1120b).

Macht der Römer mit der der Christen wuchs und sich erst durch das Erscheinen Christi das Reich zur vollständigen Alleinherrschaft entwickelte«[68], so ist offenkundig, dass er vom Theologumenon des heilsgeschichtlichen Zusammengehens von Christentum und Römerherrschaft aus denkt, wie es in der origeneisch-eusebianischen Tradition fixiert ist und Gregor von Nazianz es zum Bewertungsmassstab der kirchlichen Entwicklung erhebt. – Beide Motive aber sind bei Basilius gänzlich abwesend. Weder sieht er das Wohlergehen der Kirche an den äusseren Erfolg der Römerherrschaft geknüpft; für ihn sind es in der Gegenwart eher allein die Barbaren, unter denen noch unverfälschtes Christentum anzutreffen ist[69]. Noch spielt bei ihm das Datum der *konstantinischen Wende* eine erkennbare Rolle, weder im Sinn der eusebianischen Reichstheologie, wonach mit Konstantin für die Kirche eine Zeit des Friedens und der Blüte angebrochen ist[70], noch nach Art jener asketischen Kritiker der Reichskirche, die den Verfall des Christentums auf jenen Moment datieren, »als auch die Kaiser und Machthaber sich dem Joch Christi beugten«[71]. Vielmehr sind es *andere Daten*, an denen sich *sein Geschichtsbild* orientiert und die für ihn Höhen und Tiefpunkte der Kirchengeschichte markieren. So jene ideale Zeit »vor 200 und mehr Jahren«, als die Charismen blühten, die Gläubigen geeint waren, den Gemeinden vorbildliche Bischöfe vorstanden und sich die Kirche in ihrer »alten Gestalt« zeigte[72], oder jene – für die Gestaltung der Gegenwart nach wie vor normative – Begebenheiten in der jüngeren Kirchengeschichte Kleinasiens wie die kanonischen Weisungen »unseres Firmilians«[73] oder die Taten des Gregor Thaumaturgus[74] oder die Bekundungen zwischenkirchlicher Solidarität zur Zeit der Goteneinfälle[75]. Und wenn auch aufs ganze gesehen die Blütezeit der Kirche in die Zeit vor Konstantin fällt – damals, als unter heidni-

[68] Greg.Naz.orat. 4,36 (35,564ab); cf. 4,3 (35,533a).
[69] ep. 164,1.
[70] Euseb.h.e. X,1 (GCS 9/2,856-8); Greg.Naz.orat. 5,17 (35,685a).
[71] Hieron.vit.Malch. 1 (PL 23,55b): postquam (ecclesia) ad Christianos principes venerit, potentia quidem et divitiis maior, sed virtutibus minor; ps.Pelag.div. 10,4 (PLS I,1 95): Nunc autem omnibus paene hominibus Christianis, ipsis etiam regibus et potestatibus Christi iugo colla subdentibus ...
[72] ep. 28,1. Zum folgenden cf. oben pp. 30ff.
[73] can. 1:48; DSS XXIX,74:39f. Anders als bei (dem die cyprianisch-firmilianische Tradition restaurativ erneuernden) Basilius scheinen bei Gregor von Nazianz die Kentnisse über Cyprian (sowie generell die vorkonstantinische Zeit) höchst bescheiden gewesen zu sein: BERNARDI Prédication 163.
[74] DSS XXIX,74:1ff; cf. epp. 204.207.210.
[75] ep. 70:35ff; cf. HARNACK Literatur I/2,659.

schen Herrschern »die Verfolger noch offenkundig waren« und »das Blut der Märtyrer ... die Streiter der Gottseligkeit mehrte«[76] – und sich die Zeichen des Verfalls seitdem mehren, so markiert seine Herrschaft hier dennoch keineswegs den entscheidenden Einschnitt. Lassen sich doch die Anfänge des gegenwärtigen Niedergangs in die Zeit vor seiner Herrschaft verfolgen[77], so wie umgekehrt auch in der allerjüngsten Vergangenheit Lichtblicke zu konstatieren sind[78]. An dem Datum des Herrschaftsantritts »christlicher Kaiser« geht Basilius achtlos vorüber.

B. KOOPERATION UND WIDERSTAND

So gestaltet sich auch das Verhältnis zur Staatsgewalt nüchtern-pragmatisch. Gleichermassen frei von religiöser Verklärung des »christlichen« Kaisertums (wie bei Euseb und der von ihm geprägten Tradition) wie von dessen polemischer Bestreitung (sofern sich der »christushassende« Kaiser in den Dienst der »arianischen« Häresie stellt), misst Basilius der kaiserlichen Religionspolitik unter den verschiedenen für Wohl und Wehe der Kirche bestimmenden Faktoren eine zwar wichtige, keineswegs aber auschlaggebende Rolle zu. In praxi entspricht dem eine Haltung, die Kooperation im Einzelfall mit Widerstand dort verbindet, wo für ihn grundsätzliche Belange auf dem Spiel stehen. Dies entspricht präzise der von den Moralia vorgezeichneten Linie, die Gehorsam gegenüber den politischen Autoritäten in all jenen Fällen gebietet (und zugleich auf sie beschränkt), »in denen das Gebot Gottes nicht behindert wird« (RM 79,2).

[76] ep. 164,1:16ff. Anders in der Gegenwart: ep. 139,1; 257,1; 243,2:4ff.

[77] So führt er etwa die Anfänge der »jetzt« blühenden Häresie der »Anhomöer« zurück auf den alexandrinischen Dionysius, der »als erster den Samen« zu dieser verabscheuenswürdigen Gottlosigkeit legte (ep. 9,2:1ff; anders Athan.syn. 43f); und auch das Übergewicht der »langandauernden menschlichen Gewohnheit« (Iudic. 2 31,653c) in kirchlicher Praxis und kanonischer Überlieferung reicht weit in die Frühzeit der Kirche zurück. Schon zu Zeiten des Märtyrers Gordius – unter Diokletian also – führte die »Masse der Christen« ein verwerfliches Leben: hom. 18,2 (31,497a).

[78] Beispiele: das Bekenntnis der 318 Väter von Nicaea (bei Basilius nie in Verbindung mit Konstantin gebracht); das Wirken des Athanasius (ep. 66,1:1ff); vorbildliche Feiern an den Märtyrerheiligtümern καὶ ἐπὶ τῆς ἡμετέρας μνήμης: RF 40 (31,1020c); das gegenwärtige Erblühen des Asketenstandes (can. 18); etc.

1. Dies ist offenkundig bereits gegenüber den Kontrahenten des Zusammenstosses von 371/2 (als Valens erst durch vorausgeschickte Beamte und dann persönlich den Widerstand des kappadozischen Metropoliten gegen seine homöische Kirchenpolitik zu brechen suchte). Ihnen gegenüber bemüht sich Basilius in der Folgezeit um ein *sachlich korrektes Verhältnis*, das sich sogar freundschaftlich offen gestalten kann. Ablesbar ist dies etwa anhand seiner Korrespondenz mit dem praefectus praetorio *Modestus*, einem der beiden Beamten, die dem Basilius entgegengetreten waren und dabei eine offenkundige Niederlage eingesteckt hatten[1]. Barnim TREUCKER hat die Korrespondenz des Basilius mit Modestus nach inhaltlichen Kriterien geordnet und dabei eine zunehmende Vertrautheit der ehemaligen Kontrahenten konstatiert, von einer ersten tastenden Kontaktaufnahme, die noch von offizieller Kühle gezeichnet ist, bis hin zu geschäftsmässiger Routine[2]. Noch deutlicher entwickelt sich - wobei wir hier freilich so gut wie ausschliesslich auf die Darstellung des Gregor von Nazianz angewiesen sind – das Verhältnis zum *Kaiser* selbst. Ausgezogen, um auf dem Weg von Konstantinopel nach Antiochia die verbliebenen nizänischen Bischöfe abzusetzen[3] und insbesondere die »unerschütterte und unverletzte Mutter der Kirchen« im kappadozischen Caesarea zu Fall zu bringen[4], verzichtete er dann doch auf Zwangsmassnahmen gegen Basilius, was den Zeitgenossen wie ein Wunder erschien. Statt dessen bestätigte er ihn im Amt; jedenfalls beruft sich Basilius später auf eine entsprechende Verfügung des Kaisers, der ihm gestattet habe, »selbständig die Kirchen zu verwalten«[5]. Dramatischer Höhepunkt dieser Ereignisse war der Gottesdienst am Epiphaniasfest 372, zu dem der Kaiser mit grossem Gefolge erschien[6]. Für beide Seiten war dies ein kritischer Punkt: für Valens, sofern dieser Besuch die förmliche – und auch nach aussen hin sichtbare – Anerkennung des Basilius als rechtmäs-

[1] Greg.Naz.orat. 43,48-51 (BOULENGER 156ff); Greg.Nyss.cEunom. I 120-146 (GNO I,63ff); laud.Bas. 10.14 (STEIN 18,19ff. 30,5ff); Bas.ep. 79; cf. ENSSLIN PRE XV,2323ff (s.v. Modestus 12); PLRE I,605ff; DE SALVO Modesto 137-154; VAN DAM JThS.NS 37 (1986) 57ff.

[2] TREUCKER Studien 38-43. Er ordnet (Briefe an und über Modestus) wie folgt: epp. 107-109.110.281.111. 104.279.280; cf. auch HAUSCHILD Briefe II,159,47. Modestus war PPO orientis 369-377: PLRE I,605ff.

[3] So Greg.Nyss.cEunom. I,127 (GNO 1,65).

[4] So Greg.Naz.orat. 43,47,1 (BOULENGER 154).

[5] ep. 94:23-25.

[6] Greg.Naz.orat. 43,52f. Zu Datierung und Historizität dieses Ereignisses cf. v.a. MAY Basilios 50ff; HAUSER-MEURY Prosopographie 176. 41,47.

sigen Bischofs von Caesarea implizierte; für Basilius, sofern auch er den von manchem nizänischen Hitzkopf sicherlich erwarteten Eklat vermied und dem Kaiser die Eucharistie nicht verweigerte. Dies entsprach zwar nicht der üblichen Praxis, da Valens vom »Arianer« Eudoxius getauft war und somit als Häretiker galt. Doch hat, wie wir sahen, Basilius in den Kanones ja auch sonst den Gesichtspunkt der οἰκονομία, der Berücksichtigung der konkreten Verhältnisse, geltend gemacht. In jedem Fall datiert – so Gregor von Nazianz – seit diesem Ereignis »das Wohlwollen (φιλανθρωπία) des Kaisers uns gegenüber, das war der Beginn des Friedens«[7]. – Dass dieses kaiserliche Wohlwollen nicht lange anhielt, wurde bereits vermerkt. Schon bald spricht Basilius wieder von bevorstehender Verbannung, ja Martyrium[8]; und 375/6 leitete der neu ernannte vicarius Ponticae Demosthenes eine neue Welle scharfer Repressalien ein, indem er die nizänischen Bischöfe von Nyssa, Doara und Parnassus absetzte, dem Klerus von Caesarea die steuerliche Immunität nahm und etwa in Nikopolis die Einsetzung eines homöischen Bischofs erzwang[9]. Aber auch hier fehlt wieder bei Basilius jene wütende Polemik, die etwa die Darstellung der zeitgenössischen Ereignisse bei Gregor von Nazianz bestimmt. Vielmehr hat Basilius – verbindlich im Ton, hart in der Sache – sehr bestimmten Protest gegen die Massnahmen des Demosthenes eingelegt (ep. 225) und im übrigen seine Politik der *inneren Konsolidierung* der kleinasiatischen Kräfte des Orients fortgesetzt, die die offizielle kaiserliche Kirchenpolitik teils zu unterlaufen, teils auf sie einzuwirken suchte[10] und die in dem von Basilius ins Auge gefassten Schritt einer staatsfreien ökumenischen Synode – die, beschickt von hochrangigen Vertretern der Kirchen des Ostens und Westens, »den in Nicaea von unseren Vätern niedergeschriebenen Glauben« im Osten »erneuern« sollte – ihren signifikanten Ausdruck findet[11].

2. In diesen Rahmen kritischer Loyalität ordnen sich nun auch die Beispiele der *Kooperation mit staatlichen Instanzen* ein. Sie bedeuten nicht

[7] Greg.Naz.orat. 43,53,2 (BOULENGER 166).
[8] ep. 71,2:21ff; cf. MAY Kappadokier 326,12.
[9] epp. 225.231.232.239. Zu Demosthenes cf. PLRE I,249.
[10] S. cap. VIII.A+B. N e b e n absicht seiner Unionspolitik war es, Valens – durch Zusammengehen der Kirchen des Ostens und Westens – zu überzeugen, dass reichsweit die Nizäner keineswegs in der Minderheit waren; cf. ep. 66,1:19ff sowie pp. 247f.
[11] ep. 92,3:15ff; cf. oben p. 270.

Preisgabe kirchlicher Eigenständigkeit, sondern verfolgen originär kirchliche Ziele in Konstellationen partieller Interessenkongruenz. Diskutiert seien hier zwei Beispiele aus der Frühzeit seines Episkopats. Es sind dies der kaiserliche Auftrag zur kirchlichen Reorganisation Armeniens sowie der Aufbau des basilianischen Sozialwerks.

a. *Kirchenreform in Armenien.* Besonders instruktiv sind die von Basilius eingeleiteten Reformen im römisch kontrollierten Grossarmenien. Über sonstige Beispiel der Einflussnahme des Basilius auf kirchliche Verhältnisse in Nachbarprovinzen[12] gehen sie dadurch hinaus, dass Basilius hierin auf »kaiserlichen Befehl« (βασιλικὸν πρόσταγμα) handelt. Dies erfahren wir aus ep. 99 – neben den unten zu erörternden armenischen Historikern Hauptquelle dieses Vorgangs –, in dem Basilius dem comes et dux Armeniae Terentius über den Stand seiner Bemühungen Bericht erstattet. Es war also Valens selbst, der seinem kirchenpolitischen Gegenspieler Basilius – den er kurz zuvor noch seines Amtes zu entheben gesucht hatte[13] – den Auftrag zur Neuordnung der kirchlichen Verhältnisse im armenischen Königreich erteilt und damit Gelegenheit zur Ausdehnung seines kirchlichen Einflussbereiches gegeben hatte. Zum Verständnis dieses erstaunlichen Vorgangs sind folgende Gesichtspunkte zu beachten.

aa. Armenien nimmt in verschiedener Hinsicht eine *Sonderstellung* ein. Einmal handelt es sich hier um ein seit langem christianisiertes Land. Gleichgültig, wann genau man die Einführung des Christentums durch Gregor den Erleuchter unter dem armenischen König Trdat (Tiridates) III[14] ansetzt – die Lösungsversuche bewegen sich zwischen 278 und 315, meistgenanntes Datum ist 302[15] –, und auch unabhängig von der Frage, wie oberflächlich die vom ar-

[12] S. oben pp. 225ff.

[13] Mit LOOFS Eustathius 27; MAY Basilios 58; FEDWICK Church 145 ist ep. 99 auf Ende 372 zu datieren. Anders zB HAUSCHILD Briefe II,156 (August 373).

[14] Hauptquelle: »Geschichte des Königreiches Trdats und der Predigt des hl. Gregors des Erleuchters« von Agathangelos (ed. V. LANGLOIS, FGH V,109ff); daneben Berichte der übrigen armenischen Historiker zu den Anfängen des armenischen Christentums. Cf. HARNACK Mission 747ff; GELZER Anfänge passim; AUFHAUSER ZM 8 (1918) 73ff; GROUSSET Arménie; HAGE TRE IV,40ff; KLEIN Constantius 170ff. Zu Agathangelos cf. jetzt VAN ESBROECK RAC Suppl. I/2,240-248.

[15] Überblick und Diskussion der verschiedenen Vorschläge bei ANANIAN Muséon 74 (1961) 43ff.317ff; CHAUMONT Recherches 156ff; KLEIN Constantius 172,19; HAGE TRE IV,43.

menischen Herrscherhaus gegen Widerstände des Landadels forcierte Annahme des Christentums bleiben musste[16]: feststeht, dass das Christentum in Armenien nun seit mindestens zwei Generationen als offizielle Religion etabliert war, und zwar (wie mit den reichskirchlichen Kirchenhistorikern[17] die meisten Forscher annehmen) »geraume Zeit vor dem römischen Reiche«[18]. Ebenso offenkundig ist es, dass angesichts der wechselhaften Geschichte Armeniens im Grenzbereich zwischen römischem und neupersischem Imperium der Stellung zum Christentums stets auch eine politische Dimension zukam. Bereits Euseb erklärt den Feldzug des »Gotteshassers« Maximinus Daia gegen die inzwischen zu Christen gewordenen Armenier – »seit altersher Freunde und Bundesgenossen der Römer« – für eine religionspolitisch motivierte Massnahme[19]. Wie nach KLEIN für Konstantin (und später Konstantius) »die gemeinsame Religion ein willkommenes Mittel« war, »die Herrscher Armeniens enger an das Reich zu binden und dem persischen Einfluss zu entziehen«[20], so wirkten sich umgekehrt Veränderungen der politischen Konstellation stets auch auf die Position der armenischen Kirche aus. – Die aktuelle Lage war bestimmt durch den Friedensschluss zwischen Jovian und Schapur II im Jahr 363, in dem nach dem Desaster des julianischen Persienfeldzuges Armenien der persischen Interessensphäre zugeschlagen worden war[21]. In die folgende Zeit fallen wiederholte Einfälle Schapurs in Armenien, die nicht nur Verwüstung des Landes (und Ausrottung seiner Führungsschicht) bezweckten[22], sondern ebenso auch eine grausame Verfolgung der armenischen Kirche (verdächtig als potentieller Bündnispartner der Römer) zur Folge hatten[23]. Mit dem Jahr 369

[16] Sehr kritisch das Urteil des Faustus von Byzanz (h.e. III,13; LAUER 27): »Schon längst, von der Zeit an, da sie den Namen des Christentums angenommen, hatten sie dieses allein als menschliches Gesetz und nicht mit glühendem Glauben ... hingenommen«; cf. GELZER Anfänge 132ff.

[17] Sozom.h.e. II,8,1 (GCS 50,61): Ἀρμενίους δὲ πάλιν πρότερον ἐπυθόμην χριστιανίσαι; Eus.h.e. IX,8,2.

[18] GELZER Anfänge 132; gegenteilige Sicht vertreten von ANANIAN, CHAUMONT und KLEIN (Datum des Übertritts 314 oder 315). MACDERMOT (REArm NS 7, 1970, 281ff) plädiert für 294.

[19] Euseb.h.e. IX,8,2 (GCS IX/2,822); cf. CASTRITIUS JAC 11/12 (1968/69) 94ff; CHAUMONT Recherches 160.

[20] KLEIN Constantius 178.174ff.179.194.

[21] Ammian.Marc. XXV,7,5ff; STEIN Geschichte I,264; BAYNES Armenia 632ff.

[22] Ammian.Marc. XXVII,12,1-2; Faustus (h.e. IV,21-29) zählt 27 Einfälle zwischen 364 und 369.

[23] Faustus h.e. IV,49 (LAUER 142): »Sie begannen nun die Kirchen ... in allen Cantonen und Bezirken Armeniens zu zerstören«.

setzt eine Phase verstärkter Einflussnahme Roms ein. Sie führt zur Rückführung des in römisches Territorium geflüchteten armenischen Königs Pap, unter militärischer Begleitung durch die Römer zwar, formell jedoch noch unter Wahrung der Bestimmungen des Friedensvertrages von 363. Auf Dauer freilich liess sich eine derartige Politik der Nicht-Intervention nicht durchhalten. Mit der Entscheidungsschlacht von Bagavan – wahrscheinlich 371[24] – fiel Grossarmenien unter römische Oberherrschaft. Später, im Jahr 387, wurde das Land dann zwischen den beiden rivalisierenden Nachbarmächten geteilt.

bb. In dieser Situation ist das *kaiserliche Interesse an einer kirchlichen Reorganisation* des verwüsteten Armeniens unmittelbar evident. Sie konnte nur der Festigung der neu begründeten römischen Oberherrschaft dienen. Verständlich aber ist auch, dass Basilius – und nicht etwa Demophilus von Konstantinopel, der sowohl als Verfechter eines homöischen Kurses wie als Hofbischof dem Valens viel näher stand – mit der Ordination armenischer Bischöfe beauftragt wurde. Denn wie auch immer die Kompetenzen Caesareas in Bezug auf Armenien im einzelnen zu definieren sein mögen, ob man mit HARNACK Caesarea die Funktion »eine(r) Art von Metropole für Armenien«[25] zuweist oder mit KNORR eher an Bindung gewohnheitsrechtlicher Natur und eine eher moralische Autorität des kappadozischen Metropoliten denkt[26] – feststeht, dass die armenische Kirche seit früher Zeit in einer besonderen Beziehung zu Kappadozien stand. Dies ist ablesbar an dem Umstand, dass von Gregor Illuminator bis zu Nerses sich alle Oberhäupter der armenischen Kirche ihre Weihe in Caesarea holen. In der Korrespondenz des Basilius ist es sichtbar im Fall des Armeniers Faustus, der von Basilius die Ordination begehrt, bis er sie – von Basilius zurückgewiesen – bei Basilius' Rivalen Anthimus von Tyana erhält[27]. Jedenfalls existieren traditionelle Bindungen, die eine Beteiligung des

[24] SEECK Hermes 41 (1906) 523; MAY Basilios 59; anders: BAYNES Armenia 639; NAGL PRE II,7/2,2116.

[25] HARNACK Mission 753; ähnlich etwa TOURNEBIZE DHGE IV,295.

[26] KNORR Basilius II,142ff. Ausführliche Diskussion der Frage nach dem »Grad der kirchlichen Abhängigkeit Armeniens von Caesarea« auch bei: AMADOUNI Autocéphalie 141ff; KLEIN Constantius 181,30; GELZER Anfänge 156ff; GARSOÏAN REArm 17 (1983) 145ff.

[27] epp. 120-122. Dieser Faustus dürfte identisch sein mit dem von dem armenischen König Pap als Nachfolger des ermordeten Nerses favorisierten Jusik, den Faustus von Byzanz (h.e. V,29) erwähnt; cf. GELZER Anfänge 158f; HAUSCHILD Briefe II,161,74; KNORR Basilius II,143f.

kappadozischen Metropoliten bei der geplanten Neuordnung der armenischen Kirche geboten erscheinen liessen.– Neben Basilius wurde laut ep. 99 Theodot von Nikopolis mit dem Armenienprojekt beauftragt. Auch er ist – als strenger Nizäner – kein Parteigänger des offizielen Kirchenkurses, auch seine Funktion bei dem Projekt ist ersichtlich, da er als Metropolit der benachbarten römischen Provinz Armenia die notwendigen Mitarbeiter mit den erforderlichen Sprachkenntnissen zur Verfügung stellen kann. Das Zerwürfnis mit ihm – Zeichen des aufziehenden Konfliktes um Eustathius – behindert darum die Aktivitäten des Basilius entscheidend.

cc. Vermittelt wurde der Armenienauftrag durch *Terentius* (an den ep. 99 gerichtet ist). Als comes et dux Armeniae (ca. 369-375) war er der eigentliche Machthaber im Land; er war es, der 370 den geflüchteten Pap wieder auf seinem Thron installiert hatte, und er war es, der ihn 375 – als Zweifel an seiner politischen Loyalität auftauchten – aus dem Weg räumen liess[28]. Zugleich aber war er auch nizänischer Christ und vertrat damit eine Linie, die der homöisch orientierten Kirchenpolitik des Valens entgegengesetzt war. Letzteres erfahren wir nicht nur aus einem – legendarisch gefärbten – Bericht des Kirchenhistorikers Theodoret[29], sondern v.a. auch direkt aus der Korrespondenz des Basilius, der auch bei anderer Gelegenheit in brieflichem Kontakt mit Terentius stand und mit dessen Familie freundschaftlich verkehrte[30]. Im einzelnen ist sein Anteil an der Beauftragung des Basilius umstritten: während es sich nach SEECK um eine eigenmächtige Initiative des Terentius handelt, spricht MAY von einer »Anregung« durch den comes[31]. In jedem Fall ist der Auftrag im Namen und mit Wissen des Kaisers selbst erfolgt.

dd. Die geplante Armenienmission ist weitgehend *fehlgeschlagen*. Dies ist die Auskunft, die Basilius in ep. 99 erteilt und mit der verweigerten Mitarbeit des Theodot von Nikopolis begründet. Alles was er – Basilius – habe tun können, sei die Abhaltung einer Synode in Satala (auf römischem Boden, im Grenzgebiet zum armenischen Königreich) gewesen, wo er aber nach eigenem Bekunden immerhin »Frieden unter den Bischöfen Armeniens stiftete und ihnen

[28] Ammian.Marc. XXVII,10,10;30,1,2-4. Zu Terentius cf. PLRE I,881 (s.v. Terentius 2); zum Datum von Paps Tod s. KNORR Basilius I,183.
[29] Theodor.h.e. IV,32.
[30] epp. 99.215; 105; cf. 215,2 sowie 64 (?).
[31] SEECK Geschichte V,63; MAY Basilios 59f.

die nötigen Aufgaben auseinandersetzte, dass sie die gewohnheitsmässige Gleichgültigkeit aufzugeben und den gebührenden Eifer für die Kirchen zu entwickeln hätten: auch gab ich ihnen Kanones ...«[32]. – Nun wissen aber die armenischen Historiker (Faustus von Byzanz, Moses von Chorene) von einer ausgedehnten Reformtätigkeit des armenischen Katholikos Nerses zu berichten, die mit einer Synode zu Aschtischat eingeleitet wurde und die dem Reformwerk des Basilius auffällig entspricht (Bau von Krankenhäusern, Witwen- und Waisenheimen; Förderung des Mönchtums; Vermehrung des Klerus; Einschärfung der Kirchenzucht)[33]. In der Tat ist vielfach Basilius als Vorbild für das Reformwerk des Nerses genannt worden, was freilich mit der von diesen Forschern vorausgesetzten Chronologie für die Reformen des Nerses und die Synode zu Aschtischat (zwischen 355 und 365)[34] nicht in Einklang zu bringen ist. Nun hat aber Uwe KNORR mit überzeugenden Argumenten dafür plädiert, als Datum der Synode zu Aschtischat einen Zeitpunkt unmittelbar nach der ep. 99 des Basilius anzunehmen[35]. Dementprechend stellt sich Aschtischat als (innerarmenische) Folgesynode zu der von Basilius in Satala durchgeführten Veranstaltung dar, und nicht Nerses, sondern Basilius erscheint als der eigentliche Initiator jener Reformen der armenischen Kirche, die Faustus eindrücklich schildert und die über die Ermordung des Nerses (um 374)[36] und die folgende antichristliche Reaktion unter Pap[37] hinweg Bestand haben (und im Wirken Sahaks des Grossen und seines Mitarbeiters Mesrops fortgeführt werden) sollten.

ee. So ist der kaiserliche Auftrag zur Armenienmission durch eine ganz spezifische aussenpolitische Konstellation bedingt. Für Basilius selbst überschreitet die geplante Intervention in Armenien nicht den sonstigen *Rahmen zwischenkirchlicher Hilfe*. Weder ist die »gewohnte Gleichgültigkeit«[38] – die zu beseitigen er sich vorgenommen hatte – ein spezifisch armenisches Übel;

[32] ep. 99,4:9ff.

[33] Faustus h.e. IV,4; V,21; cf. 31 (LAUER 56ff.170.182ff); Moses Chor. hist.Arm. III,20 (LAUER 175ff).

[34] Überblick bei KNORR Basilius I,177ff.

[35] KNORR Basilius I,181ff; Zustimmung bei MAY Basilios 60,55; HAUSCHILD Briefe II,157,24. Kritik bei KLEIN Constantius.

[36] Faustus h.e. V,23f (LAUER 171ff).

[37] Faustus h.e. V,31 (LAUER 182f); cf. GELZER Anfänge 156f.

[38] ep. 99,4:13. Cf. das Urteil des Faustus über das Christentum seiner Landsleute (h.e. III,13; LAUER 27); s.oben p. 302,16.

noch sind kanonische Gesetzgebung, seine Förderung des Mönchtums und seine Anstösse zum Aufbau eines Hospitalwesens auf diese Provinz beschränkt; noch hat er seine Legitimation zu Bischofsweihen ausserhalb Kappadoziens aus der kaiserlichen Beauftragung abgeleitet. Obwohl sein Vorstoss zur kirchlichen Reorganisation Armeniens sehr bald stecken blieb, wie ep. 99 zeigt, gab Basilius doch mit der Synode zu Satala (und der dadurch angeregten Folgesynode von Aschtischat) die Initialzündung für eine Reihe von Massnahmen, die langfristig den christlichen Charakter Armeniens sicherten.

b. Das andere hier zu diskutierende Beispiel ist der *Aufbau des Sozialwerks* des Basilius. Ins Auge zu fassen ist dabei v.a. jener Komplex von Hospitälern, Xenodochien, Werkstätten, Mönchsbehausungen und sonstiger karitativer Einrichtungen vor den Toren Caesareas, der nach seinem Gründer schon bald den Namen Basilias trug[39] und im Lauf der Entwicklung – da sich das Zentrum des städtischen Lebens zunehmend in jene von Basilius begründete »neue Stadt« verlagerte – zum Mittelpunkt des neuzeitlichen Kayseri wurde[40]. Eine anschauliche Schilderung dieses Unternehmens – das in kaum einer Darstellung des antiken Hospitalwesens und v.a. der altkirchlichen Armenfürsorge übergangen wird – verdanken wir Gregor von Nazianz, den nachhaltigen Eindruck, den es bei Zeitgenossen wie Nachwelt erweckte, bezeugen die reichskirchlichen Historiker[41]. Freilich hat es dem Basilius nicht nur Ruhm eingebracht. Gerade am Anfang ist es von massiven *Widerständen* begleitet worden; und diese Widerstände sind es, die hier interessieren, umso mehr als sie aus entgegengesetzter Richtung kommen und so die Schwierigkeiten eines solchen Unternehmens beleuchten, das die traditionelle christliche Liebestätigkeit in ganz neue Formen institutioneller Armenfürsorge überführt.

[39] Quellen: ep. 94; 150,3; (176. 223,5:18); Greg.Naz.orat. 43,63 (cf. 43,34,2); orat. 14 (?: cf. BERNARDI Prédication 104f); Greg.Nyss.laud.Bas. 21 (STEIN 44,8ff; PG 46,809d); Scholion 7 (ap. GRIBOMONT Histoire 155); Sozom.h.e. VI,34,7-9; Theodor.h.e. IV,16.19 – Literatur: GAIN Correspondance 277ff; CLARKE Basil 99f; GIET Basile 417-423; KNORR Basilius I,97-122; FELLECHNER Askese I,37-39; TEJA Organización 120.122; UHLHORN Liebestätigkeit 320ff; VISCHER Basilius 140ff; HAGEMANN Stellung 268f; JETTER Hospitalgeschichte 6; BIRCHLER-ARGYROS Spitalgeschichte 52; SCICOLONE CCC 3 (1982) 353-372.

[40] RAMSAY Church 264; CLARKE Basil 62,4. Bezeichnung als καινὴ πόλις bei Greg.Naz.orat. 43,63,1 (BOULENGER 188).

[41] S.o. Anm. 39.

aa. Die eine Front ist fassbar in *ep. 94*. Dies ist das einzige Dokument, wo sich Basilius selbst ausführlich über das im Entstehen begriffene Sozialprojekt äussert. Gerichtet ist dieses – in die Frühzeit seines Episkopats zu datierende – Schreiben an Elias, den seit kurzem in Caesarea residierenden Gouverneur Kappadoziens. Anlass ist die Besorgnis, dass Elias jenen »Verleumdern« Gehör schenken könnte, die gegen das geplante Projekt opponieren. Sie behaupten nämlich – soviel ist dem Dementi des Basilius zu entnehmen –, dass der geplante Bau »das öffentliche Interesse schädige« und im übrigen eine unzulässige Einmischung des Basilius in Angelegenheiten darstelle, die ihn nichts angingen.

Wer sind diese *»Verleumder«*? In der einschlägigen Literatur wird diese Frage zumeist nicht näher erörtert. Zumeist wird von nicht näher spezifizierten »Neidern« gesprochen[42]. Einen Bezug zur Provinzteilung des Jahres 372 oder 373 (und den resultierenden innerkirchlichen Spannungen mit Anthimus von Tyana) suchten die Mauriner herzustellen[43], an die Sasima-Affäre dachte TEJA[44]. Eine eingehendere Diskussion dieser Frage findet sich in jüngerer Zeit nur bei U. KNORR und Th. A. KOPECEK. KNORR stellt, wie bereits erwähnt, das Sozialwerk des Basilius in Beziehung zum heidnischen Restaurationsversuch des Julian, der ja bekanntlich durch grossangelegte philanthropische Unternehmungen der von ihm als werbewirksam erkannten karitativen Tätigkeit der christlichen Gemeinden das Wasser abzugraben suchte[45]; die »Verleumder« sind darum für ihn in den Reihen der altgläubigen Notabeln Caesareas zu suchen, die dem Basilius das »Propagandamittel« öffentlichkeitswirksamer Wohltätigkeit neideten[46]. KOPECEK hingegen sieht einen Zusammenhang mit der Unruhe, die die Teilung Kappadoziens unter der städtischen Nobilität Caesareas auslöste. Für ihn sind die »Verleumder« in den Kreisen der lokalen curiales zu suchen, die dem Basilius ankreiden, dass sein starrsinniger Widerstand gegen die Kirchenpolitik des Kaisers Vergeltungsmassnahmen nicht

[42] FELLECHNER Askese I,38; VISCHER Basilius 141; GIET Basile 420.

[43] MARAN Vita 24,1 (29,XCIII); ähnlich COURTONNE Lettres II,205,1.

[44] TEJA Organización 120. – PACK (Schule 209) nimmt als Kritiker »arianische Kreise« an.

[45] S. den berühmten Brief an Arsakius (ep. 39; WEIS 104ff); cf. Sozom.h.e. V,16.

[46] KNORR Basilius I,97ff, v.a. 108.113. Die Schwierigkeiten dieser Interpretation ergeben sich schon aus der Chronologie, da KNORR die ep. 94 in das Jahr 365 versetzt.

nur gegen die Kirche, sondern zugleich auch gegen die Stadt Caesarea (und ihre führenden Repräsentanten) zur Folge habe[47]. – Wie auch immer diese Frage im einzelnen zu beantworten sein mag: feststeht die Antwort des Basilius, der 1. energisch auf sein (ihm vom Kaiser verbrieftes) Recht pocht, »selbständig die Kirchen zu verwalten« und 2. die angebliche Beeinträchtigung der »öffentlichen Belange« durch sein Sozialprojekt auf das entschiedendste verneint. Im Gegenteil verweist er auf den Nutzen eines derartigen Projekts auch für das Ansehen des Gouverneurs wie der städtischen Nobilität wie das Wohlergehen des Gemeinwesens. »Welchen Schaden fügen wir denn den öffentlichen Belangen zu? Welches gemeinsame Interesse, sei es gross oder klein, wird denn durch unser Kirchenregiment verletzt? Es sei denn, jemand behauptet, dass wir dem Gemeinwesen schaden, wenn wir unserem Gott ein grossangelegtes Gebetshaus errichten ... Die Häuser, die wir bauen, sind eine Zierde der Stadt und bringen dem Gouverneur nur Ehre; das Lob steigt zu ihm auf«.

bb. Die andere Front ist bezeichnet mit dem Namen des *Aerius*, eines Schülers des Eustathius, von dem wir aus Epiphanius erfahren, dass er zugleich Leiter des von Eustathius in Sebaste für Pilger, Kranke und Arme eingerichteten Hospizes war und sich in dieser Funktion mit Eustathius völlig überworfen hatte[48]. – Direkte Beziehungen zwischen Aerius und Basilius bestehen u.W. nicht (es sei denn, wir folgen HAUSCHILD und halten dieses Hospiz in Sebaste für das Vorbild des basilianischen Unternehmens)[49]. Aber auch wenn man dieser Hypothese nicht folgen will – feststeht, dass eustathianische Mönche beim Aufbau der Basilias eine nicht unerhebliche Rolle gespielt haben[50], feststeht aber v.a., dass ein Projekt wie das basilianische Sozialwerk – das schon von seinem Umfang her in ganz neue Dimensionen karitativer Tätigkeit führt – ohne Mitwirkung und Inanspruchnahme des Mönchtums gar nicht möglich gewesen wäre. Gerade dann aber verdient der Konflikt zwischen Aerius und Eustathius lebhaftes Interesse. Denn dies ist der Vorwurf des Aerius an den Eustathius (den Basilius ja lange Zeit hochverehrt hat und den i.ü. nach einer Notiz bei Sozomenus manche für den Verfasser

[47] KOPECEK ChH 43 (1974) 298ff. Auch diese Hypothese impliziert die Annahme einer christlichen Mehrheit im kappadozischen Caesarea.
[48] Epiph.pan. 75,1,7 2,1-4 (GCS 37,333f). Zu Aerius cf. oben pp. 65-67.
[49] HAUSCHILD TRE IV,22; ebenso HÜBNER EuA 55 (1979) 334,33.
[50] ep. 119. 223,3:17ff; cf. LOOFS Eustathius 22; GRIBOMONT DSp IV,1709.

seiner asketischen Bücher hielten[51]), er habe sein ursprüngliches asketisches Ideal verraten und gebe sich statt dessen nun »mit der Beschaffung von Geld und vielfachem Besitz« ab – ein Vorwurf, der dem Aerius (wie Epiphanius eigens vermerkt) Beifall eintrug[52]. Aerius ist also ein Repräsentant jener Kreise, die die Aufgaben kirchlicher Finanzverwaltung – wie sie mit der Organisation und dem Betrieb eines solchen Hospizes nun einmal verbunden ist – für *unvereinbar mit* der eigenen *asketischen Berufung* halten. Da das Sozialwerk des Basilius – der ja nicht nur in Caesarea mit der Basilias ein neues Zentrum errichtete, sondern das ganze Land mit einem Netz von Hospizen überzog[53] – untrennbar mit dem Ausbau seiner monastischen Gemeinschaften verbunden ist, wird hier zugleich eine Stimme laut, die auch das Sozialwerk des Basilius begleitet haben dürfte.

cc. Die *Finanzierung* des basilianischen Unternehmens ist in unserem Zusammenhang ebenso wichtig wie im einzelnen schwer zu beantworten. Mit Sicherheit ist anzunehmen, dass ein erheblicher Teil seiner persönlichen Mittel in dieses Projekt flossen (so wie dies für die grosse Speisungsaktion des Jahres 368/369 bezeugt ist)[54]. Ebenso sicher dürfte mit erheblichen Zuwendungen der lokalen Notablen zu rechnen sein. »Mit seinem Wort und seinen Mahnreden öffnete er die Vorratskammern der Reichen«: diese Mitteilung des Gregor von Nazianz – die sich auf die Aktivitäten des Basilius zur Linderung der grosen Hungersnot 368/69 bezieht[55] – gilt in gleicher Weise für die Basilias, die er »zum gemeinsamen Schatz der Besitzenden« machte[56] und τοῖς τῶν λαῶν προεστῶσι besonders ans Herz legte[57]. B. TREUCKER rechnet mit

[51] Sozom.h.e. III,14,31 (GCS 50,123).
[52] Καὶ ἦν πιθανὰ τὰ ὑπὸ τοῦ Ἀερίου λεγόμενα: Epiph.pan. 75,2,4 (GCS 37,34).
[53] Greg.Naz.orat. 43,63,6 (BOULENGER 190/192); cf. Bas.epp. 143f; Rufin. h.e. XI,9 (GCS 9/2,1015). Cf. FELLECHNER Askese I,37; sowie oben p. 102f(,39).
[54] CAMPENHAUSEN GKV 92 hält das für die wichtigste Geldquelle; ähnlich HERRMANN Ecclesia 295,56. TREUCKER Studien 22f diskutiert die Frage, wie sich grundsätzlicher Besitzverzicht und punktueller Zugriff auf das elterliche Vermögen bei Basilius verhalten; er verweist auf den Tod der Mutter Emmelia (von ihm auf 368 datiert) und das dem Basilius bei dieser Gelegenheit zufallende Erbe. – Eine Analogie zu einer solchen Stiftung würden etwa die Unternehmen der Fabiola in Rom (Hieron.ep. 77,6) oder des Pammachius in Portus (Hieron.ep. 66,1) darstellen.
[55] Greg.Naz.orat. 43,35,3 (BOULENGER 134).
[56] Greg.Naz.orat. 43,63,1 (BOULENGER 188).
[57] Greg.Naz.orat. 43,63,6 (BOULENGER 190/192). Als Einzelbeispiel eines von einem numerarius unterstützten Armenhospitals s. ep. 143.

»regelmässigen Beiträgen der kappadozischen potentes für das Hospiz von Caesarea«[58]. – Umstritten ist der *Umfang staatlicher Förderung*. Bei Theodoret (h.e. IV,19) findet sich die Nachricht, Valens selbst habe dem Basilius Land für sein Sozialwerk zur Verfügung gestellt. Gegen die Glaubwürdigkeit dieser Nachricht sind wiederholt Bedenken geltend gemacht worden[59], die aber schon angesichts der auch etwa von Ammian bezeugten sozialen Komponente in der Politik des Valens nicht zwingend erscheinen. Für darüber hinausgehende staatliche Zuwendung freilich – wie Erträge aus ehemaligen Tempelländern oder (von der Kirche weiterzuverteilende) Getreidelieferungen, wie sie an anderer Stelle bezeugt sind und die Einbeziehung der kirchlichen Armenpflege in das (freilich recht kümmerliche) System staatlicher Sozialpolitik bezeugen[60] – gibt es keinerlei Hinweis. Angesichts der bald wieder rapide verschlechterten Beziehung sind sie auch nicht zu erwarten. Jedenfalls ist die Behauptung unzutreffend, Basilius habe die Armensiedlung »mit staatlicher Hilfe verwaltet«[61]. – Wichtig in diesem Zusammenhang auch die Arbeit der Mönche, deren Erträge ja für die karitative Tätigkeit der basilianischen Bruderschaften zu verwenden sind[62]; freilich lässt sich deren Anteil an den entsprechenden Aufwendungen nicht näher quantifizieren.

dd. Das Sozialwerk des Basilius ist eines der Paradigmen, wie die Kirche unter den veränderten Bedingungen des 4. Jahrhunderts soziale Verantwortung wahrgenommen und – im spannungsvollen Zusammenspiel von betont »eigenständiger« kirchlicher Verwaltung, punktueller staatlicher Förderung und monastischen Organisationstrukturen – zu ganz neuen institutionellen Formen ihrer karitativen Tätigkeit gefunden hat. Diese Hilfe ist offen für alle: die grossangelegte Speisungsaktion des Basilius 368/369 etwa kommt nicht nur

[58] TREUCKER Studien 25; cf. Greg.Presb., Vita Greg.Naz. (PG 35,273). Zu den Finanz- und Vermögensverhältnissen der kappadozischen Kirche (und der basilianischen Klöster) cf. v.a. TREUCKER Studien 24ff.64ff.81ff und passim; TEJA Organización 40ff; FELLECHNER Askese I,17ff; GAIN Correspondance 67ff; unspezifisch: GOULD Wealth 15ff.

[59] Etwa LIETZMANN GAK IV,8,5; GIET Basile 420; FELLECHNER Askese I,17.

[60] Z.B. Euseb.vit.Const. IV,28; II,36; Sozom.h.e. I,8,10; Athan.apol. II,18,2 (OPITZ II,100); Theodor.h.e. IV,4,1. – Cf. HAUSCHILD TRE IV,21f; JONES Empire II,898ff.697.732.735; CONSTANTELOS Philanthropology 67ff.111ff.152ff; GAUDEMET Église 293ff; DAGRON Naissance 496ff; BRÄNDLE Chrysostomos 103ff; RAUSCHEN Jahrbücher 263; HERRMANN Ecclesia 305ff.

[61] HAUSCHILD TRE IV,22.

[62] Z.B. RF 37,1 (AscM/31,1009c-1012a).

Christen zugute, sondern ebenso auch den Kindern der Juden[63]; und gerade den »öffentlichen« Nutzen der Basilias hat Basilius ja in ep. 94 nachdrücklich zu unterstreichen gewusst. Dennoch handelt es sich beim Sozialwerk des Basilius keineswegs um ein allgemein philanthropisches Unternehmen. Für Basilius bleiben diese *Xenodochien und Hospize* – ob vor den Toren Caesareas oder auf dem Land – *Teil des Klosters* und damit Einrichtungen jener Gemeinschaft, die sich zum Zweck vollständiger Erfüllung des Gotteswillens zusammengefunden hat und – im Besuch des Kranken, Speisung des Hungrigen, Bekleidung des Nackten, Austeilung von Lebensmitteln und Beweis gegenseitiger Hilfe (RF 7,1f) – den Leib Christi zur Darstellung bringt. Und wie sie darum den Hilfsbedürftigen (und sonstigen Besuchern) Zutritt zu ihrer Gemeinschaft gewährt, so werden diese damit aber auch zugleich den Gesetzen der communitas christiana unterworfen, wie sie die Kommunitäten des Basilius zu realisieren suchen. RB 155 demonstriert dies mit unwiderlegbarer Evidenz[64]. In beiden Momenten – der Weite wie der Begrenzung ihrer karitativen Tätigkeit – spiegelt sich die Leib-Christi-Struktur der basilianischen Kommunitäten wider.

3. *Freiraum für bischöfliche prostasia.* KOPECEKs oben erwähnte These lenkt den Blick auf die Provinzteilung im Jahr 371(/372)[65]. Dieser Vorgang ist

[63] Greg.Nyss.laud.Bas. 17 (STEIN 38,7f).

[64] RB 155 (AscM): Externe Patienten unterliegen der gleichen Disziplin wie die Klosterangehörigen (und können darum auch – sofern sie sich nicht wie »Brüder des Herrn« benehmen – ausgewiesen werden). – So sehr Basilius auch den Besitzverzicht der Könobiten mit Mt 19,21 (... καὶ δὸς πτωχοῖς) begründet hat (ep. 150,3; RF 8,2; 9,1; RB 101.205) und die Notwendigkeit der Arbeit mit der Notwendigkeit der Hilfe für die Armen (RF 37,1; 42,1; RB 207.252; ep. 207,2:37ff) – gedacht ist dabei in erster Linie (μάλιστα) an die »Bedürftigen unter den Brüdern« (ἀσθενοῦντες τῶν ἀδελφῶν) (RF 37,1; AscM/31,1009c), die sich »dem Herrn geweiht haben« (RB 207 AscP). Ob man τοῖς ἐνδεέσι τῶν ἔξωθεν von den eigenen Vorräten geben solle, beantwortet RB 302 (AscM) zunächst mit dem Hinweis auf Mt 15,24.26 (»gesandt nur zu den verlorenen Schafen des Hauses Israel«), dann erst mit Mt 5,45 und der unterschiedslosen Liebe Gottes (ähnlich: RB 100.101.190). »Die Liebe, die geübt werden soll, haben die Mönche vornehmlich unter sich zu üben ... Weltleute erfahren die Nächstenliebe der Mönche nur, wenn sie als Hilfsbedürftige ins Kloster kommen (HOLL Enthusiasmus 169; ähnlich CLARKE Basil 100). Anders gewendet: in ihrer Bruderschaft bringen die Könobiten den Leib Christi zur Darstellung und ziehen die Aussenstehenden hinein. Das unterscheidet Basilius von der karitativen Tätigkeit der Klöster etwa eines Schenute (s. dazu LEIPOLDT Schenute 167ff.173.178; cf. allgemein: VÖÖBUS Karitative Tätigkeit passim; SCHIWIETZ Mönchtum I,286ff).

[65] Quellen: Greg.Naz.orat. 43,58; Bas.epp. 74-76.97.98,2. Literatur: GIET Basile 366-369; GALLAY Vie 106-109; JONES Provinces 182-185; TEJA

immer wieder mit der Kirchenpolitik des Valens in Verbindung gebracht worden. Nach einer gängigen und auch in jüngster Zeit wieder vertretenen Interpretation waren diese Massnahmen von der Absicht bestimmt, »den Einfluß des Metropoliten von Caesarea, Basilius' d.Gr. ... zu schwächen«[66]. Das ist im Ergebnis natürlich zutreffend, als Begründung jedoch fraglich, da für eine primär kirchenpolitisch motivierte Massnahme ein derartiger Aufwand viel zu hoch war und darüber hinaus die Teilung Kappadoziens auf der Linie der von Diokletian eingeleiteten Politik der Provinzverkleinerung lag[67]. KOPECEK modifiziert, indem er weniger auf die Motive der kaiserlichen Administration als vielmehr die Stimmung der betroffenen Bürger Caesareas abhebt, die in den Unbillen der Provinzteilung eine kaiserliche Strafmassnahme gegen den renitenten Bischof gesehen hätten[68]; auch diese Variante ist freilich aus den Quellen so nicht belegbar. – Wenn es also kaum kirchenpolitische Gesichtspunkte gewesen sein dürften, die den Ausschlag für die Teilung Kappadoziens gaben, so sind diese Vorgänge dennoch für die kirchliche Position des Basilius unmittelbar relevant. Denn dabei wird eine *neue Rolle des Bischofs* sichtbar, die über den binnenkirchlichen Bereich ebenso hinausgeht wie sie für die veränderte Stellung des Bischofs in der Öffentlichkeit signifikant ist: die eines berufenen Sprechers von Stadt und Provinz. Denn in seinen Eingaben an hochgestellte kaiserliche Beamte (epp. 74-76), in denen Basilius auf die verhängnisvollen Begleiterscheinungen der Teilung hinweist, die Not der von Zwangsumsiedlung bedrohten Kurialen und die Verödung des urbanen Lebens in Caesarea schildert und eine Rücknahme der eingeleiteten Massnahmen zu erreichen sucht, tritt uns Basilius nicht als Sachwalter kirchlichen Eigeninteresses entgegen[69], sondern als Repräsentant der ganzen Stadt, beauftragt von Bürgern und Rat der Metropole[70], das Wohl der gemeinsamen πατρίς[71] im

Organización 196-201; PATRUCCO RFIC 100 (1972) 328ff; VAN DAM JThS.NS 37 (1986) 53ff. Datierung: Voten gelistet bei GAIN Correspondance 306,78; HAUSCHILD Briefe I,24f.

[66] STEIN Geschichte 272; ebenso: RAMSAY Geography 283; CAMPENHAUSEN GKV 93; jüngst etwa HILD/RESTLE Kappadokien 67.

[67] Cf. TREUCKER Studien 43ff; GAIN Correspondance 309; VAN DAM JThS.NS 37 (1986) 54ff. HOLL (Amphilochius 16f) verweist auch auf die vermutlich gleichzeitige Bildung der Provinz Lykaonien (Bas.ep. 138).

[68] KOPECEK ChH 43 (1974) 298ff.

[69] So zB epp. 94.142-144; cf. epp. 86f.104.237.

[70] ep. 74,1:25f: ἐπέστειλαν οὖν ἐπείγοντες ἡμᾶς οἱ πολῖται. Unter Verweis auf ep. 15:1f sowie den Sprachgebrauch bei Libanius interpretiert KOPECEK (ChH 43, 1974, 299,39) οἱ πολῖται als βουλή.

Auge und um τὴν ὑπὲρ τῶν πολιτῶν βοήθειαν[72] besorgt; und derartige Interventionen als Anwalt des Gemeinwesens stehen keineswegs isoliert dar, weder bei Basilius noch sonstigen Bischöfen des 4. Jahrhunderts. Vielmehr verdeutlichen sie die neue Funktion als Schutzherr der Stadt, die dem reichskirchlichen Episkopat im Lauf des 4. und 5. Jahrhunderts zuwächst[73], zunächst aufgrund seines gewachsenen Sozialprestiges, zunehmend aber – und dauerhaft dann seit Justinian – auch in rechtliche Form gekleidet[74]. – Der hohe Stellenwert, den Basilius selbst der bischöflichen *prostasia* zuweist, ist ablesbar an dem Portrait eines idealen Bischofs, wie er es in seinem Nachruf auf Musonius von Neocaesarea liefert (ep. 28). Neben zahlreichen anderen Vorzügen weiss er dem Verstorbenen nämlich dies nachzurühmen, dass er den Vornehmen der Stadt zum »Haupt« (ἔξαρχος), dem Volk zum »Patron« (προστάτης), den Notleidenden zum »Ernährer« (τροφεύς) und dem Vaterland zur »Stütze« (ἔρεισμα πατρίδος) geworden sei[75]. Für seine eigene Tätigkeit als bischöflicher Patron ist v.a. seine Korrespondenz mit hochgestellten Würdenträgern heranzuziehen, die ausser in den Arbeiten von KOPECEK, PATRUCCO u.a. vor allem in den Studien von TREUCKER ausgewertet worden ist[76]. Sie lässt die vielfältigen Belange erkennen, in denen Basilius zugunsten seiner Vaterstadt interveniert: ob es sich nun um die Erleichterung der oft unerträglichen Steuerlast handelt[77]; um Abwehr und Schadensbegrenzung (bei) der geplanten und verwirklichten Provinzteilung[78]; Unterstützung einer städtischen Delegation an den comes rerum privatarum[79]; Intervention zugunsten von in Ungnade gefallener Präfekten, die sich um Kappadozien verdient gemacht haben[80]; oder die Fürsprache zugunsten einzelner oder mehrerer Angehöriger der städtischen

[71] ep. 74,1(:19).2(:4); 75:3.6; 76:2.
[72] ep. 75:28f.
[73] HERRMANN Ecclesia 306ff; LIEBESCHUETZ Antioch 239-242; ders. Barbarians 228-235; GAUDEMET Église 355ff; LANGENFELD Christianisierungspolitik 117.
[74] CLAUDE Stadt 121ff.131ff.147ff.156f; DÖLGER Stadt 88f; VITTINGHOFF Verfassung 37f; JONES Empire 766. Cf. BROWN Saints 45ff.
[75] ep. 28,2(:28ff).1(:8). Auch wenn topisch, charakterisieren diese Merkmale für Basilius das Bild des idealen Bischofs.
[76] KOPECEK ChH 43 (1974) 298ff; ders. Hist. 23 (1974) 319ff; PATRUCCO Basilio 125ff; dies. Patronage 1102ff; TREUCKER Studien 29-63; ders. Letters 405ff.
[77] Etwa epp. 88.104.110.309.315.
[78] epp. 74-76.
[79] ep. 15; dies Unterstützungsschreiben wurde verfasst auf Wunsch der πολῖται τῆς μητροπόλεως (ep. 15:1f).
[80] epp. 147-149 (Maximus); 96; cf. 313.

Führungsschicht, der curiales[81]. – Und ist es hier die Stadt oder Provinz als ganze(s)[82] (bzw. einzelne Vertreter der städtischen Nobilität und des provinzialen Verwaltungsapparats), denen die Fürsprache des Basilius zugute kommt – und die Anlass zu der wohl etwas zu weitgehenden Bemerkung von HILD/ RESTLE gegeben haben: »Damals (= im 4. Jh.) begann (sc. in Kappadozien) auch der Übergang von der antiken Polis zur frühmittelalterlichen Bischofsstadt, in welcher der Bischof Schutzherr der Stadt ... war«[83] –, so richtet sich seine Fürsprache zumindest in gleichem Mass auch auf die humiliores (wie die Eisenbauern im Taurust[84]), deren Steuerlast Basilius zu erleichtern sucht, zu deren Gunsten er an die Beamten der kaiserlichen Administration appelliert, deren Interessen er aber ebenso gegenüber den städtischen Notabeln zu verteidigen weiss[85]. Dies aber ist ebenfalls ein Datum von weitreichender Bedeutung. Denn hier handelt es sich um eine Klientel, die sonst kaum ihren Patron fand. TREUCKER vergleicht die philanthropischen Aktivitäten des Basilius als Bischof mit dem patrocinium, wie es in senatorischen Kreisen (denen er Basilius zurechnet) geübt wurde. Dabei gilt sein Interesse dem Nachweis, dass sich Basilius in Warhnehmung seiner bischöflichen προστασία im Rahmen der Formen und Konventionen seiner Standesgenossen bewegt und zugunsten seiner Schutzempfohlenen die Beziehungen und Ressourcen mobilisiert, die ihm kraft seines sozialen Status offenstehen. Der wesentliche Unterschied besteht freilich im Kreis derer, denen solche Fürsprache zugutekommt. Denn während sich die Korrespondenz eines Symmachus oder Sidonius in der »exklusiven Gesellschaft« sozial Gleichrangiger bewegt und es sich auch bei den Bittstellern, zugunsten derer sie sich verwenden, zumeist um Senatoren handelt, »die Anliegen und Nöte des kleinen Mannes« hingegen »nur vereinzelt das Ohr dieser mit sich selbst zufriedenen Aristokraten« finden[86], zeichnet sich die Tätigkeit des Basilius gerade dadurch aus, dass er sich zum Fürsprecher der Verarmten, Bedrückten und Verfolgten macht. Zu ihren Gunsten versteht er es,

[81] Z.B. epp. 83.84.281.190.
[82] ep. 104:5f.
[83] HILD/RESTLE Kappadokien 67. Dieser Bemerkung ist zuzustimmen, falls damit auf die soziale Autorität der Bischöfe im mehrheitlich christlichen Kappadozien abgehoben wird (neben Basilius etwa Greg.Naz.orat 17 oder ep. 141), nicht jedoch, falls damit die spätere Übernahme munizipaler Funktionen (wie Verantwortung für Wegbau, Stadtbefestigung etc.) bereits für das 4. Jh. behauptet werden soll.
[84] ep. 110.
[85] Cf. Greg.Naz.orat. 43,34,1 (BOULENGER 130).
[86] TREUCKER Studien 63.

das Gewicht seines Amtes, das Renommee seines Standes und sein persönliches Prestige auch gegenüber solchen Beamten in die Waagschale zu werfen, mit denen es aufgund differierender kirchenpolitischer Optionen zunächst keine gemeinsame Verständigungsbasis zu geben scheint[87]. Damit aber ist mehr als ein nur individuelles Merkmal seines Wirkens bezeichnet. Vielmehr macht er damit – charakteristisch für die neue Situation der Kirche – »das Bischofsamt zur Vermittlungsinstanz zwischen dem einzelnen 'kleinen Mann' und dem staatlichen Apparat«[88].

Man kann noch einen Schritt weiter gehen. Denn über eine bloss vermittelnde Tätigkeit hinaus – die seinen Klienten gegenüber staatlichen Instanzen zu dem Recht verhelfen soll, das ihnen nach Massgabe der staatlichen Gesetzgebung zusteht – ist die Wirksamkeit des Basilius als bischöflicher Schutzpatron zugleich stets auch von der Überzeugung bestimmt, dass die Kirche – von ihm als πόλις und σύστημα κατὰ νόμον διοικούμενον definiert[89] – in sich eine Ordnung abbildet, die der staatlichen überlegen ist, und mit dem »göttlichen Gesetz« (θεῖος νόμος) einem Recht untersteht (und in sich zur Darstellung bringt), das über dem der »weltlichen Gesetze« (τὰ ἐμπολιτευόμενα τῷ βίῳ νόμιμα) rangiert[90]. Im Verhältnis zur staatlichen Ordnung ist damit naturgemäss latente Konkurrenz gegeben. Sie äussert sich bei Basilius freilich nicht als Anspruch auf Übernahme staatlicher Funktionen – von ihm als Vermischung kirchlicher und weltlicher Aufgabe kritisiert[91] – als vielmehr durch die Unterstellung kirchlichen Lebens unter kirchliches Recht und die Ausbildung eines dem staatlichen Zugriff entzogenes Schutzbereichs. *ep. 286*, die Auseinandersetzung des Basilius mit einem namentlich nicht bekannten Beamten (commentariensis) über die Behandlung von Kirchendieben, ist in diesem Zusammenhang instruktiv. Diese Auseinandersetzung ist als Streit um die Kompetenzabgrenzung zwischen bischöflicher und staatlicher (in diesem

[87] Z.B. Modestus.

[88] HAUSCHILD TRE V,305; VAN DAM JThS.NS 37 (1986) 59.

[89] hom.ps. 45,4 (29,421cd); 59,4 (29,468b). Wenngleich an den genannten Stellen auf Jerusalem als die »himmlische Stadt« bezogen, so ist doch die Transparenz auf die Kirche derer, die (hier unten) »ihren Wandel im Himmel haben« (hom.ps. 45,4; 29,421c), evident. Cf. SCAZZOSO Reminiscenze; sowie FEDWICK Church 10,50.

[90] ep. 73,3:12ff; zSt cf. VISCHER Basilius 149-151.

[91] Cf. RM 70,29.

Fall: militärischer) Gerichtsbarkeit interpretiert worden[92]. Das dürfte, sofern unter der bischöflichen Gerichtsbarkeit die audientia episcopalis verstanden ist[93], kaum zutreffen. Abgesehen davon, dass sich Basilius nirgends auf formale Rechte beruft, die im aus der episcopalis audientia – die er als Institution eher abgelehnt haben dürfte[94] – zukommen, gibt er auch zu erkennen, dass formell die Kompetenzen in diesem Fall unbestreitbar beim commentariensis liegen[95]. Gleichwohl lässt er aber keinen Zweifel daran bestehen, dass für ihn nur eine innerkirchliche Regelug des Vorfalls in Betracht kommt. Einmal weil Vergehen, die in der Kirche begangen werden, auch kirchenintern geurteilt werden sollen; v.a. aber auch deshalb, da die kirchliche Disziplin die staatliche Rechtspraxis hinsichtlich ihrer pädagogischen Effektivität bei weitem übersteigt. »Wir haben oft die Erfahrung gemacht, dass was die von (weltlichen) Gerichten verhängten Prügelstrafen nicht bewirken, durch (die Belehrung über) die furchtbaren Gerichte Gottes erreicht wird«. Die kirchliche Gerichtsbarkeit ist also der staatlichen überlegen, nicht nur im Blick auf die notorische Korruption und Insuffizienz der staatlichen Gerichte (ein wesentlicher Erklärungsgrund für die wachsende Bedeutung des Bischofsgerichts im 4. Jahrhundert[96]), sondern auch – und dies ist der von Basilius angeführte Gesichtspunkt – angesichts ihrer überlegenen therapeutischen Leistungsfähigkeit. Und auch wenn die formale Zuständigkeit staatlicher Gerichte und säkularen Rechts von Basilius in diesem (und weiteren analogen) Fällen keineswegs angetastet wird, so steht für Basilius der Vorrang des kirchlichen Standpunktes ebenso wenig in Frage.

Lässt Basilius im vorliegenden Fall den staatlichen Rechtsstandpunkt wenigstens in der Optik unangetastet, so ist für ihn ein Kompromiss dort nicht möglich, wo für ihn grundsätzliche Belange auf dem Spiel stehen. Zwei derartige Konflikte seien hier benannt: der Streit um das Asylrecht sowie die Frage der religiös motivierten Sklavenflucht. – Im Blick auf das *Asylrecht* ist her-

[92] TREUCKER Studien 97.101ff.

[93] GAUDEMET Église 234.

[94] Cf. RM 70,29 und dazu oben pp. 216-218.

[95] ep. 286:5ff: νομίσας δὲ αὐτῷ σοι διαφέρειν ὡς τὰ δημόσια πράττοντι τὴν τῶν τοιόντων ὑποδοχήν. Cf. GIET Basile 393f; VISCHER Basilius 151; TREUCKER Studien 101ff. Cf. Cod.Theod. XVI,2,23 (376).

[96] HERRMANN Ecclesia 228; eine Zusammenstellung von Quellen über die Korruptheit staatlicher Gerichte bei VISMARA Episcopalis Audientia 49ff; WALDSTEIN Stellung 535ff.

anzuziehen v.a. jene Begebenheit, über die Greg.Naz.orat. 43,56f berichtet: ein assessor des vicarius Ponti sucht eine frisch verwitwete Dame vornehmen Standes zur Heirat zu nötigen, woraufhin sie bei Basilius in der Kirche Zuflucht sucht; der Versuch des assessors, nun gegen Basilius vorzugehen, misslingt, schon weil die Stadtbevölkerung tumultarisch für ihren Bischof Partei ergreift. – Der rechtliche Hintergrund der kirchlichen Asylpraxis im 4. Jahrhundert ist umstritten. Ein Konsens zeichnet sich ab in der Richtung, dass die christliche Asylie als Institution des römischen Rechtes erst relativ spät – nach LANGENFELD nicht vor 431 – bezeugt ist[97], als kirchliches Gewohnheitsrecht aber längst vorher in Anspruch genommen wurde[98] und als solches wohl bereits in Kanon 5 des Konzils zu Serdika fixiert worden ist[99]. Doch dürfte sich Basilius – wenn er in dem Gespräch mit dem vicarius von den »eigenen Gesetzen der Christen« spricht[100] – weniger auf einen bestimmten Kanon als vielmehr auf die biblisch begründete Schutzpflicht des Bischofs beziehen, auf die er sich beruft und die er auch durchzusetzen vermag – dabei unterstützt vom Volk und insbesondere von den als unruhig bekannten[101] Arbeitern der kaiserlichen Manufakturen in Caesarea. Diese Unterstützung durch das Volk muss so nachdrücklich ausgefallen sein, dass nun seinerseits der assessor bei Basilius Zuflucht suchte. – Der andere hier zu diskutierende Fall ist der der *Sklavenflucht ins Kloster* – ein gerade in Kappadozien und angesichts eines eustathianisch geprägten Milieus aktuelles Problem[102]. Auf diese Frage geht Basilius in seinen Mönchsregeln (RF 11) ausführlich ein und gibt zunächst eine restriktive Antwort: Entlaufene Sklaven, die im Kloster Zuflucht suchen, seien nach »Ermahnung« und »Besserung« ihren Herren zurückzuschicken. »Wenn aber« – so fährt er dann fort – »der Herr schlecht ist und widersetzliche Weisungen erteilt und seinen Sklaven zur Übertretung des Gebots unseres wahren Herrn Jesus Christus zwingen will«, dann gilt es zu

[97] LANGENFELD Christianisierungspolitik 160.146f; cf. LANDAU TRE IV,319ff.
[98] So etwa WENGER RAC I,840ff.
[99] can.Sard. 5 (EOMIA I/2,504); zSt s. HESS Canons 131.
[100] Greg.Naz.orat. 43,56,3 (BOULENGER 172) (die Historizität dieses Disputs einmal vorausgesetzt). Z.St. cf. GIET Basile 389f; MARTROYE Asile 165ff; HERMAN OCP I (1935) 210.
[101] TREUCKER Studien 70.
[102] Zu den Vorwürfen der Synode von Gangra gegen die Eustathianer zählt der, dass sie die Sklaven gegen ihre Herren aufwiegeln (can. 2; ep.synod. JOANNOU I/2,87,7ff / LAUCHERT 79,32ff); cf. GRIBOMONT Monachisme 405; VÖÖBUS Ascetism II,379,39.

»kämpfen«, dann tritt die Weisung Act 5,29 (»Man muss Gott mehr gehorchen als den Menschen«) in Kraft, dann sind solche Sklaven aufzunehmen. – Erstaunlicherweise wird RF 11 weithin konservativ – als in Einklang mit der herkömmlichen Praxis in Kirche und Kloster stehend[103] – beurteilt. So selbst bei FELLECHNER, der die Übereinstimmung »mit kirchlichem und weltlichem Recht« herausstellt und die hier relevante Ausnahmeregelung für religiös motivierte Flucht als »vorsichtig andeutende Redeweise« relativiert[104]. Demgegenüber hebt BELLEN den mit RF 11 bezeichneten Einschnitt gegenüber der bisherigen kirchlichen Praxis hervor: »Mit der bedingten Billigung der letzteren (sc. der aus religiösen Gründen erfolgten Flucht) und der wenn auch vorsichtig erklärten Bereitschaft, dem wegen seines Glaubens geflohenen Sklaven Schutz zu gewähren, schlug er eine Bresche in die bisher geschlossene Front der Kirche gegen die Sklavenflucht«[105]; mit HERRMANN u.a. ist diesem Urteil zuzustimmen[106]. So sehr Basilius aber hier auch gegenüber der bisherigen Praxis eine entscheidende – wenngleich zunächst auf den Bereich des Mönchtums begrenzte – Veränderung vornimmt, für ihn selbst bezeichnet diese Regelung nichts Neues. Sie liegt vielmehr ganz auf der Linie der Bestimmung RM 75,1 – die den von Sklaven gegenüber ihren Herren geschuldeten Gehorsam einfordert und zugleich begrenzt auf jene Fälle, »in denen das Gebot Gottes nicht aufgelöst wird« –, die Basilius nun freilich – und das ist das entscheidend Neue – umsetzt in die institutionelle Realität der monastischen Kommunität.

C. TEMPORA CHRISTIANA

Versuchen wir an dieser Stelle eine Bilanz, so erweist sich Basilius auch in seinem Verhältnis zu staatlichen Autoritäten durch jenen eigentümlichen Zwiespalt von kirchlichem Öffentlichkeitsanspruch und asketisch motivierter Weltdistanz bestimmt, der generell sein Wirken als Bischof charakterisiert.

[103] Zur pachomianischen Praxis cf. Pachom.praec. 49 (BOON 25).

[104] FELLECHNER Askese I,13. Ähnlich: KARAYANNOPOULOS Social Activity 385f; cf. REILLY Imperium 112.

[105] BELLEN Sklavenflucht 82f.

[106] Ähnlich HERRMANN Ecclesia 252: »Asylrecht der Kirche über das Besitzrecht«; CLARKE Works 173,3: »If B.s advise was followed, great friction must have arisen«; cf. TEJA Esclavitud 393ff; BAUS/EWIG Reichskirche 423.

Denn dem Bemühen um *christliche Durchdringung des öffentlichen Lebens* – wie es etwa in der neuen Rolle des Bischofs als Schutzpatron der Stadt sichtbar wird – steht das Wissen um die *Geschiedenheit von kirchlicher und politischer Ordnung* gegenüber; und wie er keinen Bereich und keinen Stand der Gesellschaft der Gehorsamsforderung des Evangeliums entzogen weiss, so hat er umgekehrt dort Grenzen gesetzt, wo diesem Anspruch nicht Folge geleistet wird. – Andere Kirchenmänner des 4. Jh.s haben von ihrer Gegenwart als »tempora christiana« gesprochen[1]. Sie charakterisieren sie damit als eine Zeit, in der die Kaiser Christen geworden sind[2], sich die senatorische Führungsschicht zum Evangelium bekehrt[3] und der heidnische Götzendienst ein Ende gefunden hat[4]. Bei Basilius findet sich dieser Terminus nicht. Vor allem ist ihm der triumphalistische Unterton fremd, der sich damit verbindet[5]. Dabei sieht er sich einer durchaus analogen Situation konfrontiert. Denn gerade im fast schon volkskirchlich geprägten Kappadozien[6] hatte er es nicht nur mit einer bereits mehrheitlich christlichen Bevölkerung zu tun, sondern auch mit städtischen Kurien und einer staatlichen *Provinzverwaltung*, die zunehmend in der Hand von Christen lag. Und wenn er auch nie mit dem verklärenden Unterton von »christlichen« Kaisern und staatlichen Würdenträgern redet, der für andere reichskirchlicheTheologen charakteristisch ist[7], so hat er doch im Unterschied zu manchem rigoristischen Kritiker v.a. aus dem monastischen Milieu die zunehmende Christianisierung der weltlichen Obrigkeit positiv gewertet, als dem Auftrag des Evangeliums entsprechend zu fördern und Nutzen daraus zu ziehen gesucht. So weiss er sich dankbar, dass die Verwaltung Kappadoziens einem »christlichen« Präfekten anvertraut ist[8], und hat keinerlei Scheu, hochgestellte Beamte auf das gemeinsame Bekenntnis anzusprechen[9] und für

[1] Cf. MADEC Tempora Christiana 112-136; MARCUS Saeculum 22-44; STRAUB Regeneratio I,256.

[2] Cf. Hieron.vit.Malch. 1 (PL 23,55b); Oros.hist. VII,28,2 33,16 35,6 (CSEL 5,500.500.526); Ambros.obit. Theod. 48 (CSEL 73,396).

[3] Z.B. Ambros.ep. 17,10 (PL 16,964a).

[4] Z.B. August.cons.evang. I,26,40 (CSEL 43,39,11ff).

[5] S. das bei MADEC unter »B« zusammengestellte Material.

[6] S. oben pp. 46ff.

[7] Cf. oben pp. 296f.

[8] ep. 255,1:3; zSt cf. BAUS/EWIG Reichskirche 88.

[9] So zB die Korrespondenz mit Arinthaeus (ep. 179, cf. ep. 269,1:9ff), Viktor (ep. 152), Terentius (ep. 214), Demosthenes (ep. 225,1:3), Helladius (ep. 109: 15ff); cf. TREUCKER Studien 48ff.50ff. Die hohe Beamtenschaft setzte sich damals noch zu einem ansehnlichen Teil aus Heiden zusammen: s. HAEHLING Reli-

seine Interessen in Anspruch zu nehmen. Auch dass sie Einfluss auf die »christlichen Angelegenheiten« zu nehmen versuchen, wird keinesfalls übel vermerkt. So weiss Basilius im Rückblick dem ehemaligen Präfekten Maximus neben zahlreichen zivilen Vorzügen wie unbestechlicher Amtsführung »in erster Linie« dies nachzurühmen, dass er »τὰ τῶν χριστιανῶν πράγματα zu ihrem alten Ansehen zurückgeführt« habe[10].

Auch das *Militär* wird ausdrücklich – gegenüber traditionellen Reserven[11] und monastisch-konservativem Einspruch[12] – in den »Christen«-Stand einbezogen. »Ist denn der Stand der Soldaten (τὸ στρατιωτικὸν τάγμα) vom Heil ausgeschlossen?«, läßt er den Soldatenmärtyrer Gordius fragen und durch Rede (biblische Beispiele) wie durch die Tat (Märtyrertod) den Gegenbeweis führen[13]; und der namentlich nicht genannte Adressat von ep. 106, ein

gionszugehörigkeit passim, v.a. pp. 561ff (Verhältnisse unter Valens); 611ff (regionale Differenzierung); 614ff (Gesamturteil).

[10] ep. 96:19f; cf. HAUSCHILD Briefe II,155,7.

[11] Greifbar v.a. in kirchenrechtlichen Texten; Unvereinbarkeit von aktivem Militärdienst und Kirchenzugehörigkeit in vorkonstantinischer Zeit festgeschrieben etwa bei Hipp. 16 (BOTTE 36) und in Texten des 4. und 5. Jh.s festgehalten etwa im Testamentum Domini Nostri II,2 (RAHMANI 115) oder den Canones Hippolyti 13f (RIEDEL 206f). Cf. BIGLMAIR Beteiligung 70ff sowie: CAMPENHAUSEN Kriegsdienst; HARNACK Militia; ECK Chiron 1 (1971) 403ff; KLEIN Tertullian 102ff (zur Bewertung des Kriegsdienstes in der vorkonstantinischen Kirche); LIEBESCHUETZ Barbarians 1-6.249ff (»Demilitarization and Christianization« im 4. und 5. Jh.). – Im 4. Jh. ist es zumeist das Beispiel des an der milvischen Brücke siegreichen Konstantin, das – in Verbindung mit (einem meist kurzschlüssig interpretierten) can.Arelat. 3 – als Beleg eines plötzlichen (und parallel zur konstantinischen Wende verlaufenden) Umbruchs in der Bewertung des Soldatenstandes herangezogen wird (so zuletzt HUBER/REUTER Friedensethik 48). Übersehen wird dabei zumeist, dass sich Konstantin erst auf dem Totenbett hat taufen lassen. In dieser – von seinen Nachfolgern (bis Theodosius) ja fortgesetzten – Praxis spiegelt sich gerade auch das Bewusstsein von der Unvereinbarkeit von Christen-Stand und Ausübung des ius gladii wider; es bildet zugleich den Hintergrund des aporetischen Lösungsversuches bei Basilius.

[12] »Christi ego miles sum: pugnare mihi non licet«: so Martin (nach Sulp.Sev.vit.Mart. 4,3 CSEL 1,114), an dem sich die Kontiniutät altchristlichen Märtyrer- und reichskirchlichen Asketenethos besonders deutlich studieren lässt. – Für Basilius ist es das eustathianische Milieu, dem gegenüber er Zugehörigkeit der Soldaten zur Kirche betont: s. RM 78 sowie GRIBOMONT Histoire 258. Cf. auch KNORR Basilius I,13ff.

[13] hom. 18,7 (31,486b); cf. BERNARDI Prédication 80ff. Gordius, Märtyrer unter Diokletian und Bürger Caesareas, wird gezeichnet als Christ von Kindesbeinen an (505a), der Offizier wird (493b), aber angesichts des Opferedikts die militärische Laufbahn aufgibt (496b).

στρατιώτης, gilt ihm als lebender Beweis dafür, dass man »auch im militärischen Leben die vollkommene Gottesliebe bewahren kann und dass der Christ nicht an dem Gewand, das er trägt, sondern der Verfassung seiner Seele erkannt werden soll«[14]. Ranghohe Militärs zählen zu seinem Bekanntenkreis[15] wie seiner Verwandtschaft[16]; christliche Fastenbräuche weiss er im Heer von »allen« beachtet[17]; das Gebet für die Glaubensgenossen in der Armee gehört zur liturgischen Tradition der kappadozischen Kirche[18].

Ja, Basilius kann sogar – singulär im 4. Jh., wie es scheint – den *christlichen Magistrat* einer Stadt bei Ausfall der regulären kirchlichen Autoritäten auf seine Pflicht zur Kirchenleitung behaften. So im Fall der Kirche im syrischen Samosata, deren Bischof – und enger Freund des Basilius – Euseb im Jahr 374 exiliert wurde. Daraufhin verfasst Basilius zwei Schreiben: eines an die Presbyter der Stadt – die er zu Standhaftigkeit und »getreuer Verwaltung« auffordert[19] – und eines an den Rat (βουλευτήριον)[20], den er für seinen Eifer für die Kirche lobt und auffordert, »den bisherigen Taten würdige nachfolgen zu lassen«. »So könnt ihr neben dem Hirten eurer Gemeinde stehen, wenn der Herr ihn wieder auf seinem Bischofsstuhl erscheinen lässt, und jeder von euch berichtet anderes von dem, was ihr für die Kirche Gottes gearbeitet habt, und ihr am grossen Tag des Herrn ein jeder nach dem Mass eurer Mühen von dem freigebigen Gott die Vergeltung empfangt«. Die den Ratsherren zufallende Aufgabe wird also im Bild des Gleichnisses von den Talenten beschrieben: während der Abwesenheit des Bischofs ist ihnen die »Sorge um die Kirche Gottes« mitauferlegt, danach werden sie im jüngsten Gericht beurteilt werden. Ist es im Fall der Kirche von Samosata der Ausfall des regulären Bischofs, der zum Appell an die Mitverantwortung des christlichen Magistrats nötigt, so waren es andernorts Differenzen mit dem jeweiligen Inhaber des bischöflichen

[14] ep. 106; GAIN Correspondance 253 verweist zur Illustration auf den von Gregor von Nyssa als vorbildlich erwähnten Fall eines zum Schutz der Bauern bei Aushebungen tätigen Soldaten (quadr.mart. 46,784c).

[15] Cf. die Korrespondenz mit Arinthaeus (ep. 179), Jovinus (ep. 163), Victor (epp. 152ff), Terentius (epp. 99.214), Traianus (epp. 148f).

[16] Greg.Nyss.vit.Macr. 36ff (SC 178,256,5ff).

[17] hom. 2,2 (31,185cd).

[18] ep. 155:17.

[19] ep. 182. Titel ist mit dem Paris.Coisl. 237 zu lesen: ΤΟΙΣ ΠΡΕΣΒΥΤΕΡΟΙΣ ΣΑΜΟΣΑΤΩΝ (so auch HAUSCHILD, DEFERRARI). Cf. ep. 219.

[20] ep. 183(:5).

Stuhls. So in Tyana – wo Basilius an den Rat schreibt, um nach der Provinzteilung die kirchliche Absonderung Tyanas zu verhindern[21] – oder in Neocaesarea, wo sich Basilius an die λογιώτατοι der Stadt wendet, nachdem sich eine Verständigung mit dem Bischof Atabius schon seit langem als unmöglich erwiesen hat[22]. Und in einem Fall, wie dem Streit um die Translation des Euphronius auf den verwaisten Bischofssitz in der Metropole Nikopolis[23], setzt sich Basilius jeweils nicht nur mit dem Klerus der beiden betroffenen Städte auseinander, sondern zugleich auch jeweils mit deren Rat – dem von Kolonia, weil dieser seinen Bischof nicht ziehen lassen will, und dem von Nikopolis, um dem neuen Mann den Weg zu ebnen[24]. – Derartige Beispiele sind nicht nur sozialgeschichtlich von Interesse, sofern sie die fortschreitende Christianisierung munizipaler Leitungsgremien[25] erkennen (und das Bild der geschlossenen christlichen Stadt am Horizont aufsteigen) lassen. Sie belegen auch den aus sonstigen Quellen bekannten wachsenden Einfluss der städtischen Nobilität auf innerkirchliche Vorgänge. Bedeutsam ist diese Entwicklung aber v.a. deshalb, da es Basilius selbst ist, der den städtischen Magistraten derartige Kompetenzen zuweist – als Ausnahmeregelung gewiss, unter den aussergewöhnlichen Bedingungen der gegenwärtigen Verfolgungszeit und der resultierenden Störung der kirchlichen Infrastruktur. Angesichts seiner sonstigen Reserven ist dies gleichwohl ein bemerkenswerter Vorgang.

Denn er bedeutet ja keineswegs, dass Basilius damit der Einmischung staatlicher Instanzen in innerkirchliche Angelegenheiten das Wort geredet hat. Das Gegenteil ist der Fall: gegen Eingriffe kaiserlicher Beamter in kirchliche Vorgänge hat er sich entschieden zur Wehr gesetzt[26], Einwirkung einflussreicher potentes auf die Besetzung kirchlicher Ämter nachdrücklich auszuschalten gesucht[27]. Von seiner Konzeption des universalen Geltungsanspruches des Evangeliums, dem »alle« Stände und Schichten der Gesellschaft unterstellt sind (auch jene, die in der kanonischen Tradition als unvereinbar mit einer Kirchengliedschaft angesehen werden), führt der Weg nicht zu den ungeklärten

[21] ep. 97: ΤΗΙ ΒΟΥΛΗΙ ΤΥΑΝΩΝ.
[22] ep. 210.
[23] epp. 227–230.
[24] epp. 227–230.
[25] Cf. LIEBESCHUETZ Antioch 225f; PETIT Libanius 201ff.
[26] Z.B. ep. 225.
[27] Z.B. ep. 290; cf. oben pp. 223f.

Mischungsverhältnissen der theodosianischen Ära, wo die staatliche Autorität zur Regelung innerkirchlicher Gegensätze in Anspruch genommen werden konnte – wie von Amphilochius gegenüber den enkratischen Sekten[28] oder Gregor von Nazianz zur Überwindung der von den Apollinaristen ausgehenden Gefahr[29] –, und der Kaiser für sich Weisungsbefugnisse in Glaubensfragen beanspruchte (wie es Theodosius mit der ohne synodale Mitwirkung erlassenen Konstitution Cunctos populos vom 27.2.380 tat[30]). Vielmehr sind für Basilius die kirchlichen Kompetenzen obrigkeitlicher Personen begründet – und begrenzt – durch die Funktion, die ihnen als hervorgehobener Teil des kirchlichen λαός zufällt[31]. – Das Beispiel des Terentius – als nizänischer Christ und einflussreicher Förderer des Basilius am kaiserlichen Hof in Erscheinung getreten – ist in diesem Zusammenhang instruktiv. Als comes und dux Armeniae hatte er ja die kirchliche Armenienmission des Basilius massgeblich unterstützt[32]. Als er jedoch in der verworrenen Lage Antiochiens ein Übermass an Eigeninitiative zur Förderung der nizänischen Sache (durch Unterstützug des Paulinus) entfaltete, hat ihm Basilius im Ton zurückhaltend, in der Sache jedoch klar verdeutlicht, wem das Recht der Kirchenleitung zufällt – nämlich den Bischöfen als den »Vorstehern der Kirche, die ich als Säulen und Stützen der Wahrheit bezeichne und umso mehr achte, als sie« – wie der von Basilius unterstützte Meletius – »durch Exil ... bestraft worden sind«[33].

Und wenn Basilius dem Soldatenstand – in früherer Zeit als unvereinbar mit dem Christenstand erklärt – volles Heimatrecht im Haus der Kirche zuerkennt, so ist für ihn damit andererseits keine Reduktion des Anspruchniveaus verbunden, das Tötungsverbot des Evangeliums nicht durch Rechtfertigung militärischer Gewalt ersetzt[34]. Vielmehr macht Basilius keinerlei Abstriche an der Verurteilung von Gewalt auch im Krieg: die sogenannte »Tapferkeit im Krieg« ist für ihn nichts anderes als »Mord an Mitmenschen« (φονεύειν τοὺς ὁμοφύλους)[35], und auch gegenüber barbarischen »Räubern« –

[28] HOLL Amphilochius 36ff; MAY Kappadozier 332.
[29] MAY Kappadozier 332f; CAMPENHAUSEN GKV 112.
[30] Cod.Theod. XVI,1,2; cf. LIPPOLD Theodosius 124.
[31] ep. 230:1ff.
[32] ep. 99; s.oben p. 304.
[33] ep. 214,4:25ff.
[34] So etwa bei Ambros.off. I,27,129 (PL 16,61); cf. HORNUS Entscheidung 166ff.
[35] hom.ps. 61,4 (29,476c).

angesichts der häufigen Isauriereinfälle ein höchst aktuelles Thema – ist dem christlichen Priester als Repräsentant der bedrohten Dorfgemeinschaft der bewaffnete Widerstand verwehrt[36]. Und dass derlei Behauptungen nicht dem Rhetorischen verhaftet bleiben, zeigt ihre Behandlung im Rahmen der kirchlichen Bussdisziplin, wo Basilius – in bewusster Abgrenzung von der laxeren Praxis der kleinasiatischen Kirchen – zumindest als dringliche Empfehlung verfügt, dass Soldaten, die im Krieg getötet haben, für drei Jahre vom Abendmahl ausgeschlossen werden sollen[37]. Mit diesem Votum hat Basilius nicht nur die spätere kanonische Überlieferung der byzantinischen Kirche mitgeprägt, sondern auch der Glorifizierung im Krieg gefallener Soldaten als »Märtyrer« entgegengewirkt[38]. Kirchliche Integration und Ausschluss im Rahmen der Bussdisziplin erweisen sich hier wie sonst als zwei Seiten einundderselben Sache[39].

[36] can. 55.

[37] can. 13 (= ep. 188,13), als freiwillige Praxis bezeugt etwa auch bei Ambros.obit.Theod. 34 (CSEL 73,388f: quia hostes in acie strati sunt, abstinuit a consortio sacramentorum). – VISCHER Basilius 157 beurteilt dies Votum des Basilius als »nicht folgerichtig«. Das ist zweifellos zutreffend, zugleich aber eben auch charakteristischer Ausdruck der Spannung zwischen strikt evangelischem Ideal und dessen Anspruch auf öffentliche Geltung, die generell das Wirken des Basilius kennzeichnet.

[38] So unter Kaiser Phokas (ap.Balsam.pandect. 13); cf. GIET Basile 168ff; CAMPENHAUSEN Kriegsdienst 214.

[39] Eine unmittelbare Analogie besteht in der Exkommunikation des Hegemon Lybiens (ep. 61; cf. oben p. 174), die unmittelbar in die Vorgeschichte der Kirchenbusse des Theodosius gehört. Auch hier korrespondieren – wie KRETSCHMAR (VF 13, 1968, 41) im Blick auf Theodosius feststellt – Integration durch die Taufe und »'theokratische' Kirchenzuchtmaßnahmen« einander.

X. Kirche unter dem Gericht, Kirche des Geistes

Die vorgelegten Untersuchungen vermitteln den Eindruck eines geschlossenen – zwar nicht spannungsfreien, aber eben darin konsistenten – Kirchenbildes des Basilius. Anstelle einer Zusammenfassung seien abschliessend drei Determinanten benannt, die sein Kirchenverständnis aus unterschiedlicher Perspektive beleuchten. Es sind dies: das Mönchtum als Faktor der Kirchenreform; die prägende, sehr unterschiedliche Aspekte des Redens von Kirche integrierende Bedeutung des Gerichtsgedankens; sowie die (angesichts der realen Bedingungen des reichskirchlichen Christentums) neugewonnene Bestimmung der Kirche als Ort des Geistes.

1. *Mönchtum und Kirchenreform.* Auf die besondere Bedeutung des Mönchtums bei der Frage nach dem Kirchenbild des Basilius sind wir immer wieder, in sehr unterschiedlichem Zusammenhang, gestossen. In der Tat konfrontiert uns die Entwicklung des basilianischen Mönchtums mit der Geschichte eines Experiments, das zum Verständnis des basilianischen Reformprogramms ebenso unerlässlich wie es in dieser Form im Raum der Alten Kirche einmalig ist. Denn entstanden sind die monastischen Kommunitäten des Basilius ja nicht als (von der Menge des Christenvolkes abgehobener) Sonderweg. Vielmehr sind sie hervorgegangen aus dem Bemühen, gemeinschaftlich jene Grundsätze eines »evangeliumsgemässen Lebens« zu verwirklichen, die die Moralia als unbedingte Forderung der Schrift beschrieben und De Iudicio Dei als die einzige mögliche Konsequenz aus der akuten – alle Bereiche des kirchlichen Lebens erschütternden – Krise der reichskirchlichen Christenheit aufgewiesen hatte. Von ihrem Ansatz her geht es den basilianischen Bruderschaften also um nichts anderes als die Verwirklichung einer Lebensform, die sie *allen* Christen zwingend vorgeschrieben und der »*ganzen* Kirche« aufgetragen wussten und zugleich als einzigen Ausweg aus der gegenwärtigen καταστροφὴ τῶν Ἐκκλησιῶν begriffen.

Auf diesen Sachverhalt sind wir immer wieder gestossen. Dabei galt das Interesse jeweils dem Nachweis, wie sich die *Reformimpulse der Moralia umsetzen in* Struktur und Sozialgestalt der *basilianischen Kommunitäten.* Denn gegenüber allen (nach wie vor vorherrschenden) innermonastischen Ableitungsmodellen, die – punktuell durchaus zutreffend – aufs Ganze gesehen jedoch den Blick auf die spezifischen Entstehungsbedingungen des basilianischen Mönchtums verstellen, ist daran festzuhalten, dass sich diese Gemeinschaften entwickelt haben aus den Vorgaben der Moralia. Diese haben sie – in gemeinschaftlichem Leben, gemeinschaftlicher Besprechung und gemeinschaftlicher Einübung (συγγυμνασία) – in die Tat umzusetzen gesucht. Dies ist nachweisbar nicht nur für zahlreiche Einzelheiten des kommunitären Lebens wie etwa das Nebeneinander von Frauen- und Männerklöstern, das in traditioneller[1] wie neuester Forschung[2] zumeist von unterschiedlichen Vorbildern des asketischen Milieus her erklärt wird, oder die Einrichtung von Klosterschulen, ebenfalls zumeist nur als innermonastische Organisationsvariante diskutiert[3]. Für Basilius selbst freilich ergeben sie sich zunächst einfach aus der Weisung des Evangeliums, »a l l e Menschen« zum »Gehorsam gegenüber dem Evangelium« anzuhalten[4] (und darum Männer u n d Frauen sowie Eltern u n d Kinder in die Gemeinschaft ernsthafter Christen zu führen). Insbesondere aber gilt diese Feststellung für die könobitische Orientierung des basilianischen Mönchtums als solche. Denn sehr viel stärker als durch vereinzelte (und historisch eher unwahrscheinliche[5]) pachomianische Anregungen dürfte sie bedingt sein durch die in den Moralia ausgesprochene (und in den Klosterregeln eingehend thematisierte) Gewissheit, dass die vom Herrn geforderte freudige Erfüllung all seiner Gebote keineswegs die Kräfte des Menschen übersteigt, sondern möglich ist in der Gemeinschaft (und dank der Unterstützung) gleichgesinnter Mitchristen[6].

Wenn am Ende dieses Weges – der einsetzt bei der für a l l e Christen verbindlichen Weisung des Evangeliums – die Ausbildung monastischer Son-

[1] HILPISCH Doppelklöster 5ff.10ff; CLARKE Works 37–39; ders. Basil 104ff. 39ff.

[2] ALBRECHT Makrina 119ff.130ff. Der Dissens gegenüber ALBRECHT beschränkt sich darauf, dass sie den unstrittigen Einfluss der Makrina auf Basilius als Frage der Priorität bei der K l o s t e r gründung thematisiert (pp. 93ff). Zutreffend ihre Betonung der Bedeutung der Familienaskese (pp. 87ff).

[3] BARDY Écoles monastiques 293ff; FELLECHNER Askese I,41f; II,165f. Unzutreffend – und zugleich in Kategorien der etablierten monastischen Institutionen denkend – die Meinung von FELLECHNER (Askese I,41), »leitende Idee« der basilianischen Klosterschulen sei gewesen, »beizeiten für den klösterlichen Nachwuchs zu sorgen«. Cf. oben pp. 123f.143ff.

[4] RM 70,13; 73; 76.

[5] S. oben pp. 60f.

[6] RF 7,1.4 (31,929bc.933a–c); ep. 150,2:5–7; cf. oben pp. 87ff.91ff.

derformen steht, so veranschaulicht dies zunächst nichts anderes als die *innovative Potenz des* scheinbar rückwärts gewandten *urgemeindlichen Ideals* unter den Bedingungen der Reichskirche des 4. Jahrhunderts. Beipiele solcher Neuerungen, die organisch aus den Moralia herauswachsen und dennoch im Ergebnis einen qualitativen Sprung markieren, sind etwa: die Ausbildung des *Beichtinstituts*, das hervorgegangen ist aus der (von den Moralia eingeschärften und in den basilianischen Bruderschaften eingeübten) Praxis der mutua correptio fratrum und zu den die künftige Entwicklung des Mönchtums determinierenden Faktoren zählen wird[7]; oder der im Blick auf die spätere Entwicklung so folgenschwere Schritt der Einführung klösterlicher *Gelübde*[8]; oder – um Beispiele aus ganz anderen Feldern kirchlichen Handelns zu benennen – die Einrichtung von Klosterschulen, die zunächst nichts weiter beabsichtigt, als den der Obhut des Klosters anvertrauten Kindern eine Erziehung ἐν παιδείᾳ καὶ νουθεσίᾳ Κυρίου (Eph 6,4) zu geben und dabei (angesichts eines unverändert von der heidnischen Tradition bestimmten Schulwesens) erstmals zu Ansätzen eines *christlichen Elementarschulunterrichts* führt[9]; das allein schon in seinen Ausmassen einmalige *Sozialwerk* des Basilius, das Stadt und Land mit einem Netz klösterlicher Spitäler und Xenodochien überzieht[10]; oder die Einrichtung des *Sklavenasyls* im Kloster[11], nach dem Urteil des Historikers H. BELLEN ein epochemachender Schritt des Basilius, der damit eine »Bresche in die bislang geschlossene Front der Kirche gegen die Sklavenflucht« schlug[12], für Basilius

[7] S. oben pp. 182ff.187ff.

[8] S. oben pp. 120ff (insbesondere 122,12).

[9] KNORR Basilius I,83: »Soweit wir wissen, war damit zum ersten Mal der Versuch unternommen, einen christlichen Unterrichtsplan für die Elementarschule zu schaffen«. – Klosterschulen: RF 15 (AscP/AscM); RB 292 (AscM); RF 53 (AscM); cf. ps.Bas.serm.asc. X,3 (31,625ab). Zum Unterrichtsplan des Basilius, der das traditionelle Unterichtsschema übernimmt, dabei aber »an die Stelle des mythologischen Repertoires der griechischen Schule ... die ... Namen biblischer Persönlichkeiten, Verse(n) aus den Sprüchen und der biblischen Geschichte« setzt, s. RF 15,3 und dazu MARROU Erziehung 601.591ff; KNORR Basilius I,80–96; BARDY Écoles monastiques 300ff; KELLY Jerome 275; GIET Basile 195ff; HARNACK Mission 999f; sowie PACK Schule 185ff.205ff.208ff.212ff.253 (Lit!). – Das Unternehmen des Basilius liegt zeitlich vor den entsprechenden Initiativen des Chrysostomus und Hieronymus, könnte aber seinerseits vom Beispiel christlicher Familienerziehung, wie sie Makrina erfuhr (s. Greg.Nyss.vit.Macrin. 3; SC 178,148/159), inspiriert sein. – Von der Thematik seiner Schrift Ad adolescentes, die sich auf die gymnasialen Studien bezieht, unterscheidet es sich schon durch die andere Altersstufe.

[10] S. oben pp. 306ff.

[11] RF 11; s. oben pp. 317f.

[12] BELLEN Sklavenflucht 82f.

selbst jedoch nichts anderes als die zwangsläufige Konsequenz aus der (vom Evangelium gebotenen) Begrenzung des Gehorsams von Sklaven gegenüber ihren Herren auf jene Fälle, »in denen der Wille Gottes nicht verletzt wird« (RM 75). Dies alles sind Beispiele, denen jeweils dies gemeinsam ist, dass sie sich auf dem Boden des Mönchtums ausgebildet haben, ohne deshalb einer eigenständigen (auf die Ordnung des monastischen Lebens gerichteten) Programmatik des Basilius zu entsprechen. Sie ergeben sich vielmehr – im einzelnen durchaus auch angeregt durch unterschiedliche Vorbilder aus dem monastischen Milieu – v.a. aus dem Zusammentreffen des auf die »g a n z e Kirche«[13] gerichteten Reformideals der Moralia mit den spezifischen Lebensbedingungen und Gestaltungsmöglichkeiten der basilianischen Kommunitäten, ohne dabei aber das Ziel einer am Evangelium orientierten Erneuerung der gesamten Christenheit in all ihren Ständen aus dem Auge zu verlieren.

Denn dieser zweite Gesichtspunkt ist beim Nachzeichnen des basilianischen Reformexperiments in gleicher Weise im Auge zu behalten: dass für Basilius auch die *Christen in der grossen Gemeinde* bleibend dem unverkürzten Geltungsanspruch des Evangeliums unterstehen und darum auch das gemeindliche Leben beständig mit dem Reformprogramm der Moralia zu konfrontieren ist – mit dem Ergebnis innovativer Änderungen auch hier, freilich (im Vergleich zum Mönchtum) gleichsam nur gebrochen, wegen der (den traditionellen Gemeindestrukturen inhärierenden) »menschlichen Überlieferungen«[14]. Wie sich für Basilius *Einheit des Grundsatzes mit der Berücksichtigung der unterschiedlichen Lebensverhältnisse* in Gemeinde und Kloster verbindet, haben wir etwa am Beispiel der *Besitzethik* diskutiert (wo, abgesehen von der Ehe, gemeindliche und monastische Lebensordnung am deutlichsten auseinanderfallen)[15]. Denn auch der Prediger Basilius (hom. 6–8) hat keinen Zweifel daran gelassen, dass

[13] Iudic. 4 (31,660c).

[14] Iudic. 2 (31,653c): διὰ τὴν πολυχρόνιον τῶν ἀνθρώπων συνήθειαν. Konkret macht Basilius solche »menschlichen Überlieferungen« aus nicht nur in der traditionellen Gemeindedisziplin (Iudic. 7 31,669ab; s. dazu oben pp. 156ff) und dem kirchlichen Ehe- und Scheidungsrecht (can 9.21.77; cf. oben p. 169), sondern zugleich in all jenen Formen kirchlichen Lebens, die nicht der ἀκρίβεια τοῦ Εὐαγγελίου entsprechen.

[15] S. oben pp. 77ff.

– sich das Wort Jesu an den reichen Jüngling (Mt 19,21: »Wenn du vollkommen sein willst, gehe hin, verkaufe, was du hast, und gib es den Armen«) unterschiedslos an alle Christen (ob in kleiner oder grosser Gemeinde) richtet;
– derartige Weisung keineswegs blosser »Rat«, sondern bindendes »Gebot« und »zwingende Anordnung« sowie zum Heil unerlässlich ist;
– und darum jeglicher über den (nach Massgabe von Lk 3,11 sehr eng definierten) eigenen »Bedarf« hinausgehende Besitz keineswegs als »Eigentum« (ἴδιον) betrachtet werden darf, sondern als »fremdes Gut« (ἀλλότρια), das den Armen zusteht und darum allenfalls treuhänderisch zu ihren Gunsten zu »verwalten« ist.

Unterschiedlich freilich die resultierenden *Verteilungsmodelle*. Denn während im Kloster die Unterstützung der Armen Sache allein des »nach sorgfältiger Prüfung bestallten« Ökonomen ist, der sich dabei über seine monopolartige Stellung hinaus – auch darin von der Tradition abweichend – vom Grundsatz der Bedarfsprüfung leiten zu lassen hat und darum nur an die »wahrhaft Bedürftigen« auszuteilen befugt ist[16], ist es im bürgerlichen Leben nach wie vor der einzelne Christ, der als οἰκονόμος τῶν ὁμοδούλων sein Hab und Gut zugunsten der Armen »verwalten« darf[17]. Eine Stelle wie hom. 7,1 lässt erkennen, dass Basilius dabei im wesentlichen die traditionellen Betätigungen privater Liebestätigkeit – wie Gastfreundschaft gegenüber dem Fremden, Speisung der Hungrigen etc. – ins Auge fasst. Und wenn Basilius angesichts anhaltender Widerstände seine Forderung nach vollständigem Besitzverzicht reduziert zugunsten der Vorstellung des *»Seelteils«* – einer bestimmten Eigentumsquote also, die (wenn schon nicht, wie zunächst gefordert, zu Lebzeiten, so doch allerspätestens) im Erbfall den Armen der Kirche zuzuwenden ist –, so ist er damit zwar einerseits Ausgangspunkt einer die gesamte folgende Entwicklung bestimmenden Konzeption[18]. Zugleich aber ist diese Entwicklung auch zu interpretieren als Anpassung an die gemeindlichen Realitäten, die – in der Theorie an einem gleichbleibend hohen Anspruchsniveau orientiert – sich de facto doch mit sinkenden Quoten begnügt. Spricht hom. 7 noch von einem besonders grossen Anteil, der vor allen sonstigen Verpflichtungen den

[16] ep. 150,3:26f: διάγνωσις τοῦ ἀληθῶς δεομένου; cf. HOLL Amphilochius 13,3.
[17] hom. 6,2.7 (31,264c.276c).
[18] BRUCK Erbrecht 3: »Basilius des Großen Predigt bietet, soweit wir erkennen können, den Ausgangspunkt für die gesamte folgende Entwicklung«.

Armen zuzuwenden sei, so begnügt sich die (später gehaltene) hom. 8 mit der Hälfte des Besitzes; und Gregor von Nyssa – der die Konzeption des Basilius aufnimmt – redet nur noch von einem (nicht näher bestimmten) »Teil auch für die Armen«[19].

Ganz analoge Beobachtungen lassen sich – um ein zweites, wiederum ganz anders geartetes Beispiel aufzugreifen – machen beim Ausbau des *Kirchenjahres* und der Gestaltung eines christlichen Tagesrhythmus, an der Basilius (wie auch die übrigen »grossen Kappadozier« einschliesslich des Amphilochius) führend beteiligt war. Dies belegt etwa die Einführung des Weihnachtsfestes in Kappadozien durch Basilius[20] (sowie die dort wenig später bezeugte Verbreitung der Hypapante, des Weissen Sonntags und der Mesopentakoste[21]), seine Förderung der Märtyrerfeste (und insbesondere des Eupsychiusgedenktages) als Zentren kirchlichen Lebens[22], die Einführung der Vigilien[23] sowie die sonstigen Aktivitäten des Basilius zum Ausbau eines reich gestalteten Gemeindelebens[24]. Das alles sind Daten, die nicht nur unter liturgiegeschichtlichem Aspekt – im Blick auf die Entwicklung des kirchlichen

[19] S. oben pp. 81ff.

[20] S. KNORR Basilius I,133ff; HOLL Amphilochius 107ff (p. 108f: so muss Basilius »als der Begründer der Feier im Orient gelten ... Strahlenförmig hat sich das Fest von Kappadozien aus im Orient ausgebreitet«); MOSSAY Fêtes; USENER Weihnachtsfest 249ff; cf. GAIN Correspondance 214ff (»La sanctification du temps«); BOTTE Origines 26ff.79ff; DÖRRIES Weihnachtspredigt 302ff. – Die Geschichte des Weihnachtsfestes in Kappadozien ist eng verknüpft mit der Beurteilung der Authentizität der Homilie 27 In s. Christi generationem (31,1457c-1476a). Überblick über die diesbezügliche Diskussion zuletzt bei HÜBNER (Apolinarius 2,5; 263f); für HÜBNER selbst ist die Authentizität »fraglos«.

[21] Zur Ausgestaltung des Festkalenders bei den beiden Gregoren und Amphilochius s. KNORR Basilius I,135ff; HOLL Amphilochius 104ff; MOSSAY Fêtes; DANIÉLOU Ascension 663ff; STUDER Riflessione 42f; cf. ALTENBURGER/MANN Bibliographie 330 (sub voce »Feste der Kirche«).

[22] Cf. GAIN Correspondance 216ff; sowie Gregor von Nyssa (ep. 2), der die Überzeugung äussert, kein Land der Erde besitze soviel Märtyrerstätten wie Kappadozien. Im Blick auf Basilius ist vor allem der Ausbau des Eupsychiusfestes herauszustellen (cf. epp. 100.142.176.200.252). Zu dem für Basilius charakteristischen Verständnis der Märtyrerfeste als Ort der Begegnung (und des Charismenaustauschs) ist ein Text wie hom. 29,2 (31,1489a–c) zentral; cf. oben pp. 35ff Zu den Märtyrerpredigten des Basilius s. zuletzt GIRARDI VetChr 25 (1988) 451–486; TROIANO VetChr 24 (1987) 147ff.

[23] Zur Einführung der Antiphon in Kappadozien durch Basilius s. ep. 207,2:1ff. 3:1ff; cf. KNORR Basilius I,123ff; GAIN Correspondance 169ff; LIETZMANN GAK III,207.

[24] S. etwa die Schilderung in ep. 243,2:29ff. 4:30ff; cf. oben pp. 21f.

Festkalenders im 4. Jahrhundert – von grösster Bedeutung sind. Zugleich entsprechen sie nämlich der bei Basilius ausgeprägten Tendenz, das Leben der Gläubigen einzubetten in ein sich verdichtendes Ordnungsgefüge, das den einzelnen stützt und stabilisiert und ihn im Rhythmus der Tage und des Jahres mit den Wahrheiten der kirchlichen Verkündigung konfrontiert, auch wenn ihm dies zunächst gar nicht bewusst sein mag. Denn nur wenige – so argumentiert etwa das Traditionskapitel von De Spiritu Sancto – verstehen den Sinn der Festtage und liturgischen Ordnungen der Kirche, aber »alle« befolgen sie[25]. Und die kirchliche Praxis des vorösterlichen Fastens, so konstatiert hom. 2, wird inzwischen von »allen« beachtet – »sei es aus Gewöhnung, sei es aus Scheu voreinander« – und ist damit transparent auf das »wahre Fasten«, nämlich die Befreiung von aller Sünde (die aufzuzeigen sich der Prediger Basilius zum Ziel gesetzt hat). – Sehr viel direkter und umfassender freilich lässt sich die Ausbildung einer solchen »geschlossenen Sinnkonstellation«[26] im Bereich des basilianischen Mönchtums verfolgen, das schon in seinem – durch Gebetsstunden gegliederten – Tagesrhythmus ununterbrochen an die »Wohltaten Gottes« bzw. die grundlegenden Daten der Heilsgeschichte zu »erinnern« beabsichtigt[27] und auch in seinen sonstigen Organisationsmerkmalen auf die »gemeinschaftliche Einübung« (συγγυμνασία) in eine Lebensordnung abzielt, die transparent ist auf die Wahrheiten des christlichen Glaubens. – Auch hier ist offensichtlich, dass die Entwicklung von monastischem und gemeindlichem Christentum bei Basilius bestimmt ist von gleichgerichteten Impulsen. Auch hier ist aber zugleich evident, dass sich das Reformprogramm der Moralia im Lebensbereich der monastischen Kommunitäten sehr viel unmittelbarer umsetzen liess und sich die Annäherung an das für urgemeindlich gehaltene Ideal sehr viel direkter vollzog, als dies unter den Bedingungen eines von überkommenen Strukturen geprägten (und durch das

[25] DSS XXVII,66:57ff; cf. Orig.hom.Num. V,1 (GCS 30,26,14ff).
[26] FELLECHNER Askese I,120.
[27] RF 37,3 (31,1013a/AscM) über die Gebetsstunden im Kloster: ἑκάστου ἰδίαν τινὰ ὑπόμνησιν τῶν παρὰ τοῦ Θεοῦ ἀγαθῶν ἔχοντος. Zur dritten Stunde beispielsweise soll »der Gabe des Heiligen Geistes« gedacht werden, den alle einmütig anbeten (προσκυνῆσαι) sollen« (31,1013b) – eine in Zeiten der pneumatomachischen Auseinandersetzungen sicherlich sehr nützliche (und aktuelle) »Erinnerung«. – Zu den Gebetsstunden bei Basilius cf.: MATEOS OrChr 47 (1963) 68–88; GAIN Correspondance 180ff.168ff; FELLECHNER Askese I,42; II,166; CLARKE Basil 86f. Wichtig der Hinweis bei FRANK (Mönchsregeln 384,90), der auf die Entwicklung von ep. 2 zu RF 37 hinweist.

Massenchristentum der reichskirchlichen Gegenwart bestimmten) Gemeindechristentums möglich war.

Dass darum die traditionellen Gemeindestrukturen zunehmend *kritisch* gesehen und die Chancen eines Christenmenschen in bürgerlicher Existenz zu einer dem Evangelium entsprechenden Lebensführung aus monastischer Perspektive immer skeptischer beurteilt werden, haben wir wiederholt notiert. Dem entspricht die wachsende Abkapselung der mönchischen Kommunitäten von der Welt eines nur nominellen Christentums, wie dies schon an den unterschiedlichen Redaktionsstufen der Mönchsregeln abzulesen ist. Die Forderung nach »räumlicher Absonderung« (ἰδιάζειν κατὰ τὴν οἴκησιν) beispielsweise, zunächst im Blick auf das Ziel eines gottwohlgefälligen Lebens nur als »nützlich« beurteilt, wird in der späteren Redaktion von RF 6 als unumgänglich bezeichnet[28]. Entsprechend werden auch die Aussenkontakte der Könobiten zunehmend restriktiv gehandhabt[29]. Die sich verschärfende *Diastase zwischen gemeindlichem und monastischem Kirchenmodell,* die – ursprünglich als Einheit begriffen – infolge des gewachsenen institutionellen Eigengewichts sowie der ungleich intensiveren Reformdynamik des Mönchtums zusehends auseinandertreten, lässt sich an diesem Vorgang unmittelbar ablesen. Sie musste sich steigern in dem Masse, als die basilianischen Kommunitäten durch überregionale Ausbreitung zunehmend in (latente) Konkurrenz zur traditionellen kirchlichen Organisation traten[30] und die wachsende Präsenz auf dem Land zu vermehrten Reibungsflächen mit den dortigen Gemeinden führte[31]. Wie kritisch Basilius in manchem das herkömmliche Christentum im ländlichen Raum berurteilte, lassen verschiedene Bemerkungen v.a. der Busskanones deutlich erkennen. Umgekehrt ergänzen die Mönchsregeln dies Bild durch distanzierten Verweis auf die lokalen kirchlichen Autoritäten[32].

[28] ἀμήχανον: RF 6,1 (31,925c).

[29] Unter den Bestimmungen des Asceticon Magnum sei hervorgehoben: RF 45, 1 (nur der Deuteros darf zu Besuchern reden); RF 32,2 (Gespräch mit den im Kloster als Gästen weilenden Angehörigen nur durch die Beauftragten); RF 35,2 (nur wenige für Besorgungen ausserhalb des Könobiums geeignet); RF 44 (Kriterien der Auswahl).

[30] Cf. oben p. 72,64.

[31] Präsenz auf dem Land: cf. oben p. 102,39.

[32] Beispiele: 1. ep. 270/can. 22.30.53 über die Unsitte des (und Mittäter beim) Brautraub; 2. RB 64.231: σκάνδαλα durch ἱερεῖς im Kloster; 3. RB 187: Verwaltung von Erbschaften durch den lokalen Priester oder Chorepiskopen, »wenn er vertrauenswürdig ist« (ἐὰν ᾖ πιστός).

Für Basilius ist kennzeichnend, dass er trotz wachsender Spannungen und zunehmender Desintegration von mönchischem und gemeindlichem Christentum an dem »e i n e n Weg«[33] für die Christen in grosser und kleiner Gemeinde festgehalten hat. Weder ist er – anders als viele seiner Weggefährten, im Unterschied aber auch zur späteren Entwicklung der von ihm begründeten Gemeinschaften[34] – den Weg einer mönchischen Sonderethik (mit unterschiedlichen Anforderungen an die Christen in Kirche und Kloster) gegangen. Noch hat er – auch darin von anderen kirchlichen Führern des 4. und 5. Jahrhunderts unterschieden – das Mönchtum im Sinne seines Reformprogramms zu instrumentalisieren gesucht, etwa als Dienstpersonal in seinen karitativen Einrichtungen[35] oder als Stosstrupp zur Durchsetzung kirchenpolitischer Ziele[36], als Vorhut bei der missionarischen Durchdringung Kleinasiens[37] oder als Rekrutierungspersonal für den Klerikernachwuchs[38]. Der Beitrag des Mönchtums zur Reform des Christenvolkes, wie er ihm vor Auge stand, ist

[33] ep. 150,2:5. Falsch darum OSBORN TRE X,463: Basilius als »eindrucksvollster Vertreter der Ethik der Mönche«.

[34] Der Versuch, die spätere Entwicklung der basilianischen Kommunitäten anhand der erreichbaren externen Nachrichten sowie interner Indizien der deuterobasilianischen (oder sonst in sein Umfeld gehörenden) Literatur nachzuzeichnen, kann an dieser Stelle nicht unternommen werden. Ich begnüge mich hier mit folgenden (resümierenden) Hinweisen: 1. die in cap. V.B.3 (pp. 133ff) skizzierte Entwicklung, die zur Desintegration der basilianischen Konzeption von der Einheit des Christ-Seins in Kirche und Kloster kraft der Taufe führt; 2. das in cap. III.C (pp. 60ff) skizzierte Umfeld: divergierende Tendenzen begleiten das Werk des Basilius (und die spätere Entwicklung der von ihm begründeten bzw. geprägten Kommunitäten); 3. der oben p. 56,24 am Beispiel des prol. III kurz angesprochene Unterschied gegenüber einer (in der Rufinschen Übersetzung greifbaren) Rezeption seiner Regeln, die kirchliche Gemeinde und monastische Kommunität einander im Sinn zweier Vollkommenheitsstufen zuordnet. – Verwiesen sei auch auf die knappe Skizze der späteren Entwicklung bei HOLL Enthusiasmus 170ff und die Überlegungen bei KNORR Basilius I,96.

[35] Zum andersgearteten Verständnis der monastischen Liebestätigkeit bei Basilius cf. oben pp. 310f.

[36] Zur »Rolle des orientalischen Mönchtums in den kirchenpolitischen Auseinandersetzungen« des 4. und 5. Jh.s s. v.a. BACHT Rolle 193–314, v.a. 291ff; cf. LEIPOLDT Schenute 89ff. – Dass Basilius eine derartige Inanspruchnahme des monastischen Kräftepotential strikt vermied, zeigen etwa die Vorgänge bei der Wahl des Euseb (und noch nicht des Basilius) zum Bischof von Caesarea (Greg.Naz.orat. 43,28f): die Mönche (τοὺς καθ' ἡμᾶς Ναζιραίους) drohen mit Schisma, Basilius selbst zieht sich zurück (cf. oben p. 260).

[37] Wie bei Chrysostomus, der Mönche als Missionare nach Phönizien und Arabien schickte: AUF DER MAUR Mönchtum passim; BAUR Chrysostomos II,326ff.

[38] S. oben pp. 229ff.

am ehesten durch das Schriftwort Mt 5,16 (»Lasst euer Licht vor den Menschen leuchten«) beschrieben. In den Worten der Moralia: der Christ hat »die Gebote Gottes so zu erfüllen, dass, soweit es an ihm liegt, alle erleuchtet und Gott verherrlicht wird«; er soll »das, was durch die Gnade Gottes vollbracht wird, auch anderen zum Lobpreis Gottes bekannt machen«[39]. Nur den »einen Zweck« hat darum auch das Leben der mönchischen Christen: die Umwelt »zum Lobpreis Gottes« mit dem Beispiel vollständiger und freudiger Gebotserfüllung zu konfrontieren[40], auch die Fernstehenden – »wie es oft geschehen ist«[41] – hineinzuziehen in das dem Evangelium entsprechende Leben und so die Menschen einstimmen zu lassen in den Lobpreis der Gemeinde. Die *Aussenwirkung* des basilianischen Mönchtums ist also in seiner *doxologischen Grundausrichtung* begründet. Einfach dadurch, dass sie dem Auftrag ihres Herrn gemäss leben, konfrontieren die »Christen« im Kloster (und ausserhalb) eine dem Namen nach längst christliche Gesellschaft beharrlich mit dem Willen Gottes und laden die Aussenstehenden ein, es ihnen gleich zu tun[42]. Dass diesem Programm durchaus auch eine messbare Realität entsprach, zeigt die Geschichte der basilianischen Kommunitäten, die sich rasch zu sozialen Zentren des Umlandes entwickelten. Die ursprünglich »vor den Toren« Caesareas gegründete Basilias ist hier nur ein besonders instruktives Beispiel[43].

2. *Ekklesiologie und Gerichtsgedanke.* Es wäre nun freilich kurzschlüssig, beide Momente – den auf die »ganze« Christenheit gerichteten Reformwillen sowie das Beharren auf einem sehr strikten Vollkommenheitsideal – einfach zu verteilen auf das Gegenüber von Kirche und Mönchtum, wie es sich im Lauf der Entwicklung ausgebildet hat und immer deutlicher auseinandertritt. Damit sind vielmehr zugleich die *Pole eines Spannungsfeldes* bezeichnet, die jeden Aspekt kirchlichen Handelns bei Basilius bestimmen. Denn dass auch unter den veränderten Bedingungen der Reichskirche (und angesichts zunehmend

[39] RM 18,6; 70,15. Mt 5,14.16 in den Ascetica: RM 18,6 80,9; RB 223.227; RM 4; RF 7,4 17,2; RB 195.229.314; cf. hom.ps. 28,2 und ep. 221.

[40] So ep. 22,3:56ff; RF 20,2 (AscM/31,973a): Μονότροπός ἐστιν ὁ τοῦ χριστιανοῦ βίος, ἕνα σκοπὸν ἔχων, τὴν δόξαν τοῦ Θεοῦ; RF 7,4 (31,933bc); 37,5 (AscM/31,1016c); cf. 43,1 (AscM/31,1028b).

[41] RB 97 (AscP).

[42] Das erinnert in vielem an das, was KRETSCHMAR (Leben 94–130, v.a. 120ff) über die Bedeutung des Lebens der Gemeinden für die Glaubenswerbung der vorkonstantinischen Kirche sagt.

[43] S. oben pp. 306(ff) (+ Anm. 39).

volkskirchlicher Verhältnisse[44]) niemand von der unverkürzten Gehorsamsforderung des Evangeliums ausgenommen ist – weder Mann noch Frau, weder Herr noch Sklave, weder Obrigkeit noch Untertanen, auch nicht der Stand der Soldaten –, ist die hervorstechende Botschaft ja bereits der Moralia, die in ihrem Ständekatalog (RM 70–79) die Forderung des Evangeliums auf die unterschiedlichen Gruppen des Christenvolkes hin zu spezifizieren suchen. Letztlich ergibt sich dieses Spannungsverhältnis unmittelbar aus dem Gerichtsgedanken, dem bestimmenden Hintergrund der Moralia (wie bereits die eröffnenden Worte sowie der vorangestellte Prolog De Iudicio Dei ausweisen). Denn zu beidem wissen die Moralia den »Verkünder des Wortes« ja verpflichtet: er soll »alle« zum Gehorsam gegenüber dem Evangelium rufen, einen »jeden« ansprechen und »niemanden« in Ausübung des Predigtamtes übergehen[45]. Zugleich aber hat er »alles«, was der Herr in seinem Evangelium geboten hat, auszurichten und nichts davon auszulassen[46]. Wehe ihm, wenn er – sei es aus falscher Rücksichtnahme, sei es aus Nachlässigkeit – irgendetwas von dem unterschlägt, was auszurichten ihm aufgetragen ist[47]; das Blut derer, die durch sein Unterlassen zu Fall kommen, wird am Tag des Gerichts von ihm gefordert werden[48]. Und da er darüber hinaus gehalten ist, nicht nur die »Anwesenden«, sondern auch die »Abwesenden« zu erreichen zu suchen und sich nicht nur um die Menschen in der Stadt, sondern auch auf dem Land zu kümmern[49], so leitet sich aus diesem umfassenden Verkündigungsauftrag ab sowohl die Pflicht zur evangelisierenden Durchdringung auch des ländlichen Raums[50] wie auch die Notwendigkeit, eine dem Namen nach inzwischen weitgehend christliche

[44] S. oben pp. 96ff.
[45] RM 70,13.31.36.
[46] RM 70,6.
[47] RM 70,36.
[48] RM 70,7. – Die Pflicht zur unverkürzten Ausrichtung des Gotteswillens wird so unter Verweis auf Act 20,26f und Ezech 3,18.20 verbindlich gemacht für den kirchlichen Prediger (RM 70,7), Klostervorsteher (RF 25,1) und Basilius selbst als den Herausgeber seiner asketischen Schriften, die er so begründet: μήτε ἡμεῖς ἔνοχοι τοῦ αἵματος τῶν ὑπὸ τῆς ἁμαρτίας τεθανατωμένων διὰ τῆς σιωπῆς εὑρεθῶμεν: prol. VI (in Hypotyposin) (ap. GRIBOMONT Histoire 280,17ff).
[49] RM 70,16.12.
[50] RM 70,12: Ὅτι δεῖ τὸν προεστῶτα τοῦ λόγου περιάγειν τὰς κώμας; cf. Rufin.h.e. XI,9 (GCS 9/2, 1015,4ff): Basilius Ponti urbes et rura circumiens ... ita brevi permutata est totius provinciae facies. Zur Präsenz im ländlichen Raum cf. oben pp. 101ff.102,39.

(wenngleich in einzelnen Segmenten immer noch heidnische) Gesellschaft mit dem Geltungsanspruch des Evangeliums zu konfrontieren.

Überhaupt kann der Gerichtsgedanke in seiner Bedeutung kaum überschätzt werden; er ist *einer der integrierenden Faktoren* zum Verständnis kirchlichen Handlens und ekklesiologischer Theorie bei Basilius. Diese besondere Bedeutung ist schon daran ablesbar, dass De Iudicio Dei – ursprünglich, gegen Ende der Konstantiusära, verfasst als Prolog für die Moralia und damit zugleich als das erste öffentliche Wort des Basilius an die Christenheit – gegen Ende seines Episkopats (um 376) erneut seiner Sammlung asketischer Schriften (der Hypotyposis ascetica) vorangestellt wird, um »die Ursache (τὴν αἰτίαν) und die Gefahr (τὸν κίνδυνον) der so tiefgreifenden Uneinigkeit und Zerstrittenheit der Kirchen Gottes und eines jeden gegeneinander« zu beschreiben. Nach wie vor liefert De Iudicio Dei also die angemessenen Kategorien zur Beschreibung der kirchlichen Gegenwart[51]. Der Gerichtsgedanke bestimmt:

– das Programm der *Kirchenerneuerung* als das einer Bussbewegung, die unter dem Vorzeichen der Einsicht steht, dass dies die Zeit der Busse und Umkehr, der kommende Äon hingegen die Zeit des gerechten Vergeltungsgerichtes ist, wie die eröffnenden Worte der Moralia lauten[52];
– er weist das Mönchtum aus als (zunehmend in institutionelle Formen gefasste) Gestalt dieser eingeforderten Busse, begründet nicht durch allgemein-asketische Erwägungen, sondern bestimmt durch die Einsicht, dass – wenngleich ὀψὲ τοῦ καιροῦ, im allerletzten Moment also – »jetzt« die Gelegenheit zu solcher Umkehr geboten wird, die weiter hinauszuschieben Zeichen der Vermessenheit wäre und zugleich den Selbstausschluss vom Heilsangebot Gottes bedeuten würde[53];
– er ist einer der prägenden Faktoren bei der Ausgestaltung der Bussdisziplin in Kirche wie Kloster, die sowohl dort, wo sie – wie im Fall des Systems der öffentlichen Kirchenbusse[54] – eher restaurativ an überkommenen (und von der Entwicklung scheinbar überholten) Einrichtungen festhält, wie dort, wo sie –

[51] prol. VI (in Hypotyposin) (ap. GRIBOMONT Histoire 280,20ff).
[52] RM 1,2.
[53] S. den gleichlautenden Beginn in prol. IV,1 (31,892ab). Πρὸς τίνα καιρὸν ὑπερτιθέμεθα τὴν ὑπακοὴν τοῦ Χριστοῦ τοῦ καλέσαντος ἡμᾶς εἰς τὴν ἐπουράνιον ἑαυτοῦ βασιλείαν (ibid.). Cf. dort auch das dreimalige »νῦν«.
[54] S. oben pp. 175ff.178ff.

wie bei der Entwicklung des Beichtinstituts in der monastischen Kommunität[55] – zur Ausbildung neuer und zukunftsweisender Formen seelsorglicher Betreuung führt, bestimmt ist vom Bewusstsein der dauernden und unmittelbaren Gegenwart Gottes des Richters;

– er ist Thema der öffentlichen Predigt[56] wie Gegenstand der an den einzelnen gerichteten Unterweisung[57] wie Argument synodaler Beratungen[58];

– er macht beispielsweise die Beharrlichkeit verständlich, mit der Basilius für die *Einheit der* vielfach zerrissenen *Kirche* wirkt – aller Empirie zum Trotz und gegen jede Erfolgsprognose[59];

– und auch die eigentümlich zurückhaltende Stellung gegenüber dem vielfachen Wechsel staatlicher Kirchenpolitik unter Konstantius, Julian, Jovian und Valens, von dem Basilius direkt betroffen war, der aber in seinem Werk nur bedingt Resonanz findet, ist wesentlich mitbedingt durch eine Sichtweise, die die Situation der Kirche primär durch das über ihr stehende Gottesgericht (und weniger durch die unterschiedlichen kirchenpolitischen Zielsetzungen der jeweiligen Machthaber) bestimmt sieht[60].

Weit mehr als nur »mönchische Phrase« (LOOFS)[61], ist der Verweis auf das Gericht Gottes also einer der festen Bezugspunkte des Redens von Kirche. Dabei lässt sich die Dominanz dieses Gedankens bei Basilius auch schon daran ablesen, dass er oftmals an die Stelle anderer von der Tradition angebotener Interpretationsmuster tritt[62].

[55] S. oben pp. 187ff.

[56] ἀπειλὴ κρίσεως als Bestandteil der Predigt: hom.ps. 28,7 (29,304a); hom.ps. 1,2 (29,213ab).

[57] Z.B. RB 209: Πῶς δυνηθῶμεν φοβηθῆναι τὰ κρίματα τοῦ θεοῦ.

[58] ep. 141,2:15: Ποίου κρίματος αὐτοὺς οὐκ ἀνέμνησα.

[59] Cf. ep. 203,1:10–22.

[60] S. oben pp. 284-298.

[61] LOOFS Eustathius 63.

[62] Beispiel 1: In hom. 14 wird *Ostern* nicht als Vorgriff auf die künftige Vollendung beschrieben, sondern als der »Tag, an dem« die Christen »im Gedenken an die Auferstehung hätten zuhause bleiben (sc. anstatt sich an den Märtyrergräbern herumzutreiben) und jenes Tages gedenken sollen, an dem der Himmel sich öffnen und der Richter uns vom Himmel her erscheinen wird, die Posaunen Gottes erschallen und ... gerechtes Gericht gehalten und einem jeden nach seinen Werken vergolten wird« (hom. 14,1; 31,445b). Zutreffend DIHLE (Kultfrömmigkeit 51) zSt: »Sicherlich wieder aus seelsorglichen Gründen, aber gewiss nicht im Sinn akzeptierter Festtradition wird hier Ostern umgedeutet«. – Beispiel 2: Wie selbstverständlich beschreibt Basilius die *endzeitliche Kirche* – die »Königin« von Ps 44,10 bzw. die »eine Taube« von Cant 6,9 – als die Kirche des Gerichts, »welche die in ihren

Dabei kann der Gerichtsgedanke unterschiedlich gefasst und dementsprechend der Kirchenbegriff des Basilius unter gegensätzlichem Aspekt beleuchtet werden. Denn die beständige Erinnerung an das *zukünftige* Gottesgericht – wie mit Nachdruck in den Moralia oder dem (den Mönchsregeln als Einleitung vorangestellten) Prolog IV vorgebracht – zielt ja darauf ab, die Gegenwart als Zeit der Entscheidung zu qualifizieren und zugleich als letzte Chance zur Umkehr herauszustellen. »Diese gegenwärtige Zeit« – so die eröffnenden Worte der Moralia – »ist die Zeit der Busse und der Sündenvergebung; in dem künftigen Leben jedoch wird das gerechte Vergeltungsgericht stattfinden«[63]. »Jetzt (νῦν)« – so ganz ähnlich die Begründung des monastischen Lebens in Prolog IV – »ist die 'willkommene Zeit', wie der Apostel sagt, 'jetzt ist der Tag des Heils'. Dies ist die Zeit der Busse, jene die der Vergeltung. Jetzt (νῦν) ist Gott Helfer derer, die sich von ihrem schlechten Weg abwenden, dann aber wird er der furchtbare, keine Entschuldigung gelten lassende Prüfer der menschlichen Taten und Worte und Gedanken sein. Jetzt (νῦν) erfreuen wir uns seiner Langmut, dann werden wir sein gerechtes Gericht erkennen ...«[64]. Die Gegenwart ist also gekennzeichnet durch das liebevolle Erbarmen Gottes und seine Zusage der Sündenvergebung, das unerbittliche Vergeltungsgericht Gottes hingegen ist dem künftigen Äon vorbehalten. Bezogen auf die Kirche heisst dies, sie ist der Ort, wo solche Heilszusage Gottes erfahrbar ist, Zuspruch der Sündenverge-

Werken für gut Befundenen auf die rechte Seite Christi stellt und von den Schlechten scheidet, wie ein Hirte die Böcke von den Schafen trennt« (hom.ps. 44,9; 29,408c), worin er sich von der Auslegung dieser Stelle auf die Kirche der Apokatastasis, als die Origenes (und die ihm folgende Tradition) die Braut von Cant. 6 auslegt (zB GCS 33,83,22: sponsa perfecta = o m n i s rationalis creatura), markant unterscheidet. Nun hat sich Basilius – trotz seiner (punktuellen) Distanzierung von Origenes (dazu s. GRIBOMONT Origénisme 281ff) und obwohl im zweiten Origenistenstreit als Kronzeuge gegen die Lehre von der Endlichkeit der Höllenstrafen in Anspruch genommen (RB 267, kritische Edition bei GRIBOMONT Histoire 267–171) – in diesem Punkt nie polemisch vom Alexandriner abgegrenzt. Im Gegenteil zeigt die Fragestellung von RB 267 – Verwunderung über die Meinung, »dass es für die (im Jüngsten Gericht) Bestraften kein Ende der Strafe geben werde« –, als wie wenig selbstverständlich die basilianische Anschauung von der Ewigkeit der Höllenstrafen (zB hom. 20,2; 31,528bc) galt; Gregor von Nyssa repräsentiert also eher die geläufige Meinung als Basilius. Dessen Position ergibt sich aus dem Entscheidungszwang des gegenwärtigen καιρός: »jetzt« ist die Entscheidung über Heil und Unheil zu treffen, ein Drittes gibt es nicht. Cf. oben pp. 129ff.140.

[63] RM 1,2.

[64] prol. IV,1 (31,892a). Ganz analog die Polemik gegen den Taufaufschub auf »morgen«: hom. 13,1 (31,425b).

bung durch Abkehr von dem bisherigen sündigen Leben realisiert und dem einzelnen die vielfältigen Hilfen zu einer dem Evangelium gemässen Lebensführung zugewendet werden. Dem universalen Heilswillen Gottes – der will, dass »alle Menschen gerettet werden« – entspricht so die Weite eines Kirchenbegriffes, der »alle« Menschen zur Umkehr einlädt (und zugleich sichergestellt wissen möchte, dass diese Einladung tatsächlich auch an alle ausgerichet wird).

Doch dies Gericht Gottes, so sehr es seine Erfüllung erst im künftigen Äon findet, ragt unmittelbar in die *Gegenwart* hinein: jederzeit kann es hereinbrechen, in bestimmten Ereignissen und Strafmassnahmen Gottes ist es bereits unmittelbare Gegenwart. Dass es zu den »Kennzeichen des Christen« zählt, »an jedem Tag und zu jeder Stunde zu wachen, und in der Erfüllung des Gott wohlgefälligen Lebens bereit zu sein, da er nie weiss, zu welcher Stunde der Herr kommt«, sind darum die abschliessenden Worte der Moralia[65]. Fast mit den gleichen Worten enden auch die – den unterschiedlichen Redaktionen der Mönchsregeln vorangestellten – Prologe I und IV, die die Dringlichkeit eines neuen Lebens mit der Erinnerung daran einzuschärfen suchen, »dass wir nicht wissen, an welchem Tag oder zu welcher Stunde der Herr kommt«[66]. Und wenn RM 11 einschärft, »Gottes Gerichte nicht zu verachten, sondern zu fürchten«, so heisst das, sorgfältig auf die Anzeichen dieses Gotteszornes in der Gegenwart zu achten und sie als dringliche Aufforderung zur Busse und kritischen Selbstprüfung zu beherzigen. Derartige κρίματα τοῦ θεοῦ, von Gott als Vorboten des künftigen Gerichts verhängt, um den Ernst der Lage vor Augen zu führen und zur Umkehr zu drängen, kann Basilius ausmachen in aktuellen Ereignissen wie der gegenwärtigen Dürrekatastrophe[67] oder den jüngsten »Barbaren«-Einfällen in Kleinasien[68], in Krankheiten[69] oder sonstigen Unglücksfällen[70]. V.a. aber erkennt er sie im Zustand des Christenvolkes selbst, dessen penetrante Unbussfertigkeit sich Basilius gemäss Rm 1,28f nicht anders erklären kann, als dass Gott es zur Strafe seinen eigenen Sünden

[65] RM 80,22 (31,869c).
[66] prol. I,20 (CSEL 86,7) (Prolog zum Asceticon Parvum); prol. IV,4 (31, 901a), dem Asceticon Magnum vorangestellt; cf. GRIBOMONT Histoire 324.289f. Ebenso: ep. 226,3:42f; ep. 139,1:24–28.
[67] hom. 8(,2 31,309b): Dürre als »gerechtes Gericht«.
[68] can. 84:13ff.
[69] RF 55,4 (31,1049c); ep. 203,1:6f.
[70] ep. 30:6ff (Tod der Mutter).

hingegeben hat[71]. Denn wie über dem unbussfertigen Einzelglied der Gemeinde, das trotz aller Ermahnung und Besserungsversuche mutwillig »in seinen Sünden beharrt«, »offenkundig der Zorn Gottes steht«[72], so gilt diese Diagnose in gleicher Weise für weite Teile des Christenvolkes, die sich beharrlich dem Aufruf zur Umkehr verschliessen und mit denen es darum keine »gemeinsame Sache« mehr geben darf, um nicht in das Gottesgericht hineingezogen zu werden und »gemeinsam (mit jenen) unterzugehen« (συναπόλλυσθαι)[73].

Und dass Gott seine Kirche – »für die Christus gestorben ist« und über die er einst »den Hl. Geist reichlich ausgegossen hat«[74] – verlassen haben muss, ist für Basilius an ihrem desolaten Zustand und der völligen Orientierungslosigkeit des Christenvolkes ebenso ablesbar so, wie umgekehrt der fehlende Zusammenhalt der Kirchen[75], das Vordringen der Häresie[76], das Schwinden des rechten Glaubens[77] oder die vielfachen Schikanen des homöischen Kirchenregiments des Valens[78] jeweils auch begriffen werden als Heimsuchungen, »denen wir wegen unserer Sünden anheimgegeben« sind[79]. In all diesen Momenten ist Denken und Handeln des Basilius bestimmt von der Gewissheit, dass die Kirche unter dem Gericht Gottes steht. In gleicher Weise gewinnen seine wiederholten Klagen über die innere Zerrissenheit des Christenvolkes dadurch ihre besondere Sprengkraft, dass sie eben als Zeichen dieses über der Christenheit stehenden Gerichtes gewertet wird. Denn anders als sonstige christliche Schriftsteller dieser Epoche, die sich zur Charakterisierung der kirchlichen Gegenwart ebenfalls des Theologumenon des gegenwärtigen Gottesgerichtes bedienten, das sie angebrochen sahen etwa in kriegerischen Ereignissen, Naturkatastrophen oder politischen Umstürzen[80] (Motive, die sich auch bei Basilius finden), sieht der Kappadozier das über die Kirche verhängte Gottesgericht vor allem andern darin begründet, dass Gott die Chri-

[71] Iudic. 3 (31,656d–657b).
[72] RB 155.171; RM 11,4.
[73] can. 84:10; cf. oben pp. 159ff.161ff.
[74] Iudic. 1 (31,653ab).
[75] ep. 239,2:14f; 98,1:9f.
[76] ep. 164,2:10f.
[77] ep. 164,2:10ff.
[78] ep. 92,1:21ff; 139,1:23ff; 248:6; 243,3:23ff.
[79] ep. 243,1:13f.
[80] S. zB bei FISCHER Völkerwanderung 174-207; GOETZ Orosius 61ff.

stenheit in ihrer selbstverschuldeten Unbussfertigkeit belässt. Deshalb ist für Basilius die Krise der Kirche auch so aussagbar, dass sie sich der Hilfe Gottes als unwürdig erwiesen hat[81].

Die *Bedeutung dieser Einsicht* liegt nicht nur darin, dass sie für die genannten Paradigmen als Erklärungsmodell dient. Das Beharren auf dem System der öffentlichen Kirchenbusse beispielsweise – unter den Bedingungen des reichskirchlichen Massenchristentums zunehmend als unzeitgemäss empfunden und spätere Beobachter an novatianische Strenge erinnernd – ist nicht verständlich ohne das Theologumenon vom ansteckenden Zorn Gottes, der den Schutz der Gemeinschaft vor dem unbussfertigen Sünder in ihrer Mitte erfordere[82]. Wichtig ist diese Beobachtung v.a dadurch, dass sie einen *partikularen Zugang* zu den einzelnen Feldern kirchlichen Handelns bei Basilius *verbietet*. Denn: wie Basilius Wirkungen ausgelöst hat gerade auch dort, wo dies gar nicht Teil seines eigenen Programms war – wie es sich etwa am Beispiel seines grossangelegten Sozialwerks zeigen liesse, das in den Moralia gar nicht zu den Pflichten eines Bischofs gerechnet und dort überhaupt recht zuückhaltend beurteilt wird[83] –, so lässt sich umgekehrt die Breite der von ihm ausgehenden Wirkungen nicht verstehen ohne Berücksichtigung des Umstandes, dass Basilius selbst seinen zahlreichen Aktivitäten etwa zur Förderung kirchlicher Einheit oder zur Zurückdrängung der arianischen Häresie (die im Urteil der Zeitgenossen und erst recht der späteren Hagiographie seinen Ruhm begündeten) letztlich nur einen *begrenzten*, da an Symptomen orientierten *Stellenwert* zugemessen hat. »U n s s e l b s t und unseren Sünden« – so urteilt ep. 164 im Blick auf die Vorherrschaft des homöischen Arianismus – »haben wir die Schuld dafür zuzuschreiben, dass sich die Herrschaft der Häretiker so weit verbreitet hat; fast kein Teil der οἰκουμένη ist dem Brand der Häresie entkommen«[84]. »Wenn aber« – so äussert sich ep. 239 über die begrenzten Chancen eines Einigungsversuches mit der römischen Kirche unter Damasus – »der Zorn Gottes (über der Kirche) bestehen bleibt, welche Hilfe haben wir dann vom Hochmut der Westler zu erwarten?«[85]. »Über alledem« – so kommentiert der an die Nizäner Alexandriens gerichtete Brief 139 die Nachricht von den

81 Iudic. 3 (31,657b).
82 S. oben pp. 159ff.
83 RM 70,22; cf. oben pp. 215f.
84 ep. 164,2:10ff.
85 ep. 239,2:14f. Ebenso: ep. 243,1:17-19.

staatlichen Zwangsmassnahmen gegen die Gemeinde und der Vertreibung ihres Bischofs Petrus – »stellte sich bei mir auch noch folgende Überlegung ein: Hat etwa der Herr seine Kirchen völlig verlassen? Ist jetzt etwa die letzte Stunde da und nimmt der 'Abfall' hiermit seinen Anfang, damit sich demnach 'der Gesetzlose offenbare, der Sohn des Verderbens, der Widersacher, der sich über alles, was Gott oder Heiligtum heisst, erhebt'?«[86]. Solange der Organismus der Kirche krank ist, solange er geschwächt darniederliegt und ganz offensichtlich unter dem Zeichen des andauernden Gerichtes Gottes steht, ebenso lang bleibt er zerrissen durch Uneinigkeit, anfällig für den Virus häretischer Infektion, wehrlos gegenüber allen Pressionsversuchen staatlicher Machthaber. Und ebenso lang mögen alle auf die Bekämpfung einzelner Missstände gerichteten Massnahmen im Urteil des Basilius zwar notwendig und unerlässlich und angesichts des verpflichtenden Ideals der urgemeindlichen Kirche unumgänglich (und von ihm selbst nach dem Urteil von Zeitgenossen wie der Nachwelt in aussergewöhnlichem Masse wahrgenommen worden) sein. Er selbst hat ihnen freilich nur nachgeordnete, da nur an den Folgen anstatt an den Wurzeln eines tieferliegenden Schadens orientierte Bedeutung beizumessen vermocht. Wirkliche Besserung war für ihn zu erwarten allein von der Beseitigung jenes *grundlegenden Schadens,* den die Moralia sowie der Traktat De Iudicio Dei als die »Ursache« (αἰτία) für den vollständigen Orientierungsverlust des Christenvolkes und als Grund für das andauernde Gericht Gottes über seine eigene Kirche ausgemacht hatten – den andauernden Ungehorsam von Kirchenvolk und Kirchenführer gegenüber der offenkundigen Willensbezeugung Gottes. Die Forderung nach einer »moralischen«[87] Erneuerung der Kirche ist so die Antwort des Basilius auf die Krise des reichskirchlichen Christentums (und zugleich die biographische Konstante seiner eigenen kirchenleitenden Tätigkeit). Dass die Kirche dieser Forderung nicht genügte, dass sein Urteil über den Zustand des Christenvolkes im Lauf der Jahre und trotz eigener fortgesetzter Anstrengung nicht positiver (sondern eher zunehmend kritisch) ausfiel, haben wir wiederholt beobachtet. Trotz solcher sich verschärfenden Kritik ist Basilius freilich nicht den Ausweg einer »Flucht« bzw. des Rückzugs aus dem Getriebe einer sich permanent ihrem Herrn verweigernden Kirche gegangen, den andere Kritiker der Reichskirche für angemessen hielten. Denn »nachts wie tags« (νυκτὸς καὶ ἡμέρας), »in aller Öffentlichkeit wie je einzeln« (δημοσίᾳ καὶ

[86] ep. 139,1:22ff (2Thess 2,3f); cf. ep. 264:15ff.8ff sowie oben pp. 294ff.
[87] D.h. an den »Moralia« orientiert.

ἰδίᾳ) wusst er sich – bei drohendem Verlust des eigenen Seelenheils – zur unermüdlichen Bezeugung des Gotteswillens verpflichtet[88]. Dass er dabei de facto Wirkungen erzielt hat, die in Widerspruch zu seiner eigenen unverändert skeptischen Situationsanalyse stehen, und beispielsweise die Einigung der Kirchen des Ostens entscheidend vorangetrieben, den Sieg der nizänischen Kräfte im Orient vorbereitet und auch sonst die Weichen der künftigen Entwicklung wesentlich mitgestellt hat, liegt in der inneren Konsequenz dieses – vom Gerichtsgedanken bestimmten – Kirchenbildes.

3. *Kirche als Ort des Geistes.* In dieses Spanungsfeld ordnet sich nun auch die Bestimmung der Kirche als Kirche des Geistes ein. Der innere Zusammenhang mit dem Gerichtgedanken tritt etwa in De Iudicio Dei ganz offenkundig zutage: es ist die Erfahrung der Geistverlassenheit der Kirche, die den durch keinerlei amtliche Autorität legitimierten Basilius zum Bussaufruf an die Christenheit nötigt. Gerade weil der Herr ursprünglich über seine Kirche »den Hl. Geist so reichlich ausgegossen«[89] und sie mit vielfältigen Charismen geschmückt hat, kann deren Fehlen in der Gegenwart nur als Zeichen des Gerichts verstanden werden, das Gott über diese seine eigene Kirche verhängt hat[90].

Diesem kritischen Urteil liegt die für Basilius charakteristische Überzeugung zugrunde, dass die Erfahrung des Geistes an *Gemeinschaft* gebunden ist. Zwar finden sich bei Basilius vereinzelt auch Ansätze, den Ausgangspunkt bei der Erfahrung des einzelnen zu nehmen. So in jener – dem Plotin stark nachempfundenen – Schrift De Spiritu, die H. DEHNHARD eingehend analysiert und auf die G. KRETSCHMAR wiederholt im Zusammenhang der Frage nach Wahrnehmungen des Geistes bei Basilius hingewiesen hat[91], deren

[88] So RM 70,19 (als Pflicht des kirchlichen »Vorstehers des Wortes«); ep. 217,84:22f (Abschluss der Kanones, im Blick auf die kirchliche Bussdisziplin); prol. III (31,1080a) (im Blick auf Mönchs- wie grosse Gemeinde).

[89] Iudic. 1 (31,653ab).

[90] Absenz des Geistes als selbstverschuldete Folge des Ungehorsams der Christenheit benennt etwa auch: ep. 164(,2:10f. 1:12ff); prol. IV,3 (31,897a; »Betrüben des Hl. Geistes«); RB 204 (Erfüllung »aller« Gebote als Voraussetzung für den Verbleib des Geistes). Zum Motiv des »Betrübens des Hl. Geistes« (Eph 4,30) s. BILANIUK Diakonia 15 (1980) 54ff.

[91] DEHNHARD Abhängigkeit passim; KRETSCHMAR Geist 92ff; ders. Theologie 125.

basilianische Urheberschaft jedoch immer stärkeren Zweifeln ausgesetzt ist[92]. Ähnlich das berühmte 9. Kapitel von De Spiritu Sancto, das die Gott-Werdung der geisterleuchteten Seele beschreibt, freilich im Ganzen der Schrift (wie auch im Blick auf deren Überlieferungsgeschichte) eine Sonderstellung einnimmt[93]. Kennzeichnend für Basilius ist jedoch die andere Aussagelinie: dass die Fülle der Charismen allein innerhalb der Gemeinschaft der Mitchristen erfahrbar wird, wo »das Charisma eines jeden zum Gemeinbesitz derer wird, die zusammenleben«, und die dem einzelnen Christen verliehene »Kraft des Hl. Geistes ... zugleich auf alle übergeht«, während der, »der für sich alleine lebt und vielleicht eine Gnadengabe besitzt, sie wertlos macht, weil er sie nicht benützt, sondern in sich vergräbt«[94]. Dies ist ja in RF 7 eines der Hauptargumente für die könobitische Lebensweise, dass in der *monastischen Kommunität* die einem jeden Glied (wenngleich in unterschiedlichem Mass) verliehenen Gaben zum Gemeinbesitz aller werden. Dies wird – etwa in ep. 113 oder 243 – ganz analog von der *grossen Gemeinde* ausgesagt, die vielfältige Hilfen für ein vom Geist geleitetes Leben bereitzustellen sucht und in deren Mitte jenes »glückselige Jubeln der Seelen« zu erfahren ist, »das bei den Versammlungen und in der gemeinschaftlichen Teilhabe der geistlichen Gnadengaben denen zuteil wird, die an den Herrn glauben«[95]. Und dies zählt Basilius zu den hervorstechenden Merkmalen auch des *synodalen Lebens* der Kirche, das er – neben allen administrativen und kirchenleitenden Funktionen – stets auch unter dem Aspekt der persönlichen Begegnung und des dadurch ermöglichten »Austauschs der geistlichen Charismen« sieht[96].

Diese Bindung von Erfahrung des Geistes an Strukturen der Gemeinschaft ist ebenso kennzeichnend für Basilius wie es ihn vom individualistischen Vollkommenheitsideal eines Gregor von Nyssa oder dem Geistchristentum eines Symeon/Makarius unterscheidet, das eher auf »die Geisterfahrungen im Innern

[92] RIST Neoplatonism 195 (»uncertain«); FEDWICK Chronology 4,14; HÜBNER Apolinarius 123,75 (spuria).

[93] S. DÖRRIES DSS 54f; cf. RIST Neoplatonism 199; GRIBOMONT Oec. 2 (1967) 40f; LUISLAMPE Spiritus 155.

[94] RF 7,2 (AscP/31,932a).

[95] ep. 243,2:34ff. Cf. RM 58,2: ἑκάστῳ δίδοται παρὰ θεοῦ χαρίσματα πρὸς τὸ σύμφερον; DSS XVI,39:26ff: »die Ausschmückung (διακόσμησις) der Kirche« mit Charismen (1Kor 12,28).

[96] Z.B. ep. 176:17f: κοινωνία τῶν πνευματικῶν χαρισμάτων; cf. ep. 264:7f: ἀπολαῦσαι τῶν ἐν σοὶ χαρισμάτων; ep. 100:19f; 165:5.

der einzelnen Seele« hin ausgerichtet ist[97]. So ist es keineswegs zufällig, dass etwa das ekklesiologische Symbol des Leibes Christi – zentral für Basilius, bestimmend aber auch für Gregor von Nyssa[98] – bei Basilius (und darin nun ganz anders als bei Gregor[99]) verknüpft wird mit dem Bild der Urgemeinde. Denn dadurch wird es zugleich auf die konkrete Gemeinschaft der Christen hin interpretiert, in der der Leib Christi sichtbar wird und sich der Geist in seinen vielfältigen Bekundungen dem einzelnen Glied der Gemeinschaft mitteilt. – Und wenn es zu den bestürzenden Erfahrungen des Verfassers von De Iudicio Dei (sowie später des Presbyters und Bischofs) gehört, dass die reale Kirche diesem Bild einer vom Geist erfüllten Gemeinschaft nur sehr bedingt entspricht, dass in den Strukturen der vom Massenchristentum der Gegenwart gekennzeichneten und durch Streit und interne Machtkämpfe zerrissenen Reichskirche nur noch wenig von jenen »alten Zeiten« zu spüren ist, »als die Kirchen Gottes gestärkt im Glauben blühten« und »in Liebe geeint wie die Glieder eines Leibes zusammenwirkten«, als noch die Gläubigen voller Eifer und die Gemeinden noch von »der Kraft des Geistes und der Wirksamkeit der von ihm ausgehenden Charismen« erfüllt waren[100], so ist doch umgekehrt damit zugleich das Bild bezeichnet, an dem er die Kirche der Gegenwart misst, und der Massstab benannt, den er seinem Handeln als verantwortlicher Leiter der kappadozischen Kirche und als spirituelle Autorität der asketischen Gemeinschaften zugrundelegt. Jedenfalls antwortet Basilius auf die Krise der Zeit und die Auflösung der alten, vornizänischen Gemeindestrukturen nicht dadurch, dass er die Erfahrung des Geistes zurücknimmt in die Lebenswelt des einzelnen[101] oder begrenzt auf die Erfahrungen des Mönchtums[102]. Vielmehr hält er –

[97] DÖRRIES Theologie 442.
[98] HÜBNER Einheit passim.
[99] Zur »'Individualisierung' ekklesiologischer Themen« bei Gregor von Nyssa s. HÜBNER Einheit 202f. Nicht zufällig spielt der Rekurs auf das urgemeindliche Modell bei Gregor keine Rolle: s. oben p. 31,3.
[100] Z.B. ep. 164,1:13ff. 2:7ff. S. oben pp. 31ff.33ff.
[101] So KRETSCHMAR (Geist 94) über die Wahrnehmung des Pneumatischen unter den veränderten Bedingungen des reichskirchlichen Christentums. Ähnlich seine Interpretation der veränderten Funktion der Taufe im 4. Jh.: »Die Taufe wird damit noch stärker in das Innere der Kirche geschoben, als wir es im 3. Jh. gefunden hatten. Sie wird nun kaum noch als Grenze empfunden, dafür ist sie zur Quelle geworden« (Taufgottesdienst 151). Wie oben gezeigt (pp. 137ff), trifft diese Charakterisierung für Basilius – im Unterschied zu anderen reichskirchlichen Theologen – nicht zu.
[102] Cf. HAUSCHILD Geist Gottes 287. – H. DÖRRIES hatte seiner klassischen Monographie über De Spiritu Sancto stillschweigend die Hypothese zugrundege-

allen ambivalenten und niederschmetternden Erfahrungen zum Trotz – daran fest, dass es »die ganze Kirche« ist, die »unser Herr Jesus Christus seinen Leib zu nennen« sich bereit gefunden hat[103] und die er mit der Verheissung – und dem bleibenden Anspruch – der Gegenwart seines Geistes konfrontiert.

Auf die *praktischen Auswirkungen* dieses pneumatischen Gemeindeideals sind wir wiederholt gestossen. So etwa im Zusammenhang der Diskussion von Taufe und *Kirchenzugehörigkeit*, wo Basilius sowohl in der sog. Ketzertauffrage wie im Blick auf die Masse der Dauerkatechumenen einen restriktiven Kurs steuert[104]. Denn wenn Basilius beispielsweise der von Novatianern gespendeten Taufe die Anerkennung verweigern will und sich für diese Haltung – die von der Praxis anderer Kirchen Kleinasiens und Roms abweicht – auf die von Cyprian und »unserem Firmilian« formulierte Tradition beruft[105], so mag diese Massnahme als ein restaurativer Zug erscheinen, zumal diese cyprianisch-firmilianische Tradition auch in Kappadozien weitgehend in Vergessenheit geraten zu sein scheint[106]. Sie entspricht jedoch zugleich strikt seiner Bestimmung der Kirche als Ort des Geistes, wobei Geistbegabung für ihn ja an die Taufe gebunden ist: »denn da sie von der Kirche abgefallen waren, hatten sie nicht mehr die Gnade des Hl. Geistes ... noch die Vollmacht zu taufen ...«[107]. – Von analogen Grundsätzen bestimmt, aber in seinen Auswirkungen sehr viel

legt, dass zu den bewegenden Kräften bei der Ausbildung der Lehre vom Hl. Geist bei Basilius die spezifischen Erfahrungen des Mönchtums gehören (DSS 7; ebenso ders. Basilius 139f). Diese Annahme hat er später widerrufen (Theologie 445). In der Tat haben sich die Erfahrungen des Mönchtums – wie gerade das Beispiel des Eustathius zeigt – in unterschiedlichen bis konträren Voten zur Frage der Stellung des Hl. Geistes niederschlagen können. Aber auch im Blick auf Basilius selbst trifft die Arbeitshypothese von DÖRRIES nicht zu, da dieser ja stets an der Zusage des Geistes für die »g a n z e Kirche« festgehalten hat (s.u. Anm. 103). Die Unterscheidung Kerygma – Dogma, so sehr sie durch monastische Erfahrungen mitbedingt sein mag, zielt auf eine Differenzierung, die für Basilius sehr unterschiedlichen Lebensäusserungen der Kirche (und eben nicht nur oder in erster Linie dem Gegenüber von kleiner und grosser Gemeinde) zugrundeliegt. Cf. oben p. 76,15; 261,48.

103 ep. 243,1:4ff (τὴν πᾶσαν τοῦ θεοῦ Ἐκκλησίαν); ebenso Iudic. 4 (31, 660c).

104 S. oben pp. 138ff.147ff.

105 can. 1.47; cf. oben pp. 149ff.

106 Gregor von Nazianz jedenfalls kann Cyprian – auf dessen Autorität (und auf die »unseres Firmilians«) sich Basilius in der Ketzertauffrage gegenüber der abweichenden Praxis anderer Kirchen Kleinasiens (und Roms) beruft – mit dem gleichnamigen Zauberer (!) verwechseln, und das in einer Rede zu seinem Gedenktag (!): orat. 24; cf. BERNARDI Prédication 161ff; COMAN Cypriens 362ff.

107 can. 1:51ff.57ff.

weitreichender, ist seine restriktive Handhabung des »Christen«-Titels, den Basilius entgegen weitverbreitetem Sprachgebrauch der Masse der Dauerkatechumenen verweigert und programmatisch allein den Christen (in Kirche wie Kloster) zuspricht, die getauft sind (und um die aus der Taufe erwachsene Verpflichtung wissen)[108]. – In einer anderen, produktiven Funktion begegnet uns die Zielvorstellung der Kirche als Ort des Geistes etwa als *Organisationsprinzip der* basilianischen *Kommunitäten*[109].

Es ist jedoch ein anderer Gesichtspunkt, der noch besonders hervorzuheben ist: die *Versichtbarung des Leib-Christi-Gedankens in den sozialen Strukturen der Kirche.* Denn wie Basilius die reale Kirche in ihren unterschiedlichen Erscheinungformen dem Kriterium der Entsprechung zum Leib Christi unterstellt[110], so hat er umgekehrt ihre vielfältigen Einrichtungen und Lebensäusserungen stets zugleich auch als Manifestation des Leibes Christi begriffen; und jenes Verhältnis modellhafter Identität – das für ihn die Zuordnung von kirchlicher und monastischer Gemeinde bestimmt – gilt in ähnlicher Weise auch für die sonstigen Erscheinungsformen von Kirche. Unter diesem Aspekt kann Basilius vielfältige Gestalten der Kirche ins Auge fassen: die weltweite Gemeinschaft der Kirchen[111] ebenso wie den Zusammenhalt einzelner Gemeinden der Region[112], das Zusammenkommen von Christen bei einem Märtyrerfest[113] in gleicher Weise wie die »Gemeinschaft der geistigen Charismen« anlässlich einer Synode[114], den gegenseitigen Besuch von Klerus und Kirchenvolk verschiedener Gemeinden[115] wie sonstige Formen der Bekundung wechselseitiger συμπάθεια und zwischenkirchlicher Solidarität. All dies sind sehr unterschiedliche Betätigungen und Lebensäusserungen der Kirche, die zugleich als Konkretionen des Leibes Christi verstanden werden. Deshalb macht Basilius etwa auch – im Unterschied zum westlichen Konzilsverständnis – keinen prinzipiellen Unterschied zwischen den verschiedenen Ebenen synodaler Versammlungen, sofern diese nur jeweils den Strukturmerkmalen des

108 S. oben pp. 138ff.
109 Cf. oben pp. 182ff.
110 Iudic. 3 (31,660ab); ep. 243,1:4ff; cf. oben pp. 23f.
111 Z.B. ep. 243,1:4ff.
112 Z.B. ep. 203,3:1ff.
113 hom. 29,2 (31,1489a–c); cf. oben pp. 35ff.
114 ep. 176:17f.
115 ep. 204,7:30ff.

Leibes Christi entsprechen. Und dies ist auch der Grund, weshalb sich Basilius bemüht, möglichst viele Gelegenheiten zum Zusammentreffen zu schaffen (Märtyrerfeste, sonstige Anlässe), damit die räumliche Trennung überwunden[116] und – wie in den »alten Zeiten« – Gelegenheit zu spirituellem Austausch und wechselseitiger Verbundenheit geboten werde. »Denn dies war einst der Ruhm der Kirche: von einem Ende der Erde bis zum anderen fanden die Brüder aus einer jeden Kirche überall Väter und Brüder«[117].

Denn beides ist für Basilius unverzichtbar: die gemeinschaftlichen Strukturen der Kirche wie das sie erfüllende geistliche Leben, institutionelle Basis und pneumatische Dimension des Leib-Christi-Gedankens; das eine ist Voraussetzung für das andere, beiden hat die Sorge des verantwortlichen kirchlichen Leiters zu gelten. Denn (wie in den Wirren der Valenszeit oft geschehen) mit der Zerschlagung der Gemeinden hat auch ihr spirituelles Leben ein Ende gefunden[118], ohne Zusammenschluss der gespaltenen Gemeinden kann nicht jener Prozess »gemeinschaftlicher Einübung« (συγγυμνασία) in Gang kommen, der zu tieferer Glaubenseinsicht und vollem Verständnis der Wahrheit des nizänischen Bekenntnisses führt[119]. Darum bei Basilius die Polemik gegen jegliche Form leichtfertiger »Absonderung« (μόνωσις) (im Bereich des Mönchtums wie der Kirchenpolitik), darum zugleich sein Beharren auf der institutionellen Basis kirchlicher Einheit (auch wenn sich solcher »Friede« dem kritischen Blick nur als »scheinbarer Friede« enthüllt)[120]. Deswegen bei ihm einerseits der Kampf um Festigung und Ausbau kirchlicher Strukturen sowie andererseits – und wichtiger noch – das ständige Bemühen um deren Durchdringung mit geistigem Leben. Und deshalb auch bei ihm der unablässig wiederholte Versuch, die vorfindliche Kirche jener »Gestalt der alten Liebe« anzugleichen, die der Herr als verbindliche Vorgabe für seine Kirche gesetzt hat und die für Basilius noch in der jüngeren Vergangenheit auch verwirklicht war, jedoch in der Gegenwart allenfalls noch in vereinzelten »Spuren« und »Überbleibseln« anzutreffen ist.

[116] hom. 29,2 (31,1489a): ἵνα τὴν ἐκ τῶν χρόνων ἐγγινομένην ἀλλοτρίωσιν διὰ τῆς τῶν καιρῶν ἐπιμιξίας ἀνανεοῦσθαι.
[117] ep. 191:23ff; 203,3:24ff.
[118] Z.B. ep. 243,2:29ff; cf. oben pp. 21ff.
[119] Z.B. epp. 113f (cf. oben pp. 252ff.24ff).
[120] Z.B. ep. 141,2:7ff; cf. oben pp. 278ff.15f.

Und wenngleich so sein Urteil kritisch ausfiel – zu kritisch – im Blick auf seine Zeit wie den von ihm selbst geleisteten Beitrag, so wusste er doch sein Werk fortgesetzt in der Kraft des Geistes, dessen gottheitliche Würde zu bekennen ihm wichtigstes Anliegen war. Denn, so lauten die Schlussworte von De Spiritu Sancto und zugleich das abschliessende Bekenntnis seines Lebens: »Denn der Herr wird – sei es durch uns, sei es durch andere – die Erfüllung des noch Ausstehenden geben gemäss der Erkenntnis, die der Geist denen gewährt, die seiner würdig sind«[121].

[121] DSS XXX,79:25ff. Cf. RM 70,27 sowie prol. VI (ap. GRIBOMONT Histoire 282,43ff).

ABKÜRZUNGEN

Abkürzungen nach S. SCHWERTNER, Internationales Abkürzungsverzeichnis für Theologie und Grenzgebiete, Berlin 1974. Abweichend oder ergänzend dazu:

- ANRW — Aufstieg und Niedergang der Römischen Welt
- CCC — Civiltà Classica e Cristiana
- CCG — Corpus Christianorum. Series Graeca
- CCL — Corpus Christianorum. Series Latina
- CPG — Clavis Patrum Graecorum
- CUAPS — The Catholic University of America. Patristic Studies
- GNO — Gregorii Nysseni Opera
- MÉFRA — Mélanges de l'École française de Rome. Antiquité

Die Abkürzungen der Schriften des Basilius sind vermerkt bei den Angaben zu seinen Werken.

LITERATURVERZEICHNIS

1. TEXTE

a. Basilius

(In Reihen)

- (PG) Patrologiae cursus completus. Series Graeca, Paris 1864ff (Bd. 29-31)
- (BEP) ΒΙΒΛΙΟΘΗΚΗ ΕΛΛΗΝΩΝ ΠΑΤΕΡΩΝ, Athen 1955ff (Bd. 51-57)
- (SC) Sources Chrétiennes, Paris 1941ff
  - cEunom. — Bd. 299.305 (B. SESBOÜÉ/G.-M. DURAND/L. DOUTRELEAU)
  - DSS — Bd. 17 bis (B. PRUCHE)
  - hexaem. — Bd. 26 bis (St. GIET)
  - philoc. — Bd. 226.302 (M. HARL/N. DE LANGE/É. JUNOD)
  - (bapt.) — Bd. 357 (J. DUCATILLON)
  - (creat.hom.) — Bd. 160 (A. SMETS/M. VAN ESBROECK)
- (BKV) Bibliothek der Kirchenväter, Kempten 1911ff (Bd. 46f)

(Einzelausgaben und -übersetzungen)

– Über den Hl. Geist, eing. und übers. von M. BLUM (Sophia 8), Freiburg/Br. 1967.
– Aux jeunes gens sur la manière de tirer profit des lettres hellèniques, hg. u. übers. von F. BOULENGER, Paris 1965.
– The Ascetic Works of Saint Basil Translated into English with Introduction and Notes by W. K. L. CLARKE, New York/Toronto 1925.
– Lettres. Bd. I-III, hg. u. übers. von Y. COURTONNE, Paris 1957-1966.
– Homélies sur la richesse, hg. u. übers. von Y. COURTONNE, Paris 1935.
– Die Mönchsregeln. Hinführung und Übersetzung von K. S. FRANK, St. Ottilien 1981.
– The Letters. Bd. I-IV, hg. u. übers. von R. J. DEFERRARI, Cambridge/Mass. 1926-1934.
– Briefe. 1. Teil, eing., übers. u. erläutert von W.-D. HAUSCHILD (BGrL 32), Stuttgart 1990.
– Briefe. 2. Teil, eing., übers. u. erläutert von W.-D. HAUSCHILD (BGrL 3), Stuttgart 1973.
– On the Holy Spirit. A Revised Text with Notes and Introduction by C. F. H. JOHNSTON, Oxford 1892.
– Les Règles Monastiques, übers. von L. LÈBE, Maredsous 1969.
– Les Règles Morales et Portrait du Chrétien, übers. von L. LÈBE, Maredsous 1969.
– Discorso ai Giovani. Oratio ad adolescentes, eing., hg. und übers. von M. NALDINI, Firenze 1984.
– Sulla genesi. Omelie sull'Esamerone, eing., hg. und übers. von M. NALDINI, Rom 1990.
– (Il battesimo). Testo, traduzione, introduzione e commento a cura di U. NERI, Brescia 1976.
– Opere ascetiche, hg. u. übers. von U. NERI/M. A. ARTIOLI, Turin 1980.
– Le Lettere. Bd. I, hg. u. übers. von M. F. PATRUCCO, Turin 1983.
– The Philocalia of Origen. The Text Revised with a Critical Introduction and Indices by J. A. ROBINSON, Cambridge 1893.
– L'homélie de Basile de Césarée sur le mot 'Observe-toi toi-même', hg. von St. Y. RUDBERG, Stockholm 1962.
– S. Basile on the Value of Greek Literature, hg. von N. G. WILSON, London 1975.

(Die einzelnen Schriften)

(Zitiert wird im Regelfall nach der unten angegebenen Ausgabe. Angaben beim Migne-Text nach Band, Seite und Buchstabe (ohne vorangestelltes PG), in den übrigen Ausgaben nach Seite und/oder Zeile. ep. 243,2:6-8 beispielsweise bezieht sich auf die Ausgabe von COURTONNE, Bd. III p. 69, Z. 6-8. Verwendet werden folgende Abkürzungen:)

– cEunom.	Contra Eunomium libri tres	SC 299.306
– (DS)	De Spiritu	in: H. DEHNHARD, Das Problem der Abhängigkeit des Basilius von Plotin, Berlin 1964, 5-12.
– DSS	De Spiritu Sancto	SC 17 bis
– ep.	Epistulae	COURTONNE
– fid.	De fide	PG 31 (/BEP 53)

– hexaem.	Homiliae in hexaemeron	SC 26 bis
– hom.	Homiliae diversae	PG 31
– hom.ps.	Homiliae in psalmos	PG 29/30
– interr.	Interrogationes fratrum (= Fragen und Antworten des Asceticon Parvum in der Übersetzung Rufins)	CSEL 86 (/PL 103,483ff)
– Iudic.	De Iudicio Dei	PG 31 (/BEP 53)
– philoc.	Philocalia	ROBINSON
– RB	Regulae brevius tractatae	PG 31 (/BEP 53)
– RF	Regulae fusius tractatae	PG 31 (/BEP 53)
– RM	Regulae morales	PG 31 (/BEP 53). S. oben p. 39,1.

(Sonstige Abkürzungen)

– AscM	Asceticon Magnum	Zu den verschiedenen Redaktionen des Asceticon s. zusammenfassend GRIBOMONT Histoire 323–325 sowie oben p. 71,60.
– AscP	Aceticon Parvum	
– can.	Canones	zitiert nach COURTONNE Lettres
can. 1–16		= ep. 188
can. 17–50		= ep. 199
can. 51–84		= ep. 217
– hypotyp.	Hypotyposis ascetica	S. oben p. 71,60.
– prol.	Prologi	Zu den verschiedenen Prologen der Ascetica s. GRIBOMONT Histoire XVIII.

b. Sonstige (Einzelausgaben)

(Zitiert wird im Regelfall nach Reihen. Bei Verweis auf die Werke des Gregor von Nazianz und des Gregor von Nyssa in MIGNE'S Patrologie entfällt das vorangestellte »PG«).

Agathange: Histoire du règne de Tiridate et de la prédication de Saint Grégoire l'Illuminateur, übers. von V. LANGLOIS. FGH V,97-194.

Ammianus Marcellinus: Römische Geschichte. 4 Bde., hg. und übers. von W. SEYFARTH, Berlin 1978.

Athanasius von Alexandrien: Werke. Bd. II/1: Die Apologien, hg. von H.-G. OPITZ, Berlin 1935ff.

Athanasius von Alexandrien: Werke. Bd. III: Urkunden zur Geschichte des arianischen Streites ..., hg. von H.-G. OPITZ, Berlin/Leipzig 1934.

BENEŠEVIČ, V. N., Syntagma XIV titulorum sine scholiis secundum versionem palaeoslavicam adiecto textu graeco e vetutissimis codicibus manuscriptis, Petersburg 1906 (ND 1974 Leipzig).

COD: Conciliorum Oecumenicorum Decreta, hg. von J. ALBERIGO u.a., Bologna 1972.

Codex Theodosianus: Theodosiani libri XVI cum constitutionibus Sirmondianis. I/1.2, edd. P. KRÜGER/Th. MOMMSEN, 1954[2] Berlin.

Didascalia et Constitutiones Apostolorum. Bd. I/II, ed. F. X. FUNK, Paderborn 1905.

DIDIER, J.-Ch. (Hg.), Faut'il baptiser les enfants? La réponse de la tradition, Paris 1967.

EOMIA: Ecclesia occidentalis monumenta iuris antiquissima ..., ed. C. H. TURNER, Oxford 1899ff.

Eunapius: Vitae sophistarum, hg. u. übers. von W. C. WRIGHT, Cambridge/Mass. 1968.

Eunomius. The extant works, hg. von R. P. VAGGIONE, Oxford 1987.

Faustus von Byzanz: Geschichte Armeniens, übers. von M. LAUER, Köln 1879.

Gregor von Nazianz: Briefe, eing. und übers. von M. WITTIG (BGrL 13), Stuttgart 1981.

– Über die Bischöfe (Carmen II,1,12), eing., hg., übers. u. komm. von B. MEIER, München 1989.

– De vita sua, hg., eing. und erklärt von Ch. JUNGCK, Heidelberg 1974.

– Discours funèbres, hg. und übers. von F. BOULENGER, Paris 1908.

Gregor von Nyssa: Encomium ... on his Brother S. Basil ..., hg., eing. und übers. von J. A. STEIN, Washington 1928.

– Die große katechetische Rede. Oratio catechetica magna, eing., übers. und komm. von J. BARBEL (BGrL 1), Stuttgart 1971.

Hippolyt: La Tradition Apostolique, hg. von D. B. BOTTE (LWQF 39), Münster 1989[5].

Historia Monachorum in Aegypto, ed. A.-J. FESTUGIÈRE (SHG 34), Brüssel 1961.

JOANNOU, P.-P. (Hg.), Discipline générale antique (IVe–IXe s.). I,1: Les canons des Conciles Oecuméniques. I,2: Les canons des Synodes Particuliers. II: Les canons des Pères Grecs, Rom 1962-63.

Julian: Briefe, hg. und übers. von B. K. WEIS, München 1973.

– Epistulae, leges, poemata, fragmenta varia, edd. I. BIDEZ/F. CUMONT, Paris 1922.

KRAFT, H. (Hg.), Texte zur Geschichte der Taufe, besonders der Kindertaufe in der Alten Kirche (KIT 174), Berlin 1969[2].

LAUCHERT, F. (Hg.), Die Kanones der wichtigsten altkirchlichen Concilien (SQS 12), Freiburg/Leipzig 1896.

Libanius: Opera. Bd. X/XI: Epistulae, ed. R. FOERSTER, Leipzig 1921/22 (= ND Hildesheim 1985).

– Discours sur les patronages, hg., übers. u. kommentiert von L. HARMAND, Paris 1955.

Makarios-Symeon: Epistola Magna. Eine messalianische Mönchsregel und ihre Umschrift in Gregors von Nyssa »De instituto christiano« (AGWG.PH 134), hg. von R. STAATS, Göttingen 1984.

MANSI, J. D. (fortg. von I. B. Martin/L. Petit), Sacrorum conciliorum nova et amplissima collectio ..., 53 Bde., Florenz/Venedig/Paris/Leipzig 1759–1927.

Moses von Chorene: Geschichte Gross-Armeniens, übers. von M. LAUER, Regensburg 1869.

Pachomius: Pachomiana latina, ed. A. BOON (BRHE 7), Louvain 1932.

– Les vies coptes de S. Pachome et de ses premiers successeurs, ed. L.-Th. LEFORT, Louvain 1966[2].

– S. Pachomii vitae graecae, ed. F. HALKIN (SHG 19), Brüssel 1932.
RIEDEL, W., Die Kirchenrechtsquellen des Patriarchats Alexandrien, Leipzig 1900.
Rufin von Aquileia: De Ieunio I,II. Zwei Predigten über das Fasten nach Basileios von Kaisareia, hg., eing. und übers. von H. MARTI (VigChr.S 6), Leiden 1989.
Socrates Scholasticus: Ecclesiastica Historia. Bd. I/II, ed. R. HUSSEY, Oxford 1853.
Themistius: Themisti orationes quae supersunt: I edd. H. SCHENKL/G. DOWNEY, Leipzig 1965; II edd. G. DOWNEY/A. F. NORMAN, Leipzig 1971.
Zosimus: Historia nova. Bd. I-III, ed. F. PASCHOUD, Paris 1971-1989.

2. LITERATUR

ABRAMOWSKI, L., Die Synode von Antiochien 324/25 und ihr Symbol: ZKG 86 (1975) 356–366.
– Das Bekenntnis des Gregor Thaumaturgus bei Gregor von Nyssa und das Problem seiner Echtheit: ZKG 87 (1976) 145–166.
ADKIN, N., The Fathers on Laughter: Orpheus 6 (1985) 149–152.
ALBERTZ, M., Untersuchungen über die Schriften des Eunomius, Wittenberg 1908.
– Zur Geschichte der jung-arianischen Kirchengemeinschaft: ThStKr 82 (1909) 205–278.
ALBRECHT, R., Das Leben der heiligen Makrina auf dem Hintergrund der Thekla-Traditionen (FKDG 38), Göttingen 1986. (Makrina).
– Asketinnen im 4. und 5. Jh. in Kleinasien: JÖB 32 (1982) 517–524.
ALAND, K., Die Säuglingstaufe im Neuen Testament und in der alten Kirche, München 1961. (Säuglingstaufe).
ALEXE, S. C., Saint Basile le Grand et le christianisme roumain au IVe siècle: StPatr XVII/3 (1982) 1049–59.
ALFÖLDI, G., Römische Sozialgeschichte, Wiesbaden 1975.
ALLARD, P., Saint Basile, Paris 1899. (Basile).
– Julien l'apostat. Bd. I-III, Paris 1903-1906. (Julien).
ALTENBURGER, M./MANN, F., Bibliographie zu Gregor von Nyssa. Editionen – Übersetzungen – Literatur, Leiden 1988.
ALTHAUS, H., Die Heilslehre des Heiligen Gregor von Nazianz (MBTh 34), Münster 1972. (Heilslehre).
AMADOUNI, G., L'autocéphalie du Katholikat arménien (OrChrA 181), Rom 1968. (Autocéphalie).
AMAND DE MENDIETA, E., L'ascèse monastique de saint Basile, Maredsous 1948. (Ascèse).
– Damase, Athanase, Pierre, Mélèce et Basile. Les rapports de communion ecclésiastique entre les Églises de Rome, d'Alexandrie, d'Antiochie et de Césarée de Cappadoce, in: L'Église et les Églises (1054-1954). I, Chevetogne 1954, 261–277. (Damase).
– Basile de Césarée et Damase de Rome. Les causes de l'échec de leurs négociations, in: Biblical and Patristic Studies in Memory of R. P. CASEY, Freiburg 1963, 122–166. (Négociations).
– The »Unwritten« and the »Secret« Apostolic Traditions in the Theological Thought of St. Basil of Caesarea, Edinburgh 1965. (Traditions).

– La virginité chez Eusèbe d'Emèse et l'ascétisme familial dans la première moitié du IVe siècle: RHE 50 (1955) 777–820.
– Le système cénobitique basilien comparé au système cénobitique pachômien: RHR 152 (1957) 31–80.
– The Pair »Kerygma« and »Dogma« in the Theological Thought of St. Basil of Caesarea: JThS.NS 16 (1965) 129–142.
ANANIAN, P. , La data e le circostanze della consecrazione di S. Gregorio Illuminatore: Muséon 74 (1961) 43-73. 317-360.
ANASTOS, M. V., Basil's KATA EYNOMIOY. A Critical Analysis, in: Fedwick (Hg.), Symposium I, 67–136. (Basil).
ANDRESEN, C., Die Kirchen der alten Christenheit, Berlin etc. 1971. (Kirchen).
– Altchristliche Kritik am Tanz – ein Ausschnitt aus dem Kampf der Alten Kirche gegen heidnische Sitte, in: H. Frohnes/U. W. Knorr (Hgg.), Kirchengeschichte als Missionsgeschichte. Bd. I, München 1974, 344–376. (Tanz).
– Bestattung als liturgisches Gestaltungsproblem in der Alten Kirche: MPTh 49 (1960) 86–91.
AUBERT, R., Eupsychius: DHGE XV (1963) 1419f.
– Eusèbe, évêque de Césarée de Cappadoce: DHGE XV (1963) 1436f.
AUBINEAU, M., Un témoin du »De Baptismo« attribué à S. Basile, le codex Herleianus 5666: JThS.NS 15 (1964) 75f.
AUF DER MAUR, I., Mönchtum und Glaubensverkündigung in den Schriften des Hl. Johannes Chrysostomus (Paradosis 14), Fribourg 1959. (Mönchtum).
AUFHAUSER, J. B., Armeniens Missionierung bis zur Gründung der armenischen Nationalkirche: ZM 8 (1918) 73–87.
ASMUS, R., Die Invektiven des Gregorius von Nazianz im Lichte der Werke des Kaisers Julian: ZKG 33 (1910) 325–367.

BACHT, H., Mönchtum und Kirche. Eine Studie zur Spiritualität des Pachomius, in: Sentire Ecclesiam. Fs. H. Rahner, Freiburg etc. 1961, 113–133. (Mönchtum und Kirche).
– Antonius und Pachomius. Von der Anachorese zum Cönobitentum, in: K. S. Frank (Hg.), Askese und Mönchtum in der Alten Kirche (WdF 409), Darmstadt 1975, 183–229. (Pachomius).
– Die Rolle des orientalischen Mönchtums in den kirchenpolitischen Auseinandersetzungen um Chalkedon (431-519), in: A. Grillmeier/H. Bacht (Hgg.), Das Konzil von Chalkedon. Bd. II, Würzburg 1979^{5}, 193–314. (Rolle).
– Das Vermächtnis des frühen Ursprungs. Studien zum frühen Mönchtum. 2 Bde., Würzburg 1972/1983. (Vermächtnis).
– Die Mönchsprofeß als zweite Taufe: Cath(M) 23 (1969) 240–277.
BACKUS, I., Quelques observations à propos des versions latines 'protestantes' (1540) des 'Ascétiques' de S. Basile, in: Mémorial Gribomont 85–97.
BALAS, D. L., Gregor von Nyssa: TRE XIV (1985) 173–181.
BARDY, G., Les origines des écoles monastiques en Orient, in: Mélanges J. de Ghellinck. I, Gembloux 1951, 293–309. (Écoles monastiques).
BARNARD, L. W., Athanase et les empereurs Constantin et Constance, in: Ch. Kannengiesser (Hg.), Politique et théologie chez Athanase d'Alexandrie (ThH 27), Paris 1974, 127–143. (Athanase).
BARNES, T. D., Constantine and Eusebius, Harvard/Mass. 1981.
– The date of the Council of Gangra: JThS.NS 40 (1989) 121–124.

BARRINGER, R., The Pseudo-Amphilochian Life of St. Basil. Ecclesiastical Penance and Byzantine Hagiography: Theol. (A) 51 (1980) 49–61.
BASILIO DI CESAREA = Basilio di Cesarea: la sua età, la sua opera e il Basilianesimo in Sicilia. Atti del Congresso Internazionale Messina 1979. 2 Bde., Messina 1983.
BATTIFOL, P., L'ecclésiologie de saint Basile: EOr 21 (1922) 9–30.
BAUER, J., Die Trostreden des Gregorius von Nyssa in ihrem Verhältnis zur antiken Rhetorik, Marburg 1892.
BAUMEISTER, Th., Die Anfänge der Volkskirche. Pastorale Weitherzigkeit als Impuls für die Entstehung der Volkskirche: FS 61 (1979) 124–133.
– Der aktuelle Forschungsstand zu den Pachomiusregeln: MThZ 40 (1989) 313–321.
BAUR, Ch., Der heilige Johannes Chrysostomus und seine Zeit. 2 Bde., München 1929/30. (Chrysostomus).
BAUS, K./EWIG, E., Die Reichskirche nach Konstantin dem Großen. 1. Die Kirche von Nikaia bis Chalcedon (HKG II/1), Freiburg etc. 1979. (Reichskirche).
BAYNES, N. H., Rome and Armenia in the Fourth century: EHR 25 (1910) 625–643. (Armenia).
BECK, H.-G., Kirche und theologische Literatur im byzantinischen Reich (HAW XII.2,1), München 1959.
BEHR-SIGEL, E., La femme aussi est à l'image de Dieu, S. Basile de Césarée: Contacts 1983, 62–70.
BELLEN, H., Studien zur Sklavenflucht im römischen Kaiserreich, Wiesbaden 1971. (Sklavenflucht).
BELLINI, E., La chiesa nel mistero della salvezza in san Gregorio Nazianzeno, Venegono Inferiore 1970.
BERKHOF, H., Kirche und Kaiser, Zollikon 1947. (Kaiser).
BERNARDAKIS, G., Notes sur la topographie de Césarée de Cappadoce: EOr 11 (1908) 22–27.
BERNARDI, J., Les invectives contre Julien de Grégoire de Nazianze, in: Braun/Richer (Hgg.), Julien 89–98. (Invectives).
– Grégoire de Nazianze critique de Julien: StPatr XIV/3 (= TU 117), 282–289. (Julien).
– La prédication des Pères cappadociens. Le prédicateur et son auditoire, Paris 1968. (Prédication).
BERTHER, K., Der Mensch und seine Verwirklichung in den Homilien des Basilius von Cäsarea, Diss.theol. Fribourg 1974. (Mensch).
BESSIÈRES, M., La tradition manuscrite de la correspondance de s. Basile, Oxford 1923 (= Reprint JThS 21, 1920, 1–50. 289–310; 22, 1921, 105–137; 23, 1923, 337–358).
BETHGE, E., Dietrich Bonhoeffer. Eine Biographie, München 1967³. (Bonhoeffer).
BETZ, J., Eucharistie. In der Schrift und Patristik (HDG IV,4a), Freiburg etc. 1979. (Eucharistie).
– Die Eucharistie in der Zeit der griechischen Väter. I/1, Freiburg 1955 (Väter).
BEYSCHLAG, K., Zur Geschichte der Bergpredigt in der Alten Kirche: ZThK 74 (1977) 291–322.
BIDEZ, J., Julian der Abtrünnige, München 1940. (Julian).
BIENERT, W., Dionysius von Alexandrien. Zur Frage des Origenismus im dritten Jahrhundert (PTS 21), Berlin/New York 1978. (Dionysius).

BIGLMAIR, A., Die Beteiligung der Christen am öffentlichen Leben in vorkonstantinischer Zeit, Aalen[N] 1968 (= München 1902). (Beteiligung).
BILANIUK, B. T., The monk as pneumatophor in the writings of St. Basil the Great: Diakonia 15 (1980) 49–63.
BIRCHLER-ARGYROS, U. B., Byzantinische Spitalgeschichte – Ein Überblick: Historia Hospitalium 15 (1983/84) 51–80. (Spitalgeschichte).
BIRD, H. W., Recent Research on the Emperor Julian: Class. Views 26 N.S. 1 (1982) 281–296. (Research).
BLACKMAN, E. L., Religious dance in the Christian church and in popular medicine, London 1952.
BLUM, G. G., Offenbarung und Überlieferung, Göttingen 1970. (Überlieferung).
– Eucharistie, Amt und Opfer in der Alten Kirche: Oec. 1 (1966) 9–60.
BOBRINSKOY, B., Liturgie et ecclésiologie trinitaire de S. Basile, in: B. Botte/B. Bobrinskoy/R. Bornert u.a., Eucharisties d'Orient et d'Occident, Paris 1970, 197–240. (Liturgie).
BODIN, Y., Saint Jérôme et l'Eglise (ThH 6), Paris 1966. (Jérôme).
BOELENS, M., Die Klerikerehe in der Gesetzgebung der Kirche, Paderborn 1968.
BOHLIN, T., Die Theologie des Pelagius und ihre Genesis, Uppsala 1957. (Pelagius).
BONIS, K. G., Βασίλειος Καισαρείας ὁ Μέγας. Βίος καὶ ἔργα, συγγράμματα καὶ διδασκαλία (BEP Bd. 51), Athen 1975. (Basileios).
– ΑΙ ΤΡΕΙΣ »ΚΑΝΟΝΙΚΑΙ ΕΠΙΣΤΟΛΑΙ« ΤΟΥ ΜΕΓΑΛΟΥ ΒΑΣΙΛΕΙΟΥ ΠΡΟΣ ΤΟΝ ΑΜΦΙΛΟΧΕΙΟΝ ...: ByZ 44 (1951) 62–78.
– What are the heresies combatted in the work of Amphilochios metropolitan of Iconium (ca. 341/5-395/400) »Regarding false ascetism«?: GOTR 9 (1963) 79–96.
BONWETSCH, N., Zum Briefwechsel zwischen Basilius und Apollinaris: ThStKr 82 (1909) 625–628.
BOOTH, A. D., The Chronology of Jerome's Early Years: Phoenix (Toronto) 35 (1981) 237–259.
BORI, P. C., Chiesa primitiva. L'immagine della comunità delle origini – Atti 2, 42-47; 4,32-37 – nella storia della chiesa antica (TRSR 10), Brescia 1974. (Chiesa primitiva).
– ΚΟΙΝΩΝΙΑ. L'idea della comunione nell'ecclesiologia recente e nel Nuovo Testamento (TRSR 7), Brescia 1972.
– La référence à la communauté de Jérusalem dans les sources chrétiennes orientales et occidentales jusqu'au Ve siècle: Ist. 19 (1974) 31–48.
BORIAS, A., Le moine et sa famille: CCist 40 (1978) 81–110.
BOTTE, B., Les origines de la Noël et de l'Epiphanie, Louvain 1932. (Origines).
BOTTERMANN, M.-R., Die Beteiligung des Kindes an der Liturgie von den Anfängen der Kirche bis heute, Frankfurt/Bern 1982. (Beteiligung).
BOUSSET, W., Apophthegmata. Studien zur Geschichte des ältesten Mönchtums, Tübingen 1923. (Apophthegmata).
BOWERSOCK, J., Julian the Apostate, London 1978. (Julian).
BRÄNDLE, R., Matth. 25,31-46 im Werk des Johannes Chrysostomos (BGBE 22), Tübingen 1979. (Chrysostomos).
BRAUN, R./RICHER, J., (Hgg.), L'Empereur Julien. De l'histoire à la légende (331-1715). I, Paris 1978. (Julien).
BRENNECKE, H. Chr., Hilarius von Poitiers und die Bischofsopposition gegen Konstantius II (PTS 26), Berlin 1984. (Hilarius).
– Studien zur Geschichte der Homöer (BHTh 73), Tübingen 1988. (Homöer).

– Erwägungen zu den Anfängen des Neunizänismus, in: Papandreou (Hg.), Oecumenica 241-258.
BROWN, P., Die letzten Heiden. Eine kleine Geschichte der Spätantike, Berlin 1986 (= dt. Übers. der erw. Fass. von: The Making of Late Antiquity, Cambridge (Mass.)/London 1978). (Heiden).
– The Rise and Function of the Holy Man in Late Antiquity: JRS 61 (1981) 80–101. (Holy Man).
– The Cult of the Saints. Its Rise and Function in Latin Christianity, Chicago 1981. (Saints).
– Religion and Society in the Age of Saint Augustin, London 1972. (Society).
– The Patrons of Pelagius: The Roman Aristocracy between East and West, in: ders., Society 208–226. (Patrons).
BROWNING, R., The Emperor Julian, London 1975. (Julian).
BRUCK, E., Kirchenväter und soziales Erbrecht. Wanderungen religiöser Ideen durch die Rechte der östlichen und westlichen Welt, Berlin etc. 1956. (Erbrecht).
– Kirchenväter und Seelteil: ZSRG.R. 72 (1955) 191–210.
BÜCHLER, B., Die Armut der Armen. Über den ursprünglichen Sinn der mönchischen Armut, München 1980.
BÜSCHING, A. F., De procrastinatione baptismi apud veteres eiusque causis, Diss. Halle 1747 (in: J. E. Volbeding, Thesaurus commentationum selectarum et antiquorum ..., Tom. II, Leipzig 1849, 121–136). (De procrastinatione).
BÜTTNER-WOBST, Th., Der Tod des Kaisers Julian, in: Klein (Hg.), Julian 24–47. (Tod).
BURINI, C., La »comunione« e »distribuzione dei beni« di Atti II,44 e IV,32-35 nelle Regole Monastiche di Basilio Magno: Ben. 28 (1981) 151–169.

CAMELOT, P.-Th., Die Lehre von der Kirche. Väterzeit bis ausschließlich Augustinus (HDG III,3b), Freiburg etc. 1970. (Kirche).
CAMPENHAUSEN, H. Frhr. von, Griechische Kirchenväter, Berlin etc. 1986[7]. (GKV).
– Der Kriegsdienst der Christen in der Kirche des Altertums, in: ders., Tradition und Leben, Tübingen 1960, 255–264. (Kriegsdienst).
– Die Anfänge des Priesterbegriffs in der alten Kirche, in: ders., Tradition und Leben, Tübingen 1960, 272–289. (Priesterbegriff).
CAPELLE, B., Les liturgies »basiliennes« et saint Basile, in: J. Doresse/E. Lanne (Hgg.): Un témoin archaique de la liturgie copte de S. Basile, Louvain 1960, 45–74. (Liturgies).
CAPELLE, C., Le voeu de obéissance des origines au XXe siècle. Paris 1959. (Voeu).
CAMPBELL, J. M., The Influence of the Second Sophistic on the Style of the Sermons of St. Basil the Great (CUAPS 2), Washington 1922. (Second Sophistic).
CARR, E. H., Women and monasticism in Byzantium: ByF 9 (1985) 1–16.
CASEL, O., Die Mönchsweihe: JLW 5 (1925) 1–47.
CASPAR, E., Geschichte des Papsttums. Bd. I: Römische Kirche und Imperium Romanum, Tübingen 1930. (Papsttum).
CASTRITIUS, H., Der Armenienkrieg des Maximinus Daia: JAC 11/12 (1968/9) 94–103.
CAVALCANTI, E., Studi eunomiani (OrChrA 202), Rom 1976.
CAVALLIN, A., Studien zu den Briefen des Hl. Basilius, Lund 1944. (Studien).
CAYRE, F., Le divorce au IVe siècle dans la loi civile et les canons de S. Basile: EOr 19 (1920) 295–321.

CHADWICK, H., Ossius of Cordova and the presidency of the Council of Antioch, 325: JThS.NS 9 (1958) 292–304.
– Rez.: H. Dörries: De Spiritu Sancto: ZKG 69 (1958) 335–337.
CHAUMONT, M.-L., Recherches sur l'Histoire d'Arménie de l'avènement des Sassanides à la conversion du royaume, Paris 1969. (Recherches).
CHESNUT, G. F., The first christian histories: Eusebius, Socrates, Sozomen, Theodoret and Evagrius (ThH 46), Paris 1978.
CHITTY, D. J., The Desert a City. An Introduction to the Study of Egyptian and Palestine Monasticism under the Christian Empire, London/Oxford 1966.
– A Note on the Chronology of the Pachomian Foundations: StPatr II (= TU 64), 1957, 379–385.
CHRYSOS, E., Die Bischofslisten des V. Ökumenischen Konzils (553) (Antiquitas I,14), Bonn 1966.
– Die angebliche »Nobilitierung« des Klerus durch Kaiser Konstantin den Grossen: Hist. 18 (1969) 119–128.
CHRIST, K., Römische Geschichte. Eine Bibliographie, Darmstadt 1976.
CIGNELLI, L., Studi basiliani sul rapporto »Padre–Figlio«, Jerusalem 1982.
CLARK, E. A., Authority and Humility. A conflict of values in fourth century female monasticism: ByF 9 (1985) 17–33.
CLARKE, W. K. L., St. Basil the Great. A Study in Monasticism, Cambridge 1913. (Basil).
CLAUDE, D., Die byzantinische Stadt im 6. Jahrhundert (ByA 13), München 1969. (Stadt).
COMAN, J., Les deux Cypriens de Grégoire de Nazianze: TU 79 (1961) 362–372. (Cypriens).
CONSTANTELOS, D. J., Basil the Great's Social Thought and Involvement: GOTR 26 (1981) 81–86.
– Byzantine Philanthropology and Social Welfare, New Brunswick 1968. (Philanthropology).
CORNEANU, N., Les efforts de s. Basile pour l'unité de l'Eglise: VC 23 (1969) 43–67.
COURTONNE, Y., Un témoin du IVe siècle oriental. Saint Basile et son temps d'après sa correspondance, Paris 1973. (Témoin).
CROSS, F., The Council of Antiochia in 325 A.D.: CQR 128 (1939) 49–76.
CUMONT, F., L'archevêché de Pédachthoé et le sacrifice du faon: Byz. 6 (1931) 521–533.

DAGRON, G., Naissance d'une capitale. Constantinople et ses institutions de 330-451, Paris 1974. (Naissance).
– Les moines et la ville. Le monachisme à Constantinople jusqu'au concile de Chalcédoine (451), Paris 1970.
DALMAIS, J. H., Sacerdoce et monachisme dans l'Orient chrétien: VS 79 (1948) 37–49; 80 (1949) 37–49.
DANASSIS, A. K., Johannes Chrysostomos. Pädagogisch-psychologische Ideen in seinem Werk, Bonn 1971. (Chrysostomos).
DANIÉLOU, J., Grégoire de Nysse et l'origine de la fête de l'ascension, in: Kyriakon. Fs. J. Quasten. Bd. II, Münster 1970, 663–666. (Ascension).
– Circoncision et baptême, in: Fs. M. Schmaus, München 1957, 755–776. (Circoncision).
– S. Grégoire dans l'histoire du monachisme, in: Théologie de la vie monastique, Paris 1961, 131–141. (Monachisme).

– La chronologie des sermons de Grégoire de Nysse: RSR 29 (1955) 346–372.
– Grégoire de Nysse et le messalianisme: RSR 48 (1960) 119–134.
– Grégoire de Nysse à travers les lettres de saint Basile et de saint Grégoire de Nazianze: VigChr 19 (1965) 31–41.
– Le traité »Sur les enfants morts prématurément« de Grégoire de Nysse: VigChr 20 (1966) 159–182.
– Chrismation prébaptismale et divinité de l'esprit chez Grégoire de Nysse: RSR 56 (1968) 177–198.

DAVIDS, A. J. M., Hagiografie en lofrede. De encomia van Gregorius van Nazianze en Gregorius von Nyssa op Basilius de Grote, in: A. Hilhorst (Hg.), De heiligen Verering ..., Nimwegen 1988, 151–158. (Hagiografie).
– On Ps.-Basil, De Baptismo: StPatr XVI (1976) 302–306.

DECRET, F., Basile le Grand et la polémique antimanichéenne en Asie mineure au IVe siècle: StPatr XVII (1983) 1061–1064.

DEHNHARD, H., Das Problem der Abhängigkeit des Basilius von Plotin (PTS 3), Berlin 1964. (Abhängigkeit).

DEKKERS, E., Profession – Second Baptême. Qu'a voulu dire saint Jerôme?: HJ 77 (1958) 91–97.

DELHOUGNE, H., Autorité et Participation chez les Pères du cénobitisme. Le cénobitisme basilien: RAM 46 (1970) 3–32.

DE SALVO, L., Basilio di Cesarea e Modesto: un vescovo di fronte al potere statale, in: Basilio di Cesarea I, 137–154.

DESEILLE, P., Eastern Christian Sources of the Rule of Saint Benedict: MonS 11 (1975) 73–122.

DESPREZ, V., Les relations entre le Pseudo-Macaire et S. Basile, in: Gribomont (Hg.), Commandements 208–221. (Relations).

DI BERARDINO, A., La Cappadocia al tempo di S. Basilio, in: Mémorial Gribomont 167–182.

DIDIER, J.-Ch., Le pédobaptisme au IVe siècle. Documents nouveaux: MSR 5 (1948) 233–246.

DIHLE, A., Zur spätantiken Kultfrömmigkeit, in: Pietas. Fs. B. Kötting (JAC.E 8), Münster 1980, 39–54. (Kultfrömmigkeit).
– Ethik: RAC VI (1966) 646–796.
– Die griechische und lateinische Literatur der Kaiserzeit, München 1989.
– Die Religion im nachconstantinischen Staat, in: W.Eck (Hg.), Religion und Gesellschaft in der römischen Kaiserzeit, Köln 1989, 1–13.

DIEKAMP, F., Ein angeblicher Brief des hl. Basilius gegen Eunomius: ThQ 77 (1895) 277–285.
– Die Wahl Gregors von Nyssa zum Metropoliten von Sebaste im Jahre 380: ThQ 90 (1908) 384–401.
– Literaturgeschichtliches zu der Eunomianischen Kontroverse: ByZ 18 (1909) 1–13.

DINSEN, F., Homoousios. Die Geschichte des Begriffs bis zum Konzil von Konstantinopel (381), Diss.theol. Kiel 1976. (Homoousios).

DÖLGER, F. J., Antike und Christentum. Kultur- und religionsgeschichtliche Studien. Bd. I-VI, Münster 1929-1940. (AuC).
– Die frühbyzantinisch und byzantinisch beeinflusste Stadt (5.-8. Jh.), in: Atti del 3° Congr.Intern.d.Stud. sull'Alt.Med., Spoleto 1959, 65–100. (Stadt).
– Die Taufe Konstantins und ihre Probleme, in: Konstantin der Grosse und seine Zeit. Fg. A. de Waal, Freiburg 1913, 377–447. (Taufe).

DÖRING, H., Grundriß der Ekklesiologie. Zentrale Aspekte des katholischen Selbstverständnisses und ihre ökumenische Relevanz, Darmstadt 1986. (Ekklesiologie).
DÖRRIE, H., Die Epiphanias-Predigt des Gregor von Nazianz (hom. 39) und ihre geistesgeschichtliche Bedeutung, in: Kyriakon I, 409–423.
DÖRRIE, H./DÖRRIES, H., Erotapokriseis: RAC VI (1966) 342–370.
DÖRRIES, H., Basilius und das Dogma vom heiligen Geist, in: ders., WuS I, 118–144. (Basilius).
– De Spiritu Sancto. Der Beitrag des Basilius zum Abschluß des trinitarischen Dogmas (AAWG.PH 39), Göttingen 1956. (DSS).
– Erneuerung des kirchlichen Amtes im 4. Jh., in: B. Moeller/G. Ruhbach (Hgg.), Bleibendes im Wandel der Kirchengeschichte, Tübingen 1973, 1–46. (Erneuerung).
– Die Theologie des Makarios/Symeon (AAWG.PH 103), Göttingen 1978. (Theologie).
– Eine altkirchliche Weihnachtspredigt, in: ders., WuS I, 302–333. (Weihnachtspredigt).
– Wort und Stunde, Bd. I-III, Göttingen 1966-1970. (WuS).
– Die Messalianer im Zeugnis ihrer Bestreiter: Saec. 21 (1970) 213–227.
DOIGNON, J., Un cri d'alarme d'Hilaire de Poitiers sur la situation de l'Église à son retour d'exil: RHE 85 (1990) 281–290.
DONOVAN, M. A., The Spirit, Place of the Sanctified. Basil's De Spiritu Sancto and Messalianism: StPatr XVII/3 (1982) 1073–1083. (Sanctified).
DOWNEY, G., Antioch in the age of Theodosius the Great, Oklahoma 1962. (Antioch).
– Philanthropia in Religion and Statecraft in the Fourth Century after Christ: Hist. 4 (1955) 199–208.
DREWERY, B., Antiochien II: TRE III (1978) 103–113.
DREXHAGE, H.-J., Handel I: RAC XIII (1986) 519–561.
DROBNER, H. R./KLOCK, Chr. (Hgg.), Studien zu Gregor von Nyssa, Leiden 1990. (Studien).
DU MANOIR DE JUAYE, H., Dogme et Spiritualité chez Saint Cyrille d'Alexandrie, Paris 1944. (Cyrille).
DUCHATELEZ, K., La »koinonia« chez S. Basile le Grand: Communio 6 (1973) 163–180.
DUCHESNE, L., Origine du culte chrétien, Paris 1925[5].
DÜNZL, F., Gregor von Nyssa's Homilien zum Canticum auf dem Hintergrund seiner Vita Moysis: VigChr 44 (1990) 371–381.
DULCKEIT, G./SCHWARZ, F./WALDSTEIN, W., Römische Rechtsgeschichte, München 1975[6].
DUPLACY, J., Les Regulae Morales de Basile de Césarée et le texte du Noveau Testament en Asie-Mineure au IVe siècle, in: Text – Wort – Glaube. Fs. K. Aland (AKG 50), Berlin/New York 1980, 69–83. (Regulae Morales).
DUPONT, C., Les privilèges des clercs sous Constantin: RHE 62 (1967) 729–752.
DVORNIK, F., Early Christian and Byzantine Political Philosophy. Origins and Background. 2 Bde., Washington 1966. (Philosophy).

ECK, W., Das Eindringen des Christentums in den Senatorenstand bis zu Konstantin d. Gr.: Chiron 1 (1971) 381–406.
– Der Einfluss der konstantinischen Wende auf die Auswahl der Bischöfe im 4. und 5. Jahrhundert: Chiron 8 (1978) 561–585.

– Handelstätigkeit christlicher Kleriker in der Spätantike: Memorias de Historia antigua 4 (1980) 127–137.
EGER, H., Kaiser und Kirche in der Geschichtstheologie Eusebs von Cäsarea: ZNW 38 (1939) 97–115.
EGGERSDORFER, F. X., Die großen Kirchenväter des 4. Jh.s auf den heidnischen Hochschulen ihrer Zeit: ThPM 13 (1903) 225–345. 426–432.
EHRHARDT, A. A. T., Politische Metaphysik von Solon bis Augustin. Bd. II/III, Tübingen 1959/69.
ELERT, W., Abendmahl und Kirchengemeinschaft in der alten Kirche, in: Koinonia. Arbeiten des Oekum. Ausschusses der VELKD ..., Berlin 1957, 57–78. (Kirchengemeinschaft).
ENGBERDING, H., Das eucharistische Hochgebet der Basileiosliturgie. Textgeschichtliche Untersuchungen und kritische Ausgabe, Münster 1931. (Hochgebet).
– Das anaphorische Fürbittgebet der Basiliusliturgie: OrChr 47 (1963) 16–52.
ENGELHARDT, I., Mission und Politik in Byzanz. Ein Beitrag zur Strukturanalyse byzantinischer Mission zur Zeit Justins und Justinians, München 1974. (Byzanz).
ENSSLIN, W., Kaiser Julians Gesetzgebungswerk und Reichsverwaltung: Klio 18 (1922) 104–199.
EPSTEIN, A. W., The problem of provincialism: Byzantine monasteries in Cappadocia and monks in South Italy: Journal of the Warburg and Courtauld Institutes 42 (1979) 28–46.
ERNST, J., Die Ketzertaufangelegenheit in der altchristlichen Kirche nach Cyprian (FChLDG 2,4), Mainz 1901. (Ketzertaufangelegenheit).
– Die Echtheit des Briefes Firmilians über den Ketzertaufstreit in neuer Beleuchtung: ZKTh 18 (1894) 209–259.
– Die Stellung Dionysius des Großen von Alexandrien zur Ketzertauffrage: ZKTh 30 (1906) 38–56.
ERNST, V., Basilius des Großen Verkehr mit den Occidentalen: ZKG 16 (1896) 626–664.
ESBROECK, M. VAN, Agathangelos: RAC Suppl. I/2 (1985) 239–248.
EVANS, R. F., Pelagius, Fastidius and the Pseudo-Augustinian De Vita Christiana: JThS.NS 13 (1962) 72–98.

FABER, J., Vestigium Ecclesiae. De doop als »spoor der kerk« (Cyprianus, Optatus, Augustinus), Goes 1969.
FAUST, A., Der Möglichkeitsgedanke. Systemgeschichtliche Untersuchungen. 2 Bde., Heidelberg 1931/32.
FEDWICK, P. J., The most recent (1977-) bibliography of Basil of Caesarea, in: Basilio di Cesarea I, 3–19. (Bibliography).
– A Chronology of the Life and Works of Basil of Caesarea, in: ders., Symposium I, 3–20. (Chronology).
– The Church and the Charisma of Leadership in Basil of Caesarea, Toronto 1979. (Church).
– Basil of Caesarea on Education, in: Basilio di Cesarea I, 579–600. (Education).
– A Brief Analysis of Basil's Two Prefaces to the Moralia, in: Mémorial Gribomont 223–232. (Prefaces).
– (Hg.), Basil of Caesarea: Christian, Humanist, Ascetic. A 1600. Anniversary Symposium. Vol. I/II, Toronto 1981. (Symposium).

– The Translations of the Works of Basil Before 1400, in: ders. (Hg.), Symposium II, 439–512. (Translations).
FELLECHNER, E. L., Askese und Caritas bei den drei Kappadokiern. 2 Bde., Diss.theol. Heidelberg 1979. (Askese).
FENGER, A.-L., Aspekte der Soteriologie und Ekklesiologie bei Ambrosius von Mailand (EHS.T 149) Frankfurt/Bern 1981.
– Zur Beurteilung der Ketzertaufe durch Cyprian von Karthago und Ambrosius von Mailand, in: Pietas. Fs. B. Kötting (JAC.E 8), Münster 1980, 179–197. (Ketzertaufe).
FESTUGIÈRE, A. J., Julian in Macellum, in: Klein (Hg.), Julian 241–255. (Macellum).
FICKER, G., Amphilochiana. I, Leipzig 1906. (Amphilochiana).
FIGURA, M., Das Kirchenverständnis des Hilarius von Poitiers, Freiburg 1984.
FISCHER, B., Hat Ambrosius von Mailand in der Woche zwischen seiner Taufe und seiner Bischofskonsekration andere Weihen empfangen?, in: Kyriakon II, 527–531. (Ambrosius).
FISCHER, J., Die Völkerwanderung im Urteil der zeitgenössischen kirchlichen Schriftsteller unter Einbeziehung des hl. Augustin, Heidelberg 1948. (Völkerwanderung).
FISCHER, J. A., Die antimontanistischen Synoden des 2./3. Jh.s: AHC 6 (1974) 241–273.
– Das Konzil zu Karthago im Spätsommer 256: AHC 16 (1984) 1-39.
FITZGERALD, A., Conversion through Penance in the Italian Church of the Fourth and Fifth Centuries. New Approaches to the Experience of Conversion from Sin, Lewiston/Queenston 1988. (Conversion).
– The theology and the spirituality of penance: a study of the Italian Church in the 4. and 5. centuries, Bd. I-III, Diss.theol. Paris 1976. (Penance).
FITZGERALD, W., Notes on the Iconography of Saint Basil the Great, in: Fedwick (Hg.), Symposium II, 533–564. (Iconography).
FLEURY, E., Saint Grégoire de Nazianze et son temps, Paris 1930. (Grégoire).
FONTAINE, J., L'aristokratie occidentale devant le monachisme aux IVème et Vème siècles: RSLT 5 (1979) 28–53.
FOX, M. M., The Life and Times of St. Basil the Great as Revealed in His Works, Washington D.C. 1939. (Times).
FOX, R. L., Pagans and Christians, London 1986. (Pagans).
FRANCK, L., Sources classiques concernant la Cappadoce: Revue Hittite et Asianique 24 (1966) 5–122.
FRANK, K. S., Angelikos Bios. Begriffsanalytische und begriffsgeschichtliche Untersuchung zum »Engelgleichen Leben« im frühen Mönchtum (BGAM 26), Münster 1964. (Angelikos Bios).
– Amt und Eucharistie in der alten Kirche, in: Amt und Eucharistie (Konf.kdl. Schr. d. J.-A.-Möhler-Instituts Bd. 10), 1973, 51–67. (Eucharistie).
– Monastische Reform im Altertum. Eustathius von Sebaste und Basilius von Caesarea, in: Reformatio Ecclesiae. Fs. E. Iserloh, Paderborn 1980, 35–49. (Reform).
– Vita apostolica und dominus apostolicus, in: Konzil und Papst. Fg. H. Tüchle, München etc. 1975, 19–41. (Vita apostolica).
– Vita Apostolica. Ansätze zur apostolischen Lebensform in der alten Kirche: ZKG 82 (1971) 145–166.
– »Immer ein wenig billiger verkaufen ...«: EuA 53 (1977) 251–257.

FRAZEE, Ch. A., The Christian Church in Cilician Armenia: Its Relation with Rome and Constantinople to 1198: ChH 45 (1976) 166–184.
– Anatolian ascetism in the IVth cent. Eustathios of Sebastea and Basil of Caesarea: CHR 66 (1980) 16–33.
FREND, W. H. C., The Church in the Reign of Constantius II (337-361). Mission – Monasticism – Worship, in: Reverding/Grange (Hgg.), Église 73–112.
– The Rise of Christianity, London 1986. (Christianity).
– The Church of the Roman Empire, in: S. Ch. Neill/H.-R. Weber (Hgg.), The Layman in Christian History, London 1963, 57–87. (Layman).
– Der Verlauf der Mission in der Alten Kirche bis zum 7. Jh., in: Frohnes/Knorr (Hgg.), Missionsgeschichte 32–50. (Mission).
– The Winning of the Countryside: JEH 18 (1967) 1–14.
FROHNES, H./KNORR, U. W. (Hgg.), Kirchengeschichte als Missionsgeschichte. Bd. I. Die Alte Kirche, München 1974. (Missionsgeschichte).
FUNK, F. X., Kirchengeschichtliche Abhandlungen und Untersuchungen. I, Paderborn 1897. (Abhandlungen).
– Die Bischofswahl im christlichen Altertum und im Anfang des Mittelalters, in: ders., Abhandlungen I, 23–39.
– Die Bußstationen im christlichen Altertum, in: ders., Abhandlungen I, 182–209.
FUSSL, M., Zur Trosttopik in den Homilien des Basileios: JAC 24 (1981) 45–55.

GÄRTNER, M., Die Familienerziehung in der Alten Kirche, Köln/Wien 1984. (Familienerziehung).
GAIN, B., L'Église de Cappadoce au IVe siècle d'après la correspondance de Basile de Césarée (330-379) (OrChrA 225), Rom 1985. (Correspondance).
– Recherches sur une collection théologique traduite du Grec (Florence, Laurentianus San Marco 584). Lettres de Basile de Césarée: Édition critique du text latin, Diss.habil. Paris 1989.
GALLAY, P., La vie de Saint Grégoire de Nazianze, Lyon/Paris 1943. (Vie).
GARCÍA-SANCHEZ, C., Pelagius and Christian Initiation: A Study in Historical Theology, Diss.theol. Washington 1978. (Pelagius).
GARSOÏAN, N. G., Politique ou Orthodoxie? L'Arménie au quatrième siècle: REArm 4 (1967) 297–320.
– Nerses le Grand, Basile de Césarée et Eustathe de Sébaste: REArm 17 (1983) 145-169.
GAUDEMET, J., L'Église dans l'Empire Romain (IVe-Ve siècles), Paris 1958. (Église).
– La formation du droit séculier et du droit de l'église aux IVe et Ve siècle, Paris 1979[2]. (Formation).
– La participation de la communauté au choix de ses pasteurs dans l'Eglise latine. Esquisse historique: Ius canonicum 14 (1974) 308–326. (Participation).
– Les transformations de la vie familiale au Bas-Empire et l'influence du christianisme: Romanitas 4 (1962) 58–85.
GEFFCKEN, J., Kaiser Julianus, Leipzig 1881. (Julianus).
– Kaiser Julianus und die Streitschriften seiner Gegner: Neue Jb.f.d.klass.Alt. wiss. 1908, 161–195. (Streitschriften).
GELSI, G., Kirche, Synagoge und Taufe in den Psalmenhomilien des Asterios Sophistes, Wien 1978.

GELZER, H., Die Anfänge der armenischen Kirche: BVSGW.Ph 47 (1895) 109–174. (Anfänge).
GEPPERT, F., Die Quellen des Kirchenhistorikers Socrates Scholasticus (SGTK 3,4), Leipzig 1898. (Socrates).
GIBSON, A. G., St. Basils Liturgical Authorship (Studies in Sacred Theology, II,168), Diss.theol. Washington 1965. (Liturgical authorship).
GIET, St., Les idées et l'action sociales de Saint Basile, Paris 1941. (Basile).
– Sasimes. Une méprise de Saint Basile, Paris 1941. (Sasimes).
– Saint Basile et le concile de Constantinople de 360: JThS.NS 6 (1955) 94–99.
GILLMAN, F., Das Institut der Chorbischöfe im Orient. Historisch-kanonistische Studie (VKHSM II,1), München 1903. (Chorbischöfe).
GIRARDET, K. M., Kaiser Konstantius II. als »episcopus episcoporum« und das Herrscherbild des kirchlichen Widerstandes: Hist. 26 (1977) 95–128.
GIRARDI, M., »Semplicità« e ortodossia nel dibattito antiariano di Basilio di Cesarea: la raffigurazione dell'eretico: VetChr 15 (1978) 51–74.
– Il giudizio finale nella omeletica di Basilio di Cesarea: Aug. 18 (1978) 183–190.
– Nozione di eresia, scisma e parasinagoga in Basilio di Cesarea: VetChr 17 (1980) 49–77.
– Bibbia e agiografia nell'omiletica sui martiri di Basilio di Cesarea: VetChr 25 (1988) 451–486.
GÖLLER, E., Analekten zur Bußgeschichte des 4. Jahrhunderts: RQ 36 (1928) 235–298.
– Papsttum und Bußgewalt in spätrömischer und frühmittelalterlicher Zeit: RQ 39 (1931) 72–267; 40 (1932) 219–342.
GOETZ, H.-W., Die Geschichtstheologie des Orosius, Darmstadt 1980. (Orosius).
GOGGIN, T. A., The Times of Saint Gregory of Nyssa As Reflected in the Letters and the Contra Eunomium, Washington 1947.
GOLTZEN, H., Der tägliche Gottesdienst, in: Leiturgia III, Kassel 1956, 99–296.
GORDON, B., The Economic Problem in Biblical and Patristic Thought, Leiden etc. 1989. (Problem).
GOULD, G., Basil of Caesarea and the problem of the wealth of monasteries, in: W. J. Sheils/D. Wood (Hgg.), The Church and Wealth (Studies in Church History 24), Oxford 1987, 15–24. (Wealth).
GRANIĆ, B., Die rechtliche Stellung und Organisation der griechischen Klöster nach dem justinianischen Recht: ByZ 29 (1929) 6–34.
– Die privatrechtliche Stellung der griechischen Mönche im 5. und 6. Jh.: ByZ 30 (1929/30) 669–676.
GREGG, R. C., Consolation Philosophy. Greek and Christian Paideia in Basil and the two Gregories (Patr.Monogr.Ser. 3), Philadelphia 1975.
GRESHAKE, G., Gnade als konkrete Freiheit. Eine Untersuchung zur Gnadenlehre des Pelagius, Mainz 1972.
GRIBOMONT, J., Saint Basile, in: ders. (Hg.), Commandements, 81–138. (S. Basile).
– (Hg.), Commandements du Seigneur et libération évangelique (StAns 79), Rom 1977. (Commandements).
– Le dossier des origines du Messalianisme, in: Epekstasis. Fs. J. Daniélou, Paris 1972, 611–625. (Dossier).
– Histoire du texte des Ascétiques de S. Basile (BMus 32), Louvain 1953. (Histoire).

- L'influence de l'orient sur les débuts du monachisme latin, in: L'oriente cristiano nella storia della civiltà (Accademia Nazionale dei Lincei 361), Rom 1964, 119–130. (Influence).
- Le De Instituto Christiano et le messalianisme de Grégoire de Nysse: StPatr V (= TU 80), 1962, 312–322. (Instituto).
- In tomos 29,30,31,32 Patrologiae Graecae ad editionem operum S. Basilii Magni Introductio, photost.repr. PG 29-32, Turnhout 1959-1961. (In tomos 29-32).
- Saint Basile. Evangile et Église. Mélanges I/II, Bellefontaine 1984. (Mélanges).
- Le monachisme au IVe siècle en Asie Mineure: de Gangres au messalianisme: StPatr II (= TU 64), 1957, 400–415 (= Mélanges I, 26–42). (Monachisme).
- Notes biographiques sur s. Basile le Grand, in: Fedwick (Hg.), Symposium I, 21–48 (= Mélanges I, 117–145). (Notes biographiques).
- Obéissance et Evangile selon saint Basile le Grand: VS.S 21 (1952) 192–215 (= Mélanges II, 270–294). (Obéissance).
- L'origénisme de s. Basile, in: Mélanges H. de Lubac. I, Paris 1963, 281–294 (= Mélanges I, 229–242). (Origénisme).
- Saint Basile, Le Protreptique au Baptême, in: Lex orandi, Lex credendi (StAns 79), Rom 1980, 71–92 (= Mélanges II, 391–412). (Protreptique).
- Les Règles Morales de saint Basile et le Nouveau Testament: StPatr II (= TU 64), Berlin 1957, 416–423 (= Mélanges I, 146–156). (Règles Morales).
- Saint Basile, in: Théologie de la vie monastique, Paris 1961, 99–113. (Vie monastique).
- L'Exhortation au renoncement attribuée à saint Basile: OrChrP 21 (1955) 375–398 (= Mélanges II, 365–390).
- Rez. Dörries: De Spiritu Sancto: ByZ 55 (1957) 452f.
- Le renoncement au monde dans l'idéal ascétique de saint Basile: Iren. 31 (1958) 282–307. 460–475 (= Mélanges II, 322–364).
- Eustathe le Philosophe et les voyages du jeune Basile de Césarée: RHE 54 (1959) 115–124 (= Mélanges I, 107–116).
- Le monachisme au sein de l'Église en Syrie et en Cappadoce: StMon 7 (1965) 7–24 (= Mélanges I, 3–20).
- Ésoterisme et Tradition dans le Traité du Saint-Esprit de Saint Basile: Oecumenica (Neuchâtel-Minneapolis) 1967, 22–52. (= Mélanges II, 446–480).
- Les succès littéraires des Pères grecs et les problèmes d'histoire des textes: SE 22 (1974/75) 23–49).
- Le Prologue De iudicio Dei (P.G. 31, 653–676): RSO 49 (1975) 59.
- Un aristocrate révolutionnaire: S. Basile: Aug. 17 (1977) 179–191.
- Rez. Scazzoso Ecclesiologia: RHE 72 (1977) 529.
- Askese IV: TRE IV (1979) 204–225.
- Les Règles épistolaires de S. Basile: Lettres 173 et 22: Anton. 54 (1979) 255–287 (= Mélanges I, 157–191).
- Intransigence and Irenicism in Saint Basil's »De Spiritu Sancto«: Word and Spirit 1 (1979) 109–136 (= Mélanges II, 481–501).
- Sed et Regula S. Patris nostri Basilii: Ben. 27 (1980) 27–40 (= Mélanges II, 521–538).
- Saint Basile et le monachisme enthousiaste: Iren. 53 (1980) 123–144 (= Mélanges I, 43–64).

Mémorial Dom J. GRIBOMONT (1920–1986) (Studia Ephemeridis »Augustinianum«), Rom 1988. (Mémorial Gribomont).

GRILLMEIER, A., Basilius – Heiliger der einen Kirche, in: Rauch/Imhof (Hgg.), Basilius, 18–28.
GRONAU, K., Posidonius, eine Quelle für Basilius' Hexahemeros, Braunschweig 1912. (Posidonius).
GROSS, J., Die Entstehungsgeschichte des Erbsündendogmas. I, München/Basel 1960. (Entstehungsgeschichte).
GROTZ, J., Die Entwicklung des Bußstufensystems in der vornicänischen Kirche, Freiburg 1955. (Entwicklung).
GROUSSET, H., Histoire de l'Arménie des origines à 1701, Paris 1947. (Arménie).
GRUMEL, V., Saint Basile et le Siège Apostolique: EOr 21 (1922) 280–292.
GRYSON, R., Le prêtre selon Saint Ambroise, Louvain 1968. (Prêtre).
– Les élections épiscopales en Orient au IVe siècle: RHE 74 (1979) 301–345.
GSTREIN, H., Amphilochius von Ikonium. Der vierte »große Kappadokier«: JÖBG 15 (1966) 133–145.
GUMMERUS, J., Die homöusianische Partei bis zum Tode des Konstantius. Ein Beitrag zur Geschichte des arianischen Streites in den Jahren 356–361, Helsingfors 1900. (Homöusianische Partei).
GWATKIN, H. M., Studies of Arianism, London 1900. (Arianism).

HAEHLING, R. VON, Die Religionszugehörigkeit der hohen Amtsträger des Römischen Reichs seit Constantins I. Alleinherrschaft bis zum Ende der Theodosianischen Dynastie (Antiquitas 3,23), Bonn 1978. (Religionszugehörigkeit).
HAGE, W., Armenien I: TRE IV (1979) 40–57.
HAGEL, K. F., Kirche und Kaisertum im Leben des Athanasius (Diss.phil. Tübingen), Leipzig 1933. (Athanasius).
HAGEMANN, H. R., Die rechtliche Stellung der christlichen Wohltätigkeitsanstalten in der östlichen Reichshälfte: RIDA 3.sér. 3 (1956) 265–283. (Stellung).
HAHN, I., Der ideologische Kampf um den Tod Julians des Abtrünnigen: Klio 38 (1960) 225-232.
HALL, St. G., Le fonctionnaire impérial excommunié par Athanase vers 371. Essai d'identification, in: Ch. Kannengiesser (Hg.), Politique et théologie chez Athanase d'Alexandrie, Paris 1974, 157–159. (Fonctionnaire).
– Konstantin I.: TRE XIX (1990) 489–500.
HALLEUX, A. DE, L'économie dans le premier canon de Basile: EThL 42 (1986) 381–392.
HAMER, J., Le baptême et l'Eglise. A propos des »Vestigia Ecclesiae«: Iren. 25 (1952) 142–164. 263–275.
HAMMAN, A., Le baptême d'après les Pères de l'Eglise, Paris 1962.
HANDS, A. R., Charities and Social Aid in Greece and Rome, London 1968. (Charities).
HANSON, R. C. P., The Search for the Christian Doctrine of God. The Arian Controversy 318-381, Edinburgh 1988. (Controversy).
– Basil's Doctrine of Tradition in Relation to the Holy Spirit: VigChr 22 (1968) 241–255.
HARDY, C., The Emperor Julian and his School Law: ChH 37 (1968) 131–143.
HARIG, G./KOLLESCH, J., Arzt, Kranker und Krankenpflege in der griechisch-römischen Antike und im byzantinischen Mittelalter: Helikon 13/14 (1973/74) 256–292.
HARL, M., Les trois quarantaines de la Vie de Moise, schéma idéal de la vie du moine-évêque chez les Pères Cappadociens: REG 80 (1967) 407–412.

HARNACK, A. v., Lehrbuch der Dogmengeschichte. 3 Bde., Darmstadt 1964N (= Tübingen 1909f4). (DG).
– Der kirchengeschichtliche Ertrag der exegetischen Arbeiten des Origenes. Teil I/II (TU 42,3.4), Leipzig 1918/19. (Ertrag).
– Geschichte der altchristlichen Literatur bis Eusebius. Bd. I,1.2/II,1.2, Leipzig 1958N (= Leipzig 18932-19042). (Literatur).
– Militia Christi. Die christliche Religion und der Soldatenstand in den ersten 3 Jh.n, Darmstadt 1963N (= Tübingen 1905). (Militia).
– Die Mission und Ausbreitung des Christentums in den ersten drei Jahrhunderten, Leipzig 19244. (Mission).
HAUSCHILD, W.-D., Gottes Geist und der Mensch. Studien zur frühchristlichen Pneumatologie (BEvTh 63), München 1972. (Geist Gottes).
– Das trinitarische Dogma von 381 als Ergebnis verbindlicher Konsensusbildung, in: Lehmann/Pannenberg (Hgg.), Glaubensbekenntnis 13–48. (Konsensusbildung).
– Die Pneumatomachen. Eine Untersuchung zur Dogmengeschichte des 4. Jh.s, Diss.theol. Hamburg 1967. (Pneumatomachen).
– Christentum und Eigentum. Zum Problem eines altkirchlichen »Sozialismus«: ZEE 16 (1972) 34–49.
– Armenfürsorge II: TRE IV (1979) 14–23.
– Basilius von Caesarea: TRE V (1980) 301–313.
– Eustathius von Sebaste: TRE X (1982) 547–550.
HAUSHERR, I., Christliche Berufung und Berufung zum Mönchtum nach den Kirchenvätern, in: G. Thils/K. V. Truhlar (Hgg.), Laien und christliche Vollkommenheit, Freiburg 1960. (Berufung).
HAUSER-MEURY, M.-M., Prosopographie zu den Schriften Gregors von Nazianz (Theoph. 13), Bonn 1960. (Prosopographie).
HAYKIN, M. A. G., And Who is the Spirit? Basil of Caesarea's Letters to the Church at Tarsus: VigChr 41 (1987) 377–385.
– ΜΑΚΑΡΙΟΣ ΣΙΛΟΥΑΝΟΣ. Silvanus of Tarsus and His View of the Spirit: VigChr 36 (1982) 261–274.
HECKEL, G., Basilius der Große. Ein Beispiel für die Hagiographie der Evangelischen Kirche: Kl. 13 (1981) 63–82.
HEISING, A., Der Heilige Geist und die Heiligung der Engel in der Pneumatologie des Basilius von Caesarea: ZKTh 87 (1965) 257–308.
HELGELAND, J., Christians and the Roman Army from Marcus Aurelius to Constantine: ANRW II,23,1 724–734.
HERMAN, E., Zum Asylrecht im byzantinischen Reich: OCP 1 (1935) 204–238.
– Die kirchlichen Einkünfte des byzantinischen Niederklerus: OrChrP 8 (1942) 378–442.
HERRMANN, E., Ecclesia in Re Publica. Die Entwicklung der Kirche von pseudostaatlicher zu staatlich inkorporierter Existenz, Frankfurt/Bern/Cirencester 1980. (Ecclesia).
HERRMANN, J., Ein Streitgespräch mit verfahrensrechtlichen Argumenten zwischen Kaiser Konstantius und Bischof Liberius, in: Fs. H. Liehrmann, Erlangen 1964, 77–86.
HERTER, H., Das unschuldige Kind: JAC IV (1961) 146–162.
HERTLING, L., Communio. Church and Papacy in Early Christianity, Chicago 1972. (Communio).
HESS, H., The Canons of the Council of Sardica, Oxford 1958. (Canons).
HILD, F., Das byzantinische Straßensystem in Kappadokien, Wien 1977.

–/RESTLE, M., Kappadokien (Tabula Imperii Byzantini 2), Wien 1981. (Kappadokien).
HILPISCH, St., Die Doppelklöster. Entstehung und Organisation, Münster 1928. (Doppelklöster).
HILTBRUNNER, O., Herberge: RAC XIV (1988) 602–626.
HOFMANN, F., Der Kirchenbegriff des Hl. Augustinus, Münster 1978[N] (= München 1933). (Kirchenbegriff).
HOFMEISTER, Ph., Mönchtum und Seelsorge bis zum 13. Jh.: SMGB 65 (1953/54) 219–273.
HOLL, K., Amphilochius von Ikonium in seinem Verhältnis zu den grossen Kappadoziern, Tübingen/Leipzig 1904. (Amphilochius).
– Enthusiasmus und Bussgewalt beim griechischen Mönchtum. Eine Studie zu Symeon dem neuen Theologen, Leipzig 1898. (Enthusiasmus).
– Das Fortleben der Volkssprachen in Kleinasien in nachchristlicher Zeit, in: ders., GA II, 238–248. (Fortleben).
– Gesammelte Aufsätze zur Kirchengeschichte. Bd. I–III, Tübingen 1928. (GA).
– Rez.: Loofs, Eustathius: ThR 3 (1900) 311–317.
HOLLAND, D. L., Die Synode von Antiochien (324/25) und ihre Bedeutung für Eusebius von Caesarea und das Konzil von Nizäa: ZKG 81 (1970) 163–181.
HONIGMANN, E., Trois mémoires posthumes d'histoire et de géographie de l'orient chrétien (SHG 35), Brüssel 1961. (Mémoires).
– Patristic Studies (StT 172), Rom 1953.
– Évêques et évêchés monophysites d'Asie antérieure au IVe siècle (CSCO 127), Louvain 1951.
HORNUS, J.-M., Politische Entscheidung in der alten Kirche (BhEvTh 35), München 1963. (Entscheidung)
HUBER, W., Kirche und Öffentlichkeit, Stuttgart 1973. (Öffentlichkeit).
–/REUTER, H.-R., Friedensethik, Stuttgart etc. 1990. (Friedensethik).
HÜBNER, R. M., Die Schrift des Apolinarius von Laodicea gegen Photin (Pseudo-Athanasius, contra Sabellianos) und Basilius von Caesarea (PTS 30), Berlin/New York 1989. (Apolinarius).
– Die Einheit des Leibes Christi bei Gregor von Nyssa. Untersuchungen zum Ursprung der »physischen« Erlösungslehre (PhP 2), Leiden 1974. (Einheit).
– Der Gott der Kirchenväter und der Gott der Bibel. Zur Frage der Hellenisierung des Christentums, München 1979. (Gott).
– Gregor von Nyssa als Verfasser der sog. ep. 38 des Basilius, in: Epektasis. Fs. J. Daniélou, Paris 1972, 463–490. (Verfasser).
– Rubor confusionis (RB 73,7). Die bleibende Herausforderung des Basilius von Caesarea für Mönchtum und Kirche: EuA 55 (1979) 327–342.
– Die Hauptquelle des Epiphanius (Panarion, haer. 65) über Paulus von Samosata: Ps-Athanasius, Contra Sabellianos: ZKG 90 (1979) 201–220.
– Basilius der Große, Theologe der Ökumene, damals wie heute, in: Fs. Alois Brems, Regensburg 1981, 207–216.
– Epiphanius, Ancoratus und Ps-Athanasius, Contra Sabellianos: ZKG 92 (1981) 325–333.
– Ps-Athanasius, Contra Sabellianos. Eine Schrift des Basilius von Caesarea oder des Apolinarius von Laodicea?: VigChr 41 (1987) 386–395.
HUGHES, L., The Christian Church in the Epistles of St. Jerome, Washington 1932.
HUMBERTCLAUDE, P., La doctrine ascétique de saint Basile de Césarée, Paris 1932. (Doctrine).

IBAÑEZ, X., Iglesia: Fundamento teológico y organización en Basilio de Cesarea, Pamplona 1975.
IBAÑEZ, J., Aspectos eclesiológicos en la teología de Basilio de Cesarea: ScrTh 2 (1970) 7–38.
JACKS, L. V., St. Basil and Greek Literature (CUAPS 1), Washington 1922. (Literature).
JAEGER, W., Two Rediscovered Works of Ancient Christian Literature: Gregory of Nyssa and Macarius, Leiden 1954. (Works).
JANIN, R., Les Novatiens orientaux: EOr 28 (1929) 385–397.
– Cappadoce: DHGE XI, 907–909.
– Césarée 2: DHGE XII, 199–203.
JEREMIAS, J., Die Kindertaufe in den ersten vier Jahrhunderten, Göttingen 1958. (Kindertaufe).
JERPHANION, G. DE, Histoire de s. Basile dans les peintures cappadociennes et dans les peintures romaines du moyen age: Byz. 6 (1931) 535–558.
JETTER, D., Grundzüge der Hospitalgeschichte, Darmstadt 1973. (Hospitalgeschichte).
JONES, A. H. M., The Greek City from Alexander to Justinian, Oxford 1979. (City).
– The Later Roman Empire 284–602. 2 Bde., Oxford 1973. (Empire).
– The Cities of the Eastern Roman Provinces, Oxford 1971[2]. (Provinces).
– Church Finances in the Fifth and Sixth Century: JThS.NS 11 (1960) 84–94.
– The Social Background of the Struggle between Paganism and Christianity, in: Momigliano (Hg.), Conflict 17–37.
JONKERS, E. J., Das Verhalten der alten Kirche hinsichtlich der Ernennung zum Priester von Sklaven, Freigelassenen und Kurialen: Mn. 10 (1941/42) 286–302.
JORDAN, H., Geschichte der altchristlichen Literatur, Leipzig 1911.
JOURNET, Ch., Note sur l'Église sans tache ni ride: RThom 49 (1949) 206–221.
JUNOD, É., Basile de Césarée et Grégoire de Nazianze sont-ils les compilateurs de la Philocalie d'Origène? Réexamen de la Lettre 115 de Grégoire, in: Mémorial Gribomont 349–360. (Compilateurs).
– Remarques sur la composition de la Philocalie d'Origène par Basile de Césarée et Grégoire de Nazianze: RHPhR 52 (1972) 149–156.

KACZYNSKI, R., Das Wort Gottes in Liturgie und Alltag der Gemeinden des Johannes Chrysostomos, Freiburg 1974. (Chrysostomos).
KARAYANNOPULOS, J., Das Finanzwesen des frühbyzantinischen Staates, München 1968. (Finanzwesen).
KARAYANNOPOULOS, I., St. Basils Social Activity: Principles and Praxis, in: Fedwick (Hg.), Symposium I, 375–392. (Social Activity).
KARMIRIS, I., Ἡ ἐκκλησιολογία τοῦ Μεγάλου Βασιλείου, Athen 1958.
– Ἡ ἐκκλησιολογία τῶν τριῶν Ἱεραρχῶν: EEThS 14 (1959/60) 187–233.
KELLY, J. N. D., Early Christian Doctrines, London 1977[5]. (Doctrines).
– Altchristliche Glaubensbekenntnisse. Geschichte und Theologie, Göttingen 1972. (Glaubensbekenntnisse).
– Jerome. His Life, Writings and Controversies, London 1975. (Jerome).
KENNEDY, G., The Art of Persuasion in Greece, Princeton 1963.
KERTSCH, M., Exzerpte aus den Kappadokiern und Johannes Chrysostomus bei Isidor von Pelusium und Nilus von Ancyra, in: Drobner/Klock (Hgg.), Studien 69–82.

KIENAST, D., Römische Kaisertabelle. Grundzüge einer römischen Kaiserchronologie, Darmstadt 1990. (Kaisertabelle).
KINZIG, W., In Search of Asterius. Studies on the Autorship of the Homilies on the Psalms (FKDG 47), Göttingen 1990. (Asterius).
KIPPENBERG, A., Die Hypsistarier: Goethe 8 (1943) 3–19.
KIRCHNER, H., Der Ketzertaufstreit zwischen Karthago und Rom und seine Konsequenzen für die Frage nach den Grenzen der Kirche: ZKG 81 (1970) 290–307.
KIRSTEN, E., Cappadocia: RAC II (1954) 861–891.
– Chorbischof: RAC II (1954) 1105–1114.
KLAUSER, Th., Der Ursprung der bischöflichen Insignien und Ehrenrechte, Krefeld 1953². (Ehrenrechte).
– Bischöfe auf dem Richterstuhl: JAC 5 (1962) 172–174.
KLEIN, R., Constantius II. und die christliche Kirche, Darmstadt 1977. (Constantius).
– Zur Glaubwürdigkeit historischer Aussagen des Bischofs Athanasius von Alexandrien über die Religionspolitik des Kaisers Constantius II.: StPatr XVII/3 (1982) 996–1017. (Glaubwürdigkeit).
– Julian Apostata (WdF 509), Darmstadt 1978. (Julian).
– Tertullian und das Römische Reich, Heidelberg 1968. (Tertullian).
KNORR, U. W., Basilius der Große. Sein Beitrag zur christlichen Durchdringung Kleinasiens. 2 Bde., Diss.theol. Tübingen 1968. (Basilius).
– Gregor der Wundertäter als Missionar: EMM 110 (1966) 70–84.
– Der 43. Brief des Basilius d. Gr. und die Nilus–Briefe: ZNW 58 (1967) 279–286.
– Einige Bemerkungen zu vier unechten Basilius–Briefen: ZKG 80 (1969) 375–381.
KNOWLES, D., From Pachomius to Ignatius: A Study in the Constitutional History of the Religious Orders, Oxford 1966.
KOCH, H., Die Büßerentlassung in der alten abendländischen Kirche: ThQ 82 (1900) 481–534.
– Zur Geschichte der Bußdisziplin und Bußgewalt in der orientalischen Kirche: HJ 21 (1900) 58–78.
– Der Büßerplatz im Abendland: ThQ 85 (1905) 254–270.
KOEHNE, J., Die Ehen zwischen Christen und Heiden in den ersten christlichen Jahrhunderten, Paderborn 1931.
– Über die Mischehen in den ersten christlichen Zeiten: ThGl (1931) 333–350.
KÖNIG, D., Amt und Askese. Priesteramt und Mönchtum bei den lateinischen Kirchenvätern in vorbenediktinischer Zeit (Regulae Benedicti Studia. Supplementa Bd. 12), St. Ottilien 1985. (Amt).
KÖTTING, B., Bischofswahl in alter Zeit. Augustins Sorge und Bemühen um seinen Nachfolger im Bischofsamt, in: ders., Ecclesia I, 405–408. (Bischofswahl).
– Ecclesia peregrinans. Das Gottesvolk unterwegs. Bd. I/II, Münster 1988. (Ecclesia).
– Klerikerausbildung in der Alten Kirche, in: ders., Ecclesia I, 395–404. (Klerikerausbildung).
– Gregor von Nyssas Wallfahrtskritik, in: ders., Ecclesia II, 245–251. (Wallfahrtskritik).
– Zu den Strafen und Bußen für die Wiederverheiratung in der frühen Kirche: OrChr 48 (1964) 145–149.

KOPECEK, Th. A., A History of Neo-Arianism (Patristic Monograph Series 8). 2 Bde., Philadelphia 1979. (Neo-Arianism).
– Social-Historical Studies in the Cappadocian Fathers, Diss.phil. Brown University 1982. (Studies).
– The Social Class of the Cappadocian Fathers: ChH 42 (1973) 453–466.
– The Cappadocian Fathers and Civic Patriotism: ChH 43 (1974) 293–303.
– Curial Displacements and Flight in Later Fourth Century Cappadocia: Hist. 23 (1974) 319–342.
KORBACHER, J., Außerhalb der Kirche kein Heil? Eine dogmengeschichtliche Untersuchung über Kirche und Kirchenzugehörigkeit bei Johannes Chrysostomos (MThS.S 27), München 1963. (Außerhalb).
KORSUNKI, A. R., The Church and the Slavery Problem in the IVth Century, in: Miscellanea Historiae Ecclesiasticae VI (BRHE 67), Brüssel 1983, 95–110.
KOSCHORKE, K., Taufe und Kirchenzugehörigkeit im 4. und frühen 5. Jh., in: Chr. Lienemann-Perrin (Hg.), Taufe und Kirchenzugehörigkeit, München 1983, 129–146.
KOSTOV, S., Caves of God. The Monastic Environment of Byzantine Cappadocia, Cambridge (Mass.)/London 1972.
KRAFT, H., Kaiser Konstantins religiöse Entwicklung (BHTh 20), Tübingen 1955. (Entwicklung).
– Zur Taufe Kaiser Konstantins: StPatr I (= TU 63), 1957, 642–648.
KRAWCYNSKI, St./RIEDINGER, U., Zur Überlieferungsgeschichte des Flavius Josephus und Klemens von Alexandrien im 4.–6. Jh.: ByZ 57 (1964) 6–25.
KRETSCHMAR, G., Erfahrung der Kirche. Beobachtungen zur Aberkios-Inschrift, in: Communio Sanctorum. Fs. J.-J. von Allmen, Genf 1982, 73–85. (Aberkios).
– Der Hl. Geist in der Geschichte. Grundzüge frühchristlicher Pneumatologie, in: W. Kaspar (Hg.), Gegenwart des Geistes. Aspekte der Pneumatologie (QD 85), Freiburg 1979, 92–130. (Geist).
– Konfirmation und Katechumenat im Neuen Testament und in der Alten Kirche, in: K. Frör (Hg.), Zur Geschichte und Ordnung der Konfirmation in den lutherische Kirchen, München 1962, 13–35. (Konfirmation).
– Die Konzile der alten Kirche, in: H.-J. Margull (Hg.), Die Konzile der Christenheit, Stuttgart 1962, 13–74. (Konzile).
– Das christliche Leben und die Mission in der frühen Kirche, in: Frohnes/Knorr (Hgg.), Missionsgeschichte 94–130. (Leben).
– Die Geschichte des Taufgottesdienstes in der alten Kirche: Leit. 5 (Kassel 1970) 1–348. (Taufgottesdienst).
– Die Theologie der Kappadokier und die asketischen Bewegungen in Kleinasien im 4. Jh., in: Fs. F. v. Lilienfeld, Göttingen 1982, 102–133. (Theologie).
– Welterfahrung und Weltverantwortung in der Alten Kirche, in: J. Baur/L. Goppelt/G. Kretschmar (Hgg.), Die Verantwortung der Kirche in der Gesellschaft, Stuttgart 1973, 111–142. (Weltverantwortung).
– Der Weg zur Reichskirche: VF 13 (1968) 3–44.
– Die Ordination im frühen Christentum: FZPhTh 22 (1975) 35–69.
– Abendmahlsfeier I: TRE I (1977) 229–278.
– Die Grundstruktur der Taufe. Neue Forschungen zur christlichen Initiation: JLH 22 (1978) 1–14.
– Probleme des orthodoxen Amtsverständnisses, in: J. Baur (Hg.), Das Amt im ökumenischen Kontext, Stuttgart 1980, 9–32.

– Die Heiligen als Zeichen der Erfüllung von Gottes Verheissung für den Menschen, in: Die Hoffnung auf die Zukunft (ÖR.B 41), Frankfurt 1981, 114–136.

KRIVOCHÉINE, B., L'ecclésiologie de S. Basile le Grand: MEPR 17 (1969) 75–102. (Ecclésiologie).

KÜHN, U., Kirche (Handb. Syst. Theol. 10), Gütersloh 1980. (Kirche).

KURMANN, A., Gregor von Nazianz Oratio 4 gegen Julian. Ein Kommentar, Basel 1988. (Kommentar).

KUSTAS, G. L., Saint Basil and the Rhetorical Tradition, in: Fedwick (Hg.), Symposium I, 221–280. (Rhetorical Tradition).

LAFONTAINE, P.-H., Les conditions positives de l'accession aux ordres dans la première législation ecclésiastique (300–492), Ottawa 1963. (Conditions).

LAGARDE, A., La confession dans saint Basile: RHLR.NS 8 (1922) 534–548.

LAMBERZ, E., Zum Verständnis von Basileios' Schrift »Ad adolescentes«: ZKG 90 (1979) 75–95.

LAMIRANDE, E., La signification de »christianus« dans la théologie de saint Augustin et la tradition ancienne: REAug 9 (1963) 221–234.

LAMMEYER, J., Die »audientia episcopalis« in Zivilsachen der Laien im römischen Kaiserrecht und in den Papyri: Aeg. 13 (1933) 193–202.

LANDAU, P., Asylrecht III: TRE IV (1979) 319–327.

LANGENFELD, H., Christianisierungspolitik und Sklavengesetzgebung der Kaiser von Konstantin bis Theodosius II (Antiquitas 1,27), Bonn 1977. (Christianisierungspolitik).

LANGHAMMER, W., Die rechtliche und soziale Stellung der Magistratus Municipales und der Dekuriones in der Übergangsphase der Städte, Wiesbaden 1973. (Stellung).

LANNE, E., Le comportement de saint Basile et ses exigences pour le rétablissment de la communion: Nicolaus 9 (1981) 303–313.

LAUN, F., Die beiden Regeln des Basilius, ihre Echtheit und ihre Entstehung: ZKG 44 (1925) 1–61.

LAUSBERG, H., Handbuch der literarischen Rhetorik. Bd. I/II, München 1960.

LAUTERBURG, M., Der Begriff des Charisma und seine Bedeutung für die praktische Theologie (BFChTh 2,1), Gütersloh 1898. (Charisma).

LAZZATI, G., Basilio di Cesarea insegnò retorica?: SMSR 38 (1967) 284–292.

LÈBE, L., Saint Basile et ses règles morales: RBen 75 (1965) 193–200.

– Saint Basile. Note à propos des règles monastiques: RBen 76 (1966) 116–119.

LEBEL, R., La formation intellectuelle et pastorale des prêtres au grand siècle patristique, in: Le prêtre hier, aujourd'hui, demain, Montreal 1970, 102–114. (Formation).

LEBON, J., Sur un concile de Césarée: Muséon 51 (1938) 89–132.

LECLERQ, J., Beobachtungen zur Regel des hl. Benediktus: EuA 53 (1977) 19–31.115–122.

LECLERQ, H., Hypsistariens: DACL VI/2, 2945f.

LECUYER, J., L'assemblée liturgique selon saint Basile, in: Mélanges R. P. Dockx, Paris/Gembloux 1976, 137–154. (Assemblée liturgique).

LEDOYEN, H., Saint Basile dans la tradition monastique occidentale: Iren. 58 (1980) 30–45.

LEHMANN, K., Die Entstehung der Freiheitsstrafe in den Klöstern des hlg. Pachomius: ZSRG.K 37 (1951) 1–94.

LEHMANN, K./PANNENBERG, W. (Hgg.), Glaubensbekenntnis und Kirchengemeinschaft. Das Modell des Konzils von Konstantinopel (381), Freiburg/Göttingen 1982. (Glaubensbekenntnis).

LEIPOLDT, J., Schenute von Atripe und die Entstehung des nationalägyptischen Christentums (TU 25), Leipzig 1903. (Schenute).

L'HUILLIER, P., Les sources canoniques de Saint Basile: MEPR 44 (1963) 210–217.

LIEBESCHUETZ, J. H. W. G., Antioch. City and Imperial Administration in the Later Roman Empire, Oxford 1972. (Antioch).

– Barbarians and Bishops. Army, Church and State in the Age of Arcadius and Chrysostom, Oxford 1990 (Barbarians).

– Hochschule: RAC XV (1991) 858–911.

LIENHARD, J., St. Basil's Asceticon Parvum and the Regula Benedicti: StMon 22 (1980) 231–242.

LIETZMANN, H., Apollinaris von Laodicea und seine Schule. Texte und Untersuchungen, Tübingen 1904. (Apollinaris).

– Geschichte der Alten Kirche. Bd. I-IV, Berlin 1961[4]. (GAK).

LIGIER, L., Le sacrement de pénitence selon la tradition orientale: NRTh 89 (1967) 940–967.

LILIENFELD, F. v., Basilius der Große und die Mönchsväter der Wüste: ZDMG.Supp. I/2 (1969) 418–435.

LIM, R., The Politics of Interpretation in Basil of Caesarea's Hexaemeron: VigChr 44 (1990) 351–370.

LIPPOLD, A., Theodosius der Große und seine Zeit, München 1980. (Theodosius).

LÖHMANN, B., Zweite Ehe und Ehescheidung bei den Griechen und Lateinern bis zum Ende des 5. Jh.s, Leipzig 1980.

LÖHR, W. A., Die Entstehung der homöischen und homöusianischen Kirchenparteien. Studien zur Synodalgeschichte des 4. Jh.s, Bonn 1986. (Kirchenparteien).

LOHSE, B., Askese und Mönchtum in der Antike und in der alten Kirche, München/Wien 1969. (Askese).

– Mönchtum und Reformation. Luthers Auseinandersetzung mit dem Mönchsideal des Mittelalters, Göttingen 1963. (Mönchtum).

LOOFS, F., Eustathius von Sebaste und die Chronologie der Basiliusbriefe, Halle 1898. (Eustathius).

– Arianismus: RE[3] II (1897) 6–45; XXIII (1913) 113–115.

– Eusebius von Samosata: RE[3] V (1898) 620–622.

– Eustathius von Sebaste: RE[3] V (1898) 629f.

– Meletius von Antiochien: RE[3] XII (1903) 552–559.

LORENZ, R., Die Anfänge des abendländischen Mönchtums im IV. Jahrhundert: ZKG 77 (1966) 1–61.

– Zur Chronologie des Pachomius: ZNW 80 (1989) 280–283.

LUBATSCHIWYSKYJ, M. J., Des Heiligen Basilius liturgischer Kampf gegen den Arianismus. Ein Beitrag zur Textgeschichte der Basiliusliturgie: ZKTh 66 (1942) 20–38.

LUCIUS, E., Die Anfänge des Heiligenkults in der christlichen Kirche, Tübingen 1904.

LÜBECK, K., Reichseinteilung und kirchliche Hierarchie des Orients, Münster 1901. (Reichseinteilung).

LUISLAMPE, P., Spiritus vivificans. Grundzüge einer Theologie des Heiligen Geistes nach Basilius von Caesarea (MBTh 48), Münster 1981. (Spiritus).

LUZ, U., Die Bergpredigt im Spiegel ihrer Wirkungsgeschichte, in: J. Moltmann (Hg.), Nachfolge und Bergpredigt, München 1981, 37–72.

MACDERMOT, B., The conversion of Armenia in 294 A.D. A review of the evidence in the light of the Sassanidian inscriptions: REArm 7 (1970) 281–359.

MACMULLEN, R., Christianizing the Roman Empire (A.D. 100–400), New Haven/London 1984. (Christianizing).

– The Preacher's Audience (AD 350-400): JThS.NS 40 (1989) 503–511.

MADEC, G., »Tempora Christiana«. Expression du triomphalisme chrétien ou récrimination paienne?, in: Fs. A. Zumkeller (Cassiciacum 30), Würzburg 1975, 112–136. (Tempora Christiana)

MAIR, P. P., Die Trostbriefe Basileios des Großen im Rahmen der antiken Konsolationsliteratur, Diss.phil. Innsbruck 1966. (Trostbriefe).

MANNA, S., La Chiesa di Cesarea tra le Chiese di Oriente e di Occidente: Nicolaus 8 (1980) 127–137.

MANSION, J., Les origines du christianisme chez les Gots: AnBoll 33 (1914) 5–30.

MARAN, P., Vita S. Basilii Magni: PG 29, V–CLXXVII. (Vita).

MARAVAL, P., La date de la mort de Basile de Césarée: REAug 34 (1988) 25–38.

MARCUS, R. A., Saeculum. History and Society in the Theology of St. Augustine, Cambridge 1970. (Saeculum).

MARROU, H. I., Geschichte der Erziehung im klassischen Altertum, München 1977. (Erziehung).

MARTIN, J., Spätantike und Völkerwanderung, München 1987.

– /QUINT, B. (Hgg.), Christentum und antike Gesellschaft (WdF 649), Darmstadt 1990. (Gesellschaft).

MARTROYE, M. F., Saint Augustin et la compétence de la jurisdiction ecclésiastique au Ve siècle: MSNAF, 7. Sér., 10 (1910) 1–78. (Augustin).

– L'asile et la législation impériale du IVe au VIe siècle: MSNAF, 8. Sér., 5 (1918) 159–246. (Asile).

MARQUARD, J., Die Entstehung der armenischen Bistümer (OrChr[R] 27,2), Rom 1932.

– Untersuchungen zur Geschichte von Eran. 5. Zur Kritik des Faustos von Byzanz: Ph. 55 (1896) 213–244.

MARX, M., Incessant Prayer in Ancient Monastic Literature, Rom 1946.

MATEOS, J., L'office monastique à la fin du IVe siècle: Antioche, Palestine, Cappadoce: OrChr 47 (1963) 53–88.

MAY, G., Basilios der Große und der römische Staat, in: B. Moeller/G. Ruhbach (Hgg.), Bleibendes im Wandel der Kirchengeschichte, Tübingen 1973, 47–70. (Basilios).

– Die Großen Kappadokier und die staatliche Kirchenpolitik von Valens bis Theodosius, in: G. Ruhbach (Hg.), Die Kirche angesichts der konstantinischen Wende (WdF 306), Darmstadt 1976, 322–336. (Kappadokier).

– Einige Bemerkungen über das Verhältnis Gregors von Nyssa zu Basilios dem Grossen, in: Epekstasis. Fs. J. Daniélou, Paris 1971, 509–515. (Verhältnis).

– Gregor von Nyssa in der Kirchenpolitik seiner Zeit: JÖBC 15 (1966) 105–132.

– Kirche III (Alte Kirche): TRE XVIII (1989) 218–227.

MAZZA, M., Monachesimo basiliano: Modelli spirituali e tendenze economico-sociali nell'impero del IV secolo: StStor 21 (1980) 31–60.

McMURRY, J., Poenitentiam agere: A Study of Penance in Monastic-Patristic Writings: CistS 1 (1966) 74–89.

MEFFERT, F., Der »Kommunismus« Jesu und der Kirchenväter, Mönchen-Gladbach 1922. (Kommunismus).

MEIGNE, M., Concile ou collection d'Elvire?: RHE 70 (1975) 361–387.

MELCHER, R., Der 8. Brief des hl. Basilius, ein Werk des Evagrius Pontikus (MBTh 1), Münster 1923. (8. Brief).

MELLIS, L., Die ekklesiologischen Vorstellungen des hl. Basilius des Großen, Oberhausen/Rom 1973.

MERSCH, E., Le Corps Mystique du Christ. I, Paris/Brüssel 1951[3]. (Corps Mystique).

MEYENDORFF, J., Messalianism or Anti-Messalianism? A Fresh Look at the »Macarian« Problem, in: Kyriakon. Fs. J. Quasten II, Münster 1970, 585–590. (Messalianism).

MICHAUD, E., Ecclésiologie de St. Grégoire de Nazianze: IKZ 12 (1904) 557–573.

MITCHELL, J. F., Consolatory Letters in Basil and Gregory Nazianzen: Hermes 96 (1968) 299–318.

MITFORD, T. B., Cappadocia and Asia Minor: Historical Setting of the Limes: ANRW II,7.2 (Berlin 1980) 1169–1228.

MOELLER, B., Geschichte des Christentums in Grundzügen (UTB 905), Göttingen 1987[4] . (Geschichte).

MOFFAT, A., The Occasion of St. Basil's Adress to Young Men: Antichthon 6 (1972) 74–86.

MOLITOR, R., Von der Mönchsweihe in der lateinischen Kirche: ThGl 16 (1924) 584–612.

MOLLE, M. M. van, Vie commune et obéissance d'après les institutions premières de Pachôme et Basile: VS.S 23 (1970) 196–225.

MOMIGLIANO, A. (Hg.), The Conflict between Paganism and Christianity in the Fourth Century, Oxford 1963. (Conflict).

MONGELLI, S., Eustazio di Sebaste, Basilio e lo scisma macedoniano: Nicolaus 3 (1975) 455–469.

MONTICELLI, P. F., Collegialità episcopale ed occidente nella visione di s. Basilio Magno. Le nozioni di πλῆθος ed ἀξιόπιστον: Annali della Facoltà di Magistero di Bari 6 (1967) 1–38. (Collegialità).

MORARD, F.-E., Monachos, moine. Histoire du terme grec jusqu'au IVème siècle: FZPhTh 20 (1973) 332–425.

MORISON, M. G., St. Basil and Monasticism, Washington 1930. (Basil).

MOSSAY, J., Les fêtes de Noël et d'Epiphanie d'après les sources littéraires cappadociennes du IVe siècle, Louvain 1965. (Fêtes).

– La date de oratio II de Grégoire de Nazianze et celle de son ordination: Muséon 77 (1964) 175–186.

– Gregor von Nazianz: TRE XIV (1985) 164–173.

MÜHLENBERG, E., Apollinaris von Laodicea (FKDG 23), Göttingen 1969. (Apollinaris).

MÜLLER, K., Kirchengeschichte. Bd. I/1, Tübingen 1941[3]. (Kirchengeschichte).

MURAILLE, Ph., L'Église, peuple de l'oikouménè d'après Saint Grégoire de Nazianze. Notes sur l'unité et l'universalité: EThL 44 (1968) 154–178.

MURPHY, M. G., St. Basil and Monasticism (CUAPS 25), Washington 1930. (Basil).

NAEGLE, A., Zeit und Veranlassung der Abfassung des Chrysostomus-Dialogs »De sacerdotio«: HJ 37 (1916) 1–48.

NAGEL, E., Kindertaufe und Taufaufschub. Die Praxis vom 3.-5. Jh. in Nordafrika und ihre theologische Einordnung bei Tertullian, Cyprian und Augustinus (EHS.T 144), Frankfurt/Bern 1980. (Kindertaufe).

NAGL, A.,Valens 3: PRE II 7/2, 2132–2135.

NAU, F., Littérature canonique syriaque inédite: ROC 14 (1909) 1–49.

NISSEN, W., Die Regelung des Klosterwesens im Rhomäerreiche bis zum Ende des 9. Jh.s, Hamburg 1897. (Klosterwesen).

NELZ, R., Die theologischen Schulen der morgenländischen Kirchen, Bonn 1916. (Schulen).

NEUNHEUSER, B., Taufe und Firmung (HDG IV,2), Freiburg 1953. (Taufe).

NOETHLICHS, K.-L., Kirche, Recht und Gesellschaft in der Jahrhundertmitte, in: Reverding/Grange (Hgg.), Église 251–294. (Gesellschaft).

– Die gesetzgeberischen Maßnahmen der christlichen Kaiser des 4. Jh.s gegen Häretiker, Heiden und Juden, Diss.phil. Köln 1971. (Massnahmen).

– Zur Einflußnahme des Staates auf die Entwicklung eines christlichen Klerikerstandes: JAC 15 (1972) 136–153.

– Materialien zum Bischofsbild aus den spätantiken Rechtsquellen: JAC 16 (1973) 28–59.

NÜRNBERG, R., Askese als sozialer Impuls. Monastisch-asketische Spiritualität als Wurzel und Triebfeder sozialer Ideen und Aktivitäten der Kirche in Südgallien im 5. Jh. (Hereditas 2), Bonn 1988.

NUVOLONE, F. G./SOLIGNAC, A., Pélage et Pélagianisme: DSp XII (1986) 2889–2942.

OBERG, E., Ὡς παρά: Wer schrieb den sog. 150. Brief des Basileios?: ZKG 85 (1974) 1–10.

O'CONNOR, T. R., The Communio als Revealed in The Writings of St. Basil the Great, Diss. Teildruck Rom 1952. (Communio).

OLIVER, H. H., The Text of the Four Gospels as Quoted in the Moralia of Basil the Great. 2 Bde., Diss.phil. Atlanta (Emory Univ.) 1961. (Moralia).

OPELT, I., Hieronymus' Streitschriften, Heidelberg 1973.

OPPENHEIM, Ph., Mönchsweihe und Taufritus. Ein Kommentar zur Auslegung bei Dionysius dem Areopagiten, in: Fs. C. Mohlberg. I, Rom 1948, 259–282. (Mönchsweihe).

ORLANDIS, J./RAMOS LISSON, D., Die Synoden auf der iberischen Halbinsel bis zum Einbruch des Islam, Paderborn 1981. (Synoden).

ORPHANOS, M. A., Creation and salvation according to St. Basil of Caesarea, Athen 1975. (Creation).

ORTIZ DE URBINA, I., Caratteristiche dell'ecumenismo di S. Basilio: Aug. 19 (1979) 389–401.

OSBORN, E., Ethical Patterns in Early Christian Thought, Cambrigde 1976. (Patterns).

– Ethik V: TRE X (1982) 463–473.

PACK, E., Sozialgeschichtliche Aspekte des Fehlens einer »christlichen« Schule in der römischen Kaiserzeit, in: W. Eck (Hg.), Religion und Gesellschaft in der römischen Kaiserzeit, Köln 1989, 185–263. (Schule).

PAPANDREOU, D. u.a. (Hgg.), Oecumenica et Patristica. Fs. W. Schneemelcher, Stuttgart etc. 1989. (Oecumenica).

PATRUCCO, F., Basilio di Cesarea e Atanasio di Alessandria: ecclesiologia e politica nelle lettere episcopali, in: Mémorial Gribomont 253–270. (Atanasio).
– Basilio προστάτης e ἔξαρχος della comunità cittadina, in: Basilio di Cesarea I, 125–136. (Basilio).
– Social Patronage and Political Mediation in the Activity of Basil of Caesarea: StPatr XVII/3 (1982) 1102–1107. (Patronage).
– Aspetti di vita familiare nel IV secolo negli scritti dei padri cappadoci, in: Etica sessuale e matrimonio nel cristianesimo delle origini. Studia pastristica mediolanensia 5 (1976) 158–179. (Vita familiare).
– Domus divina per Cappadociam: RFIC 100 (1972) 328–333.
– Aspetti del fiscalismo tardo-imperiale in Cappadocia: la testimonianza di Basilio di Cesarea: Ath. 51 (1973) 294–309.
– Vocazione ascetica e paideia greca (a proposito di Bas., Ep. 1): RSLR 15 (1979) 54–62.
– Povertà e richezza nell'avanzato IV secolo: la condanna dei mutui in Basilio di Cesarea: Aevum 47 (1983) 225–234.
PAVERD, F. VAN DE, The Matter of Confession according to Basil of Cesarea and Gregory of Nyssa, in: L. S. Olschki (Hg.), Fs. Giuseppe Valentini, Firenze 1986, 285–294. (Confession).
– Zur Geschichte der Messliturgie in Antiochia und Konstantinopel gegen Ende des vierten Jh.s (OrChrA 187), Rom 1970. (Messliturgie).
– Die Quellen der kanonischen Briefe Basileios des Grossen: OrChrP 38 (1972) 5–63.
– Disziplinarian Procedures in the Early Church: Aug. 21 (1981) 291–316.
PEETERS, P., Un miracle des SS. Serge et Théodore et la Vie de S. Basile, dans Fauste de Byzance: AnBoll 39 (1921) 65–88.
PEKAR, A., St. Basil's Correspondence with St. Athanasius of Alexandria. AOSBM 10 (1979) 25–38.
PELIKAN, J., The »Spiritual Sense« of Scripture. The Exegetical Basis for St. Basil's Doctrine of the Holy Spirit, in: Fedwick (Hg.), Symposium I, 337–360. (Spiritual Sense).
PERSIC, A., Basilio monaco e vescovo, una sola chiamata per tutti i cristiani, in: Per foram acus. Il cristianesimo antico di fronte alla pericopo evangelica del 'giovane ricco', Milano 1986, 160–208. (Basilio).
PETERSON, E., Das jugendliche Alter der Lektoren: EL 48 (1963) 437–442.
PETIT, P., Les étudiants de Libanius, Paris 1957. (Libanius).
PETRA, B., Provvidenza e vita morale nel pensiero di Basilio il Grande, Rom 1983.
PETTERSEN, A., The Arian context of Athanasius of Alexandria's Tomus ad Antiochenos VII: JEH 41 (1990) 183–198.
PIETRI, Ch., La politique de Constance II: Un premier 'césaropapisme' ou l'imitatio Constantini?, in: Reverding/Grange (Hgg.), Église 113–172. (Constance).
– Roma christiana. Recherches sur l'Église de Rome, son organisation, sa politique, son idéologie de Miltiade à Sixte III. 311-440, 2 Bde., Rom 1976. (Roma christiana).
PLINVAL, G., DE, Pélage. Ses écrits, sa vie et sa réforme, Lausanne 1943. (Pélage).
PLRE = JONES, A. H. M./MARTINDALE, J. R./MORRIS, J., The Prosopography of the Later Roman Empire. Vol. I: A.D. 260-395, Cambridge etc. 1971.
POHLENZ, M., Philosophische Nachklänge in altchristlichen Predigten: ZWTh 48 (1905) 72–95.
PORTMANN, F. X., Die göttliche Paidagogia bei Gregor von Nazianz (KGQS 3), St. Ottilien 1954. (Paidagogia).

POSCHMANN, B., Die abendländische Kirchenbuße im Ausgang des christlichen Altertums (MThS 7), München 1928. (Ausgang).
– Paenitentia secunda. Die kirchliche Buße im ältesten Christentum bis Cyprian und Origenes (Theoph. 1), Bonn 1940. (Paenitentia).
POUCHET, J.-R., Eusèbe de Samosate, père spirituel de Basile le Grand: BLE 85 (1984) 179–195.
– Les rapports de Basile de Césarée avec Diodore de Tarse: BLE 87 (1986) 248–272.
– L'énigme des lettres 81 et 50 dans la correspondance de S. Basile. Un dossier inaugural sur Amphiloque d'Iconium?: OrChrP 54 (1988) 9–46.
– Une lettre spirituelle de Grégoire de Nysse identifiée. L'epistula 124 du corpus basilien: VigChr 42 (1988) 28–46.
PRESTIGE, G. L., St. Basil the Great and Apollinaris of Laodicea, London 1956. (Basil).
PRINZ, F., Askese und Kultur. Vor- und frühbenediktinisches Mönchtum an der Wiege Europas, München 1980.
PROBST, F., Katechese und Predigt vom Anfang des 4. bis zum Ende des 6. Jh.s, Breslau 1884. (Predigt).
PRUCHE, B., Δόγμα et Κήρυγμα dans le traité Sur le Saint-Esprit de Saint Basile de Césarée en Cappadoce: StPatr IX (= TU 94), 1966, 257–262. (Dogma).
PUECH, A., Histoire de la littérature grecque chrétienne. 3 Bde., Paris 1928–30. (Littérature).
PUZICHA, M., Christus peregrinus. Zur Fremdenaufnahme (Mt 25,35) als Werk der privaten Wohltätigkeit im Urteil der Alten Kirche, Münster 1980.

QUASTEN, J., Musik und Tanz in den Kulten der heidnischen Antike und der christlichen Frühzeit, Münster 1938. (Musik).

RAES, A., L'authenticité de la liturgie byzantine de Saint Basile: REByz 16 (1958) 158–161.
RAFFIN, P., Les rituels orientaux de la profession monastique, Abbaye de Bellefontaine 1974. (Rituels).
RAHNER, H., Kirche und Staat im frühen Christentum, München 1961. (Kirche).
RANCILLAC, Ph., L'Église, manifestation de l'Esprit chez St. Jean Chrysostome, Dar Al-Kalima/Liban 1970. (Église).
RAMSAY, W. M., The Church in the Roman Empire, New York 1893. (Church).
– The Historical Geography of Asia Minor, London 1890. (Geography).
RAUCH, A./IMHOF, P. (Hgg.), Basilius. Heiliger der einen Kirche. Regensburger ökumenisches Symposion 1979, München 1981. (Basilius).
RAUSCHEN, G., Eucharistie und Bußsakrament in den ersten sechs Jahrhunderten der Kirche, Freiburg 1908. (Eucharistie).
– Jahrbücher der christlichen Kirche unter dem Kaiser Theodosius dem Großen, Freiburg 1897. (Jahrbücher).
REGALI, M., Intenti programmatici e datazione delle »Invectivae in Iulianum« di Gregorio di Nazianzo: Cristianesimo nella storia 1 (1980) 401–410. (Invectivae).
REILLY, G. F., Imperium and Sacerdotium according to St. Basil the Great (Cath.Univ.Amer.Stud.Chr.Ant. 7), Washington 1945. (Imperium).
REITZENSTEIN, R., Cyprian der Magier: NGWG.PH 1917, 38–79.
RENTINCK, P., La cura pastorale in Antiochia nel IV secolo (AnGr 178), Rom 1970. (Cura Pastorale).

RESNIK, I. M., Risus monasticus. Laughter and Medieval Monastic Culture: RBen 97 (1987) 90–100.

RESTLE, M., Studien zur frühbyzantinischen Architektur Kappadoziens (Tabula Imperii Byzantini 3), Wien 1979.

REVERDING, O./GRANGE, B. (Hgg.), L'église et l'empire au IVe siècle (Entretiens sur l'antiquité classique 34), Genf 1989. (Église).

RICHARD, M., La lettre »Confidimus Quidem« du Pape Damase: AIPh 11 (1951) 323–340. (Confidimus).

– S. Basile et la mission du Diacre Sabinus: AnBoll 67 (1949) 178–202.

RIEDLINGER, H., Die Makellosigkeit der Kirche in den lateinischen Hoheliedkommentaren des Mittelalters (BGPhMA 38,3), Münster 1958. (Makellosigkeit).

RIEDMATTEN, H. DE, La correspondance entre Basile de Césarée et Apollinaire de Laodicée: JThS.NS 7 (1956) 199–210; 8 (1957) 53–70.

RIPPINGER, J., The concept of obedience in the monastic writings of Basil and Cassian: StMon 19 (1977) 7–18.

RIST, J. M., Basil's »Neoplatonism«. Its Background and Nature, in: Fedwick (Hg.), Symposium I, 137–220. (Neoplatonism).

RITTER, A. M., Statt einer Zusammenfassung: Die Theologie des Basileios im Kontext der Reichskirche am Beispiel seines Charismaverständnisses, in: Fedwick (Hg.), Symposium I, 411–438. (Basileios).

– Charisma in Verständnis des Joannes Chrysostomos und seiner Zeit (FKDG 25), Göttingen 1972. (Charisma).

– Dogma und Lehre in der Alten Kirche, in: Handbuch der Dogmen- und Theologiegeschichte. Bd. 1 (Göttingen 1988) 99-283. (Dogma).

– Amt und Gemeinde im Neuen Testament und in der Kirchengeschichte, in: A.-M. Ritter/G. Leich, Wer ist die Kirche?, Göttingen 1968, 17–115. (Gemeinde).

– Das Konzil zu Konstantinopel und sein Symbol (FKDG 15) Göttingen 1965. (Konstantinopel).

– Rez. W.-D. Hauschild, Die Pneumatomachen: ZKG 80 (1969) 297–406.

– Arianismus: TRE III (1978) 692–719.

– Eunomius: TRE X (1982) 525–528.

– Zwischen »Gottesherrschaft« und »einfachem Leben«. Dio Chrysostomus, Johannes Chrysostomus und das Problem einer Humanisierung der Gesellschaft: JAC 31 (1988) 127–143.

ROBBINS, F. E., The Hexaemeral Literature. A Study of the Greek and Latin Commentaries on Genesis, Chicago 1912.

ROETZER, W., Des Heiligen Augustinus Schriften als liturgie-geschichtliche Quelle, München 1930. (Quelle).

ROSTOVTZEFF, M., The Social and Economic History of the Roman Empire. Vol. I/II, Oxford 1971[2]. (History).

ROTHENHÄUSLER, M., Die Anfänge der klösterlichen Profeß: BenM 4 (1922) 21–28.

– Der hl. Basilius der Große und die klösterliche Profeß: BenM 4 (1922) 280–289.

ROUSSEAU, Ph., Ascetics, Authority and the Church. In the age of Jerome and Cassian, Oxford 1978. (Authority).

– Pachomius. The Making of a Community in Fourth Century Egypt, Berkeley/Los Angeles 1985. (Pachomius).

– The spiritual authority of the »Monk-bishop«. Eastern elements in some western hagiography of the 4. and 5. century: JThS.NS 22 (1971) 380–419.

– The formation of early ascetic communities. Some further reflections: JThS.NS 25 (1974) 113–117.

ROUSSELLE, A., Aspects sociaux du recrutement ecclesiastique au IVe siècle: MÉFRA 83 (1977) 333–370.

ROUX, L., Étude sur la prédication de Basile le Grand, archévêque de Césarée, Strasbourg 1867. (Prédication).

ROY, L., Notes sur l'incident de Nectaire et de son prêtre pénitencier: ScEc 1 (1948) 217–221.

RUDBERG, St. Y., Études sur la tradition manuscrite de saint Basile, Lund 1953. (Études).

RÜEGGER, H., Bruderschaftliche Existenz nach Dietrich Bonhoeffer: Theologische Beiträge 13 (1982) 101–120.

RUETHER, R. R., Gregory of Nazianzus. Rhetor and Philosopher, Oxford 1969. (Gregory).

RUF, A., Sünde und Sündenvergebung nach der Lehre des hl. Johannes Chrysostomos, Diss.theol. Freiburg 1959. (Sündenvergebung).

RULAND, L., Die Geschichte der kirchlichen Leichenfeier, Regensburg 1901.

RUSSO, R., L'importanza delle opere ascetiche basiliane nella vita spirituale del monachesimo orientale dell'Italia Meridionale: Nicolaus 8 (1980) 173–182.

SALACHAS, D., Le lettere canoniche de S. Basilio: Nicolaus 8 (1980) 145–158.

– La legislazione della Chiesa antica a proposito delle diverse categorie di eretici: Nicolaus 9 (1981) 315–347.

SANSTERRE, J. M., Eusèbe de Césarée et la naissance de la théorie »Césaropapiste«: Byz. 42 (1972) 135–195.

SATTLER, W., Die Stellung der griechischen Kirche zur Ketzertaufe bis ca. 500, Marburg 1901. (Ketzertaufe).

SCAZZOSO, P., Introduzione alla ecclesiologia di san Basilio, Milano 1975. (Ecclesiologia).

– Reminiscenze della Polis platonica nel cenobio di S. Basilio, Milano 1970. (Reminiscenze).

SCHÄFER, J., Basilius des Grossen Beziehungen zum Abendlande. Ein Beitrag zur Geschichte des 4. Jahrhunderts n.Chr., Münster 1909. (Beziehungen).

SCHÄFER, T., Das Priester-Bild im Leben und Werk des Origenes, Frankfurt etc. 1977. (Priesterbild).

SCHIEFFER, R., Von Mailand nach Canossa. Ein Beitrag zur Geschichte der christlichen Herrscherbuße von Theodosius d. Gr. bis zu Heinrich IV.: DA 28 (1972) 333–370.

SCHILLING, O., Reichtum und Eigentum in der altkirchlichen Literatur, Freiburg 1908. (Eigentum).

SCHINDLER, A., Das Wort »Gnade« und die Gnadenlehre bei den Kirchenvätern bis zu Augustinus, in: F. v. Lilienfeld/E. Mühlenberg (Hgg.), Gnadenwahl und Entscheidungsfreiheit in der Theologie der Alten Kirche, Erlangen 1980, 45–62.103–105. (Gnadenlehre).

– Die Begründung der Trinitätslehre in der eunomianischen Kontroverse, Hab. theol. Zürich 1964. (Kontroverse).

– Afrika I: TRE I (1977) 640–700.

– Augustin: TRE IV (1979) 645–698.

– Gnade (BII/III): RAC XI (1981) 382–446.

– /KÖTTING, B., Geschichte der Reichskirche bis zum Ausgang der Antike: ÖKG I (1970) 129–225. (Reichskirche).

SCHINZINGER, F., Ansätze ökonomischen Denkens von der Antike bis zur Reformationszeit (EdF 68), Darmstadt 1977.

SCHIWIETZ, St., Das morgenländische Mönchtum. 3 Bde., Mainz 1904-1938. (Mönchtum).

– Geschichte und Organisation der Pachomianischen Klöster im 4. Jh.: AKathKR 81 (1901) 461–490. 630–649; 82 (1902) 217–233. 454–475; 83 (1903) 52–72.

SCHMITZ, J., Gottesdienst im altchristlichen Mailand (Theophaneia 25), Bonn 1975. (Gottesdienst).

SCHNEEMELCHER, W., Das konstantinische Zeitalter. Kritisch-historische Bemerkungen zu einem modernen Schlagwort: Kl. 6 (1974) 37–60.

SCHÜRER, E., Die Juden im bosporanischen Reich und die Genossenschaften der σεβόμενοι θεὸν ὕψιστον ebendaselbst: SPAW 1897, 200–225. (Genossenschaften).

SCHULTZE, V., Geschichte des Untergangs des griechisch-römischen Heidentums. 2 Bde., Jena 1887/1892. (Untergang).

– Altchristliche Städte und Landschaften. II. Kleinasien, Gütersloh 1926.

SCHULTHESS, F., Die syrischen Kanones der Synoden von Nicaea bis Chalcedon (AGWG.PH), Berlin 1908. (Kanones).

SCHULZ, H.-J., Die Anaphora des hl. Basilius als Richtschnur trinitarischen Denkens, in: Fs. F. v. Lilienfeld: Unser ganzes Leben Christus unserem Gott überantworten, Göttingen 1982, 42–75. (Anaphora).

– Eucharistie und Einheit der Kirche nach Basilius dem Großen, in: Rauch/Imhof (Hgg.), Basilius, 199–215. (Einheit).

– Die byzantinische Liturgie, Freiburg 1964. (Liturgie).

SCHWARTZ, E., Zur Geschichte des Athanasius VII: NGWG.PH 1908, 305–374. (Athanasius VII).

– Gesammelte Schriften Bd. I-V, Berlin 1956-1963. (GS).

– Die Konzilien des 4. und 5. Jh.s: HZ 104 (1909) 1–37.

– Über die Sammlung des Cod. Veronensis LX: ZNW 35 (1936) 1–23.

SCICOLONE, S., Basilio e la sua organizzazione dell'attività assistenziale a Cesarea: CCC 3 (1982) 353–372.

SCOUTERIS, K., Ἡ Ἐκκλησιολογία τοῦ Ἁγίου Γρηγορίου Νύσσης, Athen 1969.

SEEBERG, E., Die Synode von Antiochien im Jahre 324/25 (NSCTK 17), Berlin 1913. (Antiochien).

SEEBERG, R., Lehrbuch der Dogmengeschichte, Bd. I-IV, Basel 1953-1954$^{4/5}$. (DG).

SEECK, O., Geschichte des Untergangs der antiken Welt. Bd. I-IV, Darmstadt 1966^{N} (= Stuttgart 1920/22). (Geschichte).

– Zur Chronologie und Quellenkritik des Ammianus Marcellinus: Hermes 41 (1906) 481–539.

– Indictio: RECA IX, 1327ff.

SEIPEL, I., Die wirtschaftsethischen Lehren der Kirchenväter, Graz 1972^{N} (= Wien 1907). (Lehren).

SIEBEN, H. J., Die Konzilsidee in der Alten Kirche, Paderborn etc. 1979. (Konzilsidee).

SIMONIS, W., Ecclesia visibilis et invisibilis. Frankfurt 1970. (Ecclesia).

SIMONETTI, M., La crisi ariana nel IV secolo, Rom 1975.

SLENCZKA, R., Ostkirche und Ökumene. Die Einheit der Kirche als dogmatisches Problem in der neueren ostkirchlichen Theologie, Göttingen 1962.

SNEE, R., Valens' Recall of the Nicene Exils and Anti-Arian Propaganda: GRBS 26 (1985) 395–420.

SPEIDEL, M. P., Legionaries from Asia Minor: ANRW II 7/2, 730–746.
SPIDLIK, T., »Sentirsi Chiesa« nella catechesi di Basilio Magno, in: S. Felici (Hg.), Ecclesiologia e catechesi patristica, Rom 1982, 113–122. (Chiesa).
SPILKER, R., Die Bußpraxis in der Regel des hl. Benedikt. Untersuchung über die altmonastische Bußpraxis und ihr Verhältnis zur altkirchlichen Bußdisziplin, München 1939.
SPANNEUT, M., Eunomius de Cyzique: DHGE XV (1963) 1399–1405.
SPRANGER, P. P., Der Große. Untersuchungen zur Entstehung des historischen Beinamens in der Antike: Saec. 9 (1958) 22–58.
STAATS, R., Gregor von Nyssa und die Messalianer (PTS 8), Berlin 1968.
– Die Asketen aus Mesopotamien in der Rede des Gregor von Nyssa »In suam ordinationem«: VigChr 21 (1967) 167–179.
– Gregor von Nyssa und das Bischofsamt: ZKG 84 (1973) 149–173.
– Deposita pietatis – die Alte Kirche und ihr Geld: ZThK 76 (1979) 1–29.
– Die Basilianische Verherrlichung des Hl. Geistes auf dem Konzil zu Konstantinopel 381: KuD 25 (1979) 232–253.
– Basilius als lebende Mönchsregel in Gregors von Nyssa »De virginitate«: VigChr 39 (1985) 228–255.
– Die römische Tradition im Symbol von 381 (NC) und seine Entstehung auf der Synode von Antiochien 379: VigChr 44 (1990) 209–221.
STADLHUBER, J., Das Stundengebet der Laien im christlichen Altertum: ZKTh 71 (1949) 129–183.
STEIDLE, B., Das Lachen im alten Mönchtum: BenM 20 (1938) 271–280.
STEIN, E., Geschichte des Spätrömischen Reiches. Bd. I: Vom römischen zum byzantinischen Staat, Wien 1928. (Geschichte).
STEINACKER, P., Die Kennzeichen der Kirche. Eine Studie zu ihrer Einheit, Heiligkeit, Katholizität und Apostolizität, Berlin/New York 1982. (Kennzeichen).
STOCKMEIER, P., Aspekte zur Ausbildung des Klerus in der Spätantike: MThZ 27 (1976) 217–232.
STRAUB, J., Regeneratio Imperii. 2 Bde., Darmstadt 1972/86. (Regeneratio).
STUDER, B., Gott und unsere Erlösung im Glauben der Alten Kirche, Düsseldorf 1985. (Erlösung).
– La riflessione teologica nella Chiesa Imperiale, Rom 1989. (Riflessione).
– Das christliche Fest, ein Tag der gläubigen Hoffnung, in: Fs. A. Nocent (StAns 95), Rom 1988, 517–529.

TADIN, M., La lettre 91 de s. Basile a-t-elle été adressée à l'évêque d'Aquilée, Valérien?: RSR 37 (1950) 457–468.
TAMBURINO, P., L'influsso di Basilio sul monachesimo benedettino motivo di unità fra Oriente e Occidente: Nicolaus 7 (1979) 333–358.
TAYLOR, J., St. Basile the Great and Pope St. Damasus: DR 91 (1973) 186–203. 262–274. (Basil).
TEJA, R., San Basilio y la esclavitud: teoría y praxis, in: Fedwick (Hg.), Symposium I, 393–404. (Esclavitud).
– Die römische Provinz Kappadokien in der Prinzipatszeit: ANRW II 7/2, 1083–1124. (Kappadokien).
– Organización económica y social de Capadocia en el siglo IV, según los padres Capadocios, Salamanca 1974. (Organización).
– La Iglesia y la economía en el siglo IV (la doctrina económica de los padres capadocios): RUMa 20 (1971) 113–127.

– Invasiones de godos en Asia Menor antes y después de Adrianapolis: Hispania antigua 1 (1971) 169–177.

TETZ, M., Markellianer und Athanasios von Alexandrien. Die markellianische Expositio fidei ad Athanasium des Diakons Eugenios von Ankyra: ZNW 64 (1973) 75–121.

– Über nikänische Orthodoxie. Der sog. Tomus ad Antiochenos des Athanasios von Alexandrien: ZNW 66 (1975) 194–222.

– Zur Biographie des Athanasius von Alexandrien: ZKG 90 (1979) 158–192.

– Athanasius von Alexandrien: TRE IV (1979) 333–349.

– Athanasius und die Vita Antonii: ZNW 73 (1982) 1–30.

– Athanasius und die Einheit der Kirche. Zur ökumenischen Bedeutung eines Kirchenvaters: ZThK 81 (1984) 196–219.

THIERRY, N., L'archéologie capadocienne en 1978: CCM 22 (1979) 3–22.

THRAEDE, K., Diakonie und Kirchenfinanzen im Frühchristentum, in: W. Lienemann (Hg.), Die Finanzen der Kirche, München 1989, 555–573. (Kirchenfinanzen).

TIECK, W. A., Basil of Caesarea and the Bible, Diss.phil. New York (Columbia Univ.) 1963. (Bible).

TIETZE, W., Lucifer von Calaris und die Kirchenpolitik des Constantius II., Diss.phil. Tübingen 1976. (Lucifer).

TILLEMONT, L.-S. LENAIN DE, Mémoires pour servir à l'histoire ecclésiastique des six premiers siècles, Bd. IX, Paris 1703. (Mémoires).

TILLMANN, F., Besitz und Eigentum bei Basilius dem Großen, in: Fs. J. Mausbach, Münster 1931, 33–42. (Eigentum).

TINNEFELD, F., Die frühbyzantinische Gesellschaft, München 1977.

TOURNEBIZE, F., Arménie: DHGE IV, 290–391.

TREUCKER, B., Basil's letters of recommendation, in: Fedwick (Hg.), Symposium I, 405–410. (Letters).

– Politische und sozialgeschichtliche Studien zu den Basilius-Briefen, Diss.phil. Frankfurt 1961. (Studien).

TROELTSCH, E., Die Soziallehren der christlichen Kirchen und Gruppen, Tübingen 1912.

TROIANO, M. S., I Cappadoci e la questione dell'origine dei nomi nella polemica contro Eunomio: VetChr 17 (1980) 313–346.

– L'»Omelia XXIII in Mamantem Martyrem« di Basilio di Cesarea: VetChr 24 (1987) 147–157.

– Il concetto di numerazione delle ipostasi in Basilio di Cesarea: VetChr 24 (1987) 337–352.

TSANANAS, G. A., Τὰ ἐν τῇ Ἐκκλησίᾳ χαρίσματα τοῦ ἁγ' Πνεύματος κατὰ τὸν Μ. Βασίλειον, in: Theologikon Symposion. Fs. P. K. Chrestou, Thessaloniki 1967, 121–140.

TSIRPANLIS, C. N., Some reflections on St. Basil's Pneumatology: The »Economy« of Silence: Kl. 13 (1981) 173–182.

TURNER, C. H., Canons attributed to the Council of Constantinople, A.D. 381, together with the names of the bishops, from two Patmos mss POB' POr': JThS 15 (1914) 161–178.

UEDING, L., Die Kanones von Chalcedon in ihrer Bedeutung für Mönchtum und Klerus, in: A. Grillmeier/H. Bacht (Hgg.), Das Konzil von Chalkedon. II, Würzburg 1979[5], 569–676. (Chalkedon).

UHLHORN, G., Die christliche Liebesthätigkeit in der alten Kirche, Stuttgart 1882². (Liebesthätigkeit).
ULLMANN, G., Gregorius von Nazianz, der Theologe, Darmstadt 1825. (Gregorius).
URNER, H., Vigilie: RGG VI (1962) 1395f.
USENER, H., Das Weihnachtsfest, Bonn 1911². (Weihnachtsfest).

VAN DAM, R., Hagiography and History. The Life of Gregory Thaumaturgus: Classical Antiquity 1 (1982) 272–308.
– Emperor, Bishops and Friends in Late Antique Cappadocia: JThS.NS 37 (1986) 53–76.
VAN DER MEER, F., Augustinus der Seelsorger. Leben und Wirken eines Kirchenvaters, Köln 1961. (Augustinus).
VEILLEUX, A., La liturgie dans le cénobitisme pachômien au IVe siècle (StAns 57), Rom 1968. (Liturgie).
VELOSO, G. T., Some Monastic Legislations of St. Basil. A Textual Study of the Small Asceticon, the Big Asceticon, and the Three Canonical Letters: PhilipSac 7 (1972) 244–267.
VERHEES, J., Pneuma, Erfahrung und Erleuchtung in der Theologie des Basilius des Großen: OstKSt 25 (1976) 43–59.
VERHEIJEN, L., Nouvelle approche de la règle de Saint Augustin, Bellefontaine 1980. (Approche).
VILLER, M. V./RAHNER, K., Aszese und Mystik in der Väterzeit, Freiburg 1939. (Aszese).
VISCHER, L., Die Auslegungsgeschichte von I. Kor. 6,1-11. Rechtsverzicht und Schlichtung (BGBE 1), Tübingen 1955. (Auslegungsgeschichte).
– Basilius der Große. Untersuchungen zu einem Kirchenvater des 4. Jh.s, Diss.theol. Basel 1953. (Basilius).
– Die Zehntforderung in der Alten Kirche: ZKG 70 (1979) 201–217.
– (Hg.), Geist Gottes – Geist Christi. Ökumenische Überlegungen zur Filioque-Kontroverse (ÖR.B 39), Frankfurt 1981.
VISMARA, G., Episcopalis Audientia (Pubbl.d.Univ.d.Sacro Cuore, Scienze Giurid. II,54), Milano 1937. (Episcopalis Audientia).
VITTINGHOFF, F., Zur Verfassung der spätantiken »Stadt«, in: Studien zu den Anfängen des europäischen Städtewesens. Reichenau-Vorträge 1955/56, Konstanz/Lindau 1965, 11–39. (Verfassung).
VÖÖBUS, A., History of Ascetism in the Syrian Orient. Vol. I/II (CSCO 184. 197), Louvain 1958/60. (Ascetism).
– Einiges über die karitative Tätigkeit des syrischen Mönchtums, Pinneberg 1947. (Karitative Tätigkeit).
VOGT, H. J., Coetus Sanctorum. Der Kirchenbegriff des Novatian und die Geschichte seiner Sonderkirche (Theoph. 20), Bonn 1968. (Coetus).
VOGT, J., Zur Frage des christlichen Einflusses auf die Gesetzgebung Konstantins des Grossen, in: Fs. L. Wenger. II, München 1944/45, 118–148.
VOGÜÉ, A. DE, Les Grandes Règles de S. Basile. Un survol: CCist 41 (1979) 201–226.
– De la »Règle de S. Basile« à celle de S. Benoît: CCist 51 (1989) 298–309.
VOLLENWEIDER, S., Synesios von Kyrene über das Bischofsamt: StPatr XVIII (1986) 233–237.
VON SEVERUS, E., Gebet I: RAC VIII (1972) 1134–1258.
VORGRIMLER, H., Buße und Krankensalbung (HDG IV/3), Freiburg etc. 1978. (Buße).

VRIES, W. DE, Beicht- und Bußpraxis bei Ost- und Westsyrern, OstKSt 20 (1971) 273–279.
– Die Ostkirche und die Cathedra Petri im 4. Jh.: OrChrP 40 (1974) 114–144.
– Die Obsorge des hl. Basilius um die Einheit der Kirche im Streit mit Papst Damasus: OrChrP 47 (1981) 55–86.

WACHT, M., Gütergemeinschaft: RAC XIII (1986) 1–59.
WALDSTEIN, W., Zur Stellung der Episcopalis Audientia im spätrömischen Prozeß, in: D. Medicus/H. H. Seiler (Hgg.), Fs. M. Kaser, München 1976, 533–556. (Stellung).
WATKINS, O. D., A History of Penance. Vol. I: The whole Church to 450, New York 1961N (= London 1920). (Penance).
WAY, A. C., The language and Style of the Letters of St. Basil (CUAPS 13), Washington 1927. (Language).
– The Authenticity of Letter 41 in the Julio–Basilian correspondence: AJP 51 (1930) 67–69.
WEBER, H.-O., Die Stellung des Johannes Cassianus zur außerpachomianischen Mönchstradition (BGAM 24), Münster 1961. (Stellung).
WEBER-SCHÄFER, P., Einführung in die antike politische Theorie. 2 Bde., Darmstadt 1976.
WEISGERBER, L., Galatische Sprachreste, in: Natalicium. Fs. J. Geffcken, Heidelberg 1931, 151–175.
WEISS, Kl., Die Erziehungslehre der drei Kappadozier (StrThS 5,3/4), Freiburg 1903. (Erziehungslehre).
WENGER, L., Asylrecht: RAC I (1956) 836–844.
WERMELINGER, O., Rom und Pelagius. Die theologische Position der römischen Bischöfe im pelagianischen Streit in den Jahren 411-432, Stuttgart 1975. (Pelagius).
– Neuere Forschungskontroversen um Augustin und Pelagius, in: C. Mayer/K. H. Chelius (Hgg.), Internationales Symposion über den Stand der Augustin-Forschung, Würzburg 1989, 189–217. (Forschungskontroversen).
WICKERT, U., Kleinasien: TRE XIX (1990) 244–265.
WICKHAM, L. R., The Date of Eunomius' »Apology«. A Reconsideration: JThS.NS 20 (1969) 231–240.
WILSON, A. M., Reason and relevation in the conversion accounts of the Cappadocians and Augustine, in: B. Bruning/M. Lamberigts/J. van Houtem (Hgg.), Fs. T. J. van Bavel, Leiden 1990, 259–278.
WINKLER, M., Einkommensverhältnisse des Klerus im christlichen Altertum: ThPM 10 (1900) 1–13. 77–82. 162–175. 237–248. 331–339. 471–486. (Einkommensverhältnisse).
WIPSZYCKA, E., Les ressources et les activités économiques des églises en Égypte du IVe au VIIIe siècle, Brüssel 1972.
WIRTH, G., Jovian. Kaiser und Karikatur, in: Vivarium. Fs. Th. Klauser (JAC.E 11), Münster 1984, 353–384. (Jovian).
WITTIG, J., Studien zur Geschichte des Papstes Innocenz I. und der Papstwahlen des 5. Jahrhunderts: ThQ 84 (1902) 388–439.
WRIGHT, D. F., Basil the Great in the Protestant Reformers: StPatr XVII/3 (1982) 1149–1158. (Reformers).
WOYTOWYTSCH, M., Papsttum und Konzile von den Anfängen bis zu Leo I. (440-461), Stuttgart 1981. (Papsttum).

YANNOULATOS, A., Monks and mission in the eastern Church during the fourth century: IRM 58 (1969) 208–226.

YARNOLD, E., The Awe-Inspiring Rites of Initiation. Baptismal homilies of the fourth century, Middlegreen 1971.

ZACCHERINI, G. B., Il problema economico e i problemi sociali nel pensiero e nell'azione di un Padre della Chiesa del IV secolo: San Basilio di Cesarea, Diss.theol. Bologna 1959.

ZAHN, Th., Weltverkehr und Kirche während der ersten drei Jahrhunderte, Hannover 1877. (Weltverkehr).

ZELZER, K., Die Rufinusübersetzung der Basiliusregel im Spiegel ihrer ältesten Handschriften, in: Latinität und alte Kirche. Fs. R. Hanslik, Wien etc. 1977, 341–350. (Rufinusübersetzung).

– Zur Überlieferung der lateinischen Fassung der Basiliusregel: TU 125 (1981) 625–635. (Überlieferung).

ZETTERSTÉEN, K. V., Eine Homilie des Amphilochius von Iconium über Basilius von Cäsarea: OrChr 30 (1933) 67–98.

ZIEGLER, A. W., Gregor der Ältere von Nazianz, seine Taufe und Weihe: MThZ 31 (1980) 262–283.

ZIZIOULAS, J. D., Priesteramt und Priesterweihe im Licht der östlich-orthodoxen Theologie, in: H. Vorgrimler (Hg.), Der priesterliche Dienst. V. Amt und Ordination in ökumenischer Sicht, Freiburg 1973.

ZUMKELLER, A., Das Mönchtum des heiligen Augustinus (Cassiacum 11), Würzburg 1968. (Mönchtum).

– Eph. V,27 im Verständnis Augustins und seiner donatischen und pelagianischen Gegner: Aug. 16 (1976) 457–474.

INDICES

1. WERKE DES BASILIUS (in Auswahl)

De fide (fid.)

Homiliae in hexaemeron (hexaem.)

Homiliae diversae (hom.)

Homiliae in psalmos (hom.ps.)

Regulae fusius tractatae (RF)

Regulae morales (RM)

DUBIA

SPURIA

2. ANTIKE PERSONEN (in Auswahl)

3. MODERNE AUTOREN

IN DIESER REIHE SIND ERSCHIENEN

I. LEONHARD WEBER: Hauptfragen der Moraltheologie Gregors des Großen. Ein Bild altchristlicher Lebensführung. XII–288 S. (1947). vergriffen

II. ANDREAS SCHMID O.S.B.: Die Christologie Isidors von Pelusium. XX–114 S. (1948).

III. JOSEPH K. STIRNIMANN: Die Praescriptio Tertullians im Lichte des römischen Rechts und der Theologie, XII–180 S. (1949). vergriffen

IV. KARL FEDERER: Liturgie und Glaube. Eine theologiegeschichtliche Untersuchung. VIII–144 S. (1950). vergriffen

V. ALOIS MÜLLER: Ecclesia-Maria. Die Einheit Marias und der Kirche. 2. überarbeitete Auflage. XVIII–242 S. (1955).

VI. HENRI DE RIEDMATTEN O.P.: Les Actes du procès de Paul de Samosate. Etude sur la Christologie du IIIe au IVe siècle. 172 p. (1952). épuisé

VII. HUBERT MERKI O.S.B.: Ὁμοίωσις θεῷ. Von der platonischen Angleichung an Gott zur Gottähnlichkeit bei Gregor von Nyssa. XX–188 S. (1952). vergriffen

VIII. OTHMAR HEGGELBACHER: Die christliche Taufe als Rechtsakt nach dem Zeugnis der frühen Christenheit. IX–196 S. (1953). vergriffen

IX. MARK DORENKEMPER C.PP.S.: The Trinitarian Doctrine and Sources of St. Caesarius of Arles. IX–234 p. (1953). out of print

X. TARSICIUS VAN BAVEL O.E.S.A.: Recherches sur la Christologie de saint Augustin. XIII–189 p. (1954). épuisé

XI. LUIGI I. SCIPIONI O.P.: Ricerche sulla Cristologia del «Libro di Eraclide» di Nestorio. La formulazione teologica e il suo contesto filosofico. X–186 p. (1956).

XII. GERVAIS AEBY OFM. Cap.: Les Missions divines. De saint Justin à Origène. XIII–194 p. (1958). épuisé

XIII. FRANZ FAESSLER O.S.B.: Der Hagios-Begriff bei Origenes. Ein Beitrag zum Hagios-Problem. XVIII–242 S. (1958). vergriffen

XIV. IVO AUF DER MAUR O.S.B.: Mönchtum und Glaubensverkündigung in den Schriften des hl. Johannes Chrysostomus. XVI–205 S. (1959).

XXX. Jean-Louis Feiertag: Les Consultationes Zacchaei et Apollonii. Etude d'histoire et de sotériologie. XLIV–380 p. (1990).

XXXI. Marie-Anne Vannier: «Creatio», «Conversio», «Formatio» chez S.Augustin. XXXVIII–240 p. (1991).

XXXII. Klaus Koschorke: Spuren der alten Liebe. Studien zum Kirchenbegriff des Basilius von Caesarea. VIII–408 S. (1991).

UNIVERSITÄTSVERLAG FREIBURG SCHWEIZ

Zum vorliegenden Buch

Zu den Persönlichkeiten, die sehr sensibel auf die neue Situation der Kirche im 4. Jh. reagiert und sich der Frage nach den Konturen des Christlichen in einem veränderten Umfeld gestellt haben, zählt zweifellos Basilius von Caesarea (329/30–379). Auch sein Kirchenbegriff ist gekennzeichnet vom Bewusstsein einer als «katastrophal» beurteilten Gegenwart, der er durch Erinnerung an das «urgemeindliche» Modell kommunitären Christentums zu begegnen sucht. Basilius – Bischof der kappadozischen Kirche und zugleich massgebliche Autorität weiter Kreise des kleinasiatischen Asketentums – hat dies Reformmodell parallel zueinander im Bereich des gemeindlichen wie des monastischen Christentums zu verwirklichen gesucht. Die unterschiedlichen Erfahrungen, die er dabei sammelte, und die innovativen Änderungen, die dies Modell v.a. im Bereich seiner asketischen Gemeinschaften auslöste, machen sein Experiment im Raum der alten Kirche zu einem singulären Unternehmen. Zugleich erlaubt es die Diskussion des Zusammenhangs kirchlichen Handelns und ekklesiologischer Theoriebildung in der Umbruchssituation des 4. Jh.s.